P9-APZ-186

Полина
Дашкова

Представляем
романы Полины Дашковой

Полина Дашкова

Горлов тупик

Издательство АСТ
Москва

УДК 821.161.1-312.4
ББК 84(2Рос=Рус) 6-44
Д21

*Любое использование материала данной книги,
полностью или частично, без разрешения правообладателя
запрещается.*

Художественное оформление серии — *Андрей Ферез*

Дашкова, Полина Викторовна.

Д21   Горлов тупик: [роман] / Полина Дашкова. — Москва: Издательство АСТ, 2019. — 512 с.

ISBN 978-5-17-110702-4

Он потерял все: офицерское звание, высокую должность, зарплату, отдельную квартиру. Дело, которое он вел, развалилось. Подследственные освобождены и объявлены невиновными. Но он не собирается сдаваться. Он сохранил веру в себя и в свою особую миссию. Он начинает жизнь заново, выстраивает блестящую карьеру, обрастает влиятельными знакомыми. Генералы КГБ и сотрудники Международного отдела ЦК считают его своим, полезным, надежным, и не подозревают, что он использует их в сложной спецоперации, которую многие годы разрабатывает в одиночку. Он докажет существование вражеского заговора и виновность бывших подследственных. Никто не знает об его тайных планах. Никто не пытается ему помешать. Никто, кроме девятнадцатилетней девочки, сироты из грязной коммуналки в Горловом тупике. Но ее давно нет на свете. Она лишь призрак, который является к нему бессонными ночами.

Действие романа охватывает четверть века — с 1952 по 1977 годы. Сюжет основан на реальных событиях.

УДК 821.161.1-312.4
ББК 84(2Рос=Рус) 6-44

© Дашкова П.В., 2019
© ООО «Издательство АСТ», 2019

ISBN 978-5-17-110702-4

Если факт не сдается, его уничтожают.

Л. В. Шебаршин,
последний начальник внешней разведки СССР,
из афоризмов.

Глава первая

О**на являлась к нему ночами много лет подряд.
Он просыпался от шороха своих пересохших губ,
от хриплого шепота: «Уходи, уходи!»**

*За два с лишним десятилетия ее ночные визиты слились,
перепутались. Но самый первый он помнил отчетливо.*

*Тот год оказался худшим в его жизни. Он потерял все:
офицерское звание, власть, престиж, высокую зарплату, паек.
Из отдельной казенной квартиры пришлось вернуться
к матери в коммуналку. Он еще легко отделался, его сослужив-
цам повезло меньше. Одних посадили, других расстреляли. Он
уцелел, остался на свободе и сдаваться не собирался. Ему было
двадцать восемь. Он сорок раз отжимался от пола и подтяги-
вался на турнике, пробегал в максимальном темпе десять
километров, без одышки, сердцебиения и мышечной слабости.
У него были отличная память, острое чутье, быстрые реакции.
Он знал, чего хочет, и умел хранить это в тайне.*

*Однажды ночью она возникла между ширмой и раскладуш-
кой, на которой он спал. Не разобравшись спросонья, в чем
дело, он спросил:*

— Ты?

Она не ответила. Он задал следующий вопрос:

— Что тебе нужно?

Опять молчание.

*Тот первый ее визит не сильно испугал его, сразу нашлось
объяснение: усталость, нервы. Мать проснулась от скрипа
раскладушки, села на кровати, проворчала:*

— Что ты вертишься?

— Плохой сон приснился, — объяснил он шепотом.

*Она исчезла на рассвете, и к полудню он забыл о ней. Но
через неделю все повторилось. Потом опять и опять.*

Он накрывался с головой одеялом, зарывался лицом в подушку и все равно ясно видел ее. Она стояла босая, в спущенных чулках, и смотрела на него круглыми сизыми глазами. Мокрое платье липло к телу, с волос текли извилистые ручейки. Рядом валялась пуховая шаль, поблескивал один аккуратный круглоносый бот с пуговками на небольшом каблуке.

Он вставал, стараясь не шуметь, не разбудить мать, отправлялся бродить по длинному коммунальному коридору. Движение успокаивало, но она то и дело вставала на пути.

Он беззвучно напевал бодрые песни, прокручивал в голове хорошие фильмы: «Волга-Волга», «Подвиг разведчика», «Падение Берлина», вспоминал любимые праздники, разукрашенную флагами и портретами Красную площадь. Ее силуэт терялся в толпе, вытеснялся стройными марширующими рядами физкультурников, таял под гусеницами танков, не оставляя следа на брусчатке. Он облегченно вздыхал. Но тут из кухни выскальзывала соседская кошка, шипела, изгибалась дугой. Шерсть вставала дыбом на кошачьем загривке, и он понимал: она никуда не делась, кошка чует ее, видит так же ясно, как он.

Из его горла вылетал беззвучный крик:

— Вали отсюда, вражина, сволочь!

Кошка испуганно убегала, а она по-прежнему стояла неподвижно и смотрела ему в глаза. Он размахивался, бил. Кулак пробивал пустоту.

Москва, январь 1977

* * *

У Никиты резались зубы. Два нижних передних показались месяц назад, а верхние все никак не желали вылезать. Десна распухла, покраснела. Он плакал днем и ночью, успокаивался только на руках. Приходилось носить его по квартире, да еще петь. Лена мерила шагами тридцать четыре необжитых метра на двенадцатом, последнем этаже панельной новостройки, сипло напевала весь известный ей репертуар Окуджавы, Высоцкого, Визбора. Стоило замолчать, остановиться — опять крик.

Это продолжалось бесконечно, с перерывами на кормление, переодевание, купание. О прогулке пока оставалось только мечтать, единственный зимний комбинезон Никита прописал насквозь, после стирки отжать как следует не получилось, комбинезон все не высыхал, а другой теплой одежды не было.

Семь шагов от балконной двери до матраца. Пять от Никитиной кроватки до письменного стола. Еще пять мимо комода, двустворчатого шкафа и новогодней елки.

У Лены немели руки, подкашивались колени, кружилась голова. Она то и дело задевала елку, сыпалась хвоя, качались и позванивали стеклянные колокольчики. Серебристый космонавт в красном шлеме сорвался с ветки, разбился вдребезги. Лена хотела взять веник, смести осколки вместе с хвоей, но Никита поднял рев, когда она попыталась уложить его в кроватку.

Петь она больше не могла, репертуар закончился, повторять одно и то же, как заевшая пластинка, надоело. Она принялась рассказывать Никите бесконечную сказку про медвежонка Васю, которую сочиняла с детства.

Прототипом главного героя был плюшевый мишка, его подарил дедушка, когда Лене исполнилось шесть лет. Светло-коричневый, маленький, он удобно помещался на детской ладони. Его блестящие стеклянные глазки казались зрячими, лапы двигались, голова крутилась и слегка покачивалась, пластмассовый нос был холодным, а плюшевая шерстка — теплой. В детстве Лена верила, что он живое существо, просто притворяется игрушкой. Прежде чем попасть к ней, медвежонок прожил большую сложную жизнь и так устал, что решил пока помолчать. Она сама за него говорила, сочиняла его бурное прошлое, с приключениями, опасностями, злыми колдунами, верными друзьями.

Медвежонок-сирота скитался по миру в поисках своей родни, умел плавать, как рыба, летать, как птица. Он то и дело попадал в разные истории, иногда просто глупые, иногда страшные, опасные для жизни.

Когда Лене исполнилось двенадцать, медвежонок обнаружил следы своей потерянной родни в Англии. Но добраться туда ему никак не удавалось. Приключения продолжались до сих пор. Плюшевый Вася спокойно сидел на письменном столе. Вася сказочный чудом выжил после очередного кораблекрушения и очутился на необитаемом острове.

— Он промок до нитки, замерз и проголодался, — бормотала Лена, — на острове ничего не было, кроме серых валунов, поросших мхом и лишайником, да гигантских деревьев, с такими толстыми и твердыми стволами, что Васе они казались крепостными стенами…

Никита успокоился, но спать не собирался, слушал очень внимательно. За окном слоилась ледяная хмарь, не поймешь, рассвет или сумерки. Лена забыла завести часы и потеряла счет времени. Ветер выл тоскливо и безнадежно. Она повернула ручку желто-черного динамика.

— Повышенные обязательства взяли на себя труженики полей, — бодро пролаял женский голос, — говорит бригадир комбайнеров, передовик, делегат съезда, товарищ Тебякин.

Никита опять заплакал. Лена приглушила радио, заговорила чуть громче:

— В прогалине между камнями скопилось немного пресной дождевой воды. Вася попил, потом нашел какие-то засохшие темно-красные ягоды, они оказались горькими, но голод утолили. Чтобы согреться, обсохнуть, поспать, он набрал мха и сухих листьев, залез в дупло, закрыл глазки… Ш-ш-ш…

— Наша бригада, кагрица, крепко держит знамя победителей социалистического соревнования, кагрица, не подведем родную коммунистическую партию, весь советский народ, наполним закрома родины, кагрица, — монотонным тенором бубнил товарищ Тебякин.

— Кагрица, — задумчиво повторила Лена и продолжила сказку: — Кто-то защекотал медвежонку пятки. Из темноты на него глядели три круглых глаза — зеленый, желтый и красный. Вася узнал свою давнюю знакомую, гусеницу по имени Кагрица, прилипалу и зануду, но даже ей был рад, очень уж не хотелось оказаться на этом мрачном острове в полном одиночестве.

Наконец прозвучало:

— Московское время семнадцать часов. В эфире последние известия.

Лена выключила радио, продолжая бормотать, осторожно уложила Никиту в кроватку. Он сердито заворчал, но не проснулся. Она подкрутила стрелки будильника и наручных часов, подмела пол.

В ванной ее ждала замоченная груда ползунков, пеленок, распашонок, марлевых подгузников. Она равнодушно подумала, что надо бы постирать, чистого почти не осталось, вздохнула, махнула рукой, вернулась в комнату, рухнула на матрац, хотела поспать немного, но живот свело от голода.

В холодильнике было пусто. От новогоднего стола остался кусок торта с розовым кремом. Лена называла такие «комбижир с одеколоном» и с детства терпеть не могла. Антон слопал все и не догадался перед отъездом закупить хоть какой-нибудь еды. Пришлось ограничиться чаем с вареной сгущенкой и куском черного хлеба с половинкой заветренного плавленого сырка.

Конечно, если позвонить маме и дедушке, они приедут, привезут еду, возьмут на себя Никитку и дадут ей, наконец, поспать хотя бы пару часов. Но ближайший автомат через квартал, придется нестись галопом. Никитка спит тревожно, проснуться может в любую минуту, испугается, заплачет. Дед и мама сейчас на работе. Деду в клинику с первой попытки вряд ли дозвонишься. Маму в ее лаборатории поймать проще, но звонить ей совсем не хочется. Она возненавидит Антона еще больше, скажет: «Вот видишь, я права, он лгун и шельма!»

Из девятнадцати лет Лениной жизни еще ни один год не начинался так ужасно. Она рассорилась вдрызг с тремя самыми близкими людьми — с мамой, дедом, мужем. Новенькая квартира на двенадцатом этаже обещала столько счастья, а превратилась в предмет отвратительной семейной склоки.

— «Подвинься, — сказала Кагрица, — а то разлеглся, как у себя дома. Это вообще-то мое дупло». Вася поджал лапы. Кагрица ворочалась, щекотала его своими жесткими щетинками, мигала разноцветными глазами в темноте. Шершавые стены дупла освещались красным, желтым, зеленым. Вася искал свою родню, а Кагрица искала место, где сумеет превратиться из гусеницы в бабочку. Она давно собиралась это сделать, но всегда что-нибудь мешало — дождь, солнце, жара, холод, простуда, выхлопные газы, интриги завистников.

Никита крепко спал, Лена рассказывала сказку самой себе, чтобы не заплакать.

* * *

В самолете начальник Управления достал из портфеля бутылку и предложил выпить.

— Александр Владимирович, вы же не пьете, — напомнил полковник Уфимцев.

— Кухня там специфическая, может вызвать расстройство желудка и даже отравление, надо профилактироваться. — Маленькая круглая физиономия начальника сморщилась в брезгливой гримасе, он стал похож на обиженного младенца.

Стюардесса принесла толстобокие граненые стаканы с кубиками льда, тарелки с закуской. Военный атташе сразу вывалил лед из своего стакана на блюдце. Начальник протянул бутылку Уфимцеву.

— Открой-ка, Юра.

Это был шотландский виски «Johnny Walker» двадцатилетней выдержки, с энергичным джентльменом в красном фраке и черном цилиндре на этикетке. Уфимцев отвинтил крышку, налил строго по ранжиру: сначала начальнику, потом послу, потом военному атташе, наконец себе.

Атташе хмыкнул:

— Джонни Уолкер — Ваня-пешеход.

Старая шутка никого не рассмешила. Посол обильно разбавил виски колой. Чокнулись молча, без тостов. Атташе выпил залпом, пробормотал:

— Ох, крепка советская власть! — и занюхал рукавом пиджака от «Brooks Brothers».

Посол лишь пригубил, сразу отставил стакан. Уфимцев отхлебнул немного, закусил долькой шоколада.

— А вы, Юрий Глебович, я смотрю, совсем американцем стали, — вкрадчиво заметил посол, — только они закусывают виски сладким.

— Или разбавляют колой, — равнодушно парировал Уфимцев, поглядывая на начальника.

Начальник пил медленно, с отвращением, словно ему налили рыбьего жиру. Он совсем раскис, лицо побелело, лоб и лысина покрылись капельками пота. Руки тряслись, лед позванивал в стакане. Долгий перелет из московской зимы в жаркое лето Восточной Африки и двое суток в шумном вонючем Утукку дались ему тяжело, а личное знакомство с президентом республики Нуберро, Бессменным и Бессмертным Птипу Гуагахи ибн Халед ибн Дуду аль Каква едва не довело до инфаркта.

Древнее королевство Нуберро с 1890-го было провинцией единого британского протектората. Страну населяло сорок семь разноязычных племен. Привнесенные извне ислам, протестантизм и католицизм причудливо переплетались с местным язычеством.

После провозглашения независимости в 1962-м сохранилась монархия, король Раян Дауд ибн Укаб аль Чва Первый поддерживал добрые отношения с Британией и США. Вся иностранная собственность осталась неприкосновенной. Вдоль побережья озера Елизавета и у подножия Драконовых гор размещались британские и американские военные базы. На фоне соседних стран, где после падения колониальных режимов кипели гражданские войны и власть менялась чаще, чем времена года, Королевство Нуберро казалось оазисом тишины и благополучия. Работали школы, больницы, электростанции, железные дороги. Экспорт хлопка, кофе, какао, алмазов и золота давал неплохой доход. Белые фермеры, бизнесмены, миссионеры и туристы чувствовали себя в полной безопасности. Тишина и благополучие держались на трех китах: тайная полиция, грамотная пропаганда и непререкаемый авторитет короля.

Советская пресса горячо сочувствовала угнетенному народу, проклинала расистов-империалистов-колонизаторов и называла короля Чва марионеткой Вашингтона.

Птипу Гуагахи ибн Халед ибн Дуду аль Каква, отпрыск рода вождей племени Каква, возглавлял одну из экстремистских группировок, организацию «Копье нации», которая, по мнению консультантов Международного отдела ЦК КПСС, африканистов со Старой площади, являлась национально-освободительной, идеологически близкой и наиболее прогрессивной. Штаб-квартира «Копья» находилась в Ливии, за голову Птипу тайная полиция предлагала сто миллионов нуберрийских фунтов.

Вожди Каква издревле конкурировали с правящей династией Чва, считали свой род более благородным и достойным королевской власти. Британцы поддерживали Чва и всячески подавляли Каква, поскольку последние практиковали ритуальное людоедство. Каква ненавидели британцев. Птипу и его «Копье» получали от СССР деньги и оружие.

В ноябре 1972-го Дауд Чва Первый внезапно скончался в возрасте пятидесяти лет. Его старший сын, наследный принц Рашид Вуови ибн Раян Дауд аль Чва изучал международное право в Оксфорде, увлекался леворадикальными идеями, цитировал Троцкого и Мао, баловался марихуаной, обожал «Битлз» и «Роллинг стоунз», разъезжал по Утукку за рулем алого кабриолета без охраны, в сопровождении юной блондинки, которую вместе с кабриолетом привез из Англии. Блондинка звала его «Риччи», закидывала длинные голые ноги на панель управления, курила, с веселым любопытством поглядывая по сторонам сквозь солнцезащитные очки. Поэт и убежденный вегетарианец, Рашид аль Чва запретил сафари, отменил смертную казнь, объявил всеобщую амнистию, ввел обязательное среднее образование, совместное обучение мальчиков и девочек и отправился праздновать свой двадцать четвертый день рождения в Лондон.

Когда он возвращался домой, самолет был сбит на подлете к Утукку неизвестной ракетой. В ту же ночь границу пересекли хорошо вооруженные отряды «Копья нации». К ним присоединились орды бойцов разных радикальных группировок и уголовники, которых великодушный Рашид аль Чва амнистировал и выпустил из тюрем. Началась народная революция, ее радостно приветствовала пресса социалистических стран. Боевики захватили Радиокомитет, Птипу выступил в прямом эфире, сообщил, что королевский самолет сбила ракета, выпущенная с британской авиабазы, и призвал убивать всех англоговорящих белых, обоего пола и любого возраста.

Вооруженные толпы атаковали королевский дворец, здания министерств и тайной полиции, громили банки, гостиницы, магазины. Британцы и американцы спешно эвакуировались под охраной своих военных. Птипу объявил Нуберро республикой, себя президентом, бывших королевских министров — предателями нации, а британо-американскую собственность — народным достоянием. О судьбе королевских детей, жен и прочих родственников он промолчал. С тех пор никто никогда их не видел. Династия Чва, правившая страной больше пятисот лет, исчезла, словно и вовсе не существовала.

Через месяц после начала своего правления Птипу сообщил по радио, что ему во сне явился Аллах, велел установить шариат и строить в Нуберро исламский социализм. Специальным указом были запрещены кино и театр. С улиц Утукку почти исчезли женщины, а те, что появлялись, были закутаны в черное с головы до пят. По пятницам на центральной площади рубили головы предателям родины. Других массовых зрелищ не было.

Аллах вновь явился ему во сне и велел убивать христиан, ибо они источник всех бед. К тому моменту в стране оставалась единственная католическая миссия во главе со стариком-епископом. Птипу приказал доставить старика во дворец, спросил, как дела, как здоровье, предложил встать на колени, помолиться за светлое будущее Нуберро и выстрелил ему в затылок из своего знаменитого золотого пистолета.

В третий раз Аллах явился и велел объявить войну Америке. Американского посольства уже не было, посреднические функции выполняло посольство Нидерландов. Птипу вызвал посла и вручил ему ноту — объявление войны Америке. Посол вежливо выслушал, принял ноту и удалился. Никакой ответной реакции не последовало. Птипу подождал неделю и сообщил по радио, что молчание США означает их капитуляцию, затем устроил грандиозное празднование победы над американским империализмом и позволил женщинам из племен ходить по улицам без паранджи.

Два года назад, в январе 1975-го, Птипу побывал в Москве с официальным визитом, получил пионерский галстук в Артеке, форму моряка Краснознаменного Черноморского флота в Севастополе, памятную медаль в Волгограде у Мамаева кургана, каску и молот метростроевца на московском заводе «Динамо», орден Октябрьской Революции в Георгиевском зале Кремля, а также горячие троекратные поцелуи Леонида Ильича при встрече и расставании.

Кроме красных галстуков, дипломов, орденов и генсековских лобзаний африканские товарищи получали от СССР беспроцентные денежные займы, станки и оборудование для построения социалистической экономики, оружие для продолжения освободительной борьбы, комбайны для будущих колхозов. В Африку отправлялись тысячи советских военных советников, инженеров, врачей, преподавателей вузов.

Леонид Ильич любил африканских товарищей и ни в чем им не отказывал. Он радушно принимал императора Эфиопии Хайли Селассие Первого, потом лобызал и одаривал президента Менгисту Хайле Мариама, который придушил подушкой императора Селассие с целью построения социализма в Эфиопии. Желанными гостями были людоед Жан Бадель Бокасса, самокоронованный император Центральной Африканской Республики и молодой полковник Муаммар Каддафи, ливийский диктатор, бедуин с грязными ногтями, объявивший себя «королем-философом».

Но никто не мог сравниться с Птипу. Бессменный-Бессмертный в начале шестидесятых учился в Москве, в Институте дружбы народов имени Патриса Лумумбы. Когда он заговорил по-русски, с трогательным акцентом, Леонид Ильич прослезился и стал звать его «Петюней».

Глава вторая

На прежней своей службе он легко переносил бессонные ночи. Там главная работа выпадала как раз на ночь, график был скользящий, можно отоспаться днем. Многие его товарищи теряли сон, а он отключался мгновенно, в любое время суток, стоило лишь уронить голову на подушку. Не мешали ни шум, ни яркий свет. Трех-четырех часов сна хватало, чтобы потом чувствовать себя отлично.

Теперь бессонницы стали мучением, голова тяжелела, мысли путались. Вот для чего она являлась к нему ночами: заморочить, сбить с толку.

Тикал будильник, скрипела открытая форточка, трепетали ситцевые занавески. Он пытался успокоиться, ни о чем не думать, просто считал — один, два, три, и так до тысячи, потом в обратном порядке, но сквозь аккуратный частокол чисел все отчетливей проглядывал ее силуэт. Надо было обязательно поспать хотя бы час, но она не давала, стояла и смотрела.

Младший брат матери, дядя Валентин, когда ругался с женой, ночевал у них. Мать стелила ему ватное одеяло на пол. К полуночи оба храпели, Валентин — ровно, монотонно, мать — прерывисто, с причмокиванием, всхлипами, присвистами. Храп не мешал, наоборот, убаюкивал, но стоило задремать — она тут как тут.

В темноте зрение и слух обострялись, он различал мельчайшие детали. Атласное бежевое платье пропиталось жидкостью, покрылось темными разводами и приобрело мерзкий леопардовый окрас. Две пуговки у ворота оторвались с мясом, на их месте зияли дырки. Волосы, когда-то пепельно-русые, вившиеся мягкими волнами, теперь висели вдоль щек серой паклей. Ресницы слиплись и казались черными. Разве он позволял ей красить ресницы? Разве он звал ее? Как смела она являться к нему в таком виде?

Он пытался прогнать ее, угрожал, оскорблял. Она понимала его. Понимала, но не подчинялась, делала что хотела, возникала и пропадала когда ей вздумается. Он сжимал кулаки. На мякоти ладоней оставались глубокие красные следы от ногтей. Он все не мог привыкнуть, что больше не имеет над ней власти.

Темные капли с ее платья падали прямо на лицо спящего дяди, но тот не шевелился, не морщился, продолжал спокойно храпеть.

Утром на полу поблескивало мокрое пятно. У него гремело сердце. Мать ворчала:

— Надо же, сколько снегу намело из форточки!

Ночью мела метель, однако пятно было слишком далеко от окна. В комнате витал сладковатый аромат ее духов, с примесью нафталина от котиковой шубки, и едва уловимая вонь, влажно-гнилостная, неясного происхождения.

Он спросил:

— Мам, чем это пахнет?

Мать пошевелила ноздрями, сморщилась:

— У Фоминой манная каша опять подгорела, Степаныч вчера за пивом бегал, бидон уронил в коридоре, ни одна сука не догадалась подтереть. Вот и воняет.

Однажды за завтраком он заметил на подоконнике мокрую пуховую шаль. Она медленно, вяло шевелилась, как медуза, выброшенная на берег, испускала мутный зеленоватый пар, тихо шипела и постепенно превращалась в нечто совсем другое, вполне обычное, безобидное.

Он залпом допил чай, откашлялся в кулак и обратился к матери:

— Смотри, что там такое?

Мать вытаращила глаза, вскочила, всплеснула руками и радостно заулыбалась:

— Ох, а я-то уж не надеялась, думала — все, сперли такую дорогую вещь импортную, а он вот он-он, туточки! Нашелся, слаф-те хос-спади!

Вместо шали с подоконника свисал недавно потерянный мохеровый шарф дяди Валентина, синий в красную клетку, и совершенно сухой.

* * *

Это было всего лишь воспоминание, оно могло бы стать зыбким и нестрашным, как случайный ночной кошмар. Могло исчезнуть за давностью лет. Но оно возвращалось. Каждый год в начале января Надежда Семеновна Ласкина переживала приступы страха. Ее пугал шорох шин по утрамбованному снегу, визг тормозов, шаги и голоса за спиной. Она чувствовала, как тянется к плечу железная лапа, и бежала по скользкому тротуару. Сердце прыгало у горла, подкашивались колени, била дрожь, позади звучал топот догоняющих ног. Она ныряла в какой-нибудь темный двор, подальше от фонарного света, и замирала.

В выходные она старалась вырваться из дома под любым предлогом, благо на работе всегда находились сверхсрочные дела. Но иногда уйти не удавалось. Дома, в замкнутом пространстве, приступы проходили тяжелей, чем на улице. Она пряталась в ванной, включала воду, куталась в халат и сидела на коврике, сжавшись в комок, стиснув колени, пока не полегчает.

Она убедила своих близких, что с ней давно все в порядке. Старая травма зарубцевалась, больше не болит и не пугает. Несколько раз папа видел ее лицо до и после приступа и потом долго не мог забыть, очень тактично, робко пытался поговорить.

Может, правда, стоило выговориться?

Много лет назад, когда травма была совсем свежей, она пробовала рассказать родителям, как все происходило, что с ней делали и что она при этом чувствовала. Но губы застывали, голос пропадал. Мама говорила: «Не надо, не вспоминай, не буди лиха, пока оно тихо». А папа плакал. Тогда она решила молчать. Включился древний инстинкт: ужас нельзя называть по имени. «Не буди лиха…» Но подлость в том, что тихое, неразбуженное лихо все равно не спит.

Утро пятого января 1977-го было морозным, сверкали под фонарями сугробы, в чернильно-лиловом небе мигали звезды. Надежда Семеновна шла своим обычным маршрутом, через проходные дворы, по переулку, мимо сберкассы, к трамвайной остановке. Позади зазвучали шаги и мужские голоса. У нее пересохло во рту и сжался желудок. Вот сейчас лапа ляжет на плечо, и она услышит: «Надюха, привет! Не узнаешь? А я тебя сразу узнал. Ты на первом курсе, я на третьем».

Двое за спиной безобидно матерились, обсуждали свои семейные дела и недавние новогодние праздники. А ей чудилось:

«Слушай, я на машине, давай подвезу, нам по дороге, ты на экзамен, и я на экзамен. Сегодня что сдаешь?»

Возникло знакомое ощущение железных пальцев, сжимающих локти. Воспоминание навалилось ледяной волной и заслонило реальность.

Незнакомец в каракулевой ушанке, в массивном синем пальто с каракулевым воротником фальшиво и развязно изображал своего в доску, студента-медика, который по доброте душевной предлагает подбросить ее до института. Она до сих пор не могла простить себе, что на секунду поверила. Институт большой, она только на первом курсе, невозможно запомнить всех в лицо. Его товарищ, одетый точно так же, молчал. Они схватили ее за локти и потащили к сверкающему лаком большому черному автомобилю, припаркованному на углу. В тусклом фонарном свете виднелся силуэт водителя.

«Ты даже не сопротивлялась! — твердил суровый внутренний голос. — У тебя была секунда, ты потратила ее на детский самообман. Хотя бы заорала, позвала на помощь, попыталась вырваться, убежать».

Тем далеким темным утром никто не услышал бы ее крика. Звенел трамвай, где-то рядом выла сирена — то ли пожарные, то ли «Скорая». Железные пальцы вцепились намертво. Не вырвешься. Все продолжалось не долее двух минут. Бесполезно было сопротивляться, но до сих пор жег стыд за свою рабскую покорность.

Арию студента-медика каракулевый допел уже в машине: «Ну, Надюха, поехали на экзамен, ща сдавать будем анатомию с физиологией». Они с товарищем весело заржали, мотор взревел, автомобиль помчался на небывалой для тогдашней Москвы скорости.

«Не помню, какое сегодня число, забыла, какой месяц», — утешала себя Надежда Семеновна в последней робкой попытке смягчить приступ.

У ларька «Прием стеклотары» блестела под фонарем большая глубокая лужа, в радужных бензиновых разводах плавали окурки и всякая мерзость. Лужа не замерзала в морозы, не высыхала под летним солнцем. Пару лет назад тут перекладывали асфальт, но она все равно никуда не делась. Лужа была вечной. Очередь алкашей, старух и подростков огибала ее круглой скобкой, жалась к стене дома. «Стеклотара» открывалась в восемь, но ларечница всегда опаздывала. Очередь терпеливо мерзла.

Басок за спиной бубнил:

— Я этсамое, значит, грю, не жрал я твою курицу, блядь, сама слопала, на хуй а на меня валишь, бока-то, блядь, наела, грю, поперек себя шире, в дверь не пролазишь, этсамое.

— Да ты че?! Прям так и сказал — на хуй? — сипел простуженный тенор. — А она че?

— Сковородку, блядь, чугунную хвать из-под курицы и на меня попёрла, этсамое, убью на хуй, грит.

— А ты че?

— Ну, че, блядь? Увернулся и пендаля ей под зад коленкой.

— А она че?

Диалогу аккомпанировал гулкий стук пустых бутылок в капроновых авоськах. Надежда Семеновна зажала рот варежкой. Ее душил нервный смех, который легко мог обернуться слезами и тошнотой. Она семенила по гололедице, не хотела бежать, но кинулась через дорогу. На другой стороне улицы стоял дом с глубокой темной аркой. Завизжали тормоза, из-за поворота, слепя фарами, выехал грузовик. Ее обдало вонью бензина и выхлопных газов, она чудом не попала под колеса. Водитель притормозил, открыл окно и громко выругался. Она нырнула в арку, вжалась спиной в ледяную кирпичную стену и застыла.

Она понимала: нет никакой внешней опасности. Невозможно убежать и спрятаться от того, что случилось много лет назад. Понимала, но ничего поделать не могла. Она переставала быть собой, превращалась в нечто безликое, мягкое, съедобное. Страх прогрызал дыру во времени и оживал в виде причудливой паукообразной твари, тянул из нее силы, питался ее энергией.

Нажравшись, тварь отваливалась и с омерзительным чмокающим звуком просачивалась сквозь ледяной асфальт назад, в небытие.

С трудом переставляя ноги, Надежда Семеновна поплелась к остановке. В утренней трамвайной давке согрелась, опомнилась. Медленный, ритмичный стук колес, просьбы передать мелочь, ворчание: «Не толкайтесь!», рожица, нацарапанная детским ноготком на заиндевевшем окне, — все это, знакомое, будничное, возвращало ее к реальности.

Она пыталась рассуждать здраво: «В твоем прошлом есть прореха, черная дыра, но ты уцелела, все кончилось хорошо. Ты взрослая, разумная, вполне счастливая женщина, у тебя дочь — умница-красавица, чудесный маленький внук, ты кандидат наук, доцент, Бог даст, допишешь и защитишь докторскую. В тебе ничего не осталось от той беспомощной затравленной девочки. Ничего, кроме шрамов на запястьях и седины. В юности седина выглядела дико, сейчас — вполне нормально, к тому же ты давно научилась ее закрашивать. А шрамы почти не заметны. Забудь, наконец».

Рассуждения не помогали. В такие минуты вся ее жизнь представлялась лишь жалкой попыткой убежать и спрятаться. Она выбрала самую опасную медицинскую специальность: эпидемиолог.

Сражалась с невидимой смертельной заразой, верила, что постоянный риск закалит ее, освободит от унизительного страха.

Месяцами работала в очагах эпидемий в Туркмении и Казахстане, на сорокаградусной жаре в противочумном костюме вскрывала раздутые трупы. Под обстрелом, без резиновых перчаток, принимала роды у больной сифилисом в Анголе. Лечила от холеры колдунов вуду в Бенине, членов тайных братств в Кении и наркоторговцев в Таджикистане. Вводила противооспенную вакцину младенцам в калмыцких степных юртах, в дагестанских аулах, в нищих африканских селениях и вшивых городских трущобах. Перебиралась по веревочному мосту через реку Глер, кишащую крокодилами, в Нуберро.

Она научилась видеть смерть по-взрослому, без всяких мистических бубенцов, трезво оценивала реальные опасности, не теряла головы, справлялась со стрессами, но опасность призрачная, мнимая, вызывала у нее суеверную панику. Воспоминание было ее проклятием, тяжестью и темнотой глубоко внутри, в сердцевине каждого мгновения.

* * *

Вячеслав Олегович Галанов планировал освободиться пораньше. Семестр закончился, в институте до начала экзаменов никаких дел, только консультация у третьекурсников, с одиннадцати до двенадцати. Потом заскочить в «Елисеевский», взять заказ. Он мечтал поскорее скинуть все дела, вернуться домой, побыть в одиночестве, посидеть над своими черновиками. Он устал от застолий. Новогодние праздники, как обычно, длились с конца декабря до середины января. Завтра предстояло ехать на дачу, они с Оксаной Васильевной опять ждали гостей.

На консультацию явилось восемь студентов из сорока двух, причем те, которые и так могли сдать экзамен на «отлично». Вячеслав Олегович ответил на их вопросы, поболтал о литературных новинках и без пятнадцати двенадцать вышел из аудитории.

За дверью притаился сюрприз: студент азербайджанец Мамедов, мужик лет тридцати, здоровенный, пузатый, с полным ртом золотых зубов. Во время летней сессии Вячеслав Олегович не поставил ему зачет. В течение семестра Мамедов трижды пытался пересдать, но так и не сумел ответить ни на один вопрос. Его тупость и наглость раздражали, рука не поднималась чиркнуть «зачт.», как это делали в таких случаях другие.

Судя по выпученным глазам и красной роже, Мамедов отступать не собирался. Понятно, с понедельника начиналась зимняя сессия.

— Минэ к ызамын ны дапускат!

Мамедов зашагал рядом по узкому коридору, помахивая раскрытой зачеткой. Старый паркет жалобно скрипел под его тяжелой поступью.

— И правильно! — огрызнулся Галанов.

— Нычэво ны правылно! Стыпэндыю ваще ны дают!

— Вы, Мамедов, лекции пропускаете, учитесь четвертый год, а по-русски говорить грамотно не умеете. — Галанов покосился на его изумрудный, с золотой искрой галстук и ускорил шаг.

Мимо сновали преподаватели, студенты, приходилось жаться к стене. Коля Лоскутов, завкафедрой художественного перевода, поравнявшись с Галановым, шепнул сочувственно:

— Слав, лучше поставь, не отвяжется.

Первокурсница с семинара поэзии обогнала их на повороте, улыбнулась:

— Здравствуйте, Вячеслав Олегович.

«Катенька! — Сердце нежно вздрогнуло. — Надо же, не забыла мое имя, смотрит, улыбается».

Он ничем не выдал своих чувств, сохранил серьезность, холодно кивнул в ответ:

— Добрый день.

Ее звали Катя Снегирева. Он принимал у нее вступительный экзамен по литературе, запомнил сразу, настолько была хороша. Нежный овал лица, высокая шея, гордая посадка головы — будто оживший портрет кисти Боровиковского. Он старался не смотреть в ее большие темные глаза, слишком опасно. На экзамене спрашивал нарочито строго и поставил «отлично» вовсе не за очарование, а за безупречные знания.

Она проскользнула мимо, он проводил ее взглядом, мысленно расстегнул молнию клетчатой шерстяной юбки, стянул через голову мешковатый серый свитер, вытащил шпильки из тяжелого узла на затылке и сглотнул, представив, как рассыпаются длинные каштановые волосы по обнаженным плечам. Наваждение продолжалось не долее секунды. Катя исчезла, на ее месте соткалась из воздуха дородная фигура Оксаны Васильевны, сурово погрозила пальцем и тоже исчезла. Галанов взглянул на часы. Без десяти двенадцать.

— Стыпэндыю ны плотют, матпомощь даже ны дают! — канючил Мамедов. — Я выучил! Высо зынаю! Сыпрасы лубой вапырос! Прам щас сыпрасы, давай!

— Во вторник в четыре зайдите на кафедру, поговорим.

— Выторнык?! Нэт, нэлзя выторнык!

Дверь учебной части открылась, в проеме появилась завуч Наталья Ильинична.

— Вячеслав Олегович, можно вас на минуту? Мамедов, подождите в коридоре.

В просторном кабинете пахло кофе. В кресле у окна раскинулся секретарь парторганизации, завкафедрой марксизма-ленинизма Володя Романчук, полный, лысый, с добрым испитым лицом.

К нему на подлокотник молодецки присел семидесятилетний поэт Григорий Озеркин, в черном кожаном пиджаке поверх алой водолазки, подтянутый, без пуза, трижды разведенный, четырежды женатый. Он руководил семинаром поэзии, на котором училась Катя. У стола, закинув ногу на ногу, сидела приглашенная преподавательница грузинской литературы Тина Чкония, тонкая синеглазая брюнетка, с мальчишеской стрижкой и крупными бриллиантами в ушах.

— О, Слава, вот и ты, — радостно воскликнул Романчук.

— Кофе хотите? — спросила грузинка.

Она говорила по-русски почти без акцента, голос низкий, глубокий, волнующий.

Галанов поздоровался со всеми, от кофе отказался, взглянул на часы: двенадцать без семи.

— Вячеслав Олегович, тут у нас такая история. — Наталья Ильинична одернула жакет и поправила прическу. — Да вы присядьте, в ногах правды нет.

— Видите ли, я спешу очень. — Галанов нервно кашлянул.

— Поспешишь — людей насмешишь. — Романчук хихикнул и ткнул Озеркина локтем в бок.

Тот хихикнул в ответ, соскользнул с подлокотника, взял Галанова за плечи и почти насильно усадил в соседнее кресло.

— Ну, братцы дорогие, — взмолился Вячеслав Олегович, — не тяните кота за хвост, честное слово, ждут меня.

Вдруг показалось, что ждет вовсе не Оксана Васильевна завтра на даче, а Катя в его «Волге» во дворе, сегодня, сейчас. Перед глазами помчались непрошеные видения. Он садится за руль, они целуются и едут сначала к служебному входу «Елисеевского», потом к нему в пустую квартиру у метро «Аэропорт». На заднем сиденье — пакеты с заказом: осетр горячего копчения в промасленной бумаге, палка финского сервелата, две пачки тончайших польских галет, цейлонский чай, кофе «арабика», марокканские апельсины, венгерские яблоки. Запас на несколько безумных суток. Запереть все замки, выключить телефон. Никаких дачных застолий, никаких гостей, никакой Оксаны Васильевны, и гори все синим пламенем...

— О чем задумался, детина? — долетел до него сквозь сладостный туман бодрый голос Озеркина.

Он решительно тряхнул головой, видения исчезли.

— А тортик? — ласково предложила завуч. — Свеженький, только из кулинарии.

— Вы же знаете, я не ем сладкого! — Получилось слишком громко, грубо, он выдавил виноватую улыбку и добавил: — Спасибо, Наталья Ильинична.

— На нет и суда нет. — Она вздохнула и заговорила совсем другим, строгим официальным тоном: — Вячеслав Олегович, у вас на семинаре учится студент Логлидзе Нодар Вахтангович.

— Есть такой. — Он вспомнил рыжего худющего грузинского юношу с жидкой бородкой а-ля Добролюбов. — Способный, но звезд с неба не хватает и пропускает много.

— Вот именно! — Завуч подняла вверх палец и стала похожа на грозящую Оксану Васильевну. — На ноябрьские уехал домой в Кутаиси, вернулся только двадцатого.

— Знаю, — кивнул Галанов, — болел, в больнице лежал. Разве справку не предъявил?

— Предъявил. — Завуч шагнула к столу, вытащила медицинский бланк. — Все как положено, печати, подписи на месте, только написано по-грузински.

— Правильно, больница же в Кутаиси. — Галанов опять взглянул на часы.

Двенадцать ноль-пять. Прасковья Петровна предупредила, что работает сегодня до часа. Потом придет сменщица. Хотелось успеть, застать Прасковью, сменщицы обязательно что-нибудь путают, забывают положить самое вкусное. От института на машине минут пятнадцать. Повороты, светофоры, одностороннее движение. Пешком добежишь быстро, но назад, к машине, тащить громоздкие пакеты неудобно.

— Я тоже так подумала, — продолжала завуч, — документ как документ, Логлидзе к зимней сессии допущен, «хвостов» не имеет, учится без троек. А вот вчера бумаги разбирала, и зашла Тина Георгиевна, заметила справку на грузинском.

В дверь постучали, появилась черная голова Мамедова:

— Ызвынаюс, рышилы мой вопрос уже?

Все молча уставились на Галанова: решать ему, никто за него Мамедову зачет не поставит. А поставить придется, потому что Мамедов родной племянник известной партийной шишки в Баку, шишка в приятельских отношениях с ректором института, с кем-то в ЦК, в КГБ и чуть ли не с самим Леонидом Ильичом. Не давать такому стипендию и матпомощь — подвиг вольнодумства, об отчислении речи быть не может.

Галанов безнадежно махнул рукой.

— Зайдите, Мамедов.

Племянник ввалился, протянул зачетку вместе с шариковой ручкой. В прозрачной трубочке плавала в глицерине красотка, то в купальнике, то без купальника. Галанов чиркнул в нужной графе «зачт.», расписался.

— Сыпасыба, — сверкнула золотая улыбка.

— Не за что. Идите.

Племянник шагнул к двери, но вдруг остановился, посмотрел на завуча и спросил:

— А как насычет стыпэнди?

Наталья Ильинична густо покраснела, всплеснула руками:

— Совесть есть у вас, Мамедов?! Стипендию получают студенты, которые учатся без троек, у вас, Мамедов, ни одной четверки, вам «удовлетворительно» с трудом натягивают.

— У кого тройки, таму матыпомош.

— Голодаете? — ласково спросил Романчук. — На хлеб не хватает?

— Нэт! — Племянник возмущенно запыхтел. — Кушаю хорошо! Паложыно матыпомош мынэ!

— Идите, Мамедов! — рявкнул Вячеслав Олегович. — Идите, а то я ваш зачет аннулирую!

— Ны нада! — Племянник спрятал зачетку в карман и выкатился.

— Иди, сын мой, и больше греши, — пропел Озеркин, когда дверь за ним закрылась.

— Вот бесстыжий, — завуч фыркнула, — выдали ему бесплатный проездной, а он на «Волге» новенькой по Москве разъезжает, в общаге комнату за ним держим отдельную, а он трехкомнатную квартиру на Арбате снимает.

Озеркин тихо присвистнул, Романчук покачал головой:

— Ну уж и на Арбате! Ну уж и трехкомнатную!

Вячеслав Олегович выругался про себя: «Плевать, на чем разъезжает, что и где снимает, сейчас два часа будут обсуждать».

— Так что там с Логлидзе? — спросил он, в очередной раз взглянув на часы.

— Ах, да. — Тина надела очки и стала читать своим глубоким волнующим голосом: — «Справка дана гражданину Логлидзе Нодару Вахтанговичу, 1958 года рождения, в том, что 8 ноября сего года он был экстренно госпитализирован и прооперирован в больнице номер 10 города Кутаиси по поводу внематочной беременности. К занятиям в институте может приступить с двадцатого ноября сего года. Освобожден от физкультуры на два месяца».

Романчук прыснул.

— Второй раз эту песню слушаю, не могу!

— А нам с тобой, Слава, особенно смешно, — Озеркин подмигнул, — мы с тобой ему рекомендации в партию давали.

— У него кандидатский стаж в феврале заканчивается. — Романчук икнул и высморкался. — Что будем делать?

— Я не хотела навредить мальчику, — медленно произнесла Тина, — прочитала и перевела машинально. Я говорила Наталье Ильиничне и вам повторю: не надо это раздувать. Зачем портить жизнь ребенку?

— Ребенку! — Завуч передернула плечами. — Взрослый мужик, и нахал к тому же. Почему они так написали? Поиздеваться решили?

— Да бог с вами, Наталья Ильинична, — синие глаза Тины вспыхнули, бледные щеки порозовели, — разве они знали, что здесь, в Москве, в учебной части, кто-то сумеет перевести с грузинского? Никогда себе не прощу...

— Ну, все равно, — смягчилась завуч, — другое что-нибудь не могли сочинить? Аппендицит или, там, гланды?

— Не могли. — Тина решительно помотала головой. — Вдруг напишут, а потом правда случится? Накаркать боялись. Внематочная беременность мальчику точно не грозит, вот и написали.

— Логично. — Галанов нервно усмехнулся.

— Делать что будем? — повторил Романчук.

— Слав, ты сказал, он способный. — Озеркин поцокал языком и сдвинул в задумчивости седые брови. — Может, пропесочим хорошенько у нас на партбюро и пусть учится? Зачем сор из избы выносить?

— Способный, — кивнул Галанов, — по сравнению с Маме-довым вообще гений.

Зазвонил телефон. Завуч ответила:

— Да, Оксана Васильевна, здравствуйте, да, тут, у нас.

Галанов взял трубку, услышал возбужденный голос жены:

— Славик, уф, хорошо, застала тебя, а мы тут с Клавой за-шиваемся, Сошников звонил, он в командировку не уехал, прий-ти хочет, и Федя Уралец с каким-то приятелем, еще Дерябины пожалуют в полном составе, в общем, по итогам человек пятнад-цать будет.

За окном, в институтском дворе, возле памятника Герцену стояла группа студентов, они что-то бурно обсуждали, жестику-лировали, курили. Среди них Катя в коротком овчинном тулуп-чике, в ярком бирюзовом платке.

— Скатерть сложи аккуратно в пакет, — журчала трубка, — ну, ту, с красными петушками, вилок двенадцать штук, только не серебряных, а мельхиоровых...

Катя слепила снежок и бросила в белобрысого обалдуя с се-минара драматургии. Обалдуй обнял Катю, повалил в сугроб, они резвились в снегу, как щенки, их счастливый визг долетал сквозь приоткрытую форточку.

— Во втором ящике, смотри, не забудь... Гвоздика сухая, в бу-фете, где пряности... Как только вернешься домой, сразу пере-звони мне!

— Да, да, — повторял Галанов, покорно кивая.

Глава третья

По утрам он давился синеватой манкой, сплевывал рыхлые комочки, мазал на хлеб комбижир вместо масла, хлебал мутный чай и вспоминал вкус черной икры, ананасов, апельсинов, парной телятины. В этой вонючей коммуналке он родился, вырос и еще ребенком точно знал: надо вылезать из дерьма во что бы то ни стало. Хотелось жить в отдельной квартире, спать на просторной мягкой кровати, есть вкусную еду. Не просто хотелось, а полагалось по праву, потому что он не такой, как все. Он лучше, умней, других. Он с детства чувствовал, что поднимется очень высоко, сделает блестящую карьеру. Так и случилось. Он поверил в свои силы, осознал свою особую миссию. Но они сбили его на взлете, швырнули назад, в дерьмо. Пришлось начинать все сначала.

Его рабочий день длился с пяти утра до десяти вечера. Он устроился монтером-путейцем в метро. Метрополитен и принадлежность к рабочему классу давали солидные преимущества при поступлении в вуз. Днем вкалывал, вечером ходил на подготовительные курсы в Институт стран Азии и Африки. Хотел выучить восточные языки, прочитать в подлиннике все, что его интересовало, добраться до истоков древнего зла.

Он глотал библиотечную пыль, фильтровал информацию, собирал факты, делал выводы. Чем больше узнавал, тем ясней понимал, что они — не люди. Иной вид, иной состав крови. Биологические механизмы, человекообразные паразиты. Они живучи, как крысы, меняют кожу, как змеи, приспосабливаются к внешней среде, как тараканы. Они проникают во все поры общества, влияют на политику, финансы, культуру, развязывают войны, разрушают государства, совращают молодежь.

Иногда, отрываясь от книги или порыжевшей подшивки старых газет, он украдкой оглядывал тихий читальный зал. Среди лиц, подсвеченных настольными лампами, он безошибочно узнавал их личины. Они обложили его со всех сторон, следили за каждым шагом. По утрам сновали мимо под видом торопливых прохожих, днем, за обедом в метростроевской столовке, присаживались к нему за стол под видом простодушных говорливых коллег. Вечерами в институте их было особенно много. Одни готовились к поступлению, другие уже стали студентами, преподавателями, профессорами. Он разговаривал с ними, смеялся их шуткам, рассказывал анекдоты, которые смешили их. Всему свое время, они не должны догадаться, что ему о них все известно.

Ночами являлась она. Лишь он один видел ее, поскольку обладал сверхъестественными способностями, видел незримое, понимал тайное.

В коммуналке не было никаких удобств, кроме струйки ржавой водицы из крана в общей кухне да оглушительно вонючего сортира, одного на двадцать семей, с вечными засорами и газетными обрывками, нанизанными на гвоздь. По воскресеньям приходилось посещать общественную баню.

Он ненавидел смрадный туман, лавки, пропитанные потом и мыльной слизью, влажные казенные простыни в желтых разводах, цинковые шайки с неровными, будто обглоданными краями, брызги в лицо от взмахов чужих мочалок. Особая банная акустика делала каждый звук преувеличенно громким, гулко-тягучим. Какофония голосов, смеха, грохота воды, звона шаек разрывала мозг.

В тумане маячили силуэты голых мужиков. Обвислая кожа, сгорбленные спины, вздутые животы, костлявые ноги в разводах распухших вен, наколки, шрамы, фурункулы. Он подцепил ногтевой грибок. Из гардеробной сперли габардиновое пальто. Мать предупреждала: носи телогрейку! Но и телогрейку сперли, и последние приличные ботинки. Теплую нижнюю фуфайку вместе с кальсонами какая-то мразь вынесла из предбанника, *пока он мылся. Он написал заявление в райотдел милиции, разумеется, без толку.*

Однажды беззубый дед с культей вместо правой руки обратился к нему «сынок», попросил потереть спину и облить из шайки. Он выполнил просьбу и вдруг осознал, что теряет себя, становится безликой частицей скотской массы. Голый среди голых, равный среди равных.

* * *

Полковник Уфимцев Юрий Глебович четвертый год торчал в Нуберро. За это время в гостях у Бессменного-Бессмертного успели побывать самые высокие советские чиновники, от Косыгина до Громыко. Птипу ревниво следил, все ли важные птицы из СССР и стран соцлагеря почтили его визитами. Гостей он селил на единственной приличной вилле, уцелевшей после крушения колониализма, неподалеку от президентского дворца, и старался поразить их воображение своим могуществом.

Делегации чехов на торжественном обеде был предложен десерт из мозга обезьянок, которым заживо сжимали тисками головы и мгновенным движением мачете сносили полчерепа. Товарищей из Министерства обороны Польши потчевали ритуальным забоем слона. Его совершало раз в году братство Леопарда племени Каква. Всем присутствующим полагалось мазать лица теплой слоновьей кровью и пить ее из чаши, по кругу. Высокопоставленных сотрудников Штази пригласили на берег реки Глер, полюбоваться праздником «Торжество справедливости». Из тюрьмы привезли еще живых после пыток представителей «пятой колонны» и на глазах немецких чекистов бросали в реку, кишащую крокодилами.

Товарищу Косыгину Птипу попытался подарить дюжину двенадцатилетних девственниц. Заметив реакцию Алексея Николаевича, понимающе подмигнул и предложил мальчиков. Категорический отказ от подарка воспринял как личную обиду, загладить которую сумела только очередная крупная поставка «калашниковых».

Товарищ Громыко на торжественном банкете обнаружил в своей тарелке несколько странных предметов, которые при ближайшем рассмотрении оказались детскими пальчиками. Знаменитая выдержка министра иностранных дел на этот раз изменила ему. Андрей Андреевич вскочил и заметался по залу, зажав рот ладонью. Никто, включая посла, не успел понять, в чем дело. Полковник Уфимцев вовремя пришел на помощь, быстро проводил товарища Громыко к ближайшему сортиру. Бессменный-Бессмертный мастерски разыграл искреннее недоумение:

— Я приказал подать вам королевский деликатес! Если с блюдом что-то не так, я прикажу отрубить голову повару!

— Все в порядке, ваше высокопревосходительство, не беспокойтесь, блюдо прекрасное, просто товарищ Громыко неважно себя чувствует после долгого перелета, — поспешил ответить за министра полковник Уфимцев.

Наконец настал черед начальника Первого Главного управления КГБ генерал-полковника Кручины Александра Владимировича.

Кручина был не стар, всего пятьдесят три, фанатично следил за здоровьем, накануне отлета в Нуберро сделал все положенные прививки, взял с собой упаковку одноразовых медицинских перчаток, кучу антисептиков.

Полковник Уфимцев приехал в аэропорт встречать самолет Кручины и скромно ждал в сторонке. В честь дорогого гостя на аэродроме выстроился босоногий почетный караул в коротких штанах с винтовками времен Первой мировой. Как только самолет приземлился, оркестр заиграл гимн СССР.

К трапу подрулил черный «роллс-ройс», из него вылез сам Птипу, великан двухметрового роста, весом килограмм сто пятьдесят. На нем была белая адмиральская форма с золотыми аксельбантами и бриллиантовыми орденами, у пояса висела сабля в золотых ножнах, усыпанных драгоценными камнями. Орден Октябрьской Революции болтался где-то между ног.

За спиной президента маячил Закария Раббани, высокий широкоплечий ливиец в полувоенном френче цвета хаки и красно-белом бедуинском платке на голове. Светлокожий, с европейскими чертами, он выглядел и вел себя как ходячий манекен. Лицо, разрубленное поперек на три части черными бровями и усами, абсолютно ничего не выражало.

После визита в СССР Птипу взял за правило целоваться с гостями при встрече и расставании. Маленького хрупкого Кручину он поймал, как кот воробья, на нижних ступеньках трапа и смачно облобызал в обе щеки своими толстыми мокрыми губами.

Первое, что услышал Уфимцев от шефа, был панический шепот:

— Юра, где тут умыться?

Уфимцев протянул ему влажные антисептические салфетки и поймал подозрительный взгляд ливийца.

Поцелуй запечатлели сразу несколько фотографов и операторов с камерами. Кручина привык, что его визиты за границу всегда строго секретны.

— Пресса? Телевидение? — спросил он тревожно.

— Александр Владимирович, в этой стране нет ни прессы, ни телевидения, только радио.

— Так какого лешего они снимают?

— На память, для истории, — объяснил Уфимцев и подумал: «А ведь я предупреждал. Погодите, то ли еще будет!»

Во дворце на торжественном обеде Кручина обнаружил у себя в тарелке бело-розовое полупрозрачное нечто, размером и формой напоминающее мячик для пинг-понга. Генерал сильно побледнел, хотя был готов к разным сюрпризам, получал от Уфимцева подробные отчеты о нуберрийских приключениях Косыгина и Громыко. Между тем Птипу поднимал тост за крепкую нуберрийско-советскую дружбу, за победу социализма во всем мире, за здоровье дорогого товарища Брежнева.

Спиртного на столе не было, все-таки мусульманская страна. Пили гранатовый сок и чистую воду. Птипу внимательно следил за Кручиной, посмеивался.

— Александр Владимирович, глаз не настоящий, резиновый, — тихо соврал Уфимцев, чтобы успокоить начальника.

Кручина не поверил, но нашел в себе силы встать и произнести ответную речь. Поблагодарил хозяина за гостеприимство, пожелал ему здоровья и процветания свободолюбивому народу Нуберро.

После обеда автомобильный эскорт отправился на экскурсию по столице.

При англичанах центр города был застроен элегантными невысокими зданиями в викторианском стиле. По обеим сторонам улиц росли апельсиновые, лимонные и манговые деревья. Частные виллы, гостиницы, офисы банков, алмазных, кофейных и хлопковых компаний прятались в тени финиковых и кокосовых пальм, древних раскидистых баобабов и сикомор. В парках зеленели подстриженные газоны и цвели фантастические африканские цветы. Не выключалось электричество, работали водопровод и канализация. Университет, Национальный театр, музей антропологии и археологии открылись в начале двадцатых и закрылись в 1972-м. От колониализма остались полуразрушенные грязные фасады, завешенные изображениями Птипу в разных позах и нарядах, да пара асфальтовых трасс — от аэропорта до дворца и от дворца до центральной площади.

Городские улицы были покрыты красной глиной, она раскисала под дождем, трескалась под солнцем, превращалась в розовую пыль, от которой слезились глаза и першило в горле. Обочины заросли диким кустарником, в нем прятались змеи. На стволах деревьев гроздьями висели летучие мыши.

Вдоль асфальтовой трассы выстроились мужчины в пестрых одеждах. Они размахивали флажками, прыгали и громко кричали. Так полагалось приветствовать вовсе не гостя, а Бессменного-Бессмертного, когда он появлялся в городе.

На Центральной площади Кручину ждал очередной сюрприз. После арабо-израильской войны Птипу воздвиг памятник Гитлеру, назло евреям. Потом, чтобы не обижать советских друзей, поставил напротив памятник Сталину. Так они и стояли, оба из черного мрамора, на высоких гранитных постаментах, одинакового размера, в одинаковых позах, с воздетыми друг другу навстречу правыми руками. Кручина вжал голову в плечи и притворился, что не узнал ни того, ни другого.

Поднявшись на балкон уцелевшего здания бывшей мэрии, гость и хозяин смотрели концерт. На площади между Гитлером и Сталиным под звуки тамтамов женщины племени Лан, обмазанные охрой, в набедренных повязках из перьев, исполнили древний ритуальный танец, в бешеном ритме трясли мощными грудями и выдающимися шарообразными ягодицами. Детский хор на языке, которые они считали русским, исполнил «Подмосковные вечера». Затем началось карнавальное шествие. Прошли пляшущей походкой представители разных племен, женщины и мужчины, обнаженные до пояса, увешанные бусами и браслетами. Двухметровые, тонкие, как тростник, шоколадные чва, коренастые угольно-черные каква, крошечные светлокожие пигмеи с плоскими монголоидными лицами. Потом проковыляли беззубые старички в поношенной, с чужого плеча, полувоенной форме, на погонах блестели пуговицы. Ходячие скелеты, редчайшие живые артефакты — средняя продолжительность жизни в Нуберро не превышала сорока лет у мужчин, тридцати восьми у женщин. За старичками прошагало несколько босоногих рот регулярных войск. Следом явились взводы маленьких милиционеров и пожарных в медных касках, мальчики от семи до десяти.

Внезапно стемнело, подул ветер, вздымая волны розовой пыли, и хлынул ливень. Казалось, с неба бьют водяные струи из сотни тысяч брандспойтов. Дети как ни в чем не бывало продолжали маршировать, с явным удовольствием шлепая босыми ногами по размокшей глине.

На следующее утро Кручине устроили экскурсию в тюрьму, показали камеры, карцеры, комнаты пыток, лазарет и морг. Ни одного живого заключенного экскурсанты не увидели. Директор тюрьмы, полный, благообразный каква в белом европейском костюме, рассказывал на невнятной смеси английского и суахили, каких успехов добилась пенитенциарная система Нуберро при благословенном правлении Его Высокопревосходительства. Полный титул состоял из пятидесяти четырех слов, ровно на двадцать слов длиннее титула британской королевы. Каждый чиновник обязан был знать их наизусть и при любом упоминании Бессменного-Бессмертного произносить все до единого. Пропуск слова в титуле мог стоить головы, поэтому речь директора состояла из бесконечных повторений. На деликатный вопрос Кручины, где же заключенные, он ответил, поблескивая стеклами очков в тонкой золотой оправе, что каждое утро их отправляют работать на хлопковые плантации.

В здании воняло нечистотами, жужжали тучи мух, стены были изъедены грибком. В морге на цинковых столах лежало несколько обнаженных истерзанных трупов. Экскурсанты отворачивались и прикрывали носы платками.

Следующим номером программы значилась встреча с начальником тайной полиции. Ливиец Закария Раббани со своей командой занимал здание бывшего Национального театра. Но кортеж проехал мимо, и стало ясно, что встреча состоится в президентском дворце. Уфимцев ничего иного не ожидал, а Кручина уже устал удивляться.

Бессменный-Бессмертный принял их в тронном зале. Он восседал на высоком позолоченном троне, наряженный в белоснежный арабский балахон. У подножия трона на низких стульчиках сидели две из его тридцати семи жен, девочки лет четырнадцати, в черных хиджабах. Каждая держала на коленях по младенцу не старше года. Раббани появился из глубины зала, все в том же френче и платке.

— Империалисты-сионисты хотят завоевать весь мир, установить свои порядки, — начал Птипу на суахили, — мы должны плечом к плечу сплотиться в борьбе против гнусного заговора наших врагов.

Его чистый баритон отдавался гулким эхом в огромном пустом зале. Уфимцев тихо переводил, склонившись к уху Кручины, и заметил, что у того подергивается веко. Раббани неподвижно стоял возле трона. Дети вертелись и хныкали все громче. Юные мамаши пытались их утихомирить, испуганно поглядывая на Птипу. А он говорил без передышки, медленно, громко, нараспев. Когда младенцы заревели в полный голос, он, не прерывая речи, махнул рукой. Жены встали и попятились задом наперед к выходу, едва удерживая на руках извивающихся орущих детей. Кручина встрепенулся, он надеялся, что смена обстановки создаст хоть малюсенькую возможность вклиниться, начать диалог, пообщаться с Закарией. Потом ведь придется отчитываться перед Андроповым, как прошел обмен опытом.

— Я хочу, — продолжал Птипу, — отправить телеграмму моему дорогому другу Леониду Брежневу.

Он вытащил из складок своего балахона лист бумаги и протянул Уфимцеву:

— Брат, проверь, не сделал ли я ошибок.

Уфимцев шагнул к трону, взял листок и встал рядом с Кручиной. Почерк у Бессменного-Бессмертного был корявый, но разборчивый, по-русски он писал крупными печатными буквами.

«Я очин тибья лублу и еслы вы был бы женчина я жинюс на тибя хотя ваша голова уже сидая. Твой на века…» — дальше пятьдесят четыре слова на суахили и размашистая подпись.

Пока они читали, послышался голос муллы с минарета дворцовой мечети. Прибежали слуги, расстелили ковер в центре зала. Уфимцеву и Кручине пришлось посторониться. Птипу слез с трона.

— Юра, что происходит? — прошептал генерал.

— Аср, — объяснил Уфимцев, — намаз, предвечерняя молитва.

— Это я понимаю, — генерал сморщился, — телеграмма! Слушай, он издевается?

Уфимцев нахмурился и приложил палец к губам. Кручина нервничал, говорил слишком громко, и хотя голос муллы, усиленный динамиком, звучал на весь зал, а молящиеся съежились в характерных позах на ковре, лицом к Мекке, пятками к гостям, все равно во время намаза лучше помолчать.

После молитвы вспомнили о гостях и пригласили в кофейный павильон. Это была небольшая комната, устланная и обвешанная коврами, с низкими столиками и подушками вместо стульев. Кофе подали крепчайший, в крошечных чашках. Кручина кофе не пил, только делал вид, что прихлебывает маленькими глоточками. Уфимцев выпил с удовольствием. Раббани незаметно исчез. Птипу болтал на суахили, проклинал американцев, разоблачал мировой сионистский заговор. О телеграмме Брежневу он как будто забыл. Юра переводил, Кручина иногда открывал рот, чтобы вставить словечко, но тщетно. Генерал ерзал на подушке, ковырял золотой двузубой вилкой розовый кубик рахат-лукума и вздрогнул, когда Птипу вдруг перешел на русский и предложил ему сигару:

— Попробуй, товарищ, это подарок нашего друга товарища Фиделя Кастро.

— Спасибо, не курю, — пробормотал Кручина.

Уфимцев тоже отказался от сигары и закурил свою сигарету. Бессменный-Бессмертный отсек сигарный кончик при помощи настольной золотой гильотины.

— Вот так полетят головы наших врагов! — Он заржал.

Кручина изобразил подобие улыбки и выдавил глухой смешок. Птипу, продолжая гоготать, извлек из складок своего балахона золотой пистолет, несколько раз подкинул на огромной розовой ладони, направил дуло Кручине в лоб, перестал ржать и заявил по-русски:

— Хочу атомную бомбу!

Генерал окаменел. Птипу нажал спусковой крючок. Вспыхнул язычок пламени. Вот тут и наступила долгожданная пауза. Она длилась целую минуту, пока Бессменный-Бессмертный раскуривал сигару, но Кручина так ничего и не сказал. Птипу выпустил дым ему в лицо и сурово спросил:

— Чем я хуже других?

Явился Раббани. Уфимцев сначала почувствовал его присутствие, потом увидел силуэт в углу. Ливиец будто соткался из сигарного дыма. Птипу скосил на него глаза, сверкнул красными белками и продолжал:

— Не дадите — договорюсь с китайцами. Ваши деньги, плюс их деньги, плюс доходы от моих алмазов, изумрудов и сапфиров. Почему я не могу стать великой ядерной державой? Я ведь уже победил Америку в отличие от вас.

На этом беседа закончилась. Бессменный-Бессмертный встал, вежливо объяснил на суахили, что его ждут срочные государственные дела, пожал гостям руки и удалился вместе с Раббани.

Перед самым отлетом Птипу прикатил на аэродром, страстно расцеловал Кручину и вручил ему большой красивый ларец черного дерева. Внутри оказались золотой пистолет-зажигалка, коробка кубинских сигар и миниатюрная золотая гильотина.

* * *

У проходной Надежду Семеновну догнала лаборантка Оля, подхватила под руку:

— Кошмар, как скользко! Вот вроде солью посыпают, а все равно каток, только обувь портится от соли этой.

Пока они предъявляли пропуска, проходили через вертушку, Оля не закрывала рта:

— Ой, слушайте, тут сразу после праздников в Даниловском универмаге выбросили финские полусапожки на цигейке. Танкетка — натуральный каучук, по бокам пряжки золотистые, колодка идеальная.

Зеркало возле гардероба в нижнем вестибюле было злым, кривоватым. Ослепительный неоновый свет делал лица плоскими, мертвенно-серыми. Обычно Надежда Семеновна пробегала мимо, не глядя, и приводила себя в порядок наверху, в раздевалке возле лаборатории. Но сейчас машинально остановилась вместе с Олей, вытащила шпильки и принялась расчесывать волосы под аккомпанемент ее возбужденного лепета:

— Я примерила, снимать не хотелось, удобно, как в тапочках. Мечта, а не полусапожки! Очередь в кассу заняла, пулей к маме, за деньгами, и, представляете, не успела. Расхватали!

Рядом с пухленькой кудрявой Олей в белой пушистой кофточке Надежда Семеновна в строгом темном свитере, с гладкими каштановыми волосами выглядела как взрослый доберман-пинчер рядом со щенком белого пуделя.

— Я всю ночь потом не спала, переживала. — Оля послюнявила уголок носового платка и принялась вытирать разводы туши под глазами. — Везет вам, Надежда Семеновна, ресницы не надо красить, от природы черные.

— Зато волосы... — Надя приблизила лицо к зеркалу.

— А они у вас какие?

— Белые.

— Зачем тогда краситесь? Блондинка с карими глазами, с черными бровями и ресницами — это же супер!

— Нет, Оля, я не блондинка, я седая как лунь.

— Ой! — Оля испуганно моргнула. — Что-то рановато.

— Мг-м. Помнишь, песенку? «А мне всего семнадцать лет, а я совсем седая».

Оля кивнула и выразительно, с чувством, замурлыкала:

— «Меня ты с танцев провожал, как сладки были речи, меня ты в губы целовал и обнимал за плечи…» Как там дальше?

— «Ты опозорил честь мою, сорвал цветок и бросил, а я по-прежнему люблю, хоть в моем сердце осень», — тихо подхватила Надежда Семеновна.

У лифтов столпилось много народу, они не стали ждать, пошли пешком, напевая дуэтом:

— «Да, я пьяна, я водку пью, а протрезвев, рыдаю, а мне всего семнадцать лет, а я совсем седая».

Когда допели и дошли до площадки четвертого этажа, Оля спросила:

— Это как-то связано со шрамами на руках?

— Что — это?

— Ну, седина в семнадцать лет. — Оля покраснела и прошептала, слегка заикаясь: — Извините, Надежда Семеновна, я не в свое дело лезу, просто ходят слухи, будто вы в юности вены резали из-за несчастной любви.

— О боже. — Надя вздохнула, приподняла рукав свитера. — Смотри, где вены, а где шрамы. Если бы мне в голову пришла такая дурь, я бы уж действовала наверняка, резала бы локтевые сгибы, а не запястья. И вообще, для меня это как-то чересчур романтично.

Пока разувались, надевали халаты, Оля все поглядывала на Надины руки, на кривые глубокие рубцы, особенно заметные на выпуклых косточках, извинялась, краснела, наконец не выдержала, спросила:

— От чего они?

— От наручников.

Оля обиженно выпятила губу:

— Нет, ну правда, без шуток, от чего?

— Неосторожное обращение с серной кислотой на практических занятиях по химии. А седина — это просто генетика.

— Между прочим, сейчас модно, некоторые специально вытравляют до белизны, а у вас тем более лицо молодое, ни морщинки, и фигура супер!

Оля ждала от нее хорошей рекомендации в институт и не скупилась на комплименты.

В лаборатории возле стеклянной клетки с морскими свинками Надежда Семеновна увидела профессора Трояна собственной персоной. Высокий, широкоплечий, он стоял и любовался ее свинками.

«Ему семьдесят три, на пять лет старше папы, — подумала Надя, — а выглядит лучше».

— Лев Аркадьевич, вот сюрприз, не ожидала!

Он приспустил марлевую маску, засверкал белоснежной фарфоровой улыбкой, стиснул Надю в объятиях и поцеловал в ухо так громко, что она охнула. От него пахло хорошим одеколоном. Накрахмаленный халат приятно шуршал.

— Забежал к Жеке, заодно решил с тобой повидаться, — объяснил он звучным воркующим баском, — завтра в санаторий уезжаю. Читал твою статью о бактериофагах. Фантастика, конечно, нечто из далекого будущего, но написано интересно, смело, убедительно. Горжусь. Ну, рассказывай, как там Сема, Ленусик-Никитусик?

«Жекой» он называл директора института Евгения Петровича Синельникова, с которым дружил много лет. «Семой» — отца Нади, Семена Ефимовича, с которым встречался два-три раза в жизни. «Ленусиком-Никитусиком» — ее дочь Лену и внука Никиту, которых никогда не видел.

— Спасибо, все здоровы.

— Ну, а как сама? — Он многозначительно заиграл бровями.

Троян был ее куратором в ординатуре, научным руководителем по кандидатской. Посредственный ученый, отличный организатор-администратор, он излучал позитивную энергию, имел влиятельных друзей в высших сферах, обладал уникальной способностью устраивать застолья, шашлыки на природе, прогулки на теплоходах и таким образом решал множество проблем, своих и чужих, интриговал, заводил и укреплял полезные знакомства. Он помнил десятки анекдотов и рассказывал их с уморительносерьезным видом. Он постоянно разводился и женился, каждая следующая лет на пятнадцать моложе предыдущей. Имел четверых детей и двоих внуков, причем младший сын был ровесником старшего внука.

После рюмки коньяку, под хорошую закуску, Лев Аркадьевич шутил, что единственная женщина, которую он любит всю жизнь бескорыстно и безответно, — это микробиология.

Ходили слухи, будто он лютый бабник, норовит затащить в койку все, что движется, отказов не терпит, обязательно мстит. Надя на собственном опыте убедилась, что слухи врут. Троян кокетничал, флиртовал, строил глазки. Это правда. Мог ненароком прижаться щекой к щеке, погладить коленку. Но вряд ли стоило понимать его так буквально. Он только предлагал, приглашал на тур вальса. Дальше — твой выбор. Когда Надя ясно дала понять, что при всем уважении спать с ним не хочет, он не обиделся и мстить не стал. Наоборот, отстаивал ее тему на диссертационном совете, помогал с публикациями.

На самом деле ей просто повезло попасть в коллекцию молодых дарований, которую Троян собирал многие годы, привередливо, тщательно, по каким-то лишь ему ведомым критериям. Экспонат коллекции получал звание «Моего Питомца». Питомцев своих Троян опекал и поддерживал, даже когда они переставали быть молодыми и никаких дарований не проявляли. Наверное, именно в этом и заключалась его бескорыстная любовь к науке.

— Смотри-ка, зверушки бодры, веселы, — Троян сквозь стекло показал «козу» свинкам, — дохнуть не собираются.

— Вчера две сдохли.

— Не скромничай, две сдохли, двадцать выжили. Результат отличный. М-да… Слушай, Надежда, по-моему, здесь тебя не ценят. Где твоя докторская?

— Почти готова.

— Что значит — почти? Сколько можно киснуть в доцентах? Ты уж профессором должна стать! Нет, не ценит Жека мою питомицу. — Он укоризненно покачал головой и поджал губы.

— При чем здесь Евгений Петрович? Просто я по очагам мотаюсь, поэтому не успеваю.

Троян склонился к ее уху и промурлыкал:

— У меня бы все успевала.

Он давно, настойчиво звал ее к себе, в БФМ — в НИИ биохимии и физиологии микроорганизмов. После ординатуры и защиты кандидатской она проработала там два года и ушла сюда, в МИЭМЗ, в «Болото», то есть в Московский институт эпидемиологии и микробиологии им. Д. К. Заболотного.

«Болото» считался непрестижным, перспективы для научного роста открывал слабенькие, оборудования постоянно не хватало, зато не было тотального контроля вышестоящих инстанций, интриг, подсиживаний, стукачества. А главное, только в «Болоте» у Нади появилась возможность много ездить, работать в очагах эпидемий, сначала в СССР, потом за границей.

— Ну, иди, иди ко мне под крылышко! — соблазнял Лев Аркадьевич тихим сладким голосом.

Она отлично понимала: он не назовет ни отдел, ни лабораторию, ни должность. Узнать все это она могла бы лишь после того, как согласится на его предложение, пройдет через систему фильтров и даст подписку о неразглашении.

Четыре года назад БФМ стал частью закрытой сверхсекретной структуры «Биопрепарат» при Министерстве обороны и в официальных документах именовался «почтовым ящиком» под кодовым номером. Надя ушла очень вовремя, а то стала бы невыездной на всю оставшуюся жизнь, да и занимались они там теперь черт знает чем.

— Лев Аркадьевич, я вас нежно люблю, — она улыбнулась, — рада бы в рай, да грехи не пускают.

— О чем ты, солнышко? — Он развернул ее за плечи к себе лицом. — Какие у тебя грехи?

— Есть грешок. Один, но для вашей сверхсекретной системы смертный. — Она привстала на цыпочки и прошептала ему на ухо: — «Пятый пункт».

— Вот новость! Ты за кого меня держишь, Надежда? Я что, безответственный наивный дурак? Зову тебя, а эти дела не учитываю? Да у нас там каждый третий инвалид пятой группы!

Пока они болтали, лаборатория наполнилась людьми. Рабочий день начался. Трояна тут помнили, узнавали, здоровались, он в ответ улыбался, важно кивал и продолжал разговор с Надей. Последние слова он произнес слишком громко. Сразу повисла тишина, десять пар любопытных глаз уставились на них. Лев Аркадьевич нахмурился, взглянул на часы.

— Ох, Надежда, заболтались, все, пора. — Он чмокнул ее в щеку и быстро зашагал к выходу.

Как только дверь за ним закрылась, подлетела Любовь Ивановна, старший лаборант, ветеран и главная сплетница «Болота». Она принялась деловито пересчитывать чашки Петри в стерилизаторе у Нади за спиной:

— Десять, двенадцать, восемнадцать… Опять половину раскокали! Ну, как поживают их сиятельство? Небось подался в членкоры?

— Не знаю, не спросила, — пробормотала Надя, не поднимая головы от журнала наблюдений.

— А чего так? — Любовь Ивановна забыла про чашки, молча уставилась на Надю.

Судя по тишине, ответа ждала не только она. К разговору прислушивались все присутствующие. Надя бросила ручку на журнал.

— Троян теперь засекреченный, лишних вопросов лучше не задавать.

— Я бы на твоем месте спросил, — подал голос от соседнего стола Павлик Романов.

Он вместе с Надей учился в ординатуре, но в коллекцию Трояна не попал. Из БФМ ушел в «Болото» раньше Нади, не по своей воле. После защиты кандидатской напился, ввязался в драку в ресторане «Минск» и попал в милицию. Его бы простили, оставили в институте, но вместо покаяния он полез на рожон, стал доказывать, что дрался за справедливость, а менты сволочи.

— Вы, Павел Игоревич, на ее месте при всем желании оказаться не можете, — строго заметила Любовь Ивановна, — с вами их сиятельство целоваться-обниматься не станут.

— Кстати, Надежда, у тебя с ним что, до сих пор шуры-му-ры? — Павлик противно почмокал, изображая поцелуи.

— Тебе завидно? — огрызнулась Надя.

— Павел Игоревич, что вы такое говорите? — влезла Оля. — Троян вообще дедуля древний, синяя борода, у него десять жен было!

— Ну, во-первых, не десять, а три, — уточнила Любовь Ивановна, — а во-вторых, тебя, Ольга, это не касается.

— Это никого не касается, — выдал свой вердикт Олег Васильевич Возница, руководитель лаборатории, — хватит болтать, не худо бы и поработать немного.

Олега Васильевича за глаза называли «Гнус», но не из-за гнусного характера. Человек он был добрый, безобидный. Просто «гнусами» называли всех главных научных сотрудников, так же как младших «эмэнесами», а старших — «эсэнесами».

Любовь Ивановна обиженно фыркнула. Надя вернулась к журналу наблюдений. Как раз сегодня ей очень хотелось поработать. Выжившие свинки вдохновили ее. Троян назвал результат «отличным». Он думал, что свинок вылечил от легочной формы сибирской язвы традиционный коктейль из антибиотиков и специфического гамма-глобулина, просто его питомице удалось найти правильные соотношения и дозы. Знал бы он, что на самом деле питомица ввела свинкам и почему они не только живы, но бодры и веселы.

— Фантастика, нечто из далекого будущего, — пробормотала Надя, передразнивая воркующую интонацию Трояна, — и вовсе не фантастика, а реальность, и вовсе не из будущего, а из хорошо забытого прошлого. Так-то, дорогой Лев Аркадьевич. В вашем сверхсекретном БФМ кто бы мне позволил заниматься алхимией?

Бактериофаги, вирусы-пожиратели бактерий, давно не давали ей покоя. Они могли бы стать отличной альтернативой антибиотикам, но пока мало кто понимал, что альтернатива в принципе нужна. Медицина в антибиотики верила свято, врачи прописывали их при любом чихе и просто для профилактики. Да, конечно, антибиотики спасают миллионы жизней. Но они дают тяжелую, долгоиграющую побочку, подавляют естественный иммунитет. А главное, чем их больше, тем быстрей бактерии мутируют и учатся выживать. Рано или поздно они разовьют резистентность. И что тогда?

Надя с раздражением замечала, что слишком часто произносит горячие внутренние монологи, пытается убедить кого-то в необходимости работы с фагами, и спрашивала себя: «Зачем? Хочешь доказать, что твоя тема, твоя идея самые важные? Кому? Адепты антибиотиков все равно не поверят, пока не ткнутся носом в новое средневековье. Опять чума, холера, туберкулез, сифилис и полнейшая медицинская беспомощность».

Неслышно подошел Гнус, заглянул через плечо, спросил:

— Надежда, ты вообще как себя чувствуешь?

— Нормально, а что?

— Ты какая-то бледная, печальная. Надо лететь в Нуберро, там опять дизентерия.

— Когда?

— Точно пока не известно, борт дадут в понедельник или во вторник. Смотри, если тебе тяжело, ну, или семейные обстоятельства...

— Олег Васильевич, я в порядке, тем более очаги мне сейчас нужны позарез.

— Кто о чем, а ты все о своих фагах. — Гнус похлопал ее по плечу. — Молодец, Надежда, спасибо, знал, что не подведешь, не откажешься.

Глава четвертая

П олная луна таращилась в окно, заливала комнату мутным белесым светом. Он лежал на своей раскладушке, вытянувшись, сложив руки на груди, как покойник, пытался заснуть, боялся, что она опять явится, ждал ее, боролся со страхом и бессонницей. Вот сейчас, пока ее нет, самое время поспать, и как на зло, сна ни в одном глазу. Она не приходила, а он все равно думал о ней, вспоминал их первую встречу, в тысячный раз перебирал, теребил подробности, словно замусоленные четки.

Кончался сентябрь пятьдесят второго, такой теплый и сухой, что казалось, продолжается лето. Погода стояла отличная, под стать его настроению. Его повысили в звании и в должности, дали отдельную казенную квартиру. Ему светила шикарная карьера. Главное, не зевай, шевели мозгами, держи нос по ветру. Он доверял своему чутью, соблюдал баланс между разумной осторожностью и оправданным риском, избегал открытых конфликтов, не искал покровительства начальства и старательно учился на чужих ошибках.

Однажды ранним утром после службы он забежал к матери и в полутемном коммунальном коридоре столкнулся с незнакомой пигалицей в байковом халате. Она несла из кухни кастрюльку. Он спешил, задел ее локтем, кастрюлька упала, по грязному полу покатились два белых яйца. Пигалица, путаясь под ногами, поймала их, положила назад в кастрюльку. Он выругался. Такая у него была привычка, на службе все матюгались. Это потом он стал следить за речью, приучился выбирать выражения, а тогда не церемонился.

Да, выругался и готов был мчаться дальше, но вдруг услышал:

— Не беспокойтесь, они вкрутую.

Это прозвучало так, будто он не обложил ее матом, а вежливо извинился.

Соседи по коммуналке сторонились его, тихо здоровались, вжимались в стены, ныряли в свои норы. Он мог поболтать, пошутить с ними, но лишь когда ему этого хотелось. В ответ они угодливо кивали, хихикали. Стоило повести бровью, слегка изменить выражение лица, тут же испарялись. Никто не смел первым заговорить с ним.

— Я вообще-то всмятку люблю, но сегодня отвлеклась, переварила, — продолжала она с улыбкой. — Повезло! Вот пришлось бы потом доски эти отмывать и без завтрака на работу.

Ее слова показались ему бессмысленным бредом. Что значит «всмятку»? При чем здесь доски? И какого хрена она остановила его посреди вонючего коридора? Он не сразу понял, что сам притормозил на бегу, стоит и разглядывает ее с интересом.

Она была не в его вкусе, он предпочитал покрупней, погрудастей, повеселей и чтобы халат шелковый, с драконами. А эта вроде улыбалась, но как-то не очень весело, к тому же выглядела малолеткой, не старше пятнадцати. Застиранное байковое тряпье висело на ней, как на огородном чучеле.

— На работу? — Он ощупал взглядом тонкие руки, шею, маленькие голые ноги в разношенных тапках. — Семилетку хотя бы окончила?

— Мг-м.

Диалог длился не более двух минут. Он даже не спросил, как ее зовут. Она прошмыгнула вглубь коридора со своей кастрюлькой, он отправился отдыхать и расслабляться после тяжелой ночи. Неподалеку, на Брестской, жила его очередная пассия, официантка, крупная, грудастая, веселая Зина. В портфеле лежал подарок — шелковый халат с драконами.

О пигалице он забыл, стоило переступить порог квартиры на Брестской. Зина была хороша, опытна и старательна, но почему-то никак не могла завести его. Ее оригинальные приемчики, которые прежде срабатывали безотказно, теперь только раздражали. Хотелось спать и чтобы эта назойливая баба отстала. Он бы сдался, однако не желал признать фиаско.

Вдруг в складках бархатного покрывала почудился изгиб тонкой руки, воображение поспешно, жадно дорисовало остальное. Зина растаяла, уступив место той, другой, и все стало получаться, да как!

Потом он лежал неподвижно, наслаждался непривычным блаженным чувством покоя и уверенности.

— Ну, ты даешь. — Зина хихикнула и пощекотала ему грудь острыми алыми коготками. *— Я-то вначале прям испереживалась, разлюбил меня, что ли? А ты вон как разошелся. Зверь, огонь!*

«Дура, при чем здесь ты?» — подумал он и лениво, сыто усмехнулся.

Его начальник помимо жены имел любовницу. Она не работала, жила в отдельной квартире в центре Москвы. Начальник начальника имел двух любовниц и по квартире на каждую.

Он себе ничего подобного позволить не мог, во-первых, из осторожности, во-вторых, по статусу пока не положено. Он, как большинство его сослуживцев, развлекался с опытными безотказными телками, которые в изобилии клубились внутри и вокруг Аппарата: официантки, парикмахерши, машинистки, медсестры. Все как на подбор статные, веселые, ухоженные, проверенные-перепроверенные. Блондинки, брюнетки, шатенки, на любой вкус, они были всегда к услугам среднего офицерского состава, как часть спецснабжения соответствующей категории. Они отчитывались своим кураторам о каждом свидании, требовали подарков, ресторанов, пахли одинаковыми духами и легко перелетали из рук в руки. Ни с одной из них он не мог расслабиться, ни от одной не получал настоящего мужского удовольствия.

Он давно хотел завести собственную девочку, не казенную, скромную, без претензий. Пигалица из коммунального коридора показалась ему вполне подходящей кандидатурой. Раньше он на таких фитюлек-малолеток не обращал внимания, а теперь понял: именно такие его заводят. Причесать, приодеть — получится картинка.

Ее звали Шура, ей недавно исполнилось девятнадцать, просто из-за хрупкого сложения и детских пропорций лица она выглядела младше своего возраста. Проживала Шура в его родной коммуналке в Горловом тупике, у одинокой хромой старухи Голубевой.

Голубева занимала комнату в глубине коридора, такую крошечную, что едва помещались кровать и стол. Шура носила ту же фамилию и приходилась ей внучкой. Голубева устроила ее машинисткой в издательство «Геодезия и картография», в котором сама прослужила много лет редактором.

Хромая старуха давно стала объектом усиленного внимания соседей. Помрет не сегодня завтра, и у кого-то появится шанс расширить свою жилплощадь за счет ее комнатенки. Одной из претенденток на комнатенку была его мать. Но Голубева помирать не собиралась, да еще занялась оформлением прописки внучки. А внучка, между прочим, явилась в Москву из Нижнего Тагила, воспитывалась в детдоме.

Мать клокотала:

— Я к участковому ходила, от общественности. Что это, грю, вы прописываете тут всяких? Знаете, как это называется? Ротозейство, если не хуже! А он мне: «Успокойтесь, гражданочка, все законно!» Вот ты, сынок, объясни, может, я по темноте своей чего не понимаю? Есть у нас такой закон — дочь врагов народа в Москве прописывать?

— Мам, с чего ты взяла, что ее родители — враги народа?

— Ну, так Нижний же Тагил! Детдом! Родилась-то она вроде в Москве, а туда как попала?

Он использовал свои профессиональные возможности, выяснил, что родители Шуры ни арестованы, ни высланы не были. Мать умерла родами, отец работал в горнодобывающей промышленности, на Урал уехал в длительную командировку. В сорок первом ушел на фронт, погиб в боях под Смоленском. Семья осталась в Нижнем Тагиле. Мачеха и сводный младший брат умерли от тифа. В итоге Шура попала в дет-

дом, закончила восьмилетку, затем курсы стенографии и машинописи.

Он не поленился, проверил родственников мачехи, но и там было чисто.

Да, все в полном порядке, не придерешься. Окажись в ее биографии темные пятна, он не рискнул бы с ней связываться. А с другой стороны, именно эта идеальная чистота должна была насторожить. Следовало копнуть глубже, но врожденная осторожность и здравый смысл изменили ему. Он потерял голову — впервые в жизни, в самый неподходящий момент.

* * *

В конце марта прошлого года дед и мама посадили Лену в старый бежевый «Москвич», отправились в далекий спальный район и показали одну из двенадцатиэтажек, только что отстроенную, еще не заселенную. Дед давно стоял в какой-то то ли ветеранской, то ли профессорской квартирной очереди.

Комната хоть одна, зато просторная, санузел раздельный, кухня приличного размера, большой балкон. Двенадцатый этаж — хорошо, никто над головой топать не будет. Метро проведут совсем скоро, линию уже копают. Рядом лес, речка, воздух чистый. Когда-то стояла тут деревня Ракитино, и улица называется Ракитская.

Лена была на восьмом месяце. Если бы не здоровенный живот, она скакала бы от счастья, птицей влетела бы на двенадцатый этаж, посмотреть на свой будущий дом, вдохнуть запах свежей штукатурки, прикинуть, что куда поставить. Но лифт еще не запустили.

На следующий день она привезла на Ракитскую Антона. Они стояли обнявшись, задрав головы, глядели на балкон на последнем этаже, четвертый справа, потом долго целовались, чуть не грохнулись в грязь с шатких досок у подъезда.

Никита родился в мае. Первые два месяца, пока он был совсем крошечный, жили на Пресне у мамы и деда, потом перебрались на дачу в Михеево. В июле мама взяла отпуск, в августе — дед. Антон приезжал редко, все лето у него были съемки. Осенью пришлось вернуться на Пресню. Дед, мама, Антон работали, жить одна с Никиткой на даче Лена не могла.

В новую квартиру въехали только в ноябре, когда все обустроили и Никита немного подрос. Вещей у Лены и Антона было совсем мало, зато Никиткино барахлишко заняло целый комод. Предстояло купить тахту, стиральную машину, стулья, в общем, много всего. Но пока и так сойдет.

Новый год встречали здесь, на Ракитской, в семейном кругу. За столом особенно резко бросался в глаза контраст между маминым точеным интеллигентным лицом и свекровкиной рыхлой ряшкой.

Мама заговорила о Высоцком в роли Гамлета. Перед самым Новым годом благодарный пациент подарил деду два билета на Таганку. Дед и мама предложили посидеть с Никитой, чтобы Лена пошла с кем-то из них, но она отказалась. Антон давно собирался сходить с ней на «Гамлета». Бывший сокурсник обещал провести их в будку осветителя. Конечно, ей больше хотелось пойти с Тосиком, чем с дедом или с мамой.

За новогодним столом мама стала делиться впечатлениями. Тосик удивился:

— Так вы уже видели? Когда? Как вам удалось достать билеты? Дед объяснил.

— Да, повезло! — Антон восхищенно присвистнул. — Классно иметь таких пациентов! Ничего, мы с Леной тоже скоро пойдем на «Гамлета». Правда, сидеть будем не в партере, а в будке осветителя.

— Антон, откуда ты знаешь, что мы сидели в партере? — спросила мама.

— Ну, наверное, благодарный пациент не стал мелочиться, уж дарить так дарить! — Тосик весело хохотнул. — Между прочим, с рук у спекулянтов билеты в партер — вообще запредельные деньги!

Свекровка, Ирина Игоревна, до этой минуты молчала, крохотными водянисто-голубыми глазками, густо обведенными черным, ощупывала комнату, людей за столом. При слове «деньги» встрепенулась, ожила.

— Этот, хрипатый, от денег небось лопается, вон, говорят, по Москве на «Мерседесе» разъезжает, а сам-то шпендрик, ни кожи, ни рожи, ни голоса, и по национальности кто — не ясно.

Кажется, дед не слышал, Никита ерзал у него на коленях, громко гукал и дергал его за нос, будто нарочно отвлекал от злой свекровкиной болтовни. Но остальные слышали. Мама молча покачала головой. Антон ухмыльнулся, то ли виновато, то ли снисходительно. Свекор Геннадий Тихонович вступился за Высоцкого:

— Ирик, ну ты не права, песни у него душевные, а национальность — что? Слава богу, у нас не Америка, апартеиду нет, у нас в Советском Союзе все нации равны. Ты вот лучше давай подарки вручай.

Подарки оказались совсем скромные: тоненькая потрепанная книжка «Дядя Степа» — для Никиты, льняное кухонное полотенце, завернутое в серую упаковочную бумагу и кокетливо перевязанное белой ленточкой — что называется, «в семью». Точно такое же свекровь преподнесла на новоселье. Когда родился Никита, осчастливила внука треснутой пластмассовой погремушкой, которая хранилась со времен младенчества Антона.

Родственнички выкатились сразу после двенадцати, чтобы успеть на метро. Антон отправился провожать их, Лена села кормить Никиту. Дед и мама принялись убирать со стола. Из кухни сквозь звук льющейся воды и звон посуды доносились обрывки фраз.

Лена, как всегда, дико жалела Антона. Разве он заслужил такую мамашу? Отец, конечно, человек порядочный, добрый, но совсем уж простой, матерится через слово. Тосик на них ни капельки не похож, будто подкидыш, непонятно, в кого получился такой красивый и талантливый. Сам, без всякого блата, поступил в «Щуку» на актерский. Ну, не везет, не берут в театры, приходится вести драмкружок в Доме пионеров. В кино снимается в эпизодах, иногда дают рольки маленькие, со словами, и по закону подлости или вырезают при монтаже, или фильм целиком кладут на полку. Другой бы на его месте отчаялся, озлобился, а он не унывает, мотается на «Мосфильм», на Студию Горького, даже массовками не брезгует, плюс еще репетиторством подрабатывает, учит абитуриентов актерскому мастерству.

Когда мама и дед вернулись в комнату, Лена уловила мамин шепот:

— И что ты ответил?

— Предложил отложить этот разговор, — прошептал дед и быстро взглянул на Лену.

— Какой разговор? — спросила она тревожно.

Никита наелся, спал в кроватке. Лена сидела на свернутом матраце, сцеживала в банку остатки молока. Ей не понравился шепот и взгляд деда. Мама аккуратно сняла грязную скатерть со сдвинутых столов, письменного и кухонного, ушла в кухню. Лена повторила свой вопрос:

— Какой разговор? О чем вы?

— Никакой, — дед опустился на матрац рядом с ней, — ерунда, не бери в голову.

По его интонации, по ускользающему взгляду Лена поняла, о чем речь. Вряд ли стоило продолжать, но на нее что-то нашло. Она прицепилась к деду, и он сдался:

— Видишь ли, Ирина Игоревна в очередной раз спросила меня, когда мы пропишем сюда Антона. Ты же знаешь ее бестактность.

— Подожди, — перебила Лена, — ты сказал: в очередной раз? Она что, и раньше спрашивала?

— Ну, да, по телефону, дважды, и вот сегодня.

Лена не случайно так напряглась. Перед Новым годом она сдуру пообещала Антону задать деду вопрос о прописке. Тосика заклинило, хотя зачем ему? Был бы провинциал, тогда понятно. Но ведь москвич, и квартира у его родителей вполне приличная. Нет, не стала бы Лена трогать эту тему, ни сегодня, ни завтра. Какая-то она скользкая, гадкая, хочется отдернуться, как от змеи. Но Антон спросит обязательно, и что ответить?

— Свекровка в своем репертуаре, — Лена криво усмехнулась, — но с другой стороны, вот когда мы в Суздаль ездили, нас отказались селить в гостинице в один номер, хоть мы были молодожены. Сказали: прописка у вас разная. Может, вы просто однофамильцы, а штампы подделали.

Именно эту историю приводил Антон как аргумент, и Лена повторила ее.

— Все-таки поселили, — холодно заметила мама.

Она стояла в дверном проеме, прислонившись плечом к косяку, такая красивая, бледная и строгая. Повисло тяжелое молчание. Лена была бы рада сменить тему, но представила, как придется объясняться с Антоном, и чужим, фальшиво-веселым голосом спросила:

— Дед, а правда, почему бы не прописать сюда Тосика?

— Пока не вижу в этом необходимости. — Дед поднялся, крякнул. — Давай-ка закончим уборку.

— Это не ответ! — Лена вскочила. — Антон мой муж, отец твоего правнука и твоего внука!

— Ш-ш, — мама приложила палец к губам, — не кричи, разбудишь внука-правнука.

— Мы здесь живем, допустим, явится участковый, а Тосик не прописан, — выдала Лена второй довод Антона, — могут быть неприятности, штраф там какой-нибудь, ну, я не знаю!

— Вот именно, не знаешь, — вздохнул дед, — это тебе Антон сказал — про участкового и штраф?

— Хватит разговаривать со мной как с младенцем!

— Хочешь по-взрослому? — мама опустилась на табуретку. — Изволь. Мы с дедушкой не уверены, что ваша семейная жизнь продлится долго. Дело не в снобизме, не в дуре Игоревне, не в том, что вы из разных детских. Это как раз пустяки. — Она вздохнула, сжала виски ладонями. — Видишь ли, у нас есть основания подозревать…

— Надя, остановись! — резко перебил дед.

— Основания? — просипела Лена севшим голосом. — Подозревать? Мама, что ты несешь?

— Есть основания подозревать, что твой Тосик лгун и шельма, — быстро проговорила мама.

Лена застыла посреди кухни с открытым ртом. В глазах закипали слезы. Дед погладил ее по голове, забормотал на ухо:

— Все, все, успокойся, ты же знаешь, мама у нас нервная, тонкокожая, чуть что — вспыхивает. Ее тошнит от Игоревны, пока они тут сидели, она терпела, держалась, а сейчас сорвалась. Вот мы с тобой люди спокойные, мудрые, нам все нипочем. Дай нам Бог иронии и жалости! Помнишь, откуда это?

— Хемингуэй, «Фиеста», — механически ответила Лена, шмыгнув носом.

— Умница! — Дед чмокнул ее в лоб.

Хлопнула дверь. Из прихожей послышался голос Антона:

— Ну и холодрыга!

Мама и дед засобирались, вежливо простились с Антоном. Лена вышла с ними на лестничную площадку.

— Мам, ты сказала о каких-то подозрениях, назвала Антона лгуном и шельмой. Раз уж начала — давай договаривай.

— Ну, просто с языка сорвалось, — ответил за маму дед, пряча глаза, — я же тебе все объяснил, мы забудем об этом, не станем портить праздник.

Подъехал лифт. Мама попыталась обнять ее, поцеловать.

Лена отшатнулась, выпалила:

— Хочешь разбить мою жизнь? Чтобы ребенок рос без отца, чтобы я тоже стала матерью-одиночкой? Спасибо за прекрасный Новый год! — Она кинулась назад, в квартиру.

С Антоном ничего обсуждать не стала, отправилась в ванную. Под душем захлебывалась рыданиями. Почему, почему они оба так ужасно относятся к Тосику? Особенно мама!

Она выключила воду и услышала плач Никиты. Антон курил на балконе, дверь не закрыл, в комнате было холодно и пахло дымом. Никита скинул одеяльце, лежал весь мокрый.

— Совсем сдурел? — крикнула Лена.

Антон принялся извиняться, помогать, бросил в тазик мокрое, принес чистое. Наконец ребенок заснул, они улеглись на свой матрац, Тосик обнял ее, и она мгновенно забыла обо всем.

Потом, когда они лежали, расслабленные, опустошенные, он, поглаживая ей спину, спросил:

— Ну, поговорила?

«Боже, как некстати!» — Лена сморщилась и коротко сухо объяснила, что прописку дед пока не планирует.

— Почему?

— Не знаю.

— То есть как — не знаешь? Ты поговорила или нет? Что конкретно он тебе ответил?

Антона опять заклинило. В итоге Лена обнаружила рядом на матраце злобного нудного склочника вместо нежного мужа.

Утром ее разбудил Никита. Антон надевал ботинки в прихожей.

— Ты куда? — спросила она, зевнув.

— Мне надо побыть одному.

— Ну и пожалуйста!

Он вернулся поздно вечером, угрюмый, молчаливый. Они не разговаривали. Спать легли, повернувшись друг к другу спинами. Ночью Никита просыпался несколько раз, Лена его кормила, переодевала. Антон лежал неподвижно, с закрытыми глазами. Она попросила помочь ей вымыть ребенку обкаканную попу, он даже глаз не открыл, пробурчал что-то и натянул одеяло на голову.

Утром он ушел, пока они с Никитой еще спали. Вечером, часов в двенадцать, явился. Лена притворилась, что спит, слышала, как он топает по кухне, хлопает дверцей холодильника, гремит посудой, курит.

Он исчезал, появлялся, ел, спал, будто чужой человек, сосед или постоялец в гостинице. Лена ужасно мучилась и не знала, что делать. Мириться первой? Но он ведет себя по-хамски, она перед ним ни в чем не виновата.

Два дня назад, около девяти утра, он в очередной раз ушел, не сказав ни слова. Лена услышала хлопок двери и подумала: все, хватит! Вернется вечером — поговорим, так жить невозможно.

На кухонном столе она нашла записку: «Пригласили в пионерлагерь под Волоколамском, играть Деда Мороза. Вернусь в понедельник. Не скучай! Люблю! Целую!»

* * *

Освободиться пораньше Вячеславу Олеговичу не удалось. После того как в учебной части обсудили и решили все вопросы, Озеркин потащил его на кафедру творчества «по срочному неотложному делу», подмигивая, посапывая, облизываясь, попросил написать рецензию на книжку стихов молодой, жутко талантливой поэтессы. «Ах ты, старый кобель, трех лет не прошло, как женился на молодой, жутко талантливой композиторше, — подумал Вячеслав Олегович, впрочем, без всякой злобы, наоборот, с восхищением и завистью, — вот я так не могу».

Озеркин извлек из портфеля папку с рукописью и в своей неподражаемой мелодраматической манере зачитал вслух несколько строк рифмованной галиматьи. Фамилию поэтессы Галанов услышал впервые и тут же забыл. Папку взял, рецензию пообещал.

До «Елисеевского» он добрался только к половине второго. Милую толковую Прасковью Петровну уже сменила какая-то незнакомая девка, нагло красивая, хамоватая. Она перепутала заказ, всучила вместо осетра кету холодного копчения, вместо «Швейцарского» сыра — «Российский», вместо финского сервелата — кусок вареной «Любительской». Пока он с отвращением перебирал чужое убожество в чужих пакетах, девка красила губы. Галанов едва не сорвался на крик, но взял себя в руки, тихим ледяным голосом потребовал то, что ему положено, и в итоге получил, но без намека на извинения.

Вернувшись, наконец, домой, перевел дух, решил перекусить, стал варить себе кофе, но отвлекся на телефонный звонок, кофе убежал, залил белоснежную плиту.

Звонили из секретариата Московской писательской организации. Вячеслав Олегович очень пожалел, что взял трубку. Пришлось к семи ехать на срочное незапланированное заседание парткомиссии. Обсуждали персональные дела драматурга Смурого и поэта Перепечного.

Перед Новым годом драматург и поэт в очередной раз напились и наскандалили в ресторане Дома литераторов. Никаких увечий, но посуды побили много. Драматург и поэт плевали друг другу в лица, и кто-то из них промахнулся. Плевок угодил на лацкан пиджака министра культуры дружественной Монголии, товарища Че Бу Пина, который как раз в этот момент проходил через ресторанный зал в банкетный, в сопровождении сотрудника Отдела культуры ЦК КПСС.

Парткомиссия долго обсуждала, чей именно был плевок. Драматург валил на поэта, поэт — на драматурга. Кто-то предложил провести экспертизу, но оказалось — поздно. Пиджак товарища Че Бу Пина уже отдали в чистку.

За многие годы творческой деятельности Смурый написал две пьесы: «Замоскворецкие зори» и «Одного камня искры». Перепечин — десятка три стихотворений.

В конце сороковых пьесы Смурого шли на лучших сценах страны. Песни на стихи Перепечного исполнялись по радио. Драматург и поэт дружили до тех пор, пока Смурый не получил Сталинскую премию второй степени, а Перепечный — третьей. На этом дружба закончилась. Перепечный возненавидел Смурого, да так сильно, что тот не мог не ответить взаимностью.

После XXII съезда театры убрали из репертуара пьесы Смурого, больше никто никогда их не ставил. Песни на стихи Перепечного исполнять перестали. Ходили слухи, будто Сталинскую премию второй степени Смурый получил за чужие пьесы. За Смурого якобы писал молодой драматург Гуревич, опальный во времена борьбы с космополитизмом, ныне преуспевающий.

Гуревич свое авторство категорически отрицал, утверждал, что со Смурым никогда ничего общего не имел и такие бредовые пьесы не написал бы даже под дулом пистолета. Впрочем, по мнению Вячеслава Олеговича, пьесы самого Гуревича были ничем не лучше.

Эта история давно никого не занимала, кроме поэта Перепечного. Встречаясь со Смурым в публичных местах, он отвешивал шутовские поклоны и орал: «Драматургу Гуревичу наше с кисточкой!».

Сам Перепечный в присвоении чужих текстов замечен не был. И вот недавно случился конфуз. Толстый литературный журнал в честь шестидесятилетия поэта Перепечного напечатал десять его стихотворений. Семь — из единственной книжки тридцатилетней давности, а три — совсем новые, свежие. Они сразу бросались в глаза, сверкали, как бриллианты чистой воды в кучке пластмассовых бусин, и вызвали в узком литературном кругу легкую оторопь. Что за чудеса? Бездарный, пьющий, полуграмотный Перепечный, за всю жизнь не сочинивший ничего, кроме дурно зарифмованных агиток, вдруг на старости лет стал так здорово писать.

Вскоре после выхода номера в редакцию явилась старушка, принесла пожелтевшую газету «Трудовая Москва» за май шестьдесят четвертого года, где на последней странице, в рубрике «Наши юные таланты» были напечатаны те самые три стихотворения. Автора звали Дмитрий Широков, ему в шестьдесят четвертом было шестнадцать лет.

Перепечный объяснил, что когда-то давно увидел стихи в газете, они ему очень понравились, он переписал их в свой блокнотик, а фамилию автора обозначить забыл. Однажды листал блокнотик, нашел хорошие стихи и нечаянно принял за свои собственные, что вполне понятно, поскольку написаны они его почерком, в его блокнотике, и за многие годы он с ними совершенно сроднился.

Стихи Широкова, кроме этих трех, в СССР никогда не публиковались. В шестьдесят восьмом он был арестован и отсидел два года по статье 191-1 УК РСФСР (распространение заведомо ложных измышлений, порочащих советский государственный и общественный строй). Вскоре после освобождения эмигрировал.

Жил в Париже. На Западе его стихи печатали самые махровые антисоветские издания, вышло три сборника.

Главный редактор журнала, приятель Вячеслава Олеговича, совершенно растерялся. На помощь пришли сотрудники Пятого управления КГБ. Они заверили, что ни одного из этих трех стихотворений Широкова в его западных публикациях нет, из чего можно заключить, что он не особенно дорожит ими, вероятно, считает детскими, незрелыми. Если вдруг он из Парижа все-таки заявит о своих авторских правах, разбираться будут наши юристы. Уважаемому редактору беспокоиться не стоит. Скорее всего, никто вообще ничего не заметит. Со старушкой и еще несколькими слишком дотошными читателями провели профилактические беседы. Редактор отдела поэзии получил строгий выговор. Сотрудники Пятого управления позаботились о том, чтобы разговоры стихли. Позаботились настолько профессионально, что даже Смурый, даже спьяну, не посмел ничего вякнуть на эту щекотливую тему.

Накануне Нового года в ресторане ЦДЛ драматург и поэт пинали друг друга, хватали за грудки и плевали в лица молча. Если бы не испорченный лацкан пиджака монгольского министра, парткомиссия вряд ли собралась бы по такому пустяковому поводу. Но поступил звонок с самого верха, и собраться пришлось.

Поэт и драматург искренне, со слезами, каялись, клялись, что подобное никогда не повторится, обещали принести извинения товарищу Че Бу Пину и заплатить за побитую посуду.

Пока шло заседание, Галанов вместе со всеми прятал улыбку в кулак, маскировал смех легким покашливанием. Об исключении Смурого и Перепечного из Союза писателей вопрос не ставился. Все-таки лауреаты, заслуженные деятели культуры. Парткомиссия единогласно проголосовала за вынесение обоим строжайших устных предупреждений.

Вячеслав Олегович вернулся домой в начале одиннадцатого, совершенно разбитый. На какую же дрянь пришлось потратить долгожданный, драгоценный свободный вечер! На самом деле все это не смешно, а стыдно и противно.

За свои черновики так и не сел, с тоской думал о завтрашнем дачном застолье. Куча народу, суета, напыщенные тосты, тупые шутки генерала Политуправления Вани Дерябина, ослиное ржание генерала КГБ Феди Уральца, надоевшие до оскомины разговоры, привычное лицемерие.

Мелькнула трусливая мыслишка: не позвонить ли утром на дачу, не сказаться ли больным, не остаться ли дома, в тишине и одиночестве? Но Оксана Васильевна поднимет панику, и как быть с гостями? Все-таки два генерала… Нет, обычной простудой тут не отделаешься. Придется сочинить нечто серьезное, на уровне сердечного приступа.

«Сочиню себе приступ, а потом правда случится! Накаркаю, — думал он, засыпая, — вот разве что внематочная беременность…»

Глава пятая

Пятого октября 1952 года открылся XIX съезд партии. Он вместе с несколькими молодыми офицерами получил гостевой билет. Партийные съезды не созывались тринадцать лет, приглашение считалось очень почетным: не только поощрение за отличную службу, но и знак особого доверия.

Накануне он долго не мог уснуть, отглаживал парадный китель, шлифовал пуговицы, надраивал сапоги.

В день открытия в фойе в огромных зеркалах он ловил среди множества отражений свое, мысленно ставил рядом Шуру, красиво причесанную, в нарядном шелковом платье, в лаковых туфлях на каблуках, и губы растягивались в довольной усмешке.

Он забыл о ней, лишь когда увидел в президиуме Самого — пусть издали, но живого, настоящего.

Под нудные доклады ораторов он не сводил глаз с обожаемой седовласой фигуры в светлом френче, жадно ловил каждое движение: склонил голову набок, прищурился, налил воды из бутылки, сделал несколько глотков, осторожно, двумя пальцами, разгладил усы, что-то чиркнул в блокноте, нахмурился, усмехнулся.

В результате этого неотрывного вглядывания возникло потрясающее чувство, будто из тысяч лиц в огромном зале Сам заметил и выделил именно его, молодого капитана, их глаза встретились. Чувство было таким мощным, что закружилась голова, ладони вспотели, в горле пересохло.

Дни, когда Сам в президиуме не появлялся, тянулись бесконечно, даже свет хрустальных люстр тускнел от скуки. Ораторы выступали слишком долго, формально, однообразные доклады сливались в монотонный унылый гул. Хотелось выйти,

*отлить, покурить, глотнуть чего-нибудь в буфете. Сосед
справа, Федька Уралец, иногда начинал клевать носом, приходилось пихать его локтем в бок. Федька вздрагивал, вскидывал-
ся, незаметно пожимал ему руку, мол, спасибо, друг.*

*Федькин Дядя занимал высокий пост в центральном Аппа-
рате, пользовался особым доверием Самого, часто ездил на
Ближнюю. Собственных детей он не имел, Федьку любил как
сына и делился с ним весьма серьезной информацией. Дяде
казалось, что таким образом он предупреждает, защищает,
обучает драгоценного племяша искусству аппаратного выживания.*

*Федька был простоват, инфантилен, по-бабьи чувствите-
лен, любил задушевные разговоры. Ему хотелось поделиться,
посоветоваться с другом. Молодой капитан узнавал от Федьки много всего интересного.*

*Дядина наука не шла племяшу впрок, карьера двигалась
медленно, следователь из Федьки не получался. Рассеянный,
забывчивый, он ненавидел возиться с бумагами, вычитывать
протоколы, задавать по десять раз одни и те же вопросы,
а главное, нервишки оказались слабоваты. Недавно Дядя пристроил Федьку в 6-й отдел 2-го Главного управления, под
крылышко хорошего своего приятеля полковника Патрикеева
Сергея Васильевича. Отдел назывался «жидовским» (борьба
с еврейским националистическим подпольем и агентурой
израильской разведки). Дядя все верно рассчитал. Федька
рожден был для агентурной работы. Круглые светло-голубые
глаза, опушенные золотистыми ресницами, белесые брови,
нежная, почти лишенная растительности кожа, маленькие
пухлые губы, розовые и блестящие, словно смазанные сиропом.
Казалось, его организм упорно сопротивляется взрослению,
возмужанию, не желает расставаться со счастливым дет-
ством. Младенческие черты создавали иллюзию наивности,
открытости. Улыбчивый простачок, он легко входил в доверие,
умел пошутить, посочувствовать, расслабить. Нащупывал
мягкой свой лапой самые уязвимые места и в подходящий
момент неожиданно выпускал когти.*

Молодой капитан дорожил Федькиной дружбой, тем более Дядя-начальник о дружбе знал, перед съездом, как бы в шутку, попросил: «Ты уж там приглядывай за моим балбесом».

В перерывах в буфете он следил, чтобы Федька не смешивал водку с шампанским, во время заседаний не давал заснуть, пихал в бок. Федька доверял ему, слушался, как старшего, хотя они были ровесники и в одинаковом звании.

Так, день за днем, он нянчил полезного балбеса, таращился на трибуну, делал вид, что внимательно слушает, и думал о Шуре.

Нечто свеженькое, необычное и в смысле внешности, и в смысле наплыва новых приятных ощущений, которые возникали во всем теле при одной лишь мысли о ней. Сирота, росла без матери, значит, не избалована, не капризна. Если и были у нее друзья-знакомые, то все остались в Нижнем Тагиле, обзавестись новыми в Москве она не успела. В издательстве в машбюро стрекочут на машинках полдюжины вдов и старых дев, с ними она вряд ли могла подружиться. Для соседей по коммуналке она заноза в заднице. В издательстве у начальства рыльце в пушку, взяли ее на работу с недооформленной пропиской. Никому не нужна, никого на свете у нее нет, хромая карга не в счет. Значит, будет полностью принадлежать ему, подчиняться и за все благодарить.

Сам опять появился в президиуме только в последний день съезда. Сразу посветлело, будто солнце пробилось сквозь тучи. Лица оживились, зарумянились, глаза заблестели.

Наконец Ворошилов объявил: «Слово предоставляется товарищу Сталину!» Зал взорвался овациями, долго не смолкали крики: «Товарищу Сталину — ура!», «Да здравствует товарищ Сталин!», «Слава великому Сталину!». Сам подождал несколько минут, движением руки угомонил зал и заговорил.

Ласковый баритон, спокойная уверенная интонация, легкий приятный акцент, неспешное покачивание всем корпусом завораживали. И опять почудилось, что Сам обращается лично к нему, молодому капитану:

— *Знамя буржуазно-демократических свобод выброшено за борт. Нет сомнения, что это знамя придется поднять нам и понести его вперед, если хотите быть патриотами своей страны, если хотите стать руководящей силой нации. Его некому больше поднять.*

В паузах Сам оглядывал притихший зал и каждый раз среди множества лиц безошибочно находил молодого капитана, смотрел пристально, пронизывал насквозь своим испытующим отцовским взглядом.

Капитан чувствовал быструю горячую пульсацию крови, в мозгу неслись бешеным пунктиром ослепительные вспышки: «Здесь и сейчас, он и я. Гений всех времен и простой парень из грязной коммуналки. Великая честь. Поднять знамя и понести вперед. Я и Он. Мы. Патриотами своей страны... руководящей силой нации...»

Что-то твердое ткнулось ему в бок. На этот раз не он пихнул балбеса, а балбес — его. Он едва не подскочил от неожиданности и с трудом сдержался, чтобы не дать сдачи.

— *Смотри, нимб!* — *зашептал Федька.* — *Нимб над головой товарища Сталина, как у святого на иконе! Видишь?*

И правда, свет падал таким образом, что над головой Самого образовался золотистый светящийся овал. Стало обидно, что Федька первый заметил, мелькнула мысль: «Может, не такой уж ты и балбес?» Искоса взглянув на друга, он увидел, что тот отчаянно шмыгает носом и по щекам текут настоящие обильные слезы.

Его ответный шепот «Да, да, вижу!» потонул в грохоте оваций и криках: «Товарищу Сталину — ура!», «Да здравствует товарищ Сталин!», «Слава великому Сталину!».

* * *

Надя и Семен Ефимович ужинали ржаными гренками с сыром и вчерашним салатом. Оба молча жевали и читали. Посреди стола стояла массивная хлебница, она служила двойной подставкой.

Со стороны Семена Ефимовича на нее опирался «Новый мир», со стороны Нади — «Вестник микробиологии».

Семен Ефимович вздохнул, поднял глаза от журнала, задумчиво улыбнулся и пробормотал:

— А все-таки он сказал «дед»!

— Он сказал «ди-ди», — откликнулась Надя, не отрываясь от чтения, — это могло означать «иди», так что не обольщайся.

— Какое «иди»? Конечно, он сказал «дед» и крепко ухватил меня за нос!

— Мг-м, твой правнук вундеркинд. В семь месяцев заговорил, в три года научится читать, в шесть закончит школу экстерном...

Телефонный звонок прозвучал так резко, что оба вздрогнули.

Аппарат стоял на столике в прихожей.

— Не дергайся, я возьму! — Семен Ефимович выскочил из кухни и закрыл за собой дверь.

Он старался говорить тихо, но Надя слышала каждое слово:

— Алло... простите, кто ее спрашивает? С работы? Представьтесь, будьте любезны... Нет, ее нет... не знаю...

Телефон звякнул. Семен Ефимович вернулся в кухню, сел за стол, взглянул на Надю поверх очков, наморщил лоб и почесал ухо. Он всегда так делал, когда волновался. Конечно, ему было не по себе от этих звонков. Он старался первым схватить трубку, сохранял ледяную вежливость.

— Дети забавляются, — произнес он, глухо кашлянув, — на этот раз голосок тоненький, девичий.

— Дети, взрослые, — Надя пожала плечами, — в любом случае какие-то кретины, которым делать нечего.

Семен Ефимович поддел вилкой кусок огурца:

— Зимой лучше покупать малосольные на рынке, чем эти, так называемые свежие. Ни вкуса, ни запаха. И витаминов, разумеется, никаких. — Он прожевал и добавил нарочито небрежным тоном: — Знаешь, я отключил звук. В клинике как-нибудь проживут без меня до утра, а Леночка вряд ли побежит к автомату на ночь глядя.

— С ума сошел? — Надя вылетела в темную прихожую, схватила аппарат, уронила, подняла, тихо чертыхаясь, попыталась найти колесико регулятора звука. Семен Ефимович вышел к ней, включил свет, взял у нее аппарат, повернул колесико от минуса к плюсу. Они вернулись в кухню.

— Никогда так больше не делай! — Надя зажгла огонь под чайником, прикурила от той же спички. — Мало ли что может случиться? Она же там совершенно одна, ты только представь: холод, темнота, Лена в будке с Никитой на руках, а мы не слышим, не отвечаем. Почему? Потому, что нам звонят какие-то кретины! Да плевать на них! — Она поперхнулась дымом и закашлялась сильно, до слез.

Семен Ефимович взял у нее сигарету, загасил, налил воды, протянул ей стакан. Она залпом выпила, вытерла глаза, высморкалась. Он открыл дверцы кухонного шкафа, вместо жестянки с чаем достал пачку пустырника.

— Что ты психуешь? Она там не одна, у нее есть муж.

— Муж? — Надя зло усмехнулась. — Ага, конечно!

Чайник засвистел. Семен Ефимович заварил пустырник.

— Надя, так невозможно, честное слово, ты же извелась совершенно и меня измучила. Мы с тобой решили, что обознались. В театре с девицей был не Антон, а кто-то похожий. У него такая типично актерская внешность...

— В тебе говорит мужская солидарность или трусость? — перебила Надя. — Ты сам первый узнал его, стиснул мне руку до хруста, зашептал: «Сиди тихо, не оборачивайся». Может, наоборот, стоило подойти в антракте, поздороваться?

— Продираться сквозь толпу, искать... — Семен Ефимович пожал плечами. — Зачем? Чтобы окончательно испортить удовольствие от Высоцкого? Не заметил, и слава богу.

— Заметил, — процедила Надя сквозь зубы, — только вида не подал. Когда я за столом завела разговор о «Гамлете», он даже не покраснел, честно глядел мне в глаза, улыбался, посмеивался.

— Вот именно! — кивнул Семен Ефимович. — Его реакция как раз подтверждает, что мы обознались. Откуда у мальчишки такая железная выдержка? Тоже мне, Штирлиц!

— Не выдержка, — Надя помотала головой, — наглость. Ошеломительная наглость.

— Ну, ты прямо демонизируешь Тосика. — Отец поставил на стол банку меда, коробку мармелада. — Смешно, в самом деле! Глотни пустырничку и успокойся.

Надя отхлебнула, сморщилась:

— Опять вместо чая пьем эту твою гадость.

— Ничего не гадость! Вполне терпимо, на ночь очень полезно, а в чае, между прочим, кофеину больше, чем в кофе.

— Особенно в «грузинском», второго сорта!

— Ладно. — Семен Ефимович откусил мармеладку и облизнулся. — Допустим, девица — его бывшая одноклассница или сокурсница. Пропадал билет, вот и пригласила по старой дружбе. Ну не мог же он ей сказать: «Извини, я хочу пойти с женой!»

— Папа, перестань! Давай хотя бы себе врать не будем.

— Не будем, — согласился Семен Ефимович, — мы закроем, наконец, эту тему, перевернем страницу и станем жить дальше.

— Хорошо бы. — Надя вздохнула и добавила про себя: — «Только ты не все знаешь».

После ужина Семен Ефимович мыл посуду, напевал песню про зайцев из «Бриллиантовой руки», повторял, перевирая мелодию: «А нам все равно», и вдруг заявил, не оборачиваясь:

— Кстати, девица вовсе не красивая. Вульгарная, лицо грубое. Нашей Леночке в подметки не годится.

— Напрасно ты не дал мне сказать, — неожиданно жестко выпалила Надя.

Он со звоном бросил ложки в сушилку.

— Я поступил правильно. А ты едва не сделала чудовищную, жестокую глупость.

— Глупость? — Надя поднялась, грохнув табуреткой. — Да еще чудовищную, жестокую? Значит, я виновата?

— Не передергивай, я тебя ни в чем не виню. И вообще, хватит об этом! Сколько можно? Мы, кажется, договорились забыть! — Он принялся ожесточенно тереть тарелку куском хозяйственного мыла, замотанным в старый капроновый чулок.

— Забыть?! — У Нади задрожал голос. — Забыть, что Леночка живет с мерзавцем?! Он обманывает ее, а мы знаем и молчим, покрываем его. Мы на его стороне, что ли?

— Нет, Надя, мы на ее стороне, мы не его покрываем, а ее бережем. — Семен Ефимович сполоснул последнюю чашку, выключил воду, вытер руки. — Что мы знаем? Что? Ну, сходил в театр с чужой девицей. Мы понятия не имеем, какие там отношения; в конце концов, мы не в койке их застукали.

— Еще не хватало!

— Допустим, он погуливает, подумаешь, какое дело? Перебесится, повзрослеет, я не знаю ни одного мужчины, который...

— Ты маме изменял?

Семен Ефимович застыл. Полотенце выскользнуло из рук, он наклонился, чтобы поднять, и стукнулся лысиной об угол кухонного стола. Надя кинулась к нему, усадила на диван, смочила полотенце холодной водой, приложила к шишке.

— Очень больно?

— Терпимо.

— Не тошнит? Голова не кружится?

— Не волнуйся, сотрясения мозга нет, — проворчал он сердито. Она потерлась щекой об его плечо:

— Пап, ты обиделся?

— На кого? На угол стола?

— На меня. Я задала вопрос в духе Игоревны.

— Надя, Надя, при чем здесь Игоревна? Вопрос ты задала в духе твоего детского максимализма. Я хотел ответить «нет» и шарахнулся башкой.

— То есть — да? — Она затаила дыхание.

— На фронте случилась история, — Семен Ефимович глухо кашлянул, — фельдшерица, тихое, запуганное существо, не ахти как хороша и в возрасте...

— Фельдшерица, — ошеломленно повторила Надя.

С детства, сколько себя помнила, она была убеждена, что ее родители оставались верны друг другу с первого свидания до последних минут маминой жизни. Пусть все изменяют, пусть! Но ее родители — нет, никогда, ни за что! Представить папу с другой женщиной или маму с другим мужчиной просто дико.

Мамы не стало тринадцать лет назад, у папы за эти годы случилось два серьезных романа и два несерьезных, однажды он почти женился, но в последний момент передумал. Однако все, что происходило после мамы, уже не имело значения.

— И по мелочи, случайные сестрички…

— Не надо! — Надя зажала уши и помотала головой.

— Ты спросила, я ответил.

— Лучше бы промолчал.

— Прости. — Он тронул пальцем шишку. — Ну вот, уже почти не болит.

Надя отправилась курить на балкон. Куталась в плед, смотрела на темный заснеженный двор, думала: «Стареешь, а повзрослеть не можешь. Научись, наконец, принимать жизнь такой, какая она есть. Понять бы еще, какая она есть? Папа использовал эту шоковую терапию исключительно ради Лены, наглядно показал, что о некоторых вещах лучше не знать. Не случись встречи в театре, он молчал бы о фронтовой фельдшерице до конца своих дней и не покушался бы на мои детские иллюзии. Конечно, он прав, не надо ей говорить».

Через полчаса телефон опять зазвонил. На этот раз трубку взяла Надя, но не сказала «Алло». Молчала. И в трубке молчали.

* * *

Кручина откинулся на спинку кресла, закрыл глаза. Стюардесса склонилась к нему, спросила:

— Александр Владимирович, может, во второй отсек? Я провожу.

— Да, пожалуй.

Стюардесса помогла ему встать. Второй отсек представлял собой небольшой гостиничный номер с кушеткой и душевой кабинкой.

— Не дай бог малярия, — вздохнул посол.

— Или гепатит какой-нибудь. — Атташе быстрым движением долил себе в стакан остатки виски.

«Да, досталось тебе, — подумал Уфимцев, провожая взглядом маленькую понурую фигуру, — высунул нос из своей номенклатурной теплицы, нанюхался грубой реальности».

Он поднял шторку иллюминатора. Сквозь толстое стекло хлынула яркая синева. Внизу сияли перистые облака, будто прозрачные крылья небесных ангелов, просвеченные насквозь лучами закатного солнца. Он наконец осознал, что уже завтра будет дома. Повезло. Он должен был торчать в Нуберро до апреля, но Кручина получил приказ привезти в Москву посла, военного атташе и резидента. Всех троих вызвали с докладами на заседание Политбюро.

«Я обязан страшно волноваться, — думал Уфимцев, — впервые за свою долгую и не слишком успешную карьеру предстану перед Старцами. Поворотный момент, главный шанс, нельзя упустить. Понравлюсь Им, получу генеральские погоны и вылезу наконец из этой жопы мира на свет Божий».

Но он совсем не волновался. Забавная особенность нервной системы: дергаться по пустякам и сохранять безмятежную отстраненность, когда происходит нечто серьезное, значительное.

Доклад он набросал накануне ночью. Сейчас надо бы просмотреть, кое-что поправить, но неохота перечитывать этот бред, набор штампованных пустых фраз. Он позволил себе аккуратно, вскользь, упомянуть пережитки племенного и религиозного сознания и сразу добавил, что они, пережитки, с успехом преодолеваются. Страна медленно, но верно движется по пути построения социализма.

Юра вдруг представил, как встает перед Старцами и произносит следующее:

«Товарищи! Никаким социализмом там не пахнет. Мы вбухали в эту черную дыру немерено денег. Мы их одеваем, обуваем, кормим, учим и лечим. Они так и будут брать, брать, брать и никогда ничего не вернут. Мегатонны нашей военной и сельскохозяйственной техники ржавеют и гниют под открытым небом по всему Африканскому континенту. Мы ублажаем и вооружаем психопата-людоеда, а ему все мало. Теперь он требует атомную бомбу. Что мы вообще делаем? Может, сначала одеть, обуть, накормить наш собственный народ?»

Последним аккордом выступления могла бы стать приветственная телеграмма Брежневу. Он прочитал бы ее громко, выразительно, слово в слово, без купюр: «*Я очин тибья лублу и еслы вы был женчина...*»

Бумажка так и лежала в кармане пиджака. Уфимцев тихо засмеялся, вообразив, какие будут лица у Старцев, и понял, что к докладу в принципе готов. Говорить следует все с точностью до наоборот. Врать по формуле из чеховского «Ионыча»: «Я иду, пока вру, ты идешь, пока врешь, мы идем, пока врем».

Неслышно подошла стюардесса, прошептала:

— Юрий Глебович, будьте добры, во второй отсек. Александр Владимирович просит вас подойти, и портфель его захватите, пожалуйста.

Кручина полулежал на высоких подушках. Под лампой блестели капельки пота на лысине. Маленькие короткопалые кисти безжизненно покоились поверх пледа, ногти побелели.

«Крепко вас скрутило, товарищ генерал, — подумал Уфимцев, — вот вы на экскурсию слетали, а я там живу».

— Юр, а вдруг правда малярия? — спросил Кручина. — Я от нее вроде не прививался.

— Малярия так скоро не проявляется, инкубационный период неделя в среднем, — объяснил Уфимцев, — прививки нет, только таблетки для профилактики. Вам наверняка их дали.

— Да уж, глотаю всякую химию горстями. Может, мне от этого так паршиво?

— Все вместе: химия, перемена часовых поясов и климата, стресс, усталость. Сядем в Афинах — там врач посольский.

— Ага, знаем мы этих врачей! — Кручина брезгливо скривился. — Ладно, дай-ка мне портфель. — Он приподнялся повыше, достал блокнот, ручку, футляр с очками. — Телеграмма у тебя?

— Вот она.

Генерал надел очки, стал читать, слабо шевеля губами. Уфимцев украдкой следил за его лицом, понимал, о чем он думает. Телеграмма ляжет на стол Андропову и станет маленьким оправданием провального визита. Верный преданный Кручина вовремя перехватил. Попади этот шедевр болванам-дипломатам, они бы отредактировали, вылизали, получилась бы обычная приветственная хрень, гладенькая, никому не нужная. Секретариат Леонида

Ильича подмахнул бы вежливый ответ, и все. Но в руках Андропова пакостная писулька может стать неплохим козырем — если он решится показать ее Брежневу в натуральном виде.

Кручина аккуратно сложил листок, убрал в портфель и взглянул на Уфимцева поверх очков.

— Почему он вручил это тебе, а не послу, как положено?

— Потому, что это не официальное послание, а личное. Ну, и вообще, он никогда ничего не делает как положено. Африканский темперамент.

— И чего от него ждать, от этого темперамента?

— Сюрпризов. — Уфимцев развел руками. — Одно утешает: с ним не соскучишься.

— Да уж. — Генерал что-то чиркнул в блокноте. — Ну, как считаешь, может он переметнуться к ОП или к ГП?

«Никогда не скажет просто: китайцы, американцы, — заметил про себя Уфимцев, — даже в обычном разговоре, наедине, использует кодовые аббревиатуры. Из суеверия, что ли?»

Когда-то был только ГП — Главный Противник, американцы. Потом испортились отношения с Китаем и появился ОП — Основной Противник, китайцы.

— Трудно сказать определенно. — Юра вздохнул. — Понимаете, Александр Владимирович, тут как в старом анекдоте. Может слон съесть тонну мороженого? Съесть-то он съест, да кто ж ему даст?

Александр Владимирович анекдота не понял или вообще не услышал. Лицо его выражало напряженную работу мысли. Он щурил светло-зеленые воспаленные глаза, трогал кончик мягкого курносого носа. Он будто вовсе забыл об Уфимцеве, ушел в себя. Наконец спросил:

— А Раббани что за фрукт?

— Из окружения Каддафи, тайную полицию возглавляет всего два месяца.

— Знаю. — Кручина откашлялся, словно до сих пор не мог очистить легкие от дыма сигары Птипу. — Ты докладывал, что он готов к переговорам. Почему все-таки увильнул?

— Боится повторить судьбу предшественника. Жить хочет.

— Мг-м, мг-м. — Кручина сдвинул белесые брови, пару минут молча водил пером по бумаге, потом, не поднимая глаз, бросил следующий вопрос: — А что с предшественником?

Историю Укабы Васфи, предыдущего начальника тайной полиции, Уфимцев подробно излагал в своих донесениях. К визиту генерал готовился тщательно, перекопал весь массив информации по Нуберро и, конечно, ничего не забыл.

«Нужны свежие детали, хочет оживить свой доклад Андропову, блеснуть осведомленностью». — Юра стал говорить медленно, чтобы генерал успевал записывать:

— В октябре прошлого года Васфи встретился в Дубае с представителем швейцарской торговой фирмы господином Йоханом Колли. Фирма занимается алмазами. Встреча была обставлена как переговоры о разработке алмазного месторождения на севере Нуберро. На самом деле Васфи по приказу Птипу прощупывал, на каких условиях американцы могли бы помириться с Птипу. Колли — штатный сотрудник ЦРУ.

— Знаю. Дальше.

«Еще бы не знать, решение о твоем визите приняли сразу после моей оперативной телеграммы об этих чертовых переговорах».

— Американцы готовы к более близким контактам, но исключительно тайным, чтобы Израиль не обиделся. О восстановлении дипломатических отношений и открытом сотрудничестве речь может идти только в случае смены власти.

— То есть они намекнули на государственный переворот? — Кручина оживился, даже щеки слегка порозовели.

— Ну, не совсем. Васфи спросил, они ответили вежливо, неопределенно. Отделались общими словами. Ясно, что от контактов они не отказываются, будут держать его на крючке, но рассчитывать на их поддержку он вряд ли может. Я присылал подробный отчет.

— Да-да. — Кручина поправил очки и перевернул страницу. — Ну, дальше!

— Дальше — Васфи вернулся домой, и через две недели ему отрубили голову. Части тела Птипу велел зажарить на вертеле и подать к столу на банкете в честь дня рождения своего старшего сына. Голова хранится в холодильнике дворцовой кухни.

— Слушай, а без подробностей нельзя? — Кручина брезгливо скривился. — Почему не сказать просто: Васфи ликвидировали?

«Ох какие мы чувствительные!» — усмехнулся про себя Юра и смиренно произнес:

— Извините, Александр Владимирович.

Генерал насупился, но извинение принял и нейтральным деловым тоном спросил:

— В чем конкретно обвинялся Васфи?

— Остается только гадать. Суда никакого не было, он его просто... — Юра осекся, кашлянул и произнес медленно, по слогам: — Ли-кви-ди-ро-вал.

— Должны быть какие-то причины. Может, у него все-таки имелись основания подозревать Васфи в тайном сговоре с ГП?

— Александр Владимирович, — Юра устало вздохнул. — Птипу постоянно чистит свое ближайшее окружение. Из тех, кто занимал ключевые должности в начале его правления, в живых никого не осталось. Васфи был последним, и вот пришла его очередь.

Кручина молчал почти минуту, сосредоточенно разглядывал свои ногти, издавал какие-то невнятные звуки вроде «Ту-ту-ту», наконец покосился на Юру:

— Слушай, а зачем он вообще полез к ГП? Мы ж ему все даем, неужели мало?

— Мало! У него расходы знаете какие? Два личных самолета, три яхты. Вот недавно прикупил себе виллу на озере Комо. Теперь надо красиво обставить. Мебель он любит антикварную, картины — обязательно подлинники...

— А, черт! — внезапно вскрикнул Кручина.

По странице расползлась клякса.

Моду на перьевые авторучки ввел Андропов. Он их коллекционировал. Кручина во всем подражал Председателю, с шарика перешел на перышко и правильно сделал. Рука уставала меньше, а писать приходилось много. Выездные сотрудники дарили начальнику золотые перья. Однажды Юра решил тоже подольститься, купил в Риме серебряную «Скритторе», небольшую, тяжеленькую, строгой граненой формы, с тонким золотым пером. Она была так хороша, так приятно легла в руку, что он раздумал дарить Кручине, оставил себе. С тех пор с ней не расставался.

— Зараза, вот он, их хваленый «Мейсон»! Вроде в Лондоне куплен, — ругался генерал, вытирая пальцы сначала носовым платком, потом влажными салфетками. — Неужели подделка, китайское барахло?

— Все нормально, Александр Владимирович, — утешил Юра, — в самолете от перепадов давления чернила иногда текут.

— Так чего ж не предупредил?

— Да я как-то не обратил внимания, чем вы пишете. — Юра достал из кармана карандаш. — Вот, возьмите, самый надежный инструмент для самолета, паста в шарике тоже может потечь.

Кручина, кряхтя и ворча, отправился мыть руки, вернулся бледнее прежнего. Его покачивало, Уфимцев поддержал генерала под локоток, помог взобраться на кушетку, накрыл пледом и услышал:

— Смотри-ка, ГП, сволочи, даже не поставили условием разрыв с нами.

«Да им вообще ничего не надо делать, — подумал Юра, — достаточно просто не мешать нам заниматься этим идиотизмом».

Он пожал плечами и произнес:

— А им-то что? Чем больше денег мы на ветер выкинем, тем для них лучше.

— Мг-м, мг-м. — Кручина постучал по губам тупым концом карандаша. — Значит, он сам отправил Васфи на переговоры, а потом казнил. И ты абсолютно уверен, что Васфи не вел двойную игру?

— В каком смысле?

— В том самом! — Кручина перешел на шепот, вернее, зашипел, как вода на раскаленной сковороде: — Откуда у тебя такая уверенность? Почему ты исключаешь, что Васфи продался ГП и готовил государственный переворот при поддержке ЦРУ? На каком основании ты это исключаешь?

«Старая закалка, — подумал Юра, — опыт работы следователем и прокурором при Сталине оставляет вмятины вроде оспы, только не на лице, а в мозгу. Обязательно нужен заговор».

Он покачал головой и спокойно объяснил:

— На том основании, что всех, кто мог бы возглавить оппозицию, хотя бы слабенькую, хотя бы теоретически, Птипу давно ликвидировал. Васфи продержался дольше остальных именно потому, что не представлял для него опасности, был ему по-собачьи предан, собственных амбиций — ни малейших. Вообще ничего, кроме страха и обожания. Он ведь из племени Каква, а для них Птипу — живое божество.

— Ну да, ну да, — рассеянно пробормотал генерал.

Он опять ушел в себя, как будто даже задремал. Карандаш выпал из расслабленных пальцев, глаза закрылись. Уфимцев зевнул, вытянул ноги, удобней устраиваясь в кресле, и услышал:

— А все-таки жаль, не удалось побеседовать с Раббани. Я ведь не американец, подбивать на организацию переворота никого не собирался.

Глава шестая

После концерта и банкета в честь закрытия съезда он вернулся домой на рассвете, не раздевшись, рухнул на кровать. Проснулся бодрым, обновленным. Привычная гимнастика доставила ему какое-то особенное удовольствие. Каждое отжимание, приседание и подтягивание наполняло тело радостной искрящейся энергией.

«Девять, десять, одиннадцать... Мне ничего не почудилось, это вовсе не фантазии... Восемнадцать, девятнадцать, двадцать... Конечно, там, на съезде, Сам заметил меня, выделил из серой массы, потому что он гениально разбирается в людях, видит насквозь, знает все обо всех и о каждом... двадцать восемь, двадцать девять, тридцать...»

Чувство своей особости, избранности жило в нем с детства, но он не был уверен, постоянно взвешивал плюсы и минусы. Родился и рос в грязной коммуналке, отец путевой обходчик, мать уборщица, это, конечно, минус. Зато анкетные данные безупречны, предки по отцовской и по материнской линии — сплошь батраки да пролетарии, все русские, сомнительных примесей нет. Социальное происхождение и кровь чисты, как слеза младенца, хоть под микроскопом разглядывай. Это, конечно, плюс.

То, что он вообще появился на свет и выжил, колоссальный плюс. До него мать родила двоих, мальчика и девочку. Мальчик умер в полтора года от коклюша, девочку в роддоме заразили стафилококком, умерла в двухнедельном возрасте.

Отец запил не до, а после его рождения. Плюс, и не маленький. От алкоголиков часто рождаются придурки. Потом у матери из-за отцовских запоев случилось три выкидыша, и это сразу три плюса: не нарожала уродов. Такие родственники могли бы в будущем подпортить кристальную анкету. Еще

*два плюса — мать выжила, оправилась после выкидышей,
а отец не сел в тюрьму, не стал инвалидом, а угодил спьяну
под товарняк, то есть погиб на своем законном рабочем
месте, при исполнении служебных обязанностей, в результате
несчастного случая. Они с матерью остались вдвоем, и вся ее
любовь досталась ему, единственному драгоценному сыночку.*

*Он растерся полотенцем докрасна и принялся внимательно
изучать свое отражение. Да, точно, лицо у него необыкновен-
ное. Чеканные мужественные черты определенно указывают
на кристальную чистоту крови и принадлежность к элите
человечества. Такие, как он, наделены сверхспособностями,
призваны разоблачать и карать врагов, устанавливать свои
порядки, побеждать и владеть миром. Не только внешность,
но и биография — прямое тому подтверждение. Даже самые
увесистые минусы в итоге оборачивались плюсами.*

*В 1940-м, когда ему исполнилось пятнадцать, ввели плат-
ное обучение: 200 рубликов за девятый класс, столько же за
десятый, а за каждый курс вуза по 400. Мать мечтала, чтобы
он закончил десятилетку, поступил в вуз, он и сам этого
хотел, но пришлось после восьмого идти в ФЗО при вагоно-
строительном заводе.*

*Летом 1941-го завод эвакуировали в Пермь. Призывной
возраст настиг его в 1943-м, в глубоком тылу. Он работал
учеником мастера, резво продвигался по комсомольской линии
и призыву не подлежал. А вот пошел бы в девятый-десятый, не
попал бы на оборонный завод и легко угодил бы в сорок третьем на передовую. Ладно, допустим, не сразу и не на передовую. Такого толкового активного комсомольца вполне могли бы
направить на курсы работников особых отделов при Высшей
школе НКВД. Оттуда прямая дорога в СМЕРШ. Вроде неплохо,
вполне себе плюс, но лишь на первый взгляд, потому что
СМЕРШ — это Абакумов Виктор Семенович, вчера всесильный
министр, генерал-полковник, сегодня — разоблаченный враг,
глава сионистского заговора. Вчера здоровенный мужик, наглый, хитрый, ненасытный. Сегодня — беззубый калека с от-
битыми почками и переломанными костями. Вчера обитал*

*в хоромах, имел полдюжины постоянных любовниц и сколь
угодно временных. Сегодня заключенный № 15 в Лефортове.
Допросы круглые сутки, карцер-холодильник, кандалы, дубинка
и плеть по самым чувствительным местам.*

*Большая чистка началась именно с ареста Абакумова и его
заместителей летом 1951-го. Сегодня, осенью 1952-го, абакумовских людей в органах почти не осталось. Стало быть, тот
факт, что он в СМЕРШе не служил, в органы пришел с комсомольской работы, можно считать самым главным плюсом в его
жизни.*

*Каждый плюс — это аванс. Важно правильно им воспользо-
ваться, а для этого надо шевелить мозгами, анализировать
чужие минусы и делать выводы.*

* * *

Дачный кооператив «Буревестник» раскинулся на берегу реки
Сони в Красногорском районе Московской области, в двадцати
трех километрах от МКАД. Доехать можно было на машине по
Минскому шоссе либо электричкой от Белорусского вокзала до
платформы Куприяновка.

Путь пешком от Куприяновки до «Буревестника» занимал
полтора часа, если идти не спеша, с тяжелыми сумками, и минут
сорок — если скорым шагом, налегке.

Справа вдоль шоссе, за ровными рядами молодых елок, про-
стирались пастбища животноводческого колхоза «Заря коммунизма». Слева рябило в глазах от березовых стволов. Рощу рас-
секала бетонка, крепкая, широкая, с канавками по обе стороны.
Даже весной, в распутицу, по ней удавалось пройти в городской
обуви, не замочив ног, и машины проезжали гладко, не подпры-
гивая на ухабах, не брызгая грязью. Такие дороги Вячеслав Олегович видел только в буржуазной Европе.

«Буревестнику» повезло, ближайшим соседом был генеральский поселок Раздольное, общую дорогу клали солдаты, которые
строили генеральские дачи под строгим присмотром генеральш.

Солдатам тоже повезло. Строить дома и дороги в мягком подмосковном климате, на свежем воздухе все-таки лучше, чем проходить срочную службу где-нибудь в Средней Азии или на Земле Франца-Иосифа.

Оба поселка выходили на пологий песчаный берег Сони. В летнюю жару дачники, от младенцев до стариков, высыпали на пляж, чистый, закрытый для посторонних, с кабинками, зонтиками, огороженным «лягушатником» для малышей и вышкой, на которой дежурил солдат-спасатель: Соня в некоторых местах была глубока.

На противоположном берегу, крутом, высоком, вилась белым бинтом стена древнего, шестнадцатого века, мужского монастыря Иоанна Предтечи.

Места были обжитые, дачные. В девяностых годах девятнадцатого века купец Куприянов купил огромный участок земли, вырубил яблоневые сады и построил полсотни дачных домиков, каждый с душем и туалетом. Сезон открывался в начале мая, закрывался в конце сентября. Аренда стоила дорого, приезжали только состоятельные москвичи. Пять месяцев тут танцевали на благотворительных балах, ставили любительские спектакли, катались на лодках, варили варенье, писали стихи и акварельные пейзажи. На открытых верандах кипели самовары, хрипели граммофоны, над полянами летали теннисные мячи, в роще мелькали белые платья барышень, шуршали велосипедные шины. По утрам лился перезвон монастырских колоколен, гремели бидонами деревенские молочницы. Из купальных павильонов спускались по лесенкам в воду барышни в сорочках до щиколоток, молодые люди в смешных полосатых трико до колен.

Дачные домики сгорели, но сохранилась усадьба, построенная в начале девятнадцатого века в стиле ампир, окруженная старинным парком, с прудом, аллеями, беседками и скульптурами. После революции в усадьбе разместились клуб и правление колхоза «Заря коммунизма». Во время войны там устроили госпиталь, потом санаторий Министерства обороны для высшего командного состава.

Командному составу понравились эти красивейшие места, в конце пятидесятых рядом с санаторием выросли генеральские дачи, скоро присоседились генералы литературные: члены Правления Союза писателей, главные редакторы журналов и книжных издательств военно-патриотической направленности.

Участки давали щедрые, от двадцати соток и больше, дома строили просторные, в два-три этажа, с городскими удобствами. Печами, каминами и баньками дачники обзаводились просто ради удовольствия.

Стены и внутренние строения монастыря уцелели. В двадцатых посбивали кресты с куполов, сняли колокола, в кельях поселили беспризорников. В тридцатых там была тюрьма НКВД, во время войны оружейный склад, потом — конезавод им. Ворошилова. В бывших кельях жили конюхи, на монастырской территории построили конюшни, в храме оборудовали ветлечебницу. Обитатели поселков с удовольствием занимались верховой ездой.

Берега соединяли два моста — старинный, белокаменный, монументально красивый трехарочный аквелук и современный, надежный, но неинтересный.

Вячеслав Олегович любил дачную жизнь, она напоминала ту, прежнюю, конца девятнадцатого — начала двадцатого века. Он родился в 1923-м, ту жизнь знал по Чехову, Бунину, Горькому, по картинам Коровина, Серова, Поленова, по открыткам, фотографиям, музейным интерьерам. Чем старше он становился, тем сильней тянуло его туда, в незабвенное прошлое. Он тратил много времени и средств на старинные вещи и вещицы, охотился за ними в Москве и в провинции. Он предпочитал мебель в стиле русского национально-романтического модерна и неоклассицизма, но в московской квартире пышным, с высокими спинками, диванам, трехметровым, похожим на сказочные терема, буфетам было тесновато, они требовали простора, высоких потолков, чистого воздуха. Они просились на дачу.

На даче в гостиной нашел свое место гигантский обеденный стол из ясеня, с витыми ножками и причудливой резьбой по периметру столешницы, любовь и гордость Вячеслава Олеговича. Он купил его случайно, за бесценок, в разломанном, ободранном виде. На внутренней стороне столешницы сохранилось клеймо торгового дома «Мюр и Мерилиз». Реставрация обошлась дороже покупки и доставки, но это не важно. Стол — душа дома. За ним помещалось двадцать четыре человека, а если потесниться, влезало и тридцать. Важных гостей усаживали на мягкие гамбсовские стулья с подлокотниками, тех, кто попроще, — на длинную лавку со спинкой, а случайным («одноразовым» — по меткому выражению Оксаны Васильевны) доставались круглые табуретки с хохломской росписью, красивые, но неудобные.

Вячеслав Олегович обещал жене приехать на дачу засветло, но не получилось. Уснул около трех ночи, будильник не завел, проснулся поздно. За завтраком включил телевизор. Показывали телеспектакль по «Обрыву» Гончарова. Он увлекся. Очень любил этот роман, и постановка была неплоха. Потом решил все-таки посидеть над своими черновиками, хотя бы пару часиков, опять увлекся. Позвонила Оксана Васильевна: «Как?! Ты еще не выехал?!» Он принялся собираться, то и дело перезванивал на дачу, уточнял про скатерть, вилки, пряности и еще кучу всяких мелочей, которые жена просила привезти.

В машине он долго выбирал кассету. Наконец поставил оперу Римского-Корсакова «Сказание о невидимом граде Китеже и деве Февронии», тронулся под звуки увертюры, пересек МКАД; подпевая лирическому дуэту Февронии и Княжича, свернул в березовую рощу под хор толпы, смех и соло медведя на дудке. Нападение татар на Китеж, паника и отчаянное многоголосье «Ой, беда, беда идет, люди, ради грех наших тяжких» так разволновали его, что он едва не проскочил ворота своего участка.

Окна сияли уютным дачным светом, цветные стекла веранды отбрасывали на снег зеленые, красные, синие блики. Возле дома стояли две черные «Волги» и одна бежевая. На заснеженной лужайке блестела мишурой живая елка, рядом дымил мангал. Угли в нем помешивал прапорщик в валенках и телогрейке, личный повар генеральской четы Дерябиных.

Вячеслав Олегович выключил музыку, заглушил мотор и услышал странный звук, будто где-то кричали сразу несколько младенцев. На крыльце звук усилился, это был пронзительный невозможный визг. Галанов открыл дверь, и на него упала Оксана Васильевна, бледная до синевы:

— Славик!

От нее сильно пахло валерьянкой. Визг впивался в уши, резал мозг. Через плечо жены Вячеслав Олегович увидел генерала Федю Уральца в толстом свитере и старых домашних валенках. Рожа раскраснелась, глаза блестели.

— Привет, хозяин, заждались тебя, тут, видишь, какая история…

На веранде было холодно, у Феди изо рта валил пар с отчетливым коньячным запашком. Полные плечи Оксаны Васильевны дрожали под легкой пуховой шалью.

— Славик, — бормотала она, повиснув на нем всей тяжестью, — ужас-ужас-ужас…

Визг внезапно оборвался. Послышались мужские голоса и смех, в дверном проеме возникла массивная фигура генерала Вани Дерябина.

— А-а, Славка, ты, как всегда, самое интересное пропустил. — Генерал хлопнул по спине Оксану Васильевну. — Ну-ну, Ксанчик, хорош трястись.

— Привет, Иван, что происходит? — Вячеслав Олегович осторожно попытался отстранить жену.

Она намертво вцепилась в воротник его дубленки и продолжала бормотать как в бреду:

— Ужас-ужас-ужас!

— Ты, Слав, главное, не волнуйся, — загудел сиплый басок Уральца, — тут, видишь, какая история, колхозники поросят привезли, молочных, только…

— О! Вот и наш герой! — радостно воскликнул генерал Ваня. — Прошу любить и жаловать.

Посреди веранды стоял, широко расставив ноги, невысокий лысый крепыш лет сорока пяти, в ковбойке с закатанными рукавами, в цветастом фартуке Клавдии. Он выскользнул из кухни бесшумно, как призрак. Розовый череп сиял под люстрой, поблескивали крутые румяные скулы, короткий приплюснутый нос.

«Какой гладкий, — заметил про себя Галанов, — будто глазурью облит».

— Добрый вечер, Вячеслав Олегович, — произнес приятный баритон.

Галанов поздоровался и машинально пожал протянутую крепкую кисть.

— Эх, Славка, Славка! Даже не представляешь, как нам сегодня повезло! — возбужденно бухтел генерал Федя.

Оксана Васильевна наконец опомнилась, отпустила воротник дубленки:

— Да уж, повезло, подфартило. Поросят привезли живых, я хотела назад отправить...

— Отправить! — писклявно передразнил ее Федя. — Хорош был бы стол без поросят! Спасибо нашему дорогому профессору, выручил, взял на себя нелегкую мужскую работу.

Все посмотрели на «Глазурованного», тот скромно улыбнулся. Оксана Васильевна выдавила ответную улыбку:

— Да-да, спасибо, извините за такую мою реакцию, просто они кричали, будто младенцы. — Она поправила прическу, одернула кофточку. — Неужели нельзя как-то иначе, гуманней, ну, я не знаю, усыпить, чтоб не мучились.

— Наркоз дать? — хихикнул генерал Ваня.

— Ксанчик, солнце мое, тебя же предупреждали, вон, слабонервные все заранее ушли воздухом дышать, а ты... — Генерал Федя укоризненно покачал головой. — Упрямая она у тебя, Славка, ох, упрямая.

Снаружи послышались шаги, голоса, в дверь постучали.

— Можно, можно! — пробасил Федя. — Страсти-мордасти закончились.

Веранда наполнилась запахом свежего снега, холодного меха, дорогого парфюма, топотом, щебетом, паром дыханий.

С прогулки вернулись генеральша Дерябина, седовласая, высокая, статная, в коричневой норке, их дочь Вера, Уфимцева по мужу, сорокалетняя белокурая красавица, в серебристой норке, в ярком павловском платке, их внук, пятнадцатилетний Глеб, в дутой канадской куртке с капюшоном, супруги Сошниковы с дочками-близнецами, жена Уральца, Зоя, толстуха в каракуле, с пятилетним, закутанным до глаз, внуком, Клавдия, в дохе и валенках, супруги Потаповы. Последней влетела хохочущая, засыпанная снегом парочка: сын Потапова, Станислав, аспирант филфака МГУ, и Вика, младшая дочь Вячеслава Олеговича и Оксаны Васильевны.

* * *

Комбинезон так и не высох, но торчать в квартире стало уже невмоготу. Надо было хотя бы дойти до гастронома, купить еды.

Лена достала из шкафа старую цигейковую шубку, которую носила с четырех до шести лет. Шубка пованивала нафталином и ждала, когда подрастет Никита. В санки постелила байковое одеяло, надела на Никиту два теплых костюмчика, упаковала его в шубку, замотала шарфом.

Морозец был легкий, не злой. Ветер утих. Справа, за белым пустырем, на пригорке, виднелась прозрачная лесная опушка, светлые тучи висели так низко, что казалось, верхушки сосен щекочут их пухлые подбрюшья. Слева тянулись одинаковые серо-белые новостройки с рядами балконов, как тетрадные листки в линейку. До цивилизации с универсамом, поликлиникой, аптекой, почтой — четыре автобусные остановки, а до метро — семь.

Автобус ходил редко, на остановке собралась толпа, да и все равно с санками не влезешь. Она отправилась пешком по обочине, вдоль трассы. По утрамбованному снегу санки скользили довольно легко, правда, иногда приходилось перетаскивать их вместе с Никитой на руках через шершавые окаменевшие кучи песка и глины.

На улице Никита сразу успокоился, с любопытством глядел по сторонам. В коляске с высокими бортами он мог видеть только небо. В санках открывался широкий обзор. Лена подумала, что для него это почти кругосветное путешествие. Глазищи сияли, щеки порозовели. Помпон вязаной шапки покачивался, санки прыгали на ухабах, эти подскоки Никиту смешили. Он запрокидывал голову, широко открывал рот, заливался хохотом. В шубке он был похож на медвежонка Васю.

Из универсама на улицу торчал хвост. Выбросили бананы, а в молочном давали глазурованные сырки и только что привезли свежую развесную сметану. Не зря Лена прихватила чистую банку с крышкой. С тех пор, как стала кормящей мамашей, от сметаны дрожала, будто кошка.

За бананами и в кассу она заняла заранее, к молочному встала. Кроме банки и капроновой сумки имелся у нее с собой свежий номер журнала «Юность», но вытащить не успела, Никита захныкал, пришлось брать на руки. Держать его в шубке было неудобно, тяжело, он вертелся, пытался высвободить руки из длиннющих рукавов. Лена сняла с него шубку, бросила в санки.

Так и стояла, баюкая, утешая, подталкивала санки ногой по мере движения очереди, сначала в молочный, потом за бананами, потом в кассу, всего часа полтора. Спасибо, продавщица закрутила для нее крышку сметанной банки (другие сами закручивали) да какая-то бабулька подержала мешок, помогла уложить продукты.

— Хоть восьмилетку окончить успела? — спросила она, с любопытством заглядывая в глаза.

— Успею еще. — Лена присела на корточки, принялась упаковывать Никиту в шубку.

— Ну, а лет сколько тебе?

— Чертова дюжина. — Лена застегнула шубку, замотала Никитку шарфом и поволокла санки к выходу из универсама.

— Ой ты боже ж ты мой! — запричитала ей вслед бабуля. — А муж-то есть?

— Всего доброго, спасибо за помощь! — Лена вежливо улыбнулась и помахала рукой.

На последних месяцах беременности и после родов ей приходилось постоянно выслушивать вопросы и комментарии уличных доброхотов по поводу ее слишком юного возраста. Она выглядела не старше четырнадцати. Маленькая, худющая, темно-русые волосы заплетены в тугую косичку, из-под длинной челки глядят широко распахнутые глаза, темно-серые при пасмурной погоде и ярко-синие при солнечном свете. Когда ее спрашивали о возрасте, она врала, забавлялась. Ну не объяснять же каждой сердобольной тетеньке, что ей уже девятнадцать, что в декрет она ушла со второго курса мединститута, а ребенка родила от законного мужа!

Да, она взрослая женщина, у нее есть муж, он любит ее и Никиту. Никто никогда не задаст Никите вопрос: деточка, а где твой папа?

Глава седьмая

Историю падения Абакумова он знал от Федьки Уральца
во всех подробностях. В Центральном Аппарате и на
местах многие считали, что Абакумова погубила
случайность. Шептались: погорел из-за пустяка, из-за Окурка.

«Окурком» называли старшего следователя следственной
части по особо важным делам подполковника Рюмина Михаила
Дмитриевича. Он отличался тупостью, надменностью, умудрялся при своем карликовом росте смотреть свысока на
товарищей, всех раздражал, постоянно, будто нарочно, нары-
вался на неприятности. То начальству нахамит, то папку
с секретными документами забудет в служебном автобусе.

Окурок вел дело о сионистском заговоре, работал с одним
из главных заговорщиков по фамилии Этингер.

Этингер был старик, тюремные врачи предупреждали, что
у него слабое сердце и он в любой момент может отбросить
копыта. Абакумов приказал допросы прекратить, переключил
Рюмина на другое дело, но Окурок только вошел во вкус, приказ
проигнорировал, каждый день мотался в Лефортово, часами
допрашивал Этингера и перестарался. После очередного
допроса старик свалился замертво.

Никто не сомневался: все, Окурку конец. Началось внутреннее расследование. Выяснилось, что Рюмин наврал во всех
анкетах, скрыл свое социально чуждое происхождение. Отец
его до революции был богатым скототорговцем. Родные сестра
и брат привлекались за воровство, тесть воевал у Врангеля.

Окурку светило снятие с должности, исключение из партии, арест. И вот тут Окурок всех удивил: накатал в ЦК
телегу на министра Абакумова, мол, именно он, Абакумов,
специально довел до смерти подследственного, чтобы тот не
успел раскрыть ведущую роль его, Абакумова, в сионистском

заговоре, который пронизал своими щупальцами органы, сверху донизу.

В результате Абакумова арестовали, а Рюмин стал полковником, начальником Следственной части и через пару месяцев занял должность замминистра.

Как раз тогда, осенью пятьдесят первого, он, выпускник Школы следственных работников, оперуполномоченный Свердловского райотдела МГБ, был переведен в Центральный Аппарат, сначала в 6-й следственный отдел 5-го оперативного управления, потом, уже в звании старшего лейтенанта, в Следственную часть по особо важным делам. Лишь совсем недавно, в сентябре, он получил капитанские погоны, должность младшего следователя и небольшую казенную квартиру в ведомственном доме на Покровском бульваре, ту самую, в которой сейчас стоял у зеркала в ванной комнате и решал уравнение с двумя неизвестными. Окурок Рюмин и Глыба Абакумов.

Конечно, у Рюмина имелись покровители на самом верху, иначе вряд ли он осмелился бы наплевать на приказ министра, тем более накатать телегу. Это ясно. И все-таки, каким образом Окурку удалось обрушить Глыбу?

Молодой капитан взял маникюрные ножницы, принялся аккуратно подстригать волоски усов, таких же густых и красивых, как у Самого, только не черных с проседью, а пшеничных, и вдруг понял, что уравнение в принципе нерешаемо, потому что условия заданы неверные. Окурок не мог обрушить Глыбу. Рюмина использовал секретарь ЦК Маленков Георгий Максимилианович, чтобы на место Абакумова сунуть своего человека, нынешнего министра МГБ Игнатьева Семена Денисовича.

Капитан вдоволь налюбовался круглой, как блин, рожей Маленкова, когда тот зачитывал нуднейший отчетный доклад на съезде, и не раз видел вытянутую постную физиономию министра Игнатьева. Оба типичные чинуши, карьеристы, стараются изо всех сил угодить Самому. Абакумов тоже старался.

Он отложил ножницы, взбил пену и намылил щеки. В чем же разница между Абакумовым и Маленковым, между Абакумовым и Игнатьевым? Да ни в чем! Можно сколько угодно менять неизвестные в уравнении — оно останется нерешаемым. Все кадровые перестановки в руках Самого. Понять его тактику и стратегию способен лишь тот, кто мыслит в государственных масштабах. Ничтожества суетятся, интригуют, пекутся о своих мелких обывательских выгодах. Великий Человек ставит перед собой великие цели, а ничтожеств использует как расходный материал.

Безопасная бритва осторожно скользила по намыленным щекам и подбородку, губы шевелились, беззвучно бормотали:

— Заговор. Раскрыть и разоблачить сионистский заговор. Тактическая задача — добиться признаний, собрать неопровержимые доказательства. Стратегическая — уничтожить этих выродков раз и навсегда.

Да, после съезда он стал другим человеком, прошел обряд тайного посвящения. Карьера, квартира, спецпаек — это здорово. Но теперь он знал, что есть нечто несоизмеримо большее: Цель, Миссия.

Послышался тихий дробный стук и скрежет по шершавому металлу. Он отложил бритву, оглядел ванную комнату. Матовые шары светильников, сверкающий никель кранов, стены, отделанные белоснежной плиткой, тонкий синий орнамент бордюра под потолком — все излучало покой и безопасность. Взгляд уперся в решетку вентиляционной отдушины. Нет, звуки шли не оттуда. Он медленно повернулся, уставился на узкое окно. Прохладный ветер из открытой форточки покачивал белую батистовую шторку. Он мгновенным движением отдернул шторку. На карнизе сидела мокрая всклокоченная ворона. Две черные бусины уставились ему в глаза. Он стукнул костяшками пальцев по стеклу. Ворона в ответ поскрежетала когтями. Он опять стукнул. Ворона взыбила перья. Из-под хвоста медленно вытекла и шлепнулась на карниз густая зеленоватая мерзость.

— Вон! Пошла вон, тварь!

Он не рассчитал силу удара. Стекло треснуло. Ворона раскинула крылья, поднялась в воздух и, громко каркая, улетела.

* * *

Перед Новым годом Антон Качалов влез в долги, надеялся подработать во время школьных каникул на елках. Ему предстояло сыграть Карабаса-Барабаса в клубе фабрики «Большевичка», Старика Хоттабыча в Детской библиотеке им. Светлова и безымянного пирата в новогоднем спектакле во Дворце пионеров им. Крупской.

В провинции найти халтурку легче и платят больше, но замаячила приличная роль в многосерийном телефильме, сразу после Нового года предстояло пройти кинопробы, поэтому в ближайшую неделю уезжать из Москвы не стоило.

Утром первого января он вышел из дома в дрянном настроении. Позади осталось изумленное, обиженное Ленкино лицо, капризный утренний хнык Никиты, карниз, который он обещал повесить, постельное белье, которое уже неделю собирался отнести в прачечную, и куча других нудных домашних дел. Он еще не решил, как долго предстоит Ленке ждать его. Пусть хорошенько понервничает. Заслужила. Трудно поверить, что ей не удалось уломать дедулю насчет прописки. Дедуля ее обожает, на все готов ради нее. Значит, Ленка даже не пыталась с ним поговорить.

Сама по себе прописка не особенно заботила Антона, он ведь не провинциал из общаги. Москвич во втором поколении. Но это стало вопросом принципа. Мать пилила: «Почему они тебя не прописывают? Не знаешь? А я скажу! Потому, что не уважают, презирают, считают, что ты их Леночке не ровня!»

Мать вообще была язва, ни о ком никогда доброго слова не сказала, Ленку возненавидела с первого взгляда. Обычно он пропускал ее треп мимо ушей, но на этот раз она его достала, ударила по больному месту. Дело в том, что однажды он уже собирался жениться, давно, еще в институте. Девица была так себе, ни кожи ни рожи. Сутулилась, носила очки. Зато внучка академика. Квартира четырехкомнатная на Арбате, дача в Серебряном Бору.

Академическое семейство сразу его полюбило, он легко их всех обаял. Настало время знакомить будущих родственников. Антон заранее провел инструктаж, отцу запретил материться и пить больше двух рюмок, матери — задавать идиотские вопросы, лезть со своим мнением. Обоим велел больше улыбаться, молчать и слушать.

В назначенный день и час он привез их на дачу в Серебряный Бор, все вроде шло нормально, родители вели себя точно по инструкции, академическое семейство приняло их приветливо. Через пару недель предстояло подавать заявление в ЗАГС, но невеста стала избегать его, а когда наконец встретились, заявила: «Прости, мои все в шоке, и я, честно говоря, тоже. Никто представить не мог, что у тебя такая мама. Ну, как бы тебе это объяснить? В общем, из другого мира».

Антон вспылил, послал невесту на три буквы. Остался тяжелый осадок, мучили комплексы. Что же получается? Его красота, обаяние, талант ничего не значат? Мама им, видите ли, не понравилась! Из другого мира!

Потом у него было много разных, иногда две-три одновременно. Он с ними легко сходился, легко расходился и ни одну не приводил домой, не знакомил с родителями. Мать приставала: «А девушки никакой, что ли, нет у тебя?» Он отвечал: «Конечно, есть!» Она требовала: «Ну, так приведи, покажи!» Он отмахивался: «Отстань!»

С каждый годом она все сильней его донимала: «А чего это ты не женишься? Прынцессу ждешь? Ты вот послушай мать, держись от всяких этих фиф подальше, возьми какую попроще, поскромней, чтоб знала свое место».

Ленка была типичная «фифа-прынцесса», правда, не академическая внучка, всего лишь профессорская. Небольшая квартирка на Пресне, дача-сараюшка в Михееве. Зато в отличие от той, первой, красивая.

Красивых много, бери — не хочу, но от Ленки он прямо балдел, дрожал от одного только запаха. Что-то в ней было необычное, вдохновляющее. В начале их романа он не замечал других, только на нее смотрел, только о ней думал. Какая там квартира-дача, не важно, главное — Ленка! Он сказал отцу, по-тихому, когда мать не слышала: «Знаешь, пап, я, кажется, влюбился». Отец сразу бутылку на стол: «Ну, сынок, молодец, давай женись!»

Ленка очень скоро от него залетела. Ни одна из его прошлых почему-то не залетала, может, специально предохранялись, а может, просто не судьба. Прежде чем знакомить семьи, он привел Ленку домой, к своим. Мать, конечно, фыркала, нос воротила. Ленка потом плакала у него на плече: «Мне сквозь землю хотелось провалиться, она так смотрела... эти вопросы, замечания...» Но в общем, ничего обидного о матери он не услышал, никаких там «из другого мира». А что мать злыдня, он и сам знал.

Ему понравился его новый статус: муж, будущий отец, а главное, удалось наконец доказать матери, что он взрослый, самостоятельный мужик. Доказать и удрать от нее подальше.

Они с Ленкой были красивой парой, на них оглядывались. Но скоро у нее расплылась талия, появились какие-то пятна на лице. Она подурнела, потяжелела, помешалась на правильном питании, запрещала ему курить даже у открытого окна, и походка у нее стала как у гусыни. В таком виде она его совсем не вдохновляла.

Когда она родила, навалилась куча бытовых проблем и обязанностей. Никита орет, не дает спать ночами, пеленки, подгузники. Ленка сонная, хмурая, вечно ей что-то надо, вечно чем-то недовольна.

В этой неромантической атмосфере Антон задыхался, при любой возможности удирал из дома. Он ведь артист, человек нервный, чувствительный, творческая натура, ему необходимы свежие впечатления, положительные эмоции.

На автобусной остановке не было ни души, нормальные люди отсыпались после новогодней ночи. Водители автобусов, наверное, тоже. Он прождал минут десять, продрог, выкурил сигарету и пошел пешком до метро. Шагал и думал: «Хорошо бы сдать на права, папин "запорожец" ржавеет в гараже, починить, почистить и кататься, как белый человек. У Ласкиных "москвич", хоть и старый, но вполне еще фурычит... Ага, размечтался, дадут они тебе доверенность, ты для них с самого начала был "из другого мира", а теперь вообще никто!»

На полпути его обогнал автобус. Антон припустил галопом, домчался до остановки, успел впрыгнуть в заднюю дверь в последнюю минуту, плюхнулся на свободное сиденье, отдышался и услышал:

— А за проезд платить Пушкин будет?

В салоне сидели человек семь, все дремали, но нашлась одна бодрая бабка. Антону на таких везло, ему часто делали замечания в общественных местах всякие бдительные граждане пенсионного возраста. Мать говорила: это потому, что у тебя внешность яркая.

— Единый! — сообщил он и поднял руку с картонной карточкой.

— Так это ж за декабрь, а сегодня уже январь, — не унималась бабка.

Она говорила громко, чтобы все слышали, в том числе и водитель. Сонные пассажиры стали просыпаться. Антону очень захотелось вступить в перепалку со старой дурой, это помогло бы отвлечься от назойливых вопросов, которые со вчерашнего вечера крутились в голове и не давали покоя: «Вдруг все-таки заметили? Что, если расскажут Ленке?»

Он хмуро покосился на старуху. Она завопила еще громче:

— Ну, че смотришь? Давай плати!

Антон представил, как на глазах у пассажиров подходит к ней и — кулаком по гнусной харе. Ничего подобного он бы не сделал, но, может, и зря. Надо давать выход отрицательным эмоциям, держать их в себе и накапливать вредно для здоровья.

По лицу он никого никогда в жизни не бил, даже в детстве не дрался, и в армии повезло, попал в художественную самодеятельность. Но вот поругаться, поорать умел, мать хорошо натренировала. Он быстро вспыхивал и долго, трудно остывал, правда, довольно точно чувствовал, когда можно вспыхнуть, а когда не стоит. Сейчас не стоило. Перепалка могла закончиться не в его пользу. Единый действительно просрочен. Лучше заплатить и спокойно доехать до метро.

Антон встал, прошел по салону, кинул пятачок в кассу, оторвал билетик, взглянул на цифры. Если суммы первой и второй тройки совпадут, билет надо съесть и будет счастье. Антон в это верил. Загадал: совпадут суммы, значит, все в порядке, они не заметили,

ПОЛИНА ДАШКОВА

пронесло, можно успокоиться и больше не дергаться по этому поводу.

Суммы совпали. Антон вздохнул с облегчением. Как только вышел из автобуса, разжевал и проглотил счастливый билетик.

В метро было почти пусто. В вагоне после новогоднего веселья слегка пованивало кислятиной. Антон сел, пошарил взглядом по лицам и уперся в молодое, женское. Всегда и везде он первым делом искал глазами какую-нибудь хорошенькую, пялился, пока не получал ответный взгляд, и начинал игру. Иногда игра имела продолжение, он засчитывал себе очередную победу, иногда не имела. Счет ноль-ноль. Ничья.

Хорошенькая читала журнал «Сельская молодежь», на внимательный взгляд Антона не отвечала. Он продолжал пялиться, просто по привычке. Когда проехали Улицу 1905 года, он поднялся, встал у двери и сумел разглядеть хорошенькую повнимательней. Вблизи склоненный над журналом профиль разочаровал его. Нос уточкой, на скуле запудренный прыщ, комки туши на ресницах.

Он вышел на Баррикадной, бодро зашагал по широкому свободному вестибюлю к переходу на Краснопресненскую, размышляя, куда лучше отправиться: на Проспект Мира к Людмиле или на Новослободскую, к Тоше.

* * *

Галанов не ожидал увидеть дочь, удивился, обрадовался, разволновался. Месяц назад Вика в очередной раз вдрызг рассорилась с матерью и поклялась, что ноги ее больше не будет на даче.

Вбежав на веранду, она кинулась к отцу на шею, расцеловала, затараторила, как в детстве:

— Папище-папулище! Соскучилось по тебе твое детище, веселое, непутевое!

— Вот уж точно непутевое, — проворчал он и спросил шепотом: — С мамой помирилась?

Этот вопрос он задавал много лет подряд, сотни раз, и всегда получал один и тот же ответ:

— А я с ней не ссорилась.

Маленькая Вика отвечала со слезами, и дальше — трагический монолог: «Не понимаю, в чем виновата, я хорошо себя вела, а она…» Вика-подросток вспыхивала, убегала, хлопала дверью. Нынешняя, двадцатилетняя, просто меняла тему, рассказывала какую-нибудь смешную историю или анекдот:

— Отправили в космос Белку, Стрелку и чукчу. Пошел первый виток, с Земли вызывают: «Белка!» — «Гав!» — «Нажми красную кнопку!» — «Гав-гав!» Пошел второй виток. «Стрелка!» — «Гав!» — «Нажми синюю кнопку!» — «Гав-гав!» Пошел третий виток. «Чукча!» — «Гав!» — «Что ты гавкаешь? Накорми собак и ничего не трогай!»

Анекдоты Вика рассказывала в лицах, разыгрывала маленькие актерские этюды. Вячеслав Олегович смеялся и с гордостью отмечал, что смеются все, кто слышит.

— Какая же она у вас очаровательная, артистичная, прелесть! — сладко пропела генеральша Дерябина.

Да, нынешняя Вика умела и любила нравиться, но так было не всегда. Вячеслав Олегович помнил ее мрачно-капризным ребенком с хроническим насморком и диатезной сыпью, толстым сутулым подростком с прыщами и мучительным заиканием.

В раннем детстве единственным человеком, которого она слушалась, была няня Дуся.

Дуся появилась в их доме, когда родился старший, Володя. Одинокая деревенская баба, молчаливая, грубая, совсем простецкая, но приходилось терпеть. Обойтись без помощницы они не могли. Оксана Васильевна работала тогда инструктором в райкоме комсомола. Володя в яслях постоянно болел, из детского сада убегал, а дома с Дусей становился крепким, румяным, жизнерадостным. Решили оставить ее до школы, искали через знакомых кого-то покультурней, ведь не с Дусей же будет Володя уроки делать. Но пока искали, родилась Вика. Роды дались Оксане Васильевне тяжело, да и сын, как нарочно, стал обидчивым, упрямым, дерзил родителям, только Дуся с ним справлялась.

Молоко у Оксаны Васильевны пропало почти сразу. Дуся кормила Вику из бутылочки, сначала думали, что молоко с детской кухни при поликлинике. Потом выяснилось: Дуся договорилось с какой-то кормящей мамашей из соседнего дома, та сцеживает свое молоко для Вики. Иногда во время прогулки Дуся приносила ребенка к ней домой, и чужая женщина кормила Вику грудью.

Вячеслав Олегович не нашел в этом ничего дурного, наоборот, хорошо: кормилица, как в старые добрые времена. А вот жена впала в ярость, и почему-то особенно оскорбило ее, что Дуся платила кормилице из собственного скудного жалованья.

Разразился скандал, Оксана Васильевна выставила Дусино барахлишко на лестничную площадку, нянька ушла бы навсегда, но Володя устроил истерику, Вика посинела от крика. В итоге Вячеславу Олеговичу пришлось извиниться перед Дусей и попросить ее остаться. Впрочем, одну победу в том бою Оксана Васильевна все-таки одержала: от кормилицы отказались.

У Вики потекло из носа, щеки покрылись диатезной сыпью. Оксана Васильевна таскала ее по врачам, кормила таблетками, что-то закапывала в нос, но становилась только хуже. Вика расчесывала щеки до крови, плохо спала, не могла дышать носом.

Дуся хозяйке не перечила, молчаливо и хмуро выполняла свои обязанности: гуляла с Викой, встречала Володю из школы, готовила, кормила детей, прибирала в квартире, стирала, гладила. Летом, на даче, возилась в огороде, вечерами вязала детям носки и шарфы. Ее присутствие почти не ощущалось, но однажды она заболела, легла в больницу на неделю, и в раковине выросла гора грязной посуды, у Вики начался понос, Володя потерял дневник и защемил себе палец дверью. Когда Дуся вернулась, Вячеслав Олегович втайне от жены повысил ей жалованье в полтора раза.

Володя подрос, к Дусе охладел, а Вика и в два, и в пять только из ее рук кушала, только под ее сказки засыпала.

Однажды летом на даче, навещая вместе с мамой и папой знакомого жеребенка в конюшне им. Ворошилова, Вика вдруг заявила:

— А я знаю, кто ему так красиво гривку и хвост расчесал.

— Ну, и кто же? — рассеянно спросили родители.

— Монахи, — серьезно ответила девочка. — Божье войско, они тут давно жили, бедным-несчастным помогали, потом красные черти налетели, монахов убили, а они взяли да и не померли. Каждую ночь приходят, деток утешают, глупых вразумляют, злых усмиряют, за лошадками ухаживают, Боженьке молятся за спасение души.

Родители молча, испуганно переглянулись. Они, конечно, сразу узнали интонацию и лексику няни Дуси.

Оксана Васильевна провела тихое тщательное расследование. Володя признался, что няня иногда водит их с Викой в церковь у метро Сокол. В детской, в глубине шкафа, нашли вышитый льняной мешочек, в нем две белые рубашонки с кружевом, два маленьких алюминиевых крестика на красных шнурках и несколько дешевых картонных иконок.

Собственных крестин Володя не помнил, зато помнил Викины, рассказал, что когда они с Викой болеют, няня поит их святой водицей, надевает на них крестики, а крестильные сорочки вместе с иконками кладет под подушку. Затем, прикрыв глаза, шепотом, без запинки, прочитал «Отче наш…», «Символ веры», «Да воскреснет Бог…» и трижды перекрестился.

— Сынок, милый, что же ты молчал? — ласково спросила Оксана Васильевна.

— Прости, мама, я боялся, что вы с папой будете нервничать.

Еще бы им не нервничать! Она — замзав отдела пропаганды горкома комсомола, он — завотделом литературы и искусства в журнале «Советский патриот», оба, естественно, члены КПСС, а он еще и парторг секции критиков в Союзе писателей.

Шел шестьдесят третий год, Хрущ яростно боролся с религиозными пережитками. Кто-то стукнет, оглянуться не успеешь, вылетишь с работы и из партии. Это сейчас, при Брежневе, стало модно украшать стены иконами, показывать их гостям вместе с палехскими шкатулками, федоскинскими лаковыми миниатюрами, тульскими самоварами, городецкими сундучками и прялками. На Пасху принято подавать к столу крашеные яйца, восхищаться величием кафедральных соборов и умиляться церквушкам в русской глубинке. Не грех признаться, что у тебя «бабушка верующая» и православные традиции ты очень даже уважаешь: они наши, русские, исконные. Но все это только шепотом, среди своих, в узком кругу. Если пойдешь причащаться, венчаться, ребенка крестить и кто-то стукнет (стукнут непременно: батюшка — по долгу службы, свои, из узкого круга — по привычке), получится нехорошо. Никто и не ходит. Вот «бабушку верующую» отпеть в церкви можно. Сейчас. А тогда, при Хруще, — ни-ни.

— Ты об этом никому не рассказывал? В школе, во дворе, в Доме пионеров? Никому? — спросил Вячеслав Олегович.

— Пап, ну я что, совсем, что ли? — Володя фыркнул и покрутил пальцем у виска.

С Дусей расстались по-доброму. Вячеслав Олегович дал ей денег, Оксана Васильевна подарила большую пуховую шаль. Вике сказали, что няня уехала в деревню, навестить родных, и обещала вернуться, но только если Вика будет вести себя хорошо и слушаться маму. Чем лучше она будет себя вести, тем скорее вернется няня.

Дусино место заняла Клавдия, дисциплинированная, культурная, по образованию повар. Вика ждала Дусю и старалась вести себя хорошо.

В первом классе она не вылезала из ангин. Удалили гланды — ангины сменились бронхитами и обострился хронический гайморит. В третьем она начала заикаться. В пятом стала сильно сутулиться и полнеть. В седьмом ее лицо покрылось подростковыми прыщами. Оксана Васильевна очень переживала, боролась за здоровье дочери, не жалея времени и денег. Ларингологи, логопеды, невропатологи, психологи, эндокринологи, дерматологи, гипнотизеры, гомеопаты, экстрасенсы… Вика глотала таблетки, мазала лицо какими-то мазями, строго по расписанию рассасывала сахарные шарики. Ничего не помогало.

Оксана Васильевна все делала от чистого сердца, от большой материнской любви, всегда хотела как лучше, точно знала, как лучше, и находила железные аргументы, доказывая свою правоту, недаром работала в комсомоле, быстро шла на повышение, выступала с лекциями о моральном облике советского человека.

С Володей у них было полное взаимопонимание. Красивый умный мальчик, каждый год грамоты за примерное поведение и успехи в учебе, председатель совета отряда, потом дружины, потом комсорг. Вот он, главный аргумент. Живой аргумент. Впрочем, иногда Вячеславу Олеговичу казалось, что все-таки чуть-чуть железный.

Месяц назад Володе исполнилось двадцать восемь. Он закончил МГИМО, в аспирантуре женился на внучке сотрудника Международного отдела ЦК, работал в советском представительстве в ООН, жил с женой и двухлетним сыном Олежкой в Нью-Йорке.

Оксана Васильевна считала, что Вика не ценит ее героических усилий, заикается, толстеет и сутулится нарочно, ей назло. Вика тяжело переживала упреки, заикалась еще больше, не могла произнести ни слова, лишь отдельные слоги, так что, когда она говорила отцу: «А я с ней не ссорилась», была по-своему права.

В девятом классе, после очередного скандала, Вика ушла к бабушке Нате, матери Вячеслава Олеговича, в коммуналку в Горловом тупике, и домой больше не вернулась.

Бабушка Ната в свои семьдесят пять осталась вполне бодрой и самостоятельной, правда, окончательно оглохла. Проблемы со слухом у нее начались сразу после войны, из-за перенесенного менингита. Довольно долго спасал слуховой аппарат, но теперь она совсем ничего не слышала, и то, что мать одна, а рядом чужие люди, соседи, все больше беспокоило Вячеслава Олеговича. Он уже давно ломал голову над этой проблемой. Характер у старухи был непростой, не получалось даже на дачу ее привезти, они с Оксаной Васильевной больше суток под одной крышей находиться не могли, а вот Вика с бабушкой Натой ладила. Когда они стали жить вместе, Галанов испытал большое облегчение. Во-первых, мать не одна. Во-вторых, девочке полезно почувствовать ответственность за того, кто слабее. Всю жизнь ее баловали, заботились о ней, теперь пусть она позаботится о старенькой бабушке. В-третьих, дома стало тихо. Оксана Васильевна не сомневалась: дочь выдержит не больше месяца, сама ведь ничего не умеет, привыкла, что все за нее делают Клавдия и мама. Вернется как миленькая. Надо просто подождать.

И она ждала. Первая бежала к телефону, замирала, услышав гул лифта, шаги на лестничной площадке. Вячеслав Олегович замечал на лице жены такое же тревожно-обиженное выражение, какое бывало у маленькой Вики, когда она ждала возвращения няни Дуси.

Вика вначале звонила только отцу на работу, потом иногда домой и говорила с матерью по телефону, наконец стала забегать, но о возвращении речи не было.

Жизнь с бабушкой волшебно преобразила Вику. Она больше не заикалась, похудела, выпрямила спину, избавилась от прыщей. Если бы Вячеслав Олегович верил в магию, он бы решил, что с Вики сняли заклятие, лягушка превратилась в царевну, гадкий утенок — в лебедя. На самом деле, конечно, никаких заклятий и чудес, просто кончился переходный возраст.

Галанову удалось заполучить для них вторую комнату, выселив одинокого соседа, алкоголика-хулигана, за сто первый километр. Старый дом стоял в плане на снос, очень скоро бабушка с внучкой переедут в хорошую двухкомнатную квартиру, причем не на окраине, а почти в центре, об этом Вячеслав Олегович позаботился заранее, связи и возможности у них с Оксаной Васильевной имелись.

После десятого класса Вика поступила в Иняз. Пришлось, конечно, похлопотать, но если бы она по-прежнему заикалась, не сумела бы сдать устные экзамены, не помогли бы никакие хлопоты и ценные подарки.

На первом курсе она похудела еще килограмм на пять, отрастила и высветлила волосы. Такая прическа удивительно шла ей. Теперь это была совсем другая девочка: очаровательная, легкая, яркая, уверенная в себе. Вячеслав Олегович не мог нарадоваться, налюбоваться дочерью, Оксана Васильевна восприняла чудесные перемены как результат своей многолетней борьбы, очевидное доказательство собственной правоты и при всякой возможности продолжала благое дело — воспитание дочери. «Зачем ты куришь? Этот цвет тебе совсем не идет. Ты слишком уж стала худая, питаться надо правильно, регулярно». Вика снисходительно позволяла себя воспитывать, но иногда вспыхивала.

Месяц назад Оксана Васильевна выдала очередную порцию замечаний насчет ее внешнего вида. Нельзя так густо красить ресницы. Вульгарно! Волосы надо подкалывать, они падают на лицо и могут занести инфекцию в глаза. Негигиенично! Под пуловер следует надевать блузку, а под блузку — бюстгальтер. Носить тонкий пуловер на голое тело — неприлично!

Вика добродушно отмахивалась, отшучивалась, но Оксана Васильевна разошлась, и в итоге дочь крикнула: «Все! Надоело! Ноги моей больше здесь не будет!»

Вячеслав Олегович догнал ее, проводил до станции, уговаривал не сердиться на мать, потом, вернувшись, уговаривал Оксану Васильевну быть терпимей и тактичней. Не помогло. Или помогло? Вика все-таки приехала.

Сейчас, при гостях, обе делали вид, будто все в порядке, изредка обменивались короткими спокойными репликами, но друг на друга не смотрели.

Глава восьмая

Большая чистка открывала большие возможности для мгновенных взлетов и падений. Все суетились, расталкивали друг друга, карабкались вверх по головам товарищей, боялись упустить свой шанс, а бояться следовало совсем другого. Шансов может быть много. Падение всегда одно и всегда окончательное. Чем выше взлетел, тем больней грохнешься.

Федьке Уральцу довелось поработать в 7-м управлении, в отделении арестов и обысков. Он любил рассказывать, как проводили обыск и описывали имущество в квартире Абакумова.

Бывший министр занимал целый этаж в доме № 11 по Колпачному переулку. Федька в жизни не видел таких хором, хотя сам вырос отнюдь не в коммуналке. Чего там только не было: мебельные гарнитуры, сервизы, столовое серебро, гигантские отрезы тканей, чемоданы мужских подтяжек.

Уралец выразительно таращил глаза: «Представляешь, чулки женские шелковые, шестьдесят четыре пары, тринадцать радиоприемников и радиол, часов золотых тридцать семь штук, пятьдесят фотоаппаратов, ваз хрустальных и фарфоровых семьдесят восемь штук, ювелирки всякой три сундука. Открыли — чуть не ослепли от сверкания».

Федька не умел да и не пытался скрыть свои эмоции. На его лице читалось сразу все: изумление, уважение и зависть к богатству, мстительная радость, что богатство отняли.

Молодой капитан слушал, усмехался про себя: «Чемодан подтяжек, тряпки-побрякушки... Вот тебе и Глыба Абакумов. Рюмин такая же дрянь, только росточком не вышел и абакумовских аппетитов нагулять не успел».

Стремительный взлет Рюмина напоминал лесной пожар, вспыхнувший от окурка. Пламя до небес, треску много, искры летят, а в итоге — ничего, кроме обугленных головешек, серого пепла и вонючей гари. Рюминская схема заговора выглядела так: врачи-евреи спелись с заокеанскими толстосумами насчет реставрации капитализма в СССР и своим вредительским лечением умертвляли видных деятелей партии и правительства. Их покрывали чекисты-евреи с целью захватить власть, убить товарища Сталина и установить диктатуру Абакумова.

Сразу полезли нестыковки. Больше половины врачей-вредителей оказались русскими. Среди чекистов евреев было больше, но Абакумов русский, и с этим ничего не поделаешь. Молодой капитан придумал пару удачных формулировок: «евреи прямые и косвенные» и «евреи по крови и по духу». На одном из совещаний подкинул их Рюмину, тот ухватился, стал использовать как свои.

К началу 1952-го чекистов-евреев в органах не осталось. Врачей, «прямых и косвенных», брали одного за другим. Руководство Рюмина сводилось к беготне по кабинетам и матерным истерикам. В Управлении шло соревнование: кто выбьет больше признательных показаний. Количество арестованных и признавшихся росло. Распухали, тяжелели папки с протоколами. Врачи признавались, что неправильно лечили, бывшие чекисты — что покрывали вредительство врачей. Но где центр заговора? Кто его возглавляет? Каналы финансирования и связи с американскими хозяевами, конкретные задания от них, способы вербовки? Главные вопросы оставались без ответа.

Молодой капитан устал от тупости коллег. Неужели трудно усвоить, что дело не в количестве, а в качестве, не во вредительстве, а в шпионаже? Надо выводить этих тварей на шпионаж, на конкретику.

У него в голове возникло сразу несколько гениальных идей, как сдвинуть следствие с мертвой точки, но сначала он хотел разобраться со своими личными делами. Мысли о Шуре мешали сосредоточиться.

Он стал чаще навещать мать, иногда сталкивался с Шурой в коридоре. Она вежливо здоровалась и убегала. Он думал о ней днем и ночью, его знобило и бросало в жар, из-за нее он был постоянно будто под хмельком, хотя в отличие от своих сослуживцев не злоупотреблял спиртным. *Подкатывать к ней на глазах у всей коммуналки не хотелось, он решил подстеречь ее возле издательства. На оперативном языке это называлось «секретное снятие».*

Ждать пришлось долго. Выходили сотрудники, гасли окна. Она появилась в начале одиннадцатого. Заскрипела дверь, он увидел полоску света, услышал Шурин голос:

— Спокойной ночи, дядя Коля!

В ответ стариковское ворчание:

— Нет от вас никакого спокою! Все, что ли, ушли?

— Все, я последняя.

— Да ты кажный вечер последняя. Нехорошо девке в такую поздноту одной шастать.

— Работаю на полторы ставки, вот и получается поздно, а тут еще халтурка подвернулась.

— Ты, давай-ка, хватит болтать! Бежи, девонька, бежи быстрей домой!

Дверь хлопнула, стало темно. Он бесшумно пошел за ней. На перекрестке догнал, схватил за локоть. Она вскрикнула, попыталась вырваться, забормотала: «Отпустите! Что вам нужно?» Она, конечно, не узнала его в шляпе до бровей, в сером плаще. Он сильней стиснул ее локоть, прошипел: «Молчи!» — и потащил по переулкам и подворотням.

Мимо мелькали черные, косые от старости домишки, серые коробки двухэтажных бараков. Редкие прохожие смотрели под ноги, чтобы не оступиться на разбитом тротуаре, не шлепнуться в грязь. Она больше не вырывалась, молча, покорно семенила рядом. Несколько раз споткнулась и стала инстинктивно опираться на его руку. Ее беспомощность сильно возбуждала, хотелось расстегнуть на ней жакетку, задрать подол, вжать в стену в ближайшей подворотне. Но он лишь сглотнул и облизнулся. Зачем спешить? Все равно никуда не денется. Вывел ее на площадь, под фонарем остановился, снял шляпу.

— Владилен Захарович, вы... — произнесла она чуть слышно.

К нему редко обращались по имени-отчеству, в основном *товарищ Любый, товарищ капитан*, реже *Влад*. Имя-отчество ему не нравилось. Идеологически чистое, сугубо советское «Владилен» звучало как-то подозрительно буржуазно, с французским оттенком, и плохо сочеталось с простецким «Захарович». Он родился 21 января 1925-го, ровно через год после смерти Ленина, день в день. Мать верила, что знаменательная дата, помноженная на священное сочетание букв, принесет сыну счастье.

— Просто Влад. — Он обнял Шуру за талию. — Ну, здорово я тебя разыграл?

— Да, смешно, — она шмыгнула носом, — напугали до смерти.

Они пошли к метро, уже спокойно, под руку.

— Вот, — сказал он, — решил взять над тобой шефство.

— Зачем?

— Нехорошо девке в такую поздноту одной шастать, — прошамкал он, передразнивая старика сторожа.

— Спасибо, конечно, только я вас совсем не знаю...

— Зато я тебя знаю как облупленную.

* * *

— Надежда, ты чего там бормочешь?

Павлик Романов подошел неслышно. Она вздрогнула, чуть не выронила пипетку Пастера, сердито огрызнулась:

— Отстань!

— Пошли покурим. — Он вытащил из кармана халата и подкинул на ладони пачку длинного «Кента».

— Какие мы богатые, — Надя присвистнула, — «Березку» ограбил?

— Ага, — Павлик самодовольно оскалился, — и всю охрану перебил.

Когда они выходили из лаборатории, зазвонил телефон. Он висел на стене у двери.

— Эй, трубочку возьмите! — крикнул из дальнего угла Олег Васильевич.

Надя и Павлик замерли, растерянно глядя друг на друга.

— Ну! — сказала Надя.

Павлик сделал страшные глаза и помотал головой. Телефон надрывался. Все повернулись в их сторону.

— В чем дело? — сердито спросила Любовь Ивановна. — Вы же рядом стоите, без перчаток, без масок, трудно, что ли, на звонок ответить?

Надя еще раз взглянула на Павлика. Он молитвенно сложил руки. Она вздохнула и взяла трубку.

— Седьмая лаборатория.

В ответ зашуршала тишина.

— Алло, говорите. — Надя сморщилась, заметив, что трубка в ее руке слегка задрожала.

Она уже хотела дать отбой, но услышала высокий женский голос:

— Добрый день. Любовь Ивановна?

— Нет. Надежда Семеновна.

— А, Надя, здравствуйте, это Галя Романова, я вообще-то ваш голос узнала, просто не ожидала услышать. Думала, вы в командировке.

Павлик стоял совсем близко, выразительно гримасничал, мотал головой и прижимал палец к губам.

— Нет, я в Москве, — глухо произнесла Надя и кашлянула.

— А Павлик сказал, вы тоже летите. Ой, знаете, я вот хотела поговорить с Олегом Васильевичем, почему Павлика так часто отправляют в командировки? Я переживаю, прямо ночами не сплю, и сын почти не видит его. Олег Васильевич на месте? Вы не могли бы ему трубочку передать?

— Его нет, извините. — Надя покосилась на Павлика.

— А когда удобно будет позвонить?

— Я не знаю. Еще раз извините, Галя, сочувствую, но, к сожалению, ничем не могу помочь. Всего доброго.

Она едва успела повесить трубку, Павлик поволок ее за руку в коридор.

— Пусти, — прошипела она и попыталась вырваться, — не пойду с тобой курить, подавись своим «Кентом»!

— Надежда, перестань, что за детский сад?

— С какой стати я должна врать, покрывать твое блядство?

— Фу, как грубо! Раньше покрывала.

— А теперь не буду!

— Почему?

— По кочану!

— А почему трубку сразу не взяла, можешь объяснить? Я — понятно. А ты?

Надя хотела рявкнуть в ответ что-нибудь злое и обидное, но вдруг поняла, что Павлик — единственный человек в институте, которому она может рассказать о звонках с молчанием, и прикусила язык.

Летом курить ходили на крышу через чердак. Зимой курилкой служила маленькая подсобка, холодная, вонючая, всегда забитая народом и окурками. Но у Павлика имелась тайная привилегия. Он очаровал парторга, цветущую моложавую даму, привозил ей приятные мелочи из каждой командировки и получил ключ от Ленинской комнаты.

Из всех помещений института Ленинская комната была самой уютной, тихой и необитаемой. Туда заглядывали только уборщица да парторг — полить свои цветочки, покормить рыбок в аквариуме, поболтать по телефону, полистать журналы «Здоровье», «Работница», «Ригас мода», которые хранились в тумбе под большим гипсовым бюстом Ильича.

Павлик открыл дверь, пропустил Надю вперед, тут же запер изнутри, отдал пионерский салют бюсту, преклонил колено и приложил ладонь к сердцу возле переходящего Красного знамени, только потом распечатал пачку.

— Ты, когда один сюда заходишь, тоже цирк устраиваешь? — спросила Надя.

— Обязательно. Это же святилище, нельзя без приветственного ритуала, иначе ду́хи прогневаются. — Павлик плюхнулся в потертое кожаное кресло и выпустил дым. — Ну, рассказывай.

— Что?

— Кто тебе звонит и молчит?

— Понятия не имею. — Надя пожала плечами. — Почти каждый вечер, между девятью и двенадцатью. Если я беру, молчат сразу. Если папа — просят меня, потом молчат.

— Голос какой?

— Разные голоса, в том-то и дело. И просят по-разному, то Надю, то Надежду Семеновну. Не угадаешь.

Павлик нахмурился, стряхнул пепел в банку с водой.

— К соседям пробовали?

— То есть?

— Трубку не кладешь, идешь к соседям и с их телефона звонишь на станцию, просишь определить номер.

— Неудобно, соседи рано ложатся, да и что толку? Ну, назовут номер. Я все равно не буду набирать, выяснять.

Павлик критически оглядел Надю и многозначительно изрек:

— А если это любовь?

— Тогда бы серенады пели. Боюсь, наоборот, ненависть. Ладно, хватит. Лучше скажи, куда ты улетел на этот раз?

— М-м, далеко, Надежда, под самые небеса. Рыжая, глазищи зеленые, ноги от ушей, тридцать лет, не замужем. — Он зажмурился и промурлыкал басом: — Такой чудесный, нежный Рыжик.

— Я тебя про командировку спрашиваю.

— А-а, ты об этом? — разочарованно протянул Павлик. — Вроде в Таджикистан. Погоди, нет, или в Узбекистан? Кошмар! Забыл!

— Ты записывай.

— В следующий раз обязательно. Сейчас уже без разницы. В понедельник-вторник все равно летим в Нуберро.

— Тебе же надо собраться, ты что, даже не заедешь домой?

— Зачем? У меня все, что нужно, тут, в раздевалке, в шкафчике, рюкзак всегда наготове.

Павликову жену Галю, простоватую, рано постаревшую хлопотунью, Надя видела раз в году, на днях рождения Павлика. Двухкомнатная квартира в панельке на Красносельской сверкала чистотой. Чешский хрусталь в серванте, подписные собрания сочинений на книжных полках. Для гостей набор одинаковых гигантских войлочных тапок, как в музее. На столе белоснежная крахмальная скатерть, сельдь «под шубой», утка с яблоками, домашние соленья-варенья, наливки, сложные пироги из дрожжевого теста. Галя не снимала фартука, не закрывала рта, рассказывала, что где достала, что как готовила. Сын Миша, толстенький, хмурый, обычно сидел под столом. Галя уговаривала его вылезти, прочитать стихотворение, жаловалась, что он плохо кушает и часто простужается.

Дома Павлик выглядел примерным семьянином, восхищался кулинарными подвигами жены, помогал ей менять посуду, ровно в десять уводил Мишу спать и потом сидел с ним, читал вслух детскую книжку.

«Вот скоро опять пригласит на день рождения, ни за что не пойду», — подумала Надя, слушая, как Павлик расписывает достоинства своей рыжей пассии.

— Главное — умная. Товаровед! — Он поднял палец и сделал важное лицо. — Не в каком-нибудь банальном гастрономе, а в книжном на улице Горького. Пастернака наизусть шпарит, знает разницу не только между Гоголем и Гегелем, но и между Кингисеппом и Каннегисером.

— А кто такие Кингисепп и Каннегисер? — рассеянно спросила Надя.

Павлик вытаращил глаза.

— Надежда, ты что? Правда не знаешь или придуриваешься?

— Правда не знаю.

— Не ожидал от тебя, — он высокомерно усмехнулся. — Кингиссеп — эстонский революционер. Каннегисер — юный поэт, застрелил чекиста Урицкого в восемнадцатом году.

— Слушай, может, ты просветишь свою Галю? Она поумнеет, и рыжие товароведы тебе больше не понадобятся.

— Издеваешься? Я же тебе много раз объяснял, Галя даже постельное белье в прачечную не сдает, сама кипятит, крахмалит и гладит. Ей не до революционеров и поэтов.

— О разводе никогда не думал? Все-таки честнее.

— Как ты вообще такое можешь говорить? — Павлик возмущенно запыхтел. — Семья для меня святое!

— Если святое, тогда зачем бегаешь по всей Москве со спущенными штанами? Врать приходится не только жене, но и этим твоим товароведам. Не надоело?

— А я никому не вру. Я жену люблю, и Рыжика люблю.

— До Рыжика была блондинка, а еще раньше брюнетка.

— Потому, что всякая любовь от Бога. Вот погоди-ка.

Павлик вылез из кресла, подошел к книжному шкафу, привстал на цыпочки и принялся разглядывать корешки книг, бормоча:

— Ну где же? Где?

— Библию ищешь? — спросила Надя. — Слева, на верхней полке, «Краткий словарь атеиста». Подойдет?

— Отстань. А, вот, нашел!

Он извлек том Энгельса вместе с облаком пыли. Дунул, чихнул, открыл на заложенной странице и стал читать вслух:

— «Если строгая моногамия является вершиной всяческой добродетели, то пальма первенства по праву принадлежит ленточной глисте, которая в каждом из своих пятидесяти-двухсот членов тела имеет полный женский и мужской половой аппарат и всю свою жизнь совокупляется сама с собой».

— Класс! — Надя легонько хлопнула в ладоши. — Только при чем здесь Бог — не понимаю.

— При том. — Павлик запихнул Энгельса на место, вытер ладони о халат, вернулся в кресло. — При том, товарищ Надежда, что Господь Бог создал мужчину полигамным. А Энгельс эту мужскую полигамию научно обосновал и доказал.

— Ну, ты и трепло, Романов! — Надя покачала головой. — Вляпаться не боишься? Я ведь случайно взяла трубку. А если бы Любовь Ивановна? Или Оля? Да в конце концов, Москва — город маленький, кто-то из знакомых увидит тебя на улице, когда ты в командировке.

— Такого быть не может. Я везучий.

— Тьфу-тьфу-тьфу. — Надя постучала по столешнице.

На самом деле существовало два абсолютно разных, диаметрально противоположных Павлика: Павлик в Москве и Павлик «в поле», в очагах эпидемий. Везучими были оба. На этом их сходство заканчивалось. Даже выглядели они по-разному.

Павлик Московский — маленький, рыхлый, с брюшком, на котором расстегивались пуговицы рубашки, бессовестный врун, неуемный бабник, бездельник, хохмач и пройдоха. Круглые птичьи глазки, всегда слегка мутные, широкий вздернутый нос, непропорционально большая плешивая голова. Постоянная плотоядная улыбочка уродовала и без того не слишком привлекательную физиономию. Надя не понимала, почему он так нравится женщинам.

Если в буфете выбрасывали что-нибудь дефицитное, Павлик умудрялся проскользнуть без очереди, при этом всех очаровать и ни с кем не поругаться. Он мог целый день слоняться по лаборатории, дразнить Любовь Ивановну хвостиком свежей завиральной сплетни, вгонять в краску Олю своими шуточками, отвлекать от работы трудягу Гнуса разговорами о рыбалке и самиздате, приставать к Наде с глупой болтовней в самый неподходящий момент. В итоге время пролетало, важная мысль убегала, и потом оставалось противное чувство, которое Надя называла «похмелье пустого дня». Но никто не сердился, даже Любовь Ивановна говорила о нем с нежностью: «Вот ведь обаятельный, подлец!»

В поле Павлик преображался до неузнаваемости. Улыбочка испарялась, лицо разглаживалось, черты становились четкими, жесткими, взгляд прояснялся, брюшко подтягивалось. Собранный, толковый, он легко переносил любые трудности, отлично соображал, брал на себя ответственность и принимал верные решения, когда другие терялись и отчаивались. Он находил общий язык с африканскими дикарями, с вождями племен, с партийным руководством Среднеазиатских республик. Может, это и был настоящий Павлик, просто в Москве впадал в спячку? Может, его бесконечные пассии чуяли в нем эту спящую силу и мужскую надежность?

Отправляясь в очередной очаг, на чуму, сибирскую язву, холеру, Надя знала: если Павлик рядом, все вернутся домой живыми и здоровыми. Она до сих пор не могла забыть первую свою чуму. Туркмения, август, днем +45. Они брели по раскаленной степи, тащили на себе ящики с инструментами, канистры с лизолом и хлорной известью. Противочумные комбинезоны, сверху два халата, клеенчатые фартуки до щиколоток. Лица закрыты респираторами — несколько слоев марли и ваты, очки-консервы. На руках по две пары резиновых перчаток. Пот тек ручьями, хлюпал внутри резиновых сапог. Со стороны они напоминали космонавтов, высадившихся на Луне.

В тот раз Надя единственная из команды была новичком. Павлик уже имел кое-какой опыт. Он смягчил ее первый чумной шок, не дал зайти в юрту, где лежали на кошмах вповалку трупы мужчин, женщин и детей с почерневшими лицами. Она осталась стоять метрах в десяти, но даже на таком расстоянии, сквозь респиратор, ударила в нос адская вонь.

Нет, не на Луну они высадились, а спустились на дно ада. Надя думала, что ее Вергилием станет Олег Васильевич. Он выезжал на очаги еще при Сталине, опыт имел богатый и разнообразный. В Москве он храбро, жадно глотал самиздат, обсуждал прочитанное только шепотом, конечно, и со своими. В очагах нервничал, срывался, боялся КГБ и партийного начальства больше, чем чумы и холеры, трясся от ужаса и отвращения, когда местные органы искали иностранных шпионов-диверсантов, устроивших эпидемию, вместо того, чтобы помогать врачам бороться с ней. Точно так же вели себя африканские вожди, только их «шпионами-диверсантами» были колдуны и злые духи.

Надя понимала страхи Олега Васильевича, он принадлежал к запуганному поколению. Но ей хватало собственных страхов, поэтому на очагах она старалась держаться от Гнуса подальше.

Летом семидесятого, когда началась пандемия холеры, они вылетели в Батуми. Пандемия обещала стать грандиозной. Местное партийное начальство думало лишь о том, как прикрыть свои задницы, и с перепугу сочинило террористическую версию.

Врач санэпидемстанции брала пробы воды, ее «поймали с поличным», обвинили в заражении водоема холерным вибрионом. Местный КГБ тут же откопал каких-то американских родственников врача, о которых она сама не знала. Врача арестовали и стали лепить из нее американскую шпионку-диверсантку. Павлик тогда активно вмешался, пробился к Бургасову, замминистра, главному санитарному врачу СССР, накатал письма в ЦК, в Прокуратуру, в КГБ. В итоге врача освободили.

— Я вовсе не такой благородный и сострадательный, — объяснял потом Павлик, — просто им нельзя давать волю, иначе любой из нас может оказаться на месте этой бедолаги.

В феврале прошлого года в Эфиопии именно Павлик помог Наде добыть образцы тканей дикой ослицы, в которых потом обнаружились те самые бактериофаги.

Команда уже произвела десятки вскрытий, определила очаг и вид эпидемии. Все устали, никто не понимал, зачем Наде понадобилась еще одна ослица, да она и сама в тот момент толком не понимала, просто чуяла: там что-то есть. Павлик отправился с ней без вопросов. Труп был раздут, при вскрытии их обдало зловонной жижей, защитные комбинезоны промокли насквозь.

В советском госпитале в Аддис-Абебе имелась отличная лаборатория с электронным микроскопом. Взглянув на образцы тканей, Надя увидела жалкие останки сибироязвенных палочек и живые бактериофаги. Они оказались довольно крупными для вирусов и потрясающе красивыми. Она не могла налюбоваться ими и наконец поняла, чем привлекла ее дикая ослица. Животное было заражено, однако погибло вовсе не от сибирской язвы, а от ран и потери крови. То есть эта конкретная ослица имела реальные шансы выжить благодаря фагам, если бы на нее не напал хищник. Ох, найти бы еще этого хищника!

Олег Васильевич заглянул в микроскоп, равнодушно пожал плечами: «Ну что ж, любопытно, поковыряйся, может, что и нароешь».

Павлик вообще ни малейшего интереса к фагам не проявил, он кокетничал с госпитальными медсестрами и прикидывал, что купить во фри-шопе при пересадке в Анталии.

— Эй, Надежда, ты где? — голос Павлика донесся будто издалека.

— Да так, — Надя улыбнулась, — вспомнила дохлую эфиопскую ослицу. Если бы не ты, я бы фиг нашла свои фаги.

— Фаги-фиги, — вяло передразнил Павлик, помолчал задумчиво и вдруг поднял палец: — О! Точно! Я на этот раз улетел в Киргизию! Значит, сначала я был в Киргизии, а потом прямо оттуда полетел в Нуберро. Ты когда на день рождения придешь, смотри, ничего не перепутай.

* * *

Гости разместились за столом свободно, табуретки не понадобились. Генеральская чета Дерябиных уселась на свои постоянные места, на мягкие гамбсовские стулья, справа от хозяев. Их дочери Вере тоже полагался стул. Глеба Оксана Васильевна отправила на лавку. Галанов обратил внимание, что мальчик обрит наголо и выглядит каким-то несчастным, беззащитным. Шея тонкая, голова круглая, уши торчат.

Федя Уралец предпочел жесткую лавку из-за геморроя, его супруга села рядом. Новому гостю Оксана Васильевна предложила стул, вероятно, из благодарности за палаческую работу. Украдкой разглядывая скуластое лицо, Галанов думал: «Уралец его привез, но так и не объяснил, кто он, откуда взялся. Обычная Федькина манера — темнить, намекать, недоговаривать. На веранде мы вроде познакомились, но я не могу вспомнить его имя. У меня склероз? Или он забыл представиться? Ладно, "Глазурованный" вполне подходит, это я здорово придумал, вон как лоснится весь, будто бархоткой отполирован».

Вика порхала вокруг стола, поболтала с Верой, похихикала с близняшками Сошниковыми, исчезла, появилась, подлетела к Глазурованному, опершись на спинку его стула, что-то зашептала ему на ухо. Он кивнул, улыбнулся. Вячеслав Олегович удивился: «Они знакомы? Да, точно! А я ведь тоже его знаю, видел где-то. Но где? Когда? Склероз…»

Вика с ним открыто кокетничала, смеялась, запрокидывая голову, глядела на него своими зелеными распахнутыми глазами, помахивала аккуратно подкрашенными ресницами и накручивала на палец длинную светлую прядь. Подозрение, что взрослый, немолодой мужчина может иметь какие-то виды на его дочь, было как внезапный удар кулаком под дых, и тут же, совсем некстати, забрезжил образ первокурсницы Кати с семинара поэзии. Дыхание сбилось, сердце тревожно зачастило: «Нет-нет! Я — совсем другое дело! Никогда не решусь, у меня это лишь мечты, для вдохновения, для жизненного тонуса. А у него?»

— Хватит скакать, сядь, наконец! — прикрикнул он на дочь.

— У-у, папулище грозный! — Она скорчила рожицу и опустилась на лавку рядом с Глебом.

«Ну что за пошлые глупости лезут в голову? — одернул себя Галанов. — Вика со всеми кокетничает, у нее стиль такой, избавилась от подростковых комплексов, дивно похорошела, теперь купается в собственном обаянии, вот и Глебу глазки строит, а он вообще птенец желторотый».

Пока закусывали домашними соленьями, бужениной и севрюгой, выпивали, произносили тосты, Галанов пытался вспомнить, где же все-таки видел Глазурованного?

«Допустим, это было давно, он тогда еще не полысел, не залоснился. Волосы сильно меняют внешность. Мог носить усы, а теперь сбрил».

Вячеслав Олегович механически участвовал в застольном трепе, чокался после тостов. Присутствие Глазурованного напрягало, особенно неприятно было смотреть на его руки и встречаться с ним взглядом. Дело, конечно, не в Викином кокетстве и не в поросятах, которым он вот этими руками резал глотки. Тревожило что-то другое, что-то из далекого прошлого.

Темное воспоминание тяжело копошилось очень глубоко, в мозгу, в душе, и все не удавалось нащупать его, поймать, вытащить наружу.

«Склероз — слабое утешение. На самом деле просто не хочется ловить и вытаскивать. Мало ли в моей жизни случалось встреч и событий, которые лучше забыть?» — подумал Вячеслав Олегович и вздрогнул от взрыва дружного хохота.

Генерал Ваня ржал громко, нагло, по-казарменному. Генеральша посмеивалась тихо, интеллигентно. Оксана Васильевна всхлипывала, качала белокурой головой и промокала глаза салфеткой. Генерал Федя трясся и гыкал по-ослиному. Его жена жеманно прикрывала рот ладошкой. Вика мелодично заливалась, скалила ровные белые зубы. Глазурованный издавал высокие гортанные звуки, похожие на голубиное воркование. В глубине пасти посверкивало золото.

Кто-то рассказал анекдот, Галанов пропустил, спохватился, будто его поймали с поличным, и хотя никто в тот момент на него не смотрел, улыбнулся и выдавил несколько тихих смешков.

Наконец Клавдия и прапорщик торжественно внесли блюда с поросятами, гости зааплодировали, перестали смеяться и замерли в ожидании.

Знаменитых галановских поросят, жаренных на вертеле, обычно разделывала хозяйка. Это был апогей застолья. Гости внимательно следили за действом и сглатывали слюну. Оксана Васильевна превращалась в жрицу, красиво и точно отсекала куски мяса. Но сегодня почему-то ничего не получалось, она пилила поджаристый поросячий бок неловко, неуверенно, словно делала это впервые.

— Нож тупой, — пробормотала она и обвела присутствующих растерянным взглядом.

— Позвольте, хозяюшка. — Глазурованный встал, закатал рукава, взял у нее нож, и за несколько минут тушки превратились в аккуратные порции.

— Ну, профессор, ну, молодец, горжусь! — Уралец громко хлопнул в ладоши. — Все умеет, ножом орудует, как заправский повар!

«Профессор, — повторил про себя Галанов, — не похож он на профессора. Это что же, звание, должность или кличка?»

Глазурованный слегка поклонился и сел на место. Оксана Васильевна стала раскладывать куски по тарелкам.

— Нет-нет, мне не надо! — Галанов прикрыл тарелку ладонью.

— Как это — не надо? — изумилась жена. — Ты же ничего не ел с самого утра!

— Первый раз вижу, чтобы Славка от свинины отказывался. — Генерал Ваня хмыкнул.

— Просто не хочу, и все!

— Слав, ты там в своем литературном интернационале, часом, иудаизм не принял? — спросил с ироническим прищуром Потапов-старший.

— Оставьте папу в покое! — вступилась Вика. — Я вот тоже не буду свинину.

— Да ты вообще ничего не ешь, — тихо заметил Глазурованный, отправил в рот большой кусок и задвигал челюстями.

— Ох, и не говорите, — вздохнула Оксана Васильевна, — морит себя голодом, кожа да кости, смотреть больно.

— И не смотри! — огрызнулась Вика.

— Девочка фигуру бережет, — генеральша Дерябина снисходительно улыбнулась, — не переживай, Ксанчик, они сейчас все такие.

— Наш Верун тоже с фокусами, — генерал Ваня потрепал по щеке красавицу дочь, — ни пельмешек, ни котлеток с картошкой, ни булочек сладких мы не кушаем. Набралась там в своем Лондоне глупостей этих.

— Папа! — Вера шлепнула его по руке.

— Дед, не напоминай маме про Лондон, — подал голос Глеб.

Голос ломался, перескакивал с фальцета на баритон. В конце фразы Глеб дал «петуха», покраснел и уставился в свою тарелку. Близнецы Сошниковы дружно захихикали. Им было по четырнадцать. Худенькие, курносые, с карими глазищами под белокурыми челками, они носили одинаковые прически, одинаковую одежду. Когда Галанов смотрел на них, ему казалось, что двоится в глазах.

— Да, Ваня, при чем тут Лондон? — проворчала генеральша и смахнула салфеткой листик петрушки с генеральского подбородка.

Вячеслав Олегович знал, что мужа Веры, полковника КГБ Уфимцева Юрия Глебовича, несколько лет назад после крупного шпионского скандала турнули из Лондона. Вражеские голоса тогда сообщили, что правительство Великобритании разоблачило и объявило персонами нон-грата чуть ли не сотню сотрудников советской внешней разведки. Теперь Уфимцев торчал в какой-то черной африканской дыре (кошмарный климат, грязь, нищета, эпидемии, дикость). Вера и Глеб остались в Москве. Генерал и генеральша считали Верин брак удачным, но после Лондона разочаровались в зяте. Вроде не виноват, погорели тогда многие, но ведь это не мешает служебному росту, а он застрял в непрестижной Черножопии, ни тпру, ни ну.

Много лет назад, в начале дачной жизни, Вера очень нравилась Галанову. Юное эфемерное создание сказочной красоты, студентка филфака. У них всегда находились темы для разговоров, но дальше пустой болтовни, игры в бадминтон и походов за грибами так ни разу и не зашло. В тесном дачном мирке роман скрыть невозможно. Дерябин Иван Поликарпович, тогда полковник, ныне генерал-майор, за шашни со своей красавицей дочкой любого женатика в порошок бы стер, да и Оксана Васильевна сжила бы свету.

К сорока с хвостиком Вера осталась красавицей, только красота ее будто застыла, затвердела. За столом сидела фарфоровая кукла с идеально подстриженными волосами цвета белого золота, искусно подведенными глазами цвета мертвой бирюзы. На тарелке перед ней лежала горстка квашеной капусты и надкусанный кусок черного хлеба.

«Интересно, есть у нее кто-нибудь? Четвертый год без мужа», — подумал Вячеслав Олегович.

Глава девятая

На очередном совещании министр Игнатьев теребил незажженную папиросу и бубнил по бумажке, глухим монотонным голосом:

— Ход следствия по делам, находящимся в нашем производстве, оценивается правительством как явно неудовлетворительный. Пора, товарищи, снять белые перчатки и, с соблюдением осторожности, прибегать к избиениям арестованных.

Капитан Любый с любопытством наблюдал, как трясутся у министра руки и дергается правое веко. Накануне Федька Уралец поведал свистящим шепотом, что Сам устроил Игнатьеву разнос, мол, ты не чекист, ты буржуа, бонза, разленился, разжирел, бегемот. «Чистеньким хочешь остаться? Чекистская работа не барская, а мужицкая. Не добьешься признаний — укоротим тебя на голову!»

Министр больше напоминал верблюда, чем бегемота. Худощавый, сгорбленный. Серые толстые губы вяло шевелились, будто жевали сухую пустынную колючку. Слово «избиения», очевидно, встало у него поперек горла, он запнулся, откашлялся, пошелестел страницами и механическим голосом продолжил:

— Согласно указаниям правительства необходимо усилить допросы, особенно о связях с иностранными разведками, с этой целью подобраны из числа сотрудников тюрьмы работники, могущие выполнять специальные задания.

Игнатьев пришел в органы из партийного аппарата, типичный бюрократ, хитрый, трусливый, тусклый. Отсиживался в своем кабинете за двойными дверьми, перебирал бумажки, читал протоколы и составлял по ним докладные. Первый за многие годы руководитель органов, который никого пальцем не тронул, ни разу на допрос не заглянул. Ягода, Ежов, Берия,

ПОЛИНА ДАШКОВА

Абакумов кровищей не брезговали, обрабатывали клиентов
самолично, хотя тогда, как и сейчас, по закону бить арестованных запрещалось.

«Забавно, — усмехнулся про себя Влад, — особенно вот
это: «с соблюдением осторожности». Законы не меняются,
потому что ничего не значат. Люди тоже ничего не значат, но
меняются кардинально. Те, прежние, плевали на законы, выполняли волю Самого, беспрекословно подчинялись приказам. Эти,
нынешние, все чаще оглядываются на законы, пытаются
опереться на них, а от выполнения приказов увиливают. Не
понимают, что происходит. Сам приказывает бить, но им
боязно, того гляди перестараешься, и клиент отбросит копыта, как Этингер. Бить или не бить — вот в чем вопрос. Тоже
мне, принцы датские!»

— Сегодня наша главная задача, — тоскливо продолжал
Игнатьев, — выбить признания, собрать весомые улики и неопровержимые доказательства связи между медицинским
терроризмом и еврейской нацией. Без этого невозможно построить достаточно крупный солидный заговор.

Любый погрузился в собственные размышления, почти не
слушал министра, однако последняя фраза заставила его
насторожиться: «Что он несет? Что значит — построить?»

В голове застучал текст докладной на имя Самого: «Считаю долгом офицера и гражданина довести до Вашего сведения, что министр Игнатьев, выступая на совещании спецгруппы следователей Следственного управления по особо важным
делам, заявил: нашей задачей является построить заговор.
Прошу заметить: не раскрыть и разоблачить, а именно построить, то есть сочинить, сфабриковать, из чего напрашивается естественный вывод, что министр отрицает сам факт
существования сионистского заговора, глобального и всеохват-
ного, направленного против нашего советского государства,
причем делает это публично, открыто, хотя и в завуалирован-
ной форме».

Игнатьев поднял глаза, внимательно оглядел присутствующих и произнес довольно бодро, уже не по бумажке:

— *Работаем без души, товарищи, без огонька, неуклюже используем противоречия в показаниях заключенных, чтобы добиться их признаний, не умеем так задавать вопросы, чтобы они не могли отвертеться. А ведь факт существования глобального заговора западных спецслужб и сионистского подполья, стремящихся посредством врачебного террора вывести из строя руководителей СССР, является очевидным и неоспоримым.*

Любый украдкой оглядел кабинет. Застывшие лица ничего, кроме почтительного внимания, не выражали. Он задвигал желваками, быстренько прожевал и проглотил свою воображаемую докладную. Нельзя делать поспешных выводов, так и вляпаться недолго. Он понял, как сильно устал, как надоели ему эти ничтожества. Их примитивные мозги не вмещают масштабов происходящего. Они не способны логически мыслить, анализировать, обобщать.

Он поерзал на стуле, уселся поудобней, придал лицу такое же почтительно-внимательное выражение, как у всех, и стал думать о Шуре, вспоминать прошлое свидание, предвкушать следующее.

Он не торопил события, ухаживал, как положено. Гулял с ней по Парку культуры, водил в кино, в цирк, в Театр оперетты, кормил обедами в «Метрополе» и в «Праге». Она приходила на свидания в одном и том же темно-синем платье, скромном, но вполне приличном, правда, чулки и ботинки такие, что перед походом в театр он принес ей две пары шелковых чулок и черные замшевые туфли на каблуках. Она за все благодарила по десять раз, глядела на него распахнутыми влажными глазами, которые казались неправдоподобно синими то ли из-за цвета платья, то ли от восторга.

В парке она весело повизгивала на каруселях и упоенно поедала мороженое. В цирке до слез хохотала над клоунами, ахала и сжимала его руку, когда дрессировщица входила в клетку с тиграми. В ресторанах жмурилась, медленно смакуя каждый кусочек шашлыка и котлеты по-киевски.

Стояли последние дни золотой осени, в небе ни облачка, на солнце тепло почти по-летнему. Прохладным и ясным воскрес-

ным утром он пригласил ее в Серебряный Бор. Там у пристани их ждал небольшой спецкатерок со спецбуфетом и уютной, обитой малиновым плюшем, каютой. Кроме них, пассажиров не было. Они завтракали бутербродами с севрюгой и черной икрой. Буфетчик завел патефон, под первые аккорды танго «Брызги шампанского» Шура вскочила и закружилась по палубе. Он молча, исподлобья, наблюдал за ней, спокойно допил свой кофе, докурил папиросу, медленно, как бы нехотя, поднялся. Она, не останавливаясь, улыбнулась ему. Он поймал ее руку, рывком притянул ее к себе, крепко обнял за талию и повел в каюту.

* * *

В Афинах, как только подвезли трап, в салон зашли врач и медсестра. Летчик еще в воздухе через греческого диспетчера связался с советским посольством. Кручине это не понравилось, он накинулся на стюардессу:

— Зачем? Я не просил!

Та испуганным шепотом сослалась на военного атташе, мол, его инициатива, его ответственность, и удрала.

— Сволочь! — тихо выругался генерал.

Кручина помешался на секретности, любую, даже самую безобидную информацию о своей персоне считал государственной тайной. У него в голове мгновенно сложилась схема очередной подлой интриги военных.

Отношения между ГРУ и ПГУ были традиционно скверными. Военный атташе воспользовался случаем, под видом заботы и дружеского участия решил выставить начальника ПГУ слабаком. Разумеется, для посторонних, для афинских диспетчеров, настоящее имя и должность занемогшего транзитного пассажира останутся тайной, а вот посольские наверняка что-то разнюхают, и поползет слушок. Кручина дорожил не только здоровьем, но и репутацией идеально здорового, крепкого, выносливого человека.

Юра взглянул на часы. Ему очень хотелось смыться, он и так стал невольным свидетелем слабости начальника, а тут еще врач наверняка попросит Кручину раздеться и наболтает много чего секретного. Но главное, таяло драгоценное время, отпущенное на покупки во фри-шопе.

— Товарищ генерал, я могу идти?

— Останься!

Юра послушно опустился в кресло напротив кушетки и подумал:

«Как же я заявлюсь домой с пустыми руками? Сразу после Нового года, без подарков! Через пару дней отправят назад, и гуд бай до апреля».

Врач, молодящийся хлыщ с прикрытой жидкими крашеными прядками лысиной, произнес со сладкой улыбкой:

— Ну, голубчик, давайте знакомиться. Меня зовут Геннадий Леонидович. А вас?

— Владимир Александрович. — Кручина нарочно вывернул наизнанку свое имя-отчество: слабенькая, а все-таки конспирация, и нехотя пожал протянутую кисть.

— На что жалуемся?

— Ни на что.

«Злится, — заметил про себя Юра, — врачей терпеть не может, тем более таких, нагло-снисходительных».

Красотка-медсестра в коротком белом халатике, в облаке дорогого парфюма, блестя перламутровыми ногтями, закрепила на генеральской руке манжет тонометра. Юра увидел, как стрелка проползла по кругу. Давление и пульс оказались повышенными, но не слишком.

Врач попросил генерала расстегнуть рубашку, приложил фонендоскоп к его белой безволосой груди, долго, сосредоточенно слушал, хмурился, наконец изрек:

— Нужно срочно сделать кардиограмму.

— У меня здоровое сердце. — Кручина побагровел.

— Ну-ну, голубчик, зачем так нервничать? — Врач панибратски похлопал его по плечу. — В вашем возрасте…

Юру коробил приторный тон, манерное «голубчик». И между прочим, этот наглый хлыщ с «Лонджином» на запястье выглядел если не старше Кручины, то его ровесником, так что насчет возраста ему точно следовало заткнуться.

— Свободны! — прошипел генерал и принялся застегивать рубашку. — Юра, проводи их.

— Александр Владимирович, давайте успокоимся, — врач тронул его руку, — смотрите, какой у вас тремор.

— Владимир Александрович, — поправил Юра и добавил нарочито вежливо: — Будьте любезны, к выходу.

В узком проходе сестра задела Юру твердой грудью. Пока шли по первому салону, врач все оглядывался:

— Я не понял, что не так? Я выполняю свои обязанности, состояние тяжелое, я не отвечаю за последствия!

У выхода на трап он резко остановился, развернулся всем корпусом, уставился на Юру:

— А он вообще кто?

— Всего доброго.

— Нет, погодите, — врач схватил Юру за локоть, — мне же ничего не объяснили, только сказали: наши военные специалисты, особо секретная миссия…

Уфимцев молча отцепил его пальцы и посмотрел в глаза. Врач охнул и попятился к трапу.

На покупки остался час. Промчавшись мимо бара, Юра заметил у стойки на высоком табурете мощную спину атташе. Рядом высились груды пакетов. Во фри-шопе столкнулся с послом. На его лице читались знакомые сильные чувства: обида (ну, живут, гады!), гордость (а я вот элита, мне доступно то, что миллионы у нас в Союзе видят лишь в кино да во сне), озабоченность (правильно ли потратил бесценную валюту, не просчитался ли?).

На всех континентах по этой напряженной гримасе, по тревожному, шарящему взгляду легко угадывался соотечественник. Дипломаты, журналисты-международники, сотрудники Внешторга, облетевшие полмира, знали наизусть фри-шопы всех международных транзитных аэропортов, но каждый раз шалели от изобилия, теряли голову, будто попали впервые и больше такого шанса не будет.

Посол уже изрядно отоварился, забил тележку доверху алкоголем и блоками сигарет и теперь сосредоточенно изучал уцененные футболки. Они оба сделали вид, что не заметили друг друга.

Один из неписаных законов: нельзя мешать товарищу в такой ответственный момент.

Юра побежал дальше. Вере — ее любимые духи и маленькую театральную сумочку. Маме — вязаный дымчато-серый жакет из мягчайшей пушистой ангорки, легкий и теплый, как оренбургская шаль. Глебу — джинсы. К пятнадцати годам сын, акселерат, догнал его не только ростом, но и объемом талии. Наспех примеряя твердые, как картон, штаны, Юра подумал: «Глеб толстый для своего возраста или я худой для своего? Нет, мы оба нормальные, просто меня Африка подсушила, подкоптила».

Из зеркала в примерочной на него смотрел мрачный, крепко загорелый тип. Нуберрийцы называли белых «мзунгу», то есть «призрак». Для них живой человек не мог иметь такой цвет кожи. Юрин информатор, сотрудник тайной полиции Исса, недавно заметил: «Смотри, ты все меньше похож на мзунгу, скоро станешь совсем живым, из плоти и крови, как мы». Задубевшая коричневая кожа странно контрастировала с голубыми глазами и седым бобриком волос. Лицо напоминало негатив. При беспощадном освещении было особенно заметно, как он изменился. Не то чтобы постарел, скорее огрубел. Все увиденное, пережитое наложило свой темный отпечаток, остудило глаза, сжало губы. Впервые он поймал себя на том, что фри-шоп не вызывает прежней радостной лихорадки. Подарки, шмотки он покупал по инерции, от этого стало грустно и слегка тревожно.

«Ты просто устал, — сказал он себе. — Долгий перелет, две подряд бессонные ночи, сложные разговоры с Кручиной — конечно, это мешает осознать, что через несколько часов будешь дома, увидишь жену, сына, маму. Нет, пожалуй в другом порядке — маму, сына, жену. Мы с Верой скверно расстались, мы на грани развода».

Перед посадкой он успел прихватить четыре упаковки колготок для мамы и жены, бритвенные лезвия и пару блоков «Данхилла» для себя, несколько шоколадок и конфетных коробок — мелкие взятки секретаршам.

Остаток пути все мирно проспали: посол и атташе в первом салоне, Кручина — во втором на кушетке, Юра — возле него в кресле.

* * *

Новогодние халтурки Антон отыграл неудачно, то текст забывал, то грим тек и борода отклеивалась. Обычно он легко выкручивался, импровизировал, и в итоге получалось отлично. А тут вдруг растерялся, запаниковал. Это самое худшее, что может случиться с актером. Дети в зале ничего не заметили, смеялись, хлопали, но Антон остался собой недоволен, испугался, что теряет форму. А впереди кинопробы, надо собраться, напитаться положительными эмоциями.

Он ждал звонка с киностудии. Поскольку на Ракитской телефона не было, с ним обычно связывались по родительскому номеру. Мать любила поиздеваться:

— Я тебе что, секретарша? Никто не звонил! Никому ты на фиг не нужен!

— Мам, ну, не может такого быть!

— Хочешь сказать, я вру?

— Нет, ты, наверное, просто забыла.

— Хочешь сказать, я из ума выжила?

— Нет, не выжила, но забыть могла, я же просил тебя все записывать.

— Я тебе что, секретарша?

Такие разговоры обычно заканчивались ором и скандалом. Отец не издевался, но был глуховат, соображал туго и трубку брал редко. Чтобы узнать, кто звонил, приходилось заезжать к родителям, и лучше не с пустыми руками.

После Нового года фиг что купишь, но кое-какие запасы нашлись дома. Он потихоньку припрятал в сумку банку лосося, коробку шоколадного ассорти и непочатую бутылку польского шампуня. К родителям отправился нарочно попозже, чтобы долго не сидеть. Вытащил из сумки только банку лосося, остальное решил приберечь. Минут сорок терпеливо слушал мамашин бред, жалобы на самочувствие, гадости о сослуживцах и соседях, язвительные замечания о семействе Ласкиных, в общем, все как обычно. Наконец решился задать заветный вопрос:

— Мам, мне кто-нибудь звонил?

Поскольку ритуал под названием «проявить уважение к родителям» был честно отыгран, она нацепила очки, взяла блокнот и прочитала:

— Светлана со студии. Сценарий еще не утвердили, режиссер в санаторий уехал, пробы переносятся на конец января.

Звонок помрежа Светы был, в принципе, хорошим знаком. Если бы раздумали пробовать, вообще не позвонили бы. Конечно, от проб до роли дистанция огромного размера, потом опять придется ждать звонка, но это потом, а пока можно расслабиться.

— Виктор Вячеславович ждет тебя в пятницу, — продолжала мать. — Тоже, что ли, со студии?

— Мг-м, — соврал Антон.

«Виктором Вячеславовичем» была Тоша. Когда она хотела встретиться с ним, ее соседи по коммуналке, Вован или Толян, звонили родителям или на работу, в Дом пионеров. Тоше нравилось играть в конспирацию. Антон это только приветствовал, мать делала стойку на каждый новый женский голос, приставала с расспросами, могла ляпнуть что-нибудь при Ленке.

С Тошей он познакомился на дне рождения своего бывшего сокурсника Мишки Гончарова, сына народного артиста СССР, звезды советского кино, любимца самого Брежнева.

День рождения праздновали на даче. Огромный дом, участок — бескрайняя березовая роща. Мангал, шашлыки, водка, «Битлз» и «Роллинг стоунз» из импортного кассетника. Собралась куча народу, кроме сокурсников с женами и подругами еще толпа каких-то незнакомых личностей, в основном женского пола. Среди них Тоша. Она показалась Антону нереально красивой, даже на фоне юных киношно-театральных див. Невесомая пепельная блондинка в чем-то голубом, летящем, полупрозрачном. Он не стал ждать, когда их познакомят, сразу начал игру в гляделки и к полуночи поздравил себя с победой. После медленного танца среди берез под песню «Мишель» они очутились на втором этаже в одной из многочисленных комнат. Тоша по-хозяйски задернула шторы и заперла дверь на крючок.

Ленка тогда была на девятом месяце. Антону приходилось по сто раз в день прикладывать к ее пузу то ладонь, то ухо, бурно умиляться, улавливая там внутри некое шевеление. Конечно, ребенка он хотел, особенно мальчика. На улице, на людях, он бережно придерживал супругу под локоток, гордился, что это гигантское пузо — его произведение, он автор, он будущий отец, а стало быть, настоящий мужик. Дома, наедине с Ленкой, ему делалось нестерпимо скучно.

С Тошей скучать не приходилось. У них было много общего, даже детские имена похожи. Тоша и Тосик. Для семьи имелась надежная отмазка: съемки — ночные, дневные, выездные. Однажды он придумал межреспубликанский слет руководителей детских самодеятельных коллективов в подмосковном пансионате и слинял от жены на трое суток. В другой раз наплел, будто известный полуопальный режиссер дал ему небольшую роль со словами. Фильм про войну, неделя съемок в колхозе под Смоленском. Все это время он провел в Марфино, на чужой даче. Подруга Тоши оставила ей ключи. Антон заранее сочинил сюжет фильма и подробности своей роли, вернувшись, развлекал Ленку байками о деревенской жизни съемочной группы, выдал свежую подборку киношных анекдотов и спел матерные частушки из репертуара колхозников. Ленка рассказала все маме и деду, те, как положено интеллигентным людям, обожали полуопального режиссера. Они слишком настырно приставали к Антону с расспросами, он запаниковал. Нет ли у них знакомых в киношной среде? Не владеют ли они какой-то посторонней информацией? Уж не допрос ли это? Чтобы разрядить внутреннее напряжение, он кинулся в атаку на режиссера: характер отвратительный, бесконечные капризы, издевательства на площадке, а талант, между нами говоря, с ноготок. Они легко поддалась на провокацию, принялись доказывать, что режиссер гений. В общем, импровизация удалась. В придачу к шальной неделе он еще дважды переночевал у Тоши под предлогом ночных озвучек. Фильм, разумеется, лег на полку.

Та история не напугала его, не напомнила об осторожности, наоборот, взбодрила. Антон знал, что он гениальный актер, к тому же умный и везучий. Благодаря Тоше он открыл в себе новые прекрасные качества: смелость, бесшабашность, шальной кураж.

Однажды Тоше захотелось сходить в зоопарк. У Антона здорово получалось изображать разных животных, он устроил представление для Тоши. Перед вольерами и клетками топал, как слон, чесался и гримасничал, как мартышка. Тоша корчилась от хохота, а когда вышли из зоопарка, ей срочно понадобилось отлить. В общественный туалет она зайти брезговала и жалобно попросила: «Давай, забежим к тебе, а? Тут ведь совсем рядом, два шага! Не могу больше, лопну сейчас!»

Ленка с ребенком жили на даче, теща взяла отпуск, уехала к ним. В Москве остался только дед, он с утра до вечера торчал в своей клинике. Антон на всякий случай зашел в телефонную будку, набрал номер. Никто не ответил, но он все равно волновался. Тоша успокаивала: «Мы только на секундочку!»

«Секундочка» растянулась на пару часов. В пустой квартире было тихо, чисто, прохладно. Лучше, чем у Тоши в коммуналке. Там с ней в смежной комнате жила бабка, старая, глухая, но глазастая, она блюла моральный облик внучки, кавалеров приводить запрещала, обо всем докладывала Тошиному отцу, а ему уж точно не следовало знать, что у любимой доченьки бурный роман с женатиком.

Через несколько дней они опять оказались на Пресне и опять зашли. Тошу эти авантюры забавляли, а Тосику было боязно, впрочем, чувство опасности только добавляло перцу их свиданиям.

Один раз чуть не спалились. Антон совсем забыл, что у какого-то родственника есть ключи. К счастью, вовремя услышали. Тоша залезла в шкаф, Антон вышел из комнаты в трусах, зевая, сообщил, что отсыпается после ночной съемки, повел гостя на кухню, чай пить, дверь закрыл, отвлек разговорами. Пока свистел чайник, Тоша выскользнула из квартиры. Потом говорила: «Эх, надо было остаться, объяснить, что мы тут репетируем, получилось бы прикольно!»

На Таганке Антон заметил Ласкиных еще в гардеробе, в очереди. Сердце, конечно, заколотилось, но он взял себя в руки, отвернулся, спрятался за чужие спины, прикрылся своей курткой и Тошиной дубленкой. Тоша вдруг вспомнила, что ей нужно срочно позвонить, помчалась на улицу к автомату раздетая, вернулась, когда гремел третий звонок. Он еще немного понервничал, пока ждал ее в опустевшем фойе.

В зал они влетели в последнюю минуту. Свет медленно гас.

В партере он увидел два знакомых затылка. Ласкины сидели впереди, на четыре ряда ближе к сцене. Он постарался расслабиться, принялся перебирать и поглаживать в темноте Тошины теплые пальчики.

Чутье у Тоши было звериное. Улови она его напряжение, поймай направление взгляда, догадалась бы, могла спровоцировать столкновение лицом к лицу — просто так, для смеха. «Ну, Тосик, представь меня родственникам твоей драгоценной супружницы. Здрасти-здрасти, какая радость, какая приятность!» Она обожала конфузить людей.

В антракте Тоша рванула в сортир, а он остался сидеть, низко опустив голову, углубившись в программку. В общем, обошлось.

До новогоднего семейного застолья он не волновался, но разговор с тещей вывел его из колеи. Он запаниковал: вдруг все-таки заметили?

Помогла система Станиславского. Антон полностью перевоплотился в примерного семьянина. Волшебная метелка расчистила реальность, вымела Тосика и Тошу из пятнадцатого ряда партера. В тот вечер он не был в театре, никакой Тоши не существовало. Надежда Семеновна делилась театральными впечатлениями с образцовым зятем, верным мужем и заботливым отцом, который давно мечтает посмотреть легендарный спектакль вместе с любимой женой.

Антон настолько здорово это сыграл, настолько глубоко вошел в роль, что не сразу из нее вышел и был искренне возмущен, почему его, такого честного, такого безупречного, не хотят прописывать на Ракитской, и как Ленка смеет на него дуться?

Она с ним не разговаривала, будто он в чем-то виноват. Однажды разбудила среди ночи, попросила помочь вымыть Никите попу, но таким тоном, что его аж холодом обдало под теплым одеялом. Помогать не стал. Пусть знает: с ним так нельзя! Пусть сама справляется! И вообще, не мужское это дело — младенцу сраную задницу мыть.

Потом до утра он не мог уснуть, в голове опять зашевелился зловредный вопрос: вдруг счастливый билетик соврал и Ласкины все-таки видели его в театре с Тошей?

В родительской квартире было нестерпимо жарко, душно, пованивало вареной капустой и грубым хозяйственным мылом. Зимой мать закупоривала все окна, форточки не открывала, боялась сквозняков. Антон ерзал на табуретке, поглядывал на часы.

— Этот Виславыч про какую-то Аврору говорил, — подал голос отец. — Мол, передайте, чтоб Аврору обязательно привез.

— Не бухти! — одернула его мать и уставилась на Антона поверх очков: — Кто такая Аврора?

— Крейсер!

— Который в Ленинграде? — Отец вытаращил глаза.

Антон кивнул:

— Он самый!

— Сынок, ты че это из нас дураков делаешь? — Мать надулась и покраснела: — Думаешь, старые стали, так с нами все можно?

— Мам, да шучу я! Кинокамера так называется, «Аврора», — терпеливо объяснил Антон и усмехнулся про себя: «Интересно, зачем Тоше понадобилась камера? Что на этот раз она придумала?»

— У них там на студии своих, что ли, нету? — не унималась мать.

Антон стал плести, что планируется особенная съемка, нужна любительская камера, а на студии только профессиональные. Мать поджимала губы, чуяла подвох.

— А у тебя-то камера откуда? Когда это ты, интересно, успел купить такую вещь дорогую?

— Ласкины нам с Ленкой на рождение Никиты подарили. — Антон опять взглянул на часы и зевнул во весь рот: — Мам, пап, поеду я, поздно уже.

Он оделся, вылетел из квартиры на свежий воздух, продышался, бодро зашагал к метро. Тащиться домой, на Ракитскую, ужасно не хотелось, но делать нечего, в любом случае кинокамеру надо взять. Наверняка Тоша придумала что-нибудь прикольное.

Глава десятая

В первые месяцы службы в Центральном Аппарате Влад присутствовал на допросах, молча вел протоколы. Во время конвейерных допросов, длившихся несколько суток, часами дежурил возле клиента, следил, чтобы тот не отключился, пока очередной следак дрых на диване в соседней комнате. Разговаривать с клиентом запрещалось, дежурный только повторял: «Не спать, не спать!» Мог окатить задремавшего ледяной водой из ведра или, задрав ему руки за спину, нагнуть и сунуть туда головой.

Крайних случаев Влад не дожидался, благо таскать ведра и вытирать лужи приходилось не ему, а тюремным уборщикам.

Мокрый клиент, вынутый из ведра, жадно хватал ртом воздух, хрипел, трясся, стучал остатками зубов, пытался двигать руками, забывая о наручниках. Браслеты на запястьях стягивались туже, кисти багровели, распухали, рожа перекашивалась, глаза лезли из орбит. Ледяная вода смывала лживую благопристойную личину, обнажала истинную звериную сущность. Владу это нравилось. Главное, не перестараться, не передержать в ведре и не допускать, чтобы руки потеряли подвижность, иначе как он подпишет признание?

Практически все арестованные были жидами, даже те, кто значился русским, украинцем, белорусом, носил славянскую фамилию. И жидок-то все шел — академики, профессора, доктора наук. Хоть бы один пролетарий, на смех.

Отвращение к евреям Влад чувствовал с детства. Мать рассказывала, что врачи-жиды нарочно заразили его братика коклюшем, сестренку стафилококком, он выжил потому, что роды принимал наш, русский доктор. Отец говорил, что на железной дороге командуют жиды, они инженеры, снабженцы, бухгалтеры, на хорошие должности пихают только своих, а нам, русским, приходится вкалывать кочегарами, грузчиками, обходчиками. Вместе с Владом в классе училось пять жидов. Когда ввели платное образование, все они перешли в девятый, собирались после десятого поступать в вузы. У их родителей деньги на это имелись. У жидов всегда есть деньги. А из двадцати семи русских смогли продолжить учебу только десять ребят, остальные, включая Влада, отправились в ФЗО.

До начала службы в органах отвращение было безотчетным, инстинктивным. Он просто ненавидел их, потому что они жиды, и само это слово произносил смачно, чувственно, как матерное ругательство, иногда сопровождая плевком. Лишь здесь, сейчас, он по-настоящему осознал, насколько они опасны.

Они везде, во всех сферах государственной жизни, опутали густой паутиной экономику, науку, культуру. Они пролезли на самый верх. У Молотова и Ворошилова жены еврейки. У Маленкова дочь была замужем за евреем Шамбергом. Даже семью Самого они испоганили своей кровью. Дочь Светлана вышла за жида. Старший сын Яков женился на Мельцер Юдифи Исааковне. Светлана развелась, Яков погиб в немецком плену, но осталось потомство. Родные внуки товарища Сталина — жиденята.

Они просчитались, не учли масштаб личности, мерили по себе. Мелкие людишки трясутся над своими чадами-домочадцами. Великого Человека никакая сила не заставит хлюпать в буржуазном болоте семьи и частной собственности. Есть информация, что товарищ Сталин внуков-жиденят знать не желает. Подобраться к нему через семью не вышло. Полезли с другой стороны, через медицину. Залечили до смерти Щербакова и Жданова, именно тех руководителей партии и правительства, которые открыто противостояли жидовскому влиянию. Но и тут просчитались. Залечить товарища Сталина не получится. Великий Человек всякими обывательскими гипертониями-инфарктами не страдает, в медицинской помощи не нуждается.

Влад вдоволь наслушался, как они признавались в своих вражеских замыслах и террористических планах, пока молча *вел протоколы, и позже, когда стал сам допрашивать. Да, они признавались, но не сразу и не во всем. Главой заговора они в один голос называли Этингера. Постоянно мелькало имя Шимелиовича, бывшего главного врача Боткинской больницы, тоже покойного. Были эти двое на самом деле важными фигурами или клиенты выполняли приказ валить все на мертвецов? Кто передал им такой приказ? Основные вопросы оставались без ответа.*

Влад вкалывал по пятнадцать часов в сутки, сильно уставал, нервы были на пределе. Сослуживцы спасались водкой, глушили ее стаканами, иногда прямо во время допросов. Он мог пригубить за компанию, чтобы не выделяться и не раздражать пьющих товарищей. Запах перегара вызывал у него тошноту, сразу всплывали в памяти мерзкие сцены из детства. Отцовские запои привили ему стойкое отвращение к водке и таким образом сохранили здоровье (еще один минус, обернувшийся плюсом).

Его отдушиной стала Шура.

Он снял для нее половину деревянного одноэтажного дома в Тушине, на крутом берегу Москвы-реки. Вход отдельный, своя веранда. Хозяева, старик со старухой, брали дорого, зато в душу не лезли.

Старик был сапожник — не из тех, что сидят в уличных будках и клеят набойки, а настоящий частный мастер. К нему приезжали заказчики, люди солидные, осторожные. Он мог сшить хромовые сапоги, мужские штиблеты с дырочками на микропорке, женские туфли и полусапожки на меху. Материалы — кожу, хром, резину — доставала старуха. Она работала на Тушинской трикотажной фабрике, имела доступ к дефициту и хорошие связи. С ними жил сын Филя, слабоумный немой мужик лет сорока. Высокий, крепкий, он отлично справлялся с работой по хозяйству, копал огород, окучивал яблони, рубил дрова, таскал воду с колодца не только для своего семейства, но и для Шуры.

Дом разделяла на две изолированные половины бревенчатая стена. Влад повесил на нее толстый большой ковер. У стари-

ков круглые сутки орало радио, они были глуховаты и через стену не слышали ни звука.

Он хорошо о ней заботился, приносил пайковые продукты, одевал эффектно, дорого. Все на ней было от него. Платья из крепдешина и тонкой шерсти, шелковые чулки, шубка котиковая с собольим воротником, белье с кружевами, французские духи и многое другое. Она иногда спрашивала: «Откуда такая роскошь?» Он неизменно отвечал: «Где брал, там уже нет». Она бормотала: «Наверное, огромные деньги».

Она продолжала работать в издательстве «Геодезия и картография», теперь уже на полставки, с девяти до двух. Трудовая книжка должна где-то лежать, опять же, комсомольский учет, профсоюз.

Не застав ее дома в нерабочее время, он сильно раздражался. У нее имелась постоянная отмазка: «Бабушку навещала». Он знал, что она часто бывает в Горловом, что старуха болеет, но не всегда мог проверить, была она именно там или шлялась неизвестно где и с кем. Он видел, как пялились на нее мужики. Что отобьют, не боялся. Пусть кто-нибудь только попробует! Просто не хотел, чтобы она слишком много о себе возомнила.

* * *

Старый «москвич» завалило, пришлось долго чистить. Наде нравилось это занятие. Толстые снежные пласты сползали легко, как во сне, медленно мягко рассыпались, искрились под фонарем. Вечером в пустом тихом дворе хорошо дышалось, снег освежал разгоряченное лицо, кровь разгонялась, тело оттаивало после долгого неподвижного сиденья за столом в душной лаборатории, мышцы сладко ныли. Надя расстегнула дубленку, скинула с головы теплый платок, принялась насвистывать вальс, отдаленно похожий на волшебную музыку Свиридова. Закончив, отошла полюбоваться своей работой и почувствовала себя скульптором: вот, отсекла все лишнее, и бесформенный сугроб превратился в автомобиль, маленький, ветхий, но вполне симпатичный. Авось не подведет.

Старичок доживал свой век. Зимовать ему полагалось в гараже, но гаража не было. То, что такой металлолом вообще ездит, да еще зимой, противоречило всей автомобильной науке. Знакомый слесарь из автосервиса давно объявил старичка безнадежным инвалидом, но все-таки возился с ним, приводил в чувство и каждый раз советовал бросить, наконец, эту рухлядь, купить «жигуль».

О «жигуле» не могло быть речи. Все свои сбережения они с папой вложили в кооператив для Лены. Родители Антона не дали ни копейки. Такие вот родственнички достались.

С детского сада у Лены был друг Мишаня, тихий серьезный мальчик из интеллигентной семьи. Надя и папа подружились с ним, с его родителями. После десятого Мишаня поступил в МАИ, Лена в медицинский. Никто не сомневался, что они поженятся. Но в сентябре, с первых дней занятий, началась чертовщина. Когда приходил Мишаня, обязательно звонил телефон. Лена скидывала гостя на маму и деда, а сама уединялась с аппаратом. Мишаню поили чаем на кухне, отвлекали разговорами. Всем было неловко. Надя стучала в закрытую дверь и слышала раздраженное: «Мам, ну я разговариваю!» Мишаня уходил, Лена лишь выглядывала из комнаты, махала рукой: «Пока!» — и нежно улыбалась в трубку: «Нет-нет, это я не тебе».

Надя и Семен Ефимович понятия не имели, с кем она говорит, даже голоса не слышали и между собой прозвали ее загадочного собеседника «Трубка».

Буквально за пару недель Лена стала другим человеком, словно подменили девочку. С детства она делилась с мамой и дедом любой мелочью, по утрам рассказывала сны, по вечерам — подробности прожитого дня. Они знали всех ее друзей и недругов в детском саду, в школе. И вдруг замолчала, стала поздно возвращаться, иногда на рассвете. Где была, с кем? Ни слова. Они решили не приставать с вопросами, да и что толку? Она их не слышала, не замечала. По выходным за завтраком застывала над тарелкой, взгляд туманился. За что бы ни бралась, все валилось из рук. Билась посуда, терялись перчатки, зонтики, ключи, кошельки, студенческий билет, зачетка.

Однажды папа, вернувшись в половине первого ночи с банкета по поводу чьей-то защиты, таинственно прошептал:

— Видел!

— Кого? — спросила Надя, равнодушно зевнув.

— Его, «Трубку»!

От папы пахло коньяком, глаза хитро блестели.

— Рукопожатия удостоился. Зовут Антон, лет двадцать пять, красавец, на какого-то актера похож. Сидят на подоконнике между этажами. Я их позвал, сказали, сейчас придут.

Антон действительно напоминал актера, но не какого-то конкретного. Просто на лбу у него крупными буквами было написано: «АКТЕР» и мелкими: «амплуа положительного героя, хорошего парня». Даже фамилию он носил самую что ни на есть артистическую: Качалов.

Надя отправилась спать, в семь утра она улетала в Калькутту, на холеру, а Лена, Антон и папа долго еще сидели в кухне и улеглись незадолго до того, как у нее зазвонил будильник.

Утром сонная тишина родной квартиры показалась Наде какой-то новой, напряженной. В прихожей стояли чужие ботинки сорок четвертого размера. Из рукава чужой куртки торчал Ленин синий шарф. «Ну вот зачем было врать, что потеряла?» — подумала Надя.

Когда она вернулась домой с холеры, глубокой ночью, ее встретил Антон в тельняшке и трениках. Лена и папа спали. Он подал ей тапочки, шепотом предложил чаю.

Он был старше Лены на восемь лет, отслужил в армии, закончил Щукинское театральное училище, в театр пока устроиться не мог, вел драмкружок в Доме пионеров, подрабатывал в эпизодах и в массовках, ждал большой роли.

Во время последнего ремонта папа придумал сделать из двух комнат две с половиной, разделить большую. Перегородка прошла от стены возле двери и уперлась в раму между створками широкого окна. Получилось не очень красиво, зато удобно: у каждого образовалось личное пространство. Маленькая, отдельная — Лене. Папа из двух половинок выбрал проходную.

С появлением Антона формально ничего не изменилось. Надя и папа остались на своих половинках, Антон поселился в Лениной маленькой отдельной. Впрочем, «поселился» громко сказано, главным их жилищем стала дача в Михееве, в тридцати километрах от Москвы. Там как раз провели водопровод и газовое отопление, но вода из крана текла коричневая, воняла железом и сероводородом, а сортир был на улице. Каждое утро они ездили в Москву на электричке, вставали в шесть, возвращались к полуночи. Иногда, в морозы, оставались на Пресне, но ни разу не переночевали у родителей Антона.

Отношения между семьями не сложились с самого начала. Иначе и быть не могло, слишком уж разные семьи. У Лены дед — профессор, мать — кандидат наук. У отца Антона, Геннадия Тихоновича, пять классов образования. Сантехник в какой-то конторе. Мать, Ирина Игоревна, закончила восьмилетку и работала делопроизводителем в отделе кадров той же конторы.

При первой встрече Ирина Игоревна задала вопрос, который ей казался вполне уместным, а Наде и Семену Ефимовичу — абсолютно бестактным:

— Я вот хочу спросить — а где Еленин отец?

Ответ прозвучал вежливо и прохладно:

— Он погиб, когда Лена была совсем маленькой.

Вместо «простите» — следующий вопрос, лично Наде:

— А что ж больше замуж-то не вышли?

Надя сделала вид, что не услышала. Так и познакомились.

Геннадий Тихонович был шумный, пьющий, добродушный. Со всеми мгновенно переходил на «ты», супругу свою называл «Ирик», Надю с ходу окрестил «Надюхой».

У них с папой имелось нечто общее: война. Геннадий Тихонович воевал в пехоте, рядовым. Семен Ефимович лечил раненых в передвижных полевых госпиталях, закончил войну полковником медицинской службы. Всегда находились темы для разговоров, правда, говорили они на разных языках. Папа обращался к Геннадию Тихоновичу по имени-отчеству, тот к нему, когда бывал трезв, — «прохфесер», а выпив — «товарищ полковник».

Папа умудрялся даже с Ириной Игоревной общаться вполне мирно. Она жаловалась на свои многочисленные хвори. Когда Качаловы приходили в гости, папа вооружался фонендоскопом и тонометром, слушал сердцебиение Ирины Игоревны, измерял давление. Она считала это лечебными процедурами, вздыхала: «Ну вот, вроде полегчало». На самом деле пульс и давление у нее были в норме, она вообще отличалась завидным здоровьем, а вымышленные хвори использовала как рычаги влияния на мужа и сына.

Антон стеснялся родителей, пока жил с ними, не приглашал в гости друзей. Лена однажды призналась, что после знакомства с будущей свекровью проплакала ночь напролет, Тосик плакал вместе с ней, клялся, что по большому счету, в глубине души, мать добрая, хорошая, просто характер дурной.

Расписались они в декабре, в мае родился Никита. Кооператив по папиной ветеранской очереди подоспел очень вовремя. То есть, конечно, подождав года три, можно бы и ближе к метро, и двухкомнатную, но жить с ними на Пресне Лена и Антон не желали, в Михееве с новорожденным просто невозможно, поэтому решили поторопиться.

Наде и Семену Ефимовичу было не по себе оттого, что Лена с маленьким Никиткой теперь так далеко, в новостройке на окраине, да еще без телефона. Старичок «москвич» здорово выручал. Главное, не забывать вытаскивать на ночь и заряжать аккумулятор. Дважды в неделю по очереди или вместе они загружали на заднее сиденье сумки с продуктами, чистым бельем, пеленками и отправлялись на Ракитскую.

До встречи в театре все казалось ничего, терпимо. После встречи начался новый этап. Знать и молчать было очень тяжело. Сказать — невозможно. Надя в принципе согласилась с папой: молчать все-таки лучше. Пока рано делать серьезные выводы, травмировать Лену, грубо вмешиваться в их с Антоном жизнь.

Но одна деталь не давала ей покоя.

Тогда, в театре, папа, разумеется, не обратил внимания, что за свитер был на подруге Антона.

В антракте девица направилась в женский туалет. Антон остался сидеть в зале, уткнувшись в программку. Надя пошла за девицей, присмотрелась. Да, свитер тот самый, из козьего пуха цвета экрю, между белым и беж, реглан сверху, без единого шва.

Надя связала его для дочери пару лет назад ко дню рождения. Он получился красивый. Удачное сочетание пряжи, цвета, фасона. Лена его берегла, сама стирала в тазике с шампунем, аккуратно раскладывала сушить на полотенце. Ни одной своей одеждой она так не дорожила. Однажды свитер исчез.

Пропажу обнаружили, когда Лена и Антон переезжали в новую квартиру. Надя перерыла все, вплоть до старых чемоданов на антресолях. Антон помогал в поисках, пожимал плечами: «Мистика!» Семен Ефимович наивно предложил купить точно такой в «Березке». Лена сквозь слезы запричитала: «Такой ни за какие деньги не купишь, это же мама связала!» Надя попросила лаборантку, которая приторговывала дефицитной пряжей, добыть еще оренбургского пуху. Лаборантка пообещала к майским.

После встречи в театре Надя проверила всю квартиру и убедилась, что больше ничего не пропало. Обсудить это с папой язык не поворачивался. Наверняка скажет: «С ума сошла? Что ты выдумываешь? У меня в ящике стола деньги, ордена-медали, у тебя в шкатулке часики золотые, кольцо с изумрудом. Кому нужен чужой свитер ручной вязки?»

Ну, правда, кому? Антон стащить его и подарить своей девице не мог. Слишком уж странный для него поступок. Он равнодушен к шмоткам, тем более женским, да и что это за подарок? Чужой ношеный свитер! Стащить могла только сама девица. Значит, он приводил ее сюда, когда никого не было дома.

Это даже не клептомания, просто обезьяний хватательный рефлекс. Понравилось, очень захотелось — цап, и взяла, не думая о последствиях. Надя с такими мартышками уже сталкивалась.

Папа иногда приглашал домой своих подопечных интернов. Одна из них, бесцветная пухлая тихоня со скорбным, будто на вечных похоронах, лицом, приходила чаще других. Звали ее Анжела Головня. Она засиживалась допоздна, пила чай, сметала со стола все, что ни поставишь, могла сгрызть полную вазочку сушек, умять грамм триста желейного мармелада, все с тем же похоронным лицом.

Однажды исчез флакон французских духов, купленный во фри-шопе в Стамбуле. Он стоял в коробочке на полке в ванной, Надя никогда не выносила его из дома, пользовалась духами редко. Запах был слишком сильный.

Она почему-то сразу подумала на Анжелу. Папа гневно отчитал ее: «Анжела кристально честный человек, очень несчастная, одинокая, в общаге ей тошно, скучает по домашнему теплу».

У папы все интерны-провинциалки были «кристально честные, очень несчастные и одинокие», впрочем, он добавил и нечто более здравое: «Сперла бы Анжела, от нее бы пахло духами. Ты же знаешь мой нос, да и вряд ли она решилась бы после этого приходить к нам».

Анжела продолжала приходить, и духами от нее пахло. Потом исчезла красивая газовая зажигалка, подарок Павлика Романова («С ума сошла? Анжела не курит!»), складной японский зонтик («Ну, вот уж зонтик ты точно сама посеяла!»), Надин индийский шелковый платок, папина перьевая ручка, с которой он не расставался лет десять.

Деньги, ордена, драгоценности не исчезали, хотя хранились в доступных местах. И вот в один прекрасный день в клинике, во время обхода, Анжела вытащила из кармана и любезно одолжила папе его собственный старый любимый «Паркер», записать что-то. Тогда он наконец прозрел.

«Может, все-таки рассказать ему про свитер? — думала Надя. — Вспомнит Анжелу и не станет кричать «с ума сошла»?! Испугается, занервничает… А тут еще эти чертовы звонки с молчанием. Ладно, допустим, у девушки хватательный рефлекс, утащила свитер, хочет сцапать заодно и Антона. На Ракитской телефона нет, поэтому звонит нам, надеется застать Лену, объяснить ей, кого на самом деле любит ее муж. Но тогда она и просила бы позвать ее, а не меня. Я ей зачем? Нет, антоновская мартышка к звонкам отношения не имеет».

Во время новогоднего застолья Надя несколько раз порывалась сказать Антону прямым текстом: «Мы видели тебя в театре с девицей. Я знаю, ты приводил ее к нам домой. Так вот, учти, она воровка. Подумай, с кем ты связался». Но сказать такое можно только наедине, а случая не представилось. К тому же у Нади не было стопроцентной уверенности, что свитер тот самый. Из козьего пуха вяжут многие, фасон простой, взят из рубрики «Для тех, кто вяжет» в журнале «Наука и жизнь». Вдруг все-таки ошибка, совпадение?

Надя мучилась, ломала голову, отвлечься могла только на работе. Решила на всякий случай поменять замок. Зашла в домоуправление. Оказалось, у слесаря новогодний запой, когда появится — неизвестно.

Потом пришлось справляться с январскими паническими атаками. После каждого приступа она слабела, переставала себе доверять. Насчет свитера решила: «Все равно правды не узнаю и доказать ничего не смогу. Лучше считать это случайным совпадением. Почудилось. Я же псих, у меня бывают галлюцинации».

Сегодня Надя освободилась пораньше, собиралась заехать за папой в клинику. У него там уролог-фарцовщик притащил финский детский комбинезон. Желающих оказалось много, но папа всех опередил, купил это счастье, не торгуясь, позвонил Наде в институт, сказал, что счастье надо срочно отвезти на Ракитскую, к тому же по его расчетам у Лены скоро закончатся деньги, а у Никиты — подгузники.

— Ну, старичок, ты готов? — Надя погладила бежевый капот «москвича». — Сейчас за сумками сбегаю, папе позвоню, чтобы выходил встречать, и двинемся. Только смотри не подведи.

* * *

Поросята были съедены, гости в ожидании чая и десерта рассыпались по дому. Генерал Ваня громким командным голосом призывал всех попариться в баньке, отпускал свои коронные казарменные шутки и ржал как жеребец. Генеральша тщетно пыталась вывести его на свежий воздух.

Посреди гостиной Глеб и близнецы Сошниковы играли в «Монопольку». На ковре лежал большой кусок картона с Микки-Маусом в центре и разноцветными квадратами по периметру. Дети сидели вокруг, кидали кости, двигали фишки. Голоса звучали спокойно и деловито:

— Я, пожалуй, придержу активы.

— Покупаю бензоколонку!

— Сто пятьдесят кладу в банк, двести оставляю.

— Трум-пум-прум, беру супермаркет.

Вика примостилась на диване между Верой Уфимцевой и Светланой Потаповой. Рядом, в креслах, сидели Зоя Уралец и Галина Сошникова. На старинном ломберном столике отсвечивали глянцем иностранные модные журналы.

Галанов по поручению жены искал четыре пачки цейлонского чая, которые привез из Москвы, но забыл, куда положил. Он открывал дверцы, выдвигал ящики большого буфета и краем глаза наблюдал за Викой. Она вместе с остальными сосредоточенно рассматривала картинки.

— Простой свободный крой, яркие орнаменты, крупная бижутерия, — задумчиво говорила Галина, — симпатично, живенько, но мне, пожалуй, больше нравится такой вот спокойный деловой стиль.

— Унисекс! — выпалила Вика.

— Уни… что? — тревожно переспросила Зоя.

— Универсальные вещи, которые могут носить и мужчины, и женщины: брюки, пиджаки, водолазки, — объяснила Вера.

Светлана Потапова, моложавая, уютно-домовитая, приобняла Вику и заворковала:

— Все хорошеешь, солнышко, и кофточка изумительная! Чья работа?

Вика скорчила комичную рожицу, приложила палец к губам:

— Тсс! Секрет фирмы!

— Да, я тоже все смотрю и завидую, — Вера пощупала Викин рукав, — козий пух с шелковой нитью, реглан сверху, без единого шва. Очень грамотно связано.

— Викуля, хватит темнить. — Светлана легонько потрясла ее за плечи: — Признавайся, кто связал эту прелесть?

— Сама, — Вика скромно потупилась, — няня Дуся научила, когда я маленькая была, с тех пор иногда пробую сотворить что-нибудь этакое. Вот недавно Дусина внучка из Оренбурга была в Москве проездом, привезла мне настоящий козий пух и спицы хорошие. У них там частники делают.

«Боже, что она несет? Легче представить генерала Ваню солистом балета или генерала Федю диссидентом, чем Вику со спицами в руках. Дуся жила на Вологодчине, умерла три года назад, детей и внуков у нее не было. Какая внучка? Какой Оренбург?» — Галанов закрыл очередной ящик и услышал:

— Только вы никому не говорите, мама узнает — убьет меня.

— Почему? — Светлана изумленно вскинула брови-ниточки. — Что тут плохого?

— Мама считает, что вязание — удел тупых мещанок, простецких некультурных баб.

Галанов случайно довольно громко хлопнул буфетной дверцей.

— Папулище, а мы тебя не заметили! — заулыбалась Вика. — Передохни, расслабься, крутишься как белка в колесе.

— Да, Вячеслав, посидите с нами. — Вера подвинулась, освобождая для него местечко на диване.

Он сел и почувствовал тепло ее бедра, обтянутого шерстяной клетчатой юбкой.

— Осунулись, погрустнели, — ласково прошептала Вера ему на ухо, — у вас все в порядке?

— Все нормально, Верочка, просто устаю, но не от работы, а от пустой суеты, время бежит... — Он вздрогнул и запнулся.

Генерал Ваня стоял над игроками в «Монопольку» и орал на всю гостиную:

— Это кто тут у нас капитализм развел? Ну-ка сворачивай свободный рынок!

— Дед, отстань! — огрызнулся Глеб.

— Ваня, угомонись, — тихо, жестко приказала генеральша.

Но Ваня ее не услышал, рявкнул так, что зазвенели стекла:

— Встать! Смирно! Руки по швам!

Близнецы захихикали. Вера вздохнула, покачала головой. Галанов ободряюще сжал ее руку и поднялся с дивана. Глеб кинул кость, сдвинул фишки и спокойно, будто ничего не происходит, произнес:

— Снимаю половину активов, беру казино.

— Ща будет тебе казино ремнем по заднице! — Ваня принялся расстегивать пряжку и потерял равновесие.

Вячеслав Олегович вовремя подхватил его под локоть, не дал грохнуться прямо на детей и сказал:

— Вань, пойдем покурим, а то Федор там все пиво вылакает.

Задушевная интонация и волшебное слово «пиво» сработали, как всегда. Генерал моргнул, икнул и пробормотал уже вполне мирно:

— Империалисты хреновы, ну, погоди, вот я тебе, сопливому, устрою прибавочную стоимость!

У двери их догнала генеральша, молча накинула на плечи мужа тулуп и благодарно улыбнулась Галанову.

На веранде дымили Уралец, Сошников, Потаповы, старший и младший. На столе стояли банки чешского пива и соленых орешков из магазина «Березка». В деревянном лотке сверкала серебряной чешуей астраханская вобла. Раздутые брюшки просвечивали розовой икрой.

Генерал Ваня вскрыл пивную банку, выбрал рыбку, понюхал, постучал о край стола и принялся чистить, деловито посапывая.

«Интересно, куда подевался Глазурованный? — подумал Вячеслав Олегович. — В гостиной его нет. Может, на кухне? Обязательно надо что-то резать, не поросят, так хотя бы пироги».

Он отхлебнул пива, пожевал орешков и обратился к Уральцу:

— Слушай, Федя, а этот твой приятель, ну, который поросят резал, он профессор по званию или по должности?

— Пока только по должности, а по званию доктор наук.

— Каких?

— Исторических. Кстати, в этом году у твоей Вики в институте читает спецкурс по истории Ближнего Востока.

— Так он в Инязе преподает? — спросил Галанов.

— Бери выше! — таинственно прошептал Уралец. — В Иняз его пригласили спецкурс читать, так что повезло Вике. — Он икнул и продолжил громче: — Между прочим, хвалит ее, называет очень способной девочкой, любимой ученицей.

— Погоди, так он из МГИМО?

— Выше! — Уралец поднял палец к потолку. — Ты, Славка, можешь гордиться дочкой! Его похвала дорого стоит, он вообще голова, свободно владеет арабским и жидовским.

— Ивритом, — уточнил Потапов-младший и ухмыльнулся.

— Юрка наш тоже по-арабски свободно чешет, — задумчиво произнес генерал Ваня, посасывая рыбные ребрышки, — ну, и на сахлили, будь она неладна.

— Суахили, — поправил Сошников и спросил: — Почему неладна?

— А-а! — Ваня махнул рукой. — Из-за сухалили этой его к черножопым и услали.

Он открыл очередную банку пива и припал к ней, как голодный младенец к материнской груди.

— Вань, зря ты хороший коньяк пивком полируешь, зря. — Сошников щелкнул зажигалкой и глубоко затянулся. — Вот анекдотец неплохой. Значит, идет негр по пустыне, умирает от жажды. Вдруг видит — торчит из песка бутылочное горлышко. Он дрожащими ручонками раскупорил, а оттуда — бах-шарах, вылетает джинн и говорит: «За то, что ты меня освободил, исполню любые три твоих желания». Ну, негр, недолго думая, просит: «Хочу, чтобы рядом всегда была вода, хочу быть белым, хочу много женщин». — «Хорошо», — ответил джинн, и превратил его в унитаз в женском туалете.

Все дружно заржали. Вячеслав Олегович уныло подхихикнул. Он пытался вклиниться, уточнить, где именно Глазурованный занимает профессорскую должность, как его зовут, но гости болтали, перебивая друг друга, Потапов-младший рассказал анекдот про чукчу, Потапов-старший — про Сару и Абрама. Под взрыв хохота открылась дверь, вышла Зоя Уралец, волоча за руку сонного укутанного внука, следом — Галина Сошникова с близнецами в одинаковых цигейковых шубках и Оксана Васильевна в шали на плечах.

— Мам, ну ты чего? — хныкали близнецы. — Пап, скажи ей!

— Папа скажет то же, что и я. — Галина сурово взглянула на мужа. — Завтра к девяти на тренировку.

— Пусть хотя бы чаю попьют с пирогами, — предложила Оксана Васильевна.

— Ксанчик, солнце мое, какие пироги, о чем ты? — воскликнула Галина и добавила тише: — Отведу их, уложу и вернусь.

Близнецы с пяти лет занимались художественной гимнастикой, Галина, как цербер, следила за их диетой и режимом.

— Мы спать не хотим, в «Монопольку» не доиграли! — хором канючили девочки. — Время детское! Ну, пап!

Сошников молча, печально развел руками. Оксана Васильевна попрощалась с гостями и спросила:

— Слава, ты чай нашел, наконец?

— Искал везде. — Вячеслав Олегович затушил сигарету и поплелся в дом, следом за женой. — Ксанчик, ты посмотри еще раз на кухне в пакетах.

— Смотрела, там нет.

— Прямо мистика какая-то, — растерянно пробормотал Галанов.

Глава одиннадцатая

Управление лихорадило. Сам приказал готовить большой открытый процесс. Подсудимые должны публично, на весь мир, как когда-то, на процессах тридцать шестого—тридцать восьмого, признаться в своих злодеяниях, раскрыть шпионские связи.

Влад восхищался простотой и гениальностью замысла: сплести профессию врача с преступной нацией, сыграть на базовых инстинктах, на страхе болезни и смерти.

Открытый публичный процесс наглядно и доходчиво объяснит ширнармассам: вы болеете и умираете потому, что врачи-евреи нарочно лечат неправильно, заражают микробами, травят ядами. Все евреи — преступники, они устроили заговор против русского народа, задумали убить Самого Сталина. Только так удастся по-настоящему встряхнуть и пробудить ширнармассы от векового жидовского гипноза.

Пробуждение уже началось. Раньше неприятие евреев сводилось к привычному ворчанию, добродушному и безобидному: слишком любят деньги, слишком хитрые и пронырливые, не хотят заниматься физическим трудом, отсиживались в тылу во время войны и так далее. Теперь нарастала волна настоящей ненависти. Ходили слухи, что врачи-евреи прививают уколами рак, убивают русских младенцев в роддомах, в аптеках продают яды под видом лекарств. Они опасны для общества, их необходимо срочно выселять из Москвы и других крупных городов.

Сам установил конкретные сроки: первое заседание суда над врачами-убийцами состоится 5 марта 1953-го, то есть осталось чуть больше трех месяцев. Выселение начнется сразу после процесса. Мероприятие такого масштаба требовало подготовки. Она проводилась в режиме строжайшей секретности. Первые отделы штабов войск МВД и МГБ, областных

*управлений милиции, верхушка обкомов и крайкомов получили
устные распоряжения о перерегистрации и взятии на учет
всех без исключения лиц определенной национальности. Управление Дальстроя оцепило зонами огромный район тайги, зэки
рубили сотни бараков «под жидов». Бараки особые, вроде
скотопрогонных сараев под крышами из жердей, без печей
и торцовых стен.*

*Слухи о раке и ядах работали как кнут. Слухи о выселении
стали пряником: скоро в Москве освободится много хороших
квартир. Уже выписывались ордера на эти квартиры.*

*Уралец поведал, как всегда, шепотом, что при переселении
сложно будет сдержать волну народного гнева. Народ начнет
стихийно расправляться с жидами в подворотнях, громить
спецпоезда, устраивать аварии и взрывы на железной дороге,
в итоге до мест назначения доберется меньше половины.*

*— Наступит новая эра в истории человечества, — радост-
но бормотал Федька в легком подпитии, — представляешь, вся
Европейская часть СССР без единого жида! Вся равнина от
Балтики до Кавказа — славянская и неделимая!*

*Любый заметил про себя, что для убогих Федькиных мозгов
это чересчур умно, а для Дяди — слишком смело. Конечно, Дядя
повторил слова Самого. Только гений способен смотреть
в будущее и мыслить в мировых масштабах.*

*Массы пробуждались, а следствие крутилось вокруг своей
оси, наступало на собственный хвост. Реальных фактов
и доказательств — кот наплакал, структура заговора так
и не раскрыта. Игнатьев на совещаниях бубнил по бумажке:*

*— Чудовищные замыслы врагов народа должны вскрыться
в ходе суда. Враги Абакумов и Кузнецов, еврейская нация с американцами во главе, имели одну высшую цель: убить товарища
Сталина. Необходимо шире применять меры физического
воздействия с целью получения признаний в конкретных фак-
тах вредительства, в шпионских связях с империалистически-
ми рабовладельцами-людоедами, которые вознамерились иметь
в СССР опорные пункты для своей разведки и антисоветской
пропаганды.*

Применение мер каждый раз требовало санкции министра и регистрации в специальном журнале. Игнатьев такие санкции никогда не подписывал, валил ответственность на своих замов. Бюрократическая волокита съедала драгоценное время и мотала нервы. На Лубянке во внутренней тюрьме подходящих помещений не хватало. Приходилось возить клиентов в Лефортово и обратно. Тоже — время и нервы. По дороге в автозаке клиенты прохлаждались, отдыхали, это снижало результативность конвейерных допросов.

Начальник «внутрянки» полковник Миронов занимал свою должность с 1937-го, был человеком опытным, находчивым. Он приспособил для допросов собственный кабинет. Убрали ковры, вынесли часть мебели, поставили клеенчатые ширмы, притащили ведра, тазы, прозекторский стол из морга, на видном месте разложили медицинские инструменты. Но шприцами, щипцами и пилами пока не пользовались, было не до изысков. Работали дубинками и сапогами. Некоторые настолько увлекались, что забывали о главной цели и превращали допрос в банальный мордобой. Таких называли забойщиками. Кровь, дерьмо, блевотина, много вони и визгу, а толку чуть.

Майор Гаркуша, выдвиженец Окурка, вообще не различал клиентов, орал всем одно и то же:

— Признавайся, тварь, кто тебя завербовал, кого ты завербовал, каким образом собирался свергать советскую власть, убивать вождей партии и лично товарища Сталина?

Гаркуша не помнил, кто в чем уже признался, не перечитывал протоколы. Дубасил клиента в свое удовольствие. Устанет, поспит часик на диване, проснется, выпьет залпом стакан водки, закусит бутербродом и опять:

— Признавайся, тварь!

Излишнее усердие иногда вызывало обратный эффект. Клиент размякал настолько, что ему становилось все равно, пропадало желание жить. Очнувшись, он отказывался от своих показаний.

Профессор Лечсанупра Виноградов целый месяц давал подробные признательные показания, перечислял сообщников и вдруг после очередного допроса с применением мер заявил:

— Я нахожусь в трагическом положении, мне нечего сказать. Иностранцам я не служил, меня никто не направлял, и сам я никого в преступления не втягивал.

Прибежал Окурок, стал орать:

— Проститутка! Бандит, подлюга, шпион, террорист, опасный государственный преступник! Мы с тобой нянчились, теперь хватит! Будем пытать каленым железом. У нас все для этого приспособлено!

Виноградов на него даже не взглянул. Сидел, покачиваясь, на табурете. Голова опущена, руки в наручниках за спиной, кровь с разбитого лица капает на пол. Окурок размахнулся, хотел врезать, но сдрейфил, умчался, Гаркуша за ним.

Влад остался с клиентом наедине, поднес к трясущимся окровавленным губам стакан воды и сказал:

— Не волнуйтесь, пытки каленым железом у нас не применяются, а вот выпороть можем.

Виноградов заерзал, потянулся губами к воде. Влад отнял стакан, попытался заглянуть Виноградову в глаза, но тот смотрел на стакан. Влад спросил:

— Что, жид, неохота помирать?

Виноградов тихо прохрипел:

— Я русский... Мне все равно...

— Да, по крови ты русский, а по духу жид. Врешь, выкручиваешься туда-сюда, дал показания, отказался от показаний. Русский — так не виляй, говори правду.

Виноградов ничего не ответил, закатил глаза и свалился на пол. Пришлось вызвать врача. Ну, спрашивается, как их, таких, выводить на открытый процесс?

* * *

Самолет приземлился во Внуково-2. Спускаясь по трапу, Юра жадно втянул холодный родной воздух, вместе с выдохом улетучилась усталость. Падал крупный медленный снег. Захотелось раскинуть руки, побежать по летному полю, завопить: «Ура! Я дома!»

Прямо на поле ждали четыре автомобиля, чтобы отвезти посла на Смоленку к Громыко, атташе на Знаменку к Устинову, резидента в Ясенево, к Андропову. За Кручиной прислали «Микрик» из Четвертого Главного управления Минздрава.

— Видишь, какие заразы, — сказал генерал на прощанье, — боюсь, придется тебе одному отдуваться.

По интонации, по скошенному взгляду Уфимцев понял: начальник уже оклемался, но решил воспользоваться своим недомоганием и взять паузу. Не хотелось ему сразу, с корабля на бал, ехать к Андропову, докладывать, как в реальности обстоят дела в Нуберро. Пусть дурные новости принесет Уфимцев. Слишком велика ответственность.

Перед тем как сесть в черную «Волгу» с синей мигалкой, Юра закурил сигарету и проводил взглядом белый «Микрик»: «Скатертью дорога. Кому из нас больше повезло? Ему с его недомоганием или мне с правом первого доклада? Выложу все как есть. Завтрашнее Политбюро — фигня, формальный треп. Главный разговор будет сейчас».

Юра знал: пока Птипу во главе этой несчастной страны, торчать ему там безвылазно. Никаких перспектив, карьерный тупик. А все потому, что много лет назад, ледяной новогодней ночью с 1963-го на 1964-й, в проходном дворе на Сретенке старшего лейтенанта КГБ Уфимцева Юрия Глебовича угораздило спасти жизнь студенту Института дружбы народов Птипу Гуагахи ибн Халед ибн Дуду аль Каква, отпрыску рода вождей племени Каква. В результате Птипу до сих пор называл Уфимцева своим братом, а товарищ Андропов почему-то решил, будто Уфимцев обладает каким-то особым влиянием на неуправляемого людоеда.

* * *

Чьи-то ладони закрыли Наде глаза. Она вздрогнула. Лишь два человека могли так с ней поздороваться. Одного она очень хотела видеть, другого не очень. Одного не видела много лет, с другим общалась часто, пожалуй, слишком часто. Разумеется, это был другой.

Надя сердито мотнула головой, стряхнула непрошеные ладони. Они были ледяные, и вместо «привет» она сказала:

— Надень перчатки.

Он послушно полез в карманы черной, с оранжевым исподом, куртки, извлек вязаную шапку, выронил ее вместе с перчатками, наклонился, чтобы поднять, и потерял очки. Надя помогла все собрать, протерла стекла уголком своего платка, надела очки ему на нос, натянула шапку ему на голову, сверху накинула капюшон куртки и услышала:

— Дай водички попить, а то так кушать хочется, что переночевать негде.

Он всегда появлялся неожиданно и некстати. Двоюродный брат, сын маминой сестры тети Сони, он прошел через всю Надину жизнь своей унылой разболтанной походкой. Даже в раннем детстве он вызывал у нее жалость, хотя был старше на семь лет и считался жутко талантливым, почти гением. Он играл на скрипке, сочинял стихи и шахматные композиции, декламировал наизусть «Гамлета» по-английски и «Фауста» по-немецки, оборудовал химическую лабораторию в подвале, чудом не взорвал дом, изувечил правую руку. Со скрипкой пришлось расстаться, в итоге он увлекся органической химией и успешно занимался ею по сей день.

Его предки по отцовской линии, Протопоповы, были священниками. Отец, Фома Гаврилович, закончил духовную семинарию, стал фанатичным атеистом и большевиком, эмигрировал, вернулся в семнадцатом, работал то ли в партийном контроле, то ли в секретариате ЦК. В сорок три года он женился на двадцатилетней Соне Гальпериной и назло разгулу нэпа назвал сына Побиск (Поколение Отважных Борцов и Строителей Коммунизма). Соня восприняла это трагически, но переспорить мужа так и не сумела, сына звала Бобой, надеялась, что когда придет время получать паспорт, удастся сменить «Побиск» на «Борис».

В 1937-м Фома Протопопов застрелился за несколько часов до ареста. Соня считала, что таким образом он спас ее и сына, их не тронули, не выслали из Москвы, только выселили из казенной квартиры. Когда Побиск получал паспорт, имя менять не стали, сохранили в память об отце.

Фому Гавриловича Надя не помнила, знала только по фотографиям, а тетю Соню любила. С тридцать седьмого до войны они с Бобой жили в их комнате в коммуналке в Банном переулке. В сорок первом Надины родители ушли на фронт. Мама свободно владела немецким и стала военным переводчиком, папа мотался по фронтам с передвижными полевыми госпиталями. В эвакуацию с детьми отправилась тетя Соня.

Наде было пять, Бобе двенадцать. Он постоянно болел. Тетя Соня сутками работала на танковом заводе. Маленькую Надю качало от слабости, хотелось спать и есть, но она не болела. Сосед по бараку-общежитию, старик фельдшер дядя Мотя, подкармливал ее сухарями, чесноком и луком, учил читать и писать. Надя так и не узнала фамилию дяди Моти и что с ним стало потом. В ящике ее письменного стола хранился его подарок, старинный березовый стетоскоп. И еще осталась песенка, которую напевал дядя Мотя:

> А ну-ка, парень, подними повыше ворот,
> Ты подними повыше ворот и держись.
> Черный ворон, черный ворон, черный ворон
> Переехал мою маленькую жизнь.

Тетя Соня умерла в 1952-м, когда Боба учился на химфаке университета. Однажды вечером пили чай, спокойно разговаривали. Тетя Соня вдруг сказала: «Не бросайте Бобу», качнулась и стала заваливаться на бок.

Через двенадцать лет, в шестьдесят четвертом, точно так же умерла от инфаркта мама — мгновенно, за вечерним чаем, и слова произнесла те же: «Не бросайте Бобу».

Побиску Фомичу Протопопову, доктору химических наук, было сорок девять лет. Папа называл его ходячим недоразумением. Голуби метко, как снайперы, гадили ему на лысину, у него никогда не находилось носового платка, чтобы вытереть, но имелась в запасе шутка: «Спасибо, что коровы не летают». Парковые и дворовые скамейки красили специально, чтобы он присел отдохнуть на свежую краску в лучших своих брюках. Машины мчались, чтобы обдать его грязью. За каждым углом его стерегли хищницы, чтобы схватить за горло и потащить в ЗАГС. Он сбегал в последнюю минуту и потом вздыхал: «Знаешь, я вдруг понял, что мама от такой пришла бы в ужас».

Тетя Соня от любой пришла бы в ужас. Женщины, достойной Бобы, на свете не существовало, при этом она даже мысли не допускала, что сын останется холостяком и у нее не будет внуков. Тетя Соня вообще была человеком противоречивым. Наивная восторженность уживалась в ней с мрачной подозрительностью. Боба неотразим, в него нельзя не влюбиться, но вокруг лишь хищницы, у которых за душой ничего, кроме циничного расчета, поэтому надо держать ухо востро. Боба гениален, его ждет блестящая научная карьера, но вокруг тупые чинуши да бездарные завистники, первые не способны оценить его по достоинству, вторые строят козни и мечтают погубить. Она умерла четверть века назад, а Боба продолжал смотреть на мир и на самого себя ее глазами. Он остался холостяком, страдал от одиночества и каждый раз сбегал в последнюю минуту. Его научная карьера развивалась вполне успешно, но не блестяще. Кандидатская, докторская, профессорская должность в НИИ органической химии. Он ждал чего-то большего. Когда его пригласили в один из институтов закрытой системы «Биопрепарат» при Министерстве обороны, он решил, что его, наконец, оценили по достоинству. Надя знала, как они умеют приглашать. У нее хватило ума отказаться, а Боба клюнул на их льстивые речи, в результате получил высшую степень секретности и стремительно прогрессирующую паранойю.

В свободное время между командировками Боба слонялся по Москве и забредал к ним на Пресню без предупреждения, не озаботившись, ждут ли его. Папа несколько раз давал ему ключи, но Боба их терял.

— Извини, я очень спешу. — Надя зашагала к подъезду, на ходу спросила, не оборачиваясь: — Позвонить не мог?

— Звонил десять раз, никто трубку не берет. — Он склонился к ее уху и прошептал: — А потом я даже поднялся и позвонил в дверь, но никто не открыл.

— Ну, ясно, никого нет дома.

— Погоди, — он схватил ее за локоть, — там, за дверью, какие-то шаги, шорохи, и в глазок смотрели.

— У нас нет глазка.

— Ну, значит, просто стояли и прислушивались, ждали, когда я уйду.

— Хочешь сказать, к нам влезли воры? Так, может, милицию вызвать?

В последнее время Боба постоянно таскал с собой «мерзавчик», маленькую бутылку коньяку, и прихлебывал прямо из горлышка. Тетя Соня вряд ли одобрила бы такую привычку.

— Милицию вызывать бесполезно. — Боба извлек свой «мерзавчик», отвинтил крышку, протянул Наде: — Будешь?

— Нет, спасибо, я за рулем.

— Ну, как хочешь. — Он сделал несколько мелких глотков, сморщился. — Во-первых, это было вчера, во-вторых, это не воры.

— А кто?

В ответ он вытаращил глаза и проложил палец к губам.

В лифте, в мутном зеркале, его бледное сморщенное лицо, оттененное суточной пегой щетиной, показалось посмертной маской. Надя рядом с ним выглядела такой румяной и здоровой, что стало даже слегка неловко.

— После того случая за мной постоянно ходят, ваша квартира теперь под колпаком, — прошептал он, сморщился и громко чихнул.

Из-за множества прививок, которые полагалось делать сотрудникам «Биопрепарата», Боба страдал от разных аллергий. Если на него нападал чих, то надолго и всерьез. Он мог чихать раз двадцать подряд.

— Будь здоров. — Надя дала ему платок, дождалась паузы между чихами и спросила: — После какого случая?

— Ну, когда у нас лаборантка умерла. — Он высморкался и опять чихнул.

— Лаборантка? Ты не рассказывал.

— Конечно, нет! Ты же знаешь, я ничего, совсем ничего не могу рассказать! Палец уколола и сгорела за сутки.

В пустой квартире заливался телефон.

— Это, наверное, папа, — Надя схватила трубку и услышала: — Как?! Ты еще не выехала? Я замерз! Сколько можно копаться?

— Ты что, на улице ждешь? — удивилась Надя.

— Сбежал от Бычковой, эта зараза в горло вцепилась, умоляла уступить ей наш комбинезон.

— Да, сейчас выхожу, только, понимаешь, у нас тут Боба, он, кажется, слегка не в себе...

— Он всегда не в себе. Пусть выпьет чаю горячего и полежит. Надя, быстрей, пожалуйста, очень холодно!

— Зайди в гастроном на углу, погрейся.

— Закрыт на учет!

Повесив трубку, она услышала шум воды в ванной. Боба повернул оба крана до отказа и сидел на бортике. Он разулся, надел тапочки, но куртку не снял. Она закрутила краны, стала снимать с него куртку. Он послушно вытянул руки из рукавов, взглянул на нее снизу вверх:

— Надя, я стихотворение написал. Хочешь, прочитаю?

— Конечно, хочу, но только не сейчас.

— Не бойся, совсем коротенькое. — Боба встал с бортика, прикрыл глаза и продекламировал шепотом:

— «Вокзал, пропахший блудом и тюрьмой...»

— «Как холодно и хочется домой», — быстро продолжила Надя, — ты это сто лет назад написал, наизусть знаю.

— Да, действительно, — Боба тяжело вздохнул, — это старое, я перепутал. А вот новое:

> При Сталине он был шакалом,
> а при Хрущеве — либералом.
> При Брежневе ни то ни се.
> И все.

Надя улыбнулась, чмокнула его в лоб.

— Ну, здорово, молодец! Потом еще раз прочитаешь, я послушаю, спокойно, без спешки. Прости, мне пора бежать, папа ждет, мерзнет.

— Погоди! — Он схватил ее за руку. — Надо поговорить! Это важно!

— Конечно, Боба, — она расцепила его пальцы, — вернусь — обязательно поговорим, ты пока отдохни, чаю выпей, поешь, в холодильнике куриный суп, в буфете мармелад твой любимый, «Балтика». Все, пока!

Глава двенадцатая

Окурок обожал наставлять подчиненных, он упивался властью, которая свалилась на него нежданно-негаданно и совершенно незаслуженно. Он, в отличие от Игнатьева, в кабинете не отсиживался, носился в Лефортово, в Бутырку, в «Матросскую тишину» и на совещаниях выступал звонко, выразительно:

— Раз есть националистические высказывания, то есть и националистические тенденции, тогда не может не быть националистических, вредительских действий и планов. А в наше время вредительские действия и планы не могут существовать без связи с Америкой.

Влад пожирал Рюмина преданным взглядом и старался ничем не выдать растущего в душе отвращения. Рыхлая бабья рожа лоснилась, глазки заплыли жиром, подрагивал, как студень, тройной подбородок. Карлик. Выродок. Злобная карикатура на мужчину, на славянина.

Окурок выпрыгивал из штанов, на допросах вопил: «На куски настрогаем, четвертуем, на кол посадим, признавайся, мразь!» Скакал, как мяч, шлепал клиента по роже коротенькой своей пухлой ручонкой и считал, что применяет меры физического воздействия.

Потом за дело брались специалисты с дубинками.

Клиенты признавались в сочувствии оппозиции, во вредительском лечении руководителей партии и правительства. Окурок бежал с протоколами к Игнатьеву, Игнатьев докладывал Самому. Сам устраивал Игнатьеву очередной разнос, Игнатьев на очередном совещании передавал указания Самого следователям. Замкнутый круг.

Капитан Любый знал, в чем причина. Берут не тех, допрашивают не так, набивают камеры мелкой сошкой, охвостьем.

Им кажется, если клиент профессор, светило из Лечсанупра, то он и внутри заговора важная фигура. А все наоборот. Наверху, на виду только пешки. Ферзи прячутся в тени, занимают скромные должности. Именно такие, теневые, низовые, незаметные, и составляют руководящий центр. Не случайно их главный символ, шестиконечная звезда, состоит из двух треугольников, наложенных друг на друга, один вершиной вверх, другой — вниз. Первый означает видимую, фальшивую структуру заговора, второй — реальную, тайную. Но Рюмин, Игнатьев и прочие жвачные животные читать символы не умеют.

Влад пытался понять, где кончаются тупость и ротозейство и начинаются сознательные вражеские действия.

Все знали, что Рюмин убежденный антисемит. Абакумов относился к жидам терпимо, развел кагал в своем окружении. Рюмин обратил на это внимание Самого, написал свою знаменитую докладную, обвинил Абакумова в несвоевременной смерти Этингера.

Этингер действительно мог быть одной из ключевых фигур. Катался по заграницам, имел возможность контактировать со своими заокеанскими хозяевами, напрямую получать от них задания. Когда тюремный врач предупредил, что у него слабое сердце, Абакумов приказал прекратить допросы, но Рюмин приказ нарушил, поставил Этингера на «конвейер», допрашивал круглые сутки, сажал в камеру-холодильник. Конечно, угробил его Рюмин, а вовсе не Абакумов. В Управлении все это знали, но молчали.

Что, если Окурок нарочно распространял слухи о своем антисемитизме, чтобы втереться в доверие, возглавить расследование и завести его в тупик?

Абакумов выдерживает самые суровые пытки, ни в чем не признается. Так, может, не в чем признаваться? Он верно служил, честно выполнял свою работу, беспрекословно подчинялся приказам, докладывал Самому, что его дочь окружена американскими шпионами, вычищал жидовскую заразу из семьи родственников покойной жены Самого, вел оперативное на-

блюдение за всеми этими гольштейнами, гринбергами, михоэлсами. Кто убрал его? Рюмин! Кто стоит за Рюминым? Маленков. А у Маленкова бывший зять — еврей по фамилии Шамберг. Такой вот незаметный Шамберг вполне годится на роль тайного кукловода, который дергает за ниточки Маленкова, Игнатьева, Рюмина.

Ладно, Шамберг, не Шамберг, может, вообще Иванов или Сидоров. Ясно, что искать надо внизу, в тени.

Влад наметил основные принципы отбора. Вряд ли ключевые фигуры работают дворниками или больничными санитарами, хотя и это не исключено. Первым делом следует обратить внимание на тех, кто бывал за границей сравнительно недавно. В последний год войны и сразу после победы контактов между советскими офицерами и так называемыми союзниками, англичанами и американцами, фиксировалось много. Дипломатов, юристов, переводчиков можно пока убрать за скобки. Они на виду, под постоянным жестким контролем. Кто остается? Средний офицерский состав. Конкретно — военные врачи.

Влад понимал: без поддержки не обойтись. По субординации полагалось написать докладную на имя Рюмина. Между прочим, неплохой способ проверить, кто такой Окурок на самом деле. Если он просто добросовестный идиот — вцепится в эту идею зубами, преподнесет ее Самому как свою собственную, начнет действовать и, конечно, все загубит. Если он враг, то предупредит заговорщиков, докладную уничтожит и капитана Любого тоже. Нет, рисковать не стоит. Единственный разумный и более или менее безопасный вариант — Федькин Дядя.

Дядя прочно сидел на должности замминистра по кадрам, обращаться к нему с предложениями по улучшению следственной работы в обход Рюмина — очевидное нарушение субординации. Но этот минус легко оборачивался плюсом, причем не одним, а сразу несколькими. Дядя терпеть не мог Рюмина, Дядя — лицо незаинтересованное, проявление такой инициативы его лично никак не задевало. Дружба с Федькой давала возможность обойтись без официальных докладных, просто поделиться с Дядей своей идеей в частном разговоре. Влад надеялся, что Дядя оценит идею по достоинству и выложит ее Самому.

Сам не раз указывал, что необходимо выдвигать и поощрять молодые кадры. Так прямо и говорил: главная наша надежда на молодых и красивых. У Дяди появится отличная возможность выполнить это указание, выдвинуть молодой красивый кадр, капитана Любого, с его блестящей инициативой. Главное не упустить время, придумать предлог, поймать момент, встретиться с Дядей и поговорить наедине.

* * *

Вячеслав Олегович растерянно слонялся по кухне. Оксана Васильевна нервничала. Генеральша Дерябина предложила отправить прапорщика за чаем:

— Ребята, ну что за проблема? У нас большие запасы, индийский со слоном, цейлонский. Валерка сгоняет туда-обратно за пятнадцать минут!

— Я же точно привез, — бормотал Галанов.

— Слава, не суетись, сосредоточься! — приказала Оксана Васильевна.

Он послушно сел в уголок на кушетку, зажмурился, зажал уши ладонями и действительно через минуту вспомнил, как запихнул эти чертовы четыре пачки цейлонского в портфель, потому что пакеты были набиты до отказа. А портфель сразу отнес наверх, в свой кабинет.

На втором этаже из-под двери бывшей детской, теперь Викиной комнаты, пробивалась полоска света. Галанов заглянул. На коврике у кровати сидел Глеб в наушниках. Ноги вытянуты, на лице блаженство. Он покачивал обритой головой и шевелил губами. Рядом стоял маленький кассетный магнитофон «Электроника».

Заметив Галанова, Глеб снял наушники, открыл рот, хотел сказать что-то, и вдруг за стенкой мужской голос громко заговорил на незнакомом гортанном языке.

У Галанова пересохло во рту. За стенкой был его кабинет. Он машинально приложил палец к губам. Они с Глебом молча уставились друг на друга.

— Погодите! — прошептал Глеб, сосредоточенно нахмурился, прислушался: — Да это же арабский!

Галанов опомнился, вылетел в коридор, Глеб за ним. Галанов дернул дверную ручку. Заперто. Стукнула задвижка, дверь открылась так резко, что едва не вмазала Галанову по лбу. На пороге возник Глазурованный.

— Вячеслав Олегович, простите, срочно надо было позвонить, там внизу шумно, вот, Оксана Васильевна проводила меня сюда.

«Вранье! — подумал Галанов. — Оксана ни за что без моего разрешения тебя бы сюда не пустила. Вика — да, могла и, конечно, просила не говорить, в случае чего сослаться на мать. Знает, засранка, что проверять не стану».

Глазурованный стоял спиной к свету, из полутемного коридора его лицо казалось смутным плоским пятном.

— Позвольте! — Галанов шагнул в кабинет. — Глеб, мне нужна твоя помощь.

Ничья помощь ему не требовалась, он хотел всего лишь достать из портфеля четыре пачки чая. Обращаясь к мальчику, он инстинктивно показывал Глазурованному: «Ты здесь чужой, нас двое, ты один!»

— Честное слово, мне так неловко. — Глазурованный попятился назад, в кабинет.

— Все в порядке, не стоит извиняться, — мрачно процедил Вячеслав Олегович.

Портфель валялся у кресла. Он вытащил чай и кулек трюфелей «Экстра».

— Глеб, отнеси, пожалуйста, вниз.

Мальчик попытался ухватить все сразу, но выронил кулек, конфеты рассыпались по ковру. Глазурованный вмешался:

— Так ничего не получится, нужна тара!

У него в руках появился пластиковый пакет с рекламой «Кента», он извлек оттуда книгу, пакет протянул Глебу, а книгу — Галанову.

— Можно попросить у вас автограф?

Вячеслав Олегович взял у него добротно изданный том, почувствовал родную тяжесть, весомость и нежно погладил вишневый дерматин обложки.

Из трех его книг, созданных за четверть века литературной деятельности, эта была самая толстая и важная. Дюжина статей о русской и советской литературе, большое, на семьдесят страниц, историческое эссе о славянофилах, размышления о жизни, о творчестве, о главном и второстепенном, о прошлом, настоящем и будущем, об особом пути России.

Книга вышла в сентябре прошлого года в издательстве «Советский писатель». Вячеславу Олеговичу хотелось откликов, читательских писем, но кроме пары-тройки формальных заметок, написанных приятелями-коллегами, он так ничего и не дождался.

— Прекрасное название. — Глазурованный прикрыл глаза и медленно, с чувством произнес: — «Заветные тропы исканий». Звучит как поэтическая строка.

Между страницами торчали закладки. Галанов смущенно пробормотал:

— Спасибо…

— Потрясающе глубоко, метко и точно написано. Разрешите? — Глазурованный взял книгу, открыл. — Вот, хотя бы это: «Для народа нашего нет врага более коварного и лютого, чем искус буржуазности, мещанского благополучия. Бытие в пределах желудочных радостей неминуемо ведет к деградации национального сознания, к духовному опустошению».

«Здорово читает, — заметил про себя Галанов, — с чувством, и голос приятный, звучный». Сразу стало легче дышать, будто растаяла ледяная стена между ними. Том лег на письменный стол, Галанов достал ручку, замешкался: неловко, так и не удосужился узнать имя гостя.

— Напишите просто: «Владу», — подсказал тот, — по правде говоря, я считаю вас не только большим русским писателем, но и глубоким оригинальным мыслителем.

— Ну, это вы слишком… — Вячеслав Олегович зарделся и вывел на титульном листе своим крупным аккуратным почерком: «Владу, с уважением и наилучшими пожеланиями, от автора».

— Благодарю. — Влад кивнул и улыбнулся. — Кстати, несколько ваших цитат я включил в лекции для моих студентов, по-арабски, конечно.

— Вы преподаете в Институте Патриса Лумумбы? — осторожно спросил Галанов.

— В Лумумбу иногда приглашают прочитать спецкурс, так же как в Иняз. — Он заглянул в глаза и заговорил тихо, доверительно: — Людям посторонним я обычно отвечаю, что мое основное место работы — Академия общественных наук при ЦК КПСС. Но вам скажу правду. Я заведую кафедрой в ИОН.

— Ого! — Вячеслав Олегович восхищенно присвистнул.

Теперь стало ясно, почему Уралец шептал и поднимал палец к потолку. Даже спьяну, даже среди своих, не мог генерал Федя произнести вслух таинственную аббревиатуру ИОН.

Академия общественных наук была заведением известным. Там учились научному коммунизму и получали кандидатские степени партаппаратчики из провинции и союзных республик. А вот что такое Институт общественных наук и чем он отличается от Академии, знали немногие.

ИОН существовал в закрытом режиме, под патронажем Международного отдела ЦК КПСС. Там учились иностранцы из капиталистических и развивающихся стран, будущие лидеры народно-освободительных движений и нелегальных леворадикальных партий. Преподавание велось на их родных языках.

— То есть вы перевели отрывки из моего текста на арабский? — тихо уточнил Вячеслав Олегович и облизнул пересохшие губы.

— Я бы всю книгу перевел, я считаю, именно такие авторы, настоящие русские патриоты, должны представлять нашу литературу за рубежом. Но проблема в том, что прогнившему зажравшемуся Западу нужно совсем другое, а на возрождающемся арабском Востоке пока слишком низкий уровень грамотности. — Влад прищурился, посмотрел куда-то вдаль, поверх головы Галанова, и тихо произнес: — Ничего, все впереди.

Этот прищур и манера стоять, широко расставив ноги, неспешно покачиваясь всем корпусом, вдруг опять, совсем некстати, всколыхнули пугающую муть на дне души. Вячеслав Олегович так разволновался, что рука сама нырнула в карман за сигаретами. В пачке осталась пара штук. Он протянул гостю:

— Угощайтесь.

— Спасибо, — Влад аккуратно вытащил предпоследнюю, — я тоже курю длинный «Кент», но мои закончились.

Галанов чиркнул спичкой. Влад опустился в кресло, опять прищурился:

— Вот вы все поглядывали на меня за столом, пытались вспомнить, где видели раньше, но так и не вспомнили.

Вячеслав Олегович кивнул:

— Честно говоря, я решил, что вы просто похожи на кого-то из моих давних знакомых.

— Мы действительно были знакомы когда-то. Коммуналка в Горловом тупике, ближайшая к черному ходу комната.

Галанов поперхнулся дымом, закашлялся до слез. Влад любезно протянул ему чистый носовой платок. Промокнув глаза, Вячеслав Олегович сипло выдавил:

— Вы сын покойной Антонины Ефремовны Любой, Владилен... извините, отчество забыл.

— Просто Влад, — напомнил бывший сосед, — мы не виделись целую вечность.

Да, верно. В Горловом тупике оба давно уж не жили. Комнату у черного хода занимала красивая разбитная девица Марина, чуть старше Вики.

— Марина дочка ваша?

— Племянница.

Послышались шаги, в кабинет заглянула Вика.

— О, вот вы где! Там все чай пьют, вас ждут!

Когда спускались по лестнице, она чмокнула Галанова в щеку и прошептала:

— Пап, скажи, Захарыч классный мужик?

«Его отца-алкоголика Захаром звали, — вспомнил Галанов. — Как же это вылетело из головы? Склероз...».

* * *

Штаб-квартира ПГУ в Ясенево значилась сверхсекретным объектом. Главный административный корпус, белая высотка, двадцать два этажа стекла и бетона в форме раскрытой книжки, увеличенная копия архитектурных уродцев Нового Арбата, торчала над верхушками деревьев и отлично просматривалась с Кольцевой дороги со всеми своими антеннами, локаторами и пеленгаторами. Советский аналог Лэнгли был возведен к 1972-му в полукилометре от МКАД. Место выбрали прекрасное: холмы, овраги, Битцевский лес. Андропов считал Первое Главное управление действительно Первым и Главным. Тут, в «Лесу», на верхнем этаже высотки-книжки, был его кабинет с потрясающим видом из огромных окон. Тут ему нравилось работать больше, чем на Лубянке.

Комплекс зданий с прилегающей парковой зоной окружал высокий двойной забор, за ним прятался дачный поселок ПГУ. Симпатичные домики строились как гостевые для руководителей братских разведок, но так приглянулись Кручине, что в одном из них он стал жить сам, а в соседних поселил своих замов. Получился компактный, уютный, скрытый от посторонних глаз, надежно охраняемый мирок. Чистый лесной воздух, тишина, пять минут пешком до места службы, свои магазины, поликлиника, спортивный комплекс, бассейн, библиотека, кинозал.

«Волга» проехала вдоль бетонного забора, остановилась у высоких железных ворот. Под фонарем блеснула табличка: «Научный центр исследований». Юра подумал: «Вот получишь генеральские погоны, поселишься с семьей в этом «научном центре», в номенклатурном раю, под крылом Кручины. Вера простит тебе жопу мира, потерянные годы. Простит, что слишком мало довелось пожить в Лондоне. Простит все, как только поднимешься на другой уровень. Уровень — ее любимое словцо».

Рабочий день давно закончился, но в синем полукруглом корпусе горело несколько окон, в том числе на четвертом этаже справа, в отделе англоязычных стран Африки. Юра вышел из машины и окунулся в блаженную тишину зимнего подмосковного леса.

Территория советского Лэнгли напоминала санаторий. Березы и ели под снегом, скамейки вдоль широких расчищенных аллей. Рядом яблоневый сад. Несколько деревьев посажены лично Андроповым. На площадке перед замерзшим прудом на гранитном постаменте — массивная голова Ленина, неотличимая от десятков тысяч таких же скульптур, торчащих возле разных учреждений по всему Советскому Союзу. Сотрудники внешней разведки называли ее «головой Черномора» и в этом ничем не отличались от миллионов других советских служащих.

В фойе высотки Юру встретил один из секретарей Андропова, пожал руку, задал несколько формальных вежливых вопросов: «Как долетели? Замерзнуть не успели после африканской жары?»

В лифте Юра машинально пригладил свой седой бобрик перед зеркалом, тронул заросший щетиной подбородок. Встретившись взглядом с секретарем, заметил:

— Неловко являться к руководству таким небритым.

— Ничего, — улыбнулся секретарь, — Юрий Владимирович знает, что вы прямо с самолета.

В просторной приемной был полумрак, горела настольная лампа, приглушенно работал телевизор. Шла «Кинопанорама». Вел ее Ростислав Плятт, мамин любимый актер.

«Наверняка смотрит». — Юра представил маму на диване в маленькой проходной гостиной. Плечи укутаны старой шалью, ноги в шерстяных носках поджаты, теплые тапочки аккуратно стоят на коврике. На шатком журнальном столе остывший чай в большой фарфоровой кружке с Букингемским дворцом и гвардейцами в высоких черных шапках. Рядом том Марка Твена, Уильяма Фолкнера или Грэхема Грина. Она всегда садилась перед телевизором заране, ставила чашку с чаем, выключала звук и, пока ждала нужную передачу, читала что-нибудь на английском, знакомое, много раз читанное, чтобы не слишком увлечься, не пропустить начало, вовремя включить звук.

Юра так ясно увидел эту картинку, что казалось, ничего не стоит сесть рядом, обнять: «Привет, мам, а я в Москве!»

— Товарищ полковник, зайдите, пожалуйста, Юрий Владимирович вас ждет, — секретарь открыл дверь.

«Ну, все, мам, держи за меня кулачки», — подумал Юра и переступил порог.

Председатель выглядел неважно, мешки под глазами потемнели, потяжелели, морщины стали глубже. В последний раз Юра видел его в апреле прошлого года, когда приехал в отпуск и был вызван на совещание высшего руководства. Он провел в этом кабинете минут десять, даже не присел. От него требовалось ответить на несколько вопросов и уточнить кое-какую информацию. А еще раньше, когда его утвердили на должность резидента в Нуберро, он приходил сюда вместе с Кручиной и с начальником отдела англоязычных стран Африки, в то время полковником, теперь генералом Рябушкиным.

Давняя склока между Кручиной и Рябушкиным в тот момент достигла пика, они вежливо втыкали друг в друга злобные реплики-булавки. Председателя их вражда явно устраивала.

Уфимцеву приходилось слышать, что у Андропова какой-то особый, ледяной, пронизывающий взгляд. Шептались, будто в нем есть нечто сталинское. Юра иногда думал: «Интересно, кому эти шептуны хотят польстить — Андропову или покойнику?» Ответ напрашивался сам собой: обоим!

Председатель привстал, протянул руку, улыбнулся, как старому знакомому:

— Привет, Юра. Чай, кофе или чего покрепче?

Юра пожал сухую теплую кисть, поблагодарил и попросил кофе.

Комсомольская манера тыкать нижестоящим когда-то раздражала, но он давно привык, стал замечать, как по-разному звучит это «ты» из разных уст. Кручина тыкал подчиненным хамски-небрежно. Он своим «ты» опускал, подчеркивал дистанцию, напоминал: я начальник, ты дурак.

Андропов своим «ты», наоборот, сокращал дистанцию, приближал, поднимал. Конечно, это всего лишь субъективное ощущение. Кручину Юра считал номенклатурным жуком, лакеем, дорвавшимся до барской кормушки. Андропова уважал, доверял ему. Не было в нем хамства и снобизма. Он скорее напоминал профессора, чем чиновника, хотя в отличие от того же Кручины не имел высшего образования.

В голове пронеслось: «Он лев, они шакалы. А сам ты кто в комитетских джунглях? Маугли?»

— Ну, что там стряслось с нашим Александром Владимировичем? — спросил Андропов и тронул дужку очков.

— Приболел, — коротко ответил Юра.

— Ладно, пусть отдыхает, поправляется. — Губы шевельнулись в легкой усмешке.

Пожилая буфетчица вкатила сервировочный столик. Под белоснежной салфеткой оказались бутерброды, сушки, шоколадные конфеты. Для Председателя чай, для Юры кофе. Он вспомнил, что в последний раз перекусил в самолете, когда Кручина пожелал выпить виски. После Афин вообще забыл о еде, так хотелось спать. И вот теперь от запахов ржаного хлеба, свежего рокфора, тонких ломтиков малосольного огурчика, хорошего кофе громко заурчало в животе, совсем некстати. Он покосился на папку с черновиком доклада.

— Да ты ешь, ешь, — Андропов подул на свой чай, — может, супу горячего попросить из столовой?

— Спасибо, Юрий Владимирович, не нужно. — Он отодвинул папку подальше, чтобы не запачкать, откусил бутерброд, невольно зажмурился от удовольствия и услышал насмешливый голос:

— Ну, а посольского врача в Афинах зачем обидели?

— Уже стукнули? — промямлил Юра, не успев прожевать.

— А то! — Андропов с треском расколол в кулаке сушку. — Громыко лично позвонил, сказал, ты доктора из самолета выкинул.

Юра поперхнулся кофе, откашлялся, выпалил:

— Так я ж ему вроде парашют дал!

Андропов прыснул. Юра подумал: «Вот почему мне так тяжело с Кручиной, у него чувство юмора напрочь атрофировано».

— Ну, люди! Все бы им стучать да жаловаться, — произнес Председатель, отсмеявшись, и кивнул на папку: — Что там у тебя?

— Юрий Владимирович, там только черновик.

— Давай!

Пять машинописных страниц, отстуканных ночью в посольстве на дрянном «Ундервуде», кишели рукописными пометками. Председатель надел другие очки, взял простой карандаш. Юра долил себе еще кофе из фарфорового кофейника и, стараясь не шуршать, развернул шоколадную конфету.

Андропов прочитал быстро, карандашом чиркнул только один раз, закрыл папку и взглянул на Юру поверх очков:

— Что такое трейболизм?

— Племенное сознание.

— Убери этот абзац.

— Хорошо, Юрий Владимирович.

— Завтра к девяти утра перепечатаешь и передашь мне на подпись. — Он снял очки, потер переносицу. — Ну, а что там наш товарищ Птипу? Кстати, напомни его полное имя.

— Его высокопревосходительство пожизненный президент фельдмаршал Птипу Гуагахи ибн Халед ибн Дуду аль Каква, повелитель всех зверей на земле, всех рыб в море, победитель Британской империи и Соединенных Штатов Америки, защитник мусульман и коммунистов, воин Аллаха против империалистов, крестоносцев, масонов, американцев и евреев; доктор народной медицины, почетный академик всех наук, абу Ахмед, абу Захран, в общем, дальше перечень его многочисленного потомства. Продолжать?

— Нет, спасибо, лучше расшифруй.

— «Ибн» означает сын отца и внук деда, «абу» — отец сына, «аль» — принадлежность к этнической группе или племени.

— А «победитель Британской империи и США» что означает?

— Сначала он изгнал англичан, потом объявил войну Америке, и поскольку ответа не последовало, счел себя победителем.

Председатель хмыкнул, покачал головой:

— Молодец, от скромности не помрет. Ну, и как прошел визит к этому Александру Македонскому?

— Ничего нового, — Юра пожал плечами, — опять просил атомную бомбу.

Взгляд Председателя застыл, заледенел. Очки неприятно блеснули. Юра понял, что попал в болевую точку. Одна из основных повесток завтрашнего заседания — отношения с Нуберро и капризы Птипу. Решение о ракетных базах в Нуберро зреет давно, как минимум месяц Андропов собирает и анализирует информацию. Сам факт срочного вызова в Москву посла, атташе и резидента говорит о том, что Старцы намерены не только обсудить вопрос, но и проголосовать за.

Бедуин Каддафи хотел купить реактор. Птипу желает получить даром то, что называет «бомбой». На самом деле речь идет о значительном увеличении советского военного присутствия и размещении на территории Нуберро наших оперативно-тактических ракет наземного базирования.

«Если сейчас он свернет к проблемам советско-нуберрийских отношений вообще и психологическим особенностям товарища Птипу в частности, значит, вопрос о наших ракетных базах уже решен, и обсуждение на Политбюро — пустая формальность, — подумал Юра. — Если продолжит тему «бомбы», значит, окончательного решения все-таки нет и остается надежда, что Птипу получит дырку от бублика вместо наших баз».

— Да, знаю, он просит у всех, кто туда прилетает, — медленно произнес Андропов после небольшой паузы. — Он хоть раз ясно объяснил, зачем ему «бомба»?

— На официальном уровне — ни разу. Только повторяет: «Чем я хуже других?» Лично мне говорил: «У вас такое мощное оружие пропадает зря, а я бы пальнул по Израилю, тогда американцы встанут на колени».

— Что, правда пальнет?

— Легко! Нашей ракетой, с нашей боеголовкой чего ж не пальнуть? Он раз в месяц проводит магические ритуалы, просит духов помочь ему добыть наше ядерное оружие, воздействовать на товарищей Брежнева, Громыко, Косыгина, Суслова, в общем, на Политбюро в полном составе. — Юра допил вторую чашку кофе и добавил, понизив голос: — Включая вас, Юрий Владимирович.

Андропов улыбнулся:

— Ого! Он же вроде правоверный мусульманин, разве Аллах разрешает им колдовать?

— Он такой же мусульманин, как марксист, маоист и национал-социалист. У него магия в крови, мать — известная колдунья, и бабка, и прабабка. Он уверен, что именно мать дала ему власть с помощью магии. Кстати, она до сих пор жива, сидит в своей хижине в родной деревне и продолжает колдовать.

Председатель все еще улыбался, но голос зазвучал жестче:

— При такой маме зачем ему ядерное оружие?

Все, разминка закончена. Юра физически почувствовал напряжение, которое исходило от Андропова, казалось, воздух подрагивает в кабинете. В мозгу Председателя шла битва между здравым смыслом, ведомственными интригами, собственными амбициями. Конечно, он не мог не понимать, что разместить ракеты на территории, подвластной дикарю-людоеду, пусть и под контролем наших военных, — полнейшее безумие. Но если твердо высказать свою позицию против, это может не понравиться Леониду Ильичу, и новый министр обороны Устинов обязательно подольет масла в огонь. А вдруг Птипу обидится, как Садат, и переметнется к американцам?

«Ладно, — решил Юра, — сейчас об американцах и поговорим».

— Птипу желает играть в высшей лиге, — спокойно произнес он, глядя в голубые, уменьшенные линзами очков, глаза Председателя, — а там магия не котируется. Там оружие уважают. Вот он и набивает себе цену в глазах американцев нашими ракетами. Ему надо, чтобы этот вопрос был наконец поставлен на Политбюро.

— Надеется на положительный ответ?

— Почему бы и нет? В любом случае, ему важен сам факт обсуждения на высшем уровне, чтобы узнали американцы.

— Минуточку! — Андропов нахмурился. — Как они узнают? От кого?

— Он получит официальный ответ, где будет черным по белому написано: вопрос обсуждался на Политбюро. В случае отказа формулировку найдут самую дипломатичную, мягкую, при желании «нет» можно будет истолковать как «да, но не сейчас, чуть позже». Вот в прошлом году решали, продавать или не продавать Каддафи ядерный реактор. Слава богу, сделка не состоялась. Американцы знают, и Птипу, конечно, тоже.

В кабинет бесшумно вошел секретарь, протянул Андропову записку. Тот прочитал и раздраженно бросил:

— Пусть через час перезвонит.

Секретарь наклонился, что-то прошептал ему на ухо. Андропов поморщился:

— У него всегда все срочно! Ладно, черт с ним, соединяй.

Секретарь удалился, звякнул телефон. Минуты три Председатель молча слушал, наконец мрачно спросил:

— Что значит — перестарались? Кто конкретно перестарался?

Опять тишина. Андропов слегка скривился, послушал еще минуты две и процедил сквозь зубы:

— Все? Доложился? Отчитался? Думаешь, решил проблему, снял с себя ответственность? Не надейся! Твои уроды — тебе отвечать.

Юра был рад неожиданной передышке и так занят своими мыслями, что даже не пытался угадать, кто звонит и что случилось.

— Уроды, сверху донизу, начиная с тебя. — Прорычал Андропов. — Прослежу, проверю до деталей... Да пошел ты, мать твою...

От его интонации, от выражения лица Юру слегка зазнобило, он поежился: «Не хотел бы я оказаться на месте этого неизвестного урода».

Глава тринадцатая

Федька Уралец жил в том же ведомственном доме, на Покровском бульваре, двумя этажами выше Влада, но в своей казенной квартире бывал редко, предпочитал ночевать у родителей на Брестской или у Дяди на Смоленке. Он любил плотно вкусно позавтракать в домашней обстановке. Мать и бездетная тетка по утрам жарили ему оладьи, варили какао. В том и другом доме имелись домработницы, они утюжили его рубашки, стирали носки и трусы, чистили сапоги и ботинки. Неженка, баловень, он при малейшем насморке залезал к маме под крылышко и в квартире на Покровском не появлялся неделями.

Влад иногда заходил к нему в гости на Брестскую. Три просторные комнаты, ковры, хрусталь, пухлые, обитые малиновым плюшем диваны и кресла, повсюду какие-то столики, этажерки, статуэтки, вазочки. По стенам картины в толстых золоченых рамах, среди них на почетном месте знаменитый портрет Самого работы художника Бродского. Репродукция, конечно, но очень качественная.

Федькин отец служил в Управлении военного снабжения МГБ, дома бывал редко. Влад его ни разу не застал, а с матерью познакомился. Она показывала ему семейный альбом, детские фотографии Федьки и его старшей сестры Светланы. Светлана с мужем и маленьким сыном Ванечкой жила в Ленинграде.

Где служит муж Светланы и как его зовут, Влад так и не узнал, зато о Ванечке знал все: с каким весом родился, когда пополз, пошел, какие первые слова произнес. От клубники у Ванечки сыпь, манную кашу он выплевывает, а куриные котлетки кушает с удовольствием. Федькина мать могла рассказывать о внуке часами. Во время этих щебетаний Федька за ее спиной закатывал глаза и корчил дурацкие рожи. Влад слушал очень внимательно, умилялся, восхищался. Было важно понравиться Федькиной матери, стать для нее своим и таким образом ближе подобраться к Дяде.

Когда Федька простыл в очередной раз, Влад позвонил на Брестскую и узнал, что из Ленинграда приехали погостить Светлана с Ванечкой, а Федю отправили болеть на Смоленку. Вдруг у него что-то заразное? Конечно, будет прекрасно, если Влад его там навестит, и вообще, замечательно, что у Феди есть такой верный и чуткий товарищ.

Влад специально приехал на Смоленку попозже, чтобы застать Дядю дома. Квартира оказалась еще шикарней, чем на Брестской. Дверь открыла домработница. У Влада зарябило в глазах от сверкания хрустальной люстры. Дядина жена выглядела моложе и привлекательней Федькиной матери. Подтянутая, холеная, строгая. Встретила Влада приветливо, проводила в комнату, где валялся на диване под пледом распаренный, красный как рак Федька. Он сморкался, кашлял, но все равно болтал без умолку. Домработница принесла поднос с чаем. Влад волновался, ждал Дядю.

Наконец хлопнула входная дверь. Минут через пять Дядя зашел в комнату, пожал Владу руку, пощупал Федькин лоб и удалился. Влад подождал еще минут двадцать, подумал: «Нет, безнадежно, сегодня не получится». И вдруг уловил слабый запах табачного дыма.

— Слушай, Федь, у тебя тут курить нельзя?

— Не-е, — Федька сморщился, — тетка дым не выносит, только на кухне разрешает, и то надо окно открывать.

На кухне, в одиночестве, у приоткрытого окна курил Дядя. Влад пристроился рядом. После нескольких вежливых фраз о Федькиной болезни решился:

— Товарищ генерал, разрешите обратиться!

— Ну, валяй!

Осторожно подбирая выражения, Влад поделился своей идеей: не там ищем, не тех берем, теряем драгоценное время.

Дядя скептически хмыкнул:

— *Что ключевые фигуры прячутся в тени, и так ясно, а вот попробуй, вычисли их. Это ж как иголку в стоге сена искать.*

Влад изложил принципы поиска: военные врачи, которые в последний год войны и сразу после победы общались с иностранцами. Дальше выделить из их числа тех, у кого звания и регалии скромные, а уважение и авторитет в медицинских кругах высокие. Это странное несоответствие может стать одним из критериев отбора. Допустим, какой-нибудь рядовой врач, кандидат наук, работает в обычной городской больнице, но с ним считаются, советуются всякие заслуженные знаменитые профессора, зовут на консилиумы. Спрашивается: если он такой уважаемый-авторитетный, почему у него низкий статус? Нарочно не идет на повышение, держится в тени, по приказу своих заокеанских хозяев? А если у него низкий статус, за что же его так ценят и уважают? Не за то ли, что на самом деле он — одна из ключевых фигур заговора?

Дядя покачал головой:

— *Больно уж хитро, товарищу Рюмину твоя идея вряд ли понравится.*

— *Так я поэтому и решил сначала с вами поговорить.* — *Влад старался смотреть на Дядю снизу вверх, держать почтительную дистанцию, хотя был выше на полголовы и стояли они близко, лицом к лицу.*

— *Правильно, молодец,* — *Дядя одобрительно кивнул,* — *в принципе, порыть в этом направлении можно. Почему бы и нет? Можно! Только вычислить и взять мало, у нас их вон сколько сидит, а толку? Тут главное — раскрутить, чтоб чистосердечно признались, а потом от своих признаний не отказались и публично в зале суда все подтвердили.*

— *Есть у меня кое-какие соображения,* — *Влад облизнул пересохшие губы,* — *по опыту знаю, физическое воздействие не всегда работает, иногда получается обратный эффект. Нужен тонкий подход. Времени в обрез, но спешить нельзя, надо точно их вычислить, определить самые уязвимые места и давить, ломать психологически, понимаете? Вот перед* арестом Этингера сначала сына взяли, студента, и это была принципиально верная тактика...

— Ну-ну, — перебил Дядя и погрозил пальцем, — ты уж, я смотрю, прям удила закусил. Сына Этингера взяли за собственные его преступления, к тому же он пасынок. Товарищ Сталин ясно сказал: сын за отца не отвечает.

— Виноват, товарищ генерал, хочу быть правильно понятым. — Влад вытянулся по стойке «смирно» и отвел глаза. — Я не имел в виду арест детей подозреваемых как меру психологического воздействия. Без вины у нас никого не берут, сын за отца не отвечает, это само собой. Случай Этингера я привел как пример того, что в семьях врагов детям рано или поздно становится известно о вражеской деятельности родителей, и если они не разоблачают эту деятельность, не сообщают о ней, значит, сами вовлечены и подлежат аресту.

Дядя прищурился, смерил Влада внимательным оценивающим взглядом:

— Ишь ты какой... Смотри не перемудри.

Заглянула жена, позвала Дядю к телефону. На этом разговор закончился.

* * *

Андропов опустил голову, принялся крутить в руках одну из своих авторучек. Повисла тишина — бархатная тишина ночного зимнего леса. Юра следил, как крупные гибкие пальцы снимают и надевают черный, с золотым ободком, колпачок. Наконец услышал:

— Что замолчал? О чем думаешь?

— Юрий Владимирович, завтра на Политбюро станут обсуждать возможность размещения наших ракетных баз на территории Нуберро?

— Я тебе этого не говорил, — пробормотал Председатель, не поднимая глаз.

— Это ловушка. Каддафи отказали потому, что он нам ничего не должен, купается в своей нефти, в нашей братской помощи не нуждается. У нас с ним деловые отношения. Нас он считает такой же враждебной империалистической державой, как США, и не скрывает этого. Продав ему реактор, мы бы ничего не выиграли. А вот Птипу живет на наши подачки, он нам должен. Может возникнуть иллюзия, будто разместить у него наши базы безопасно и выгодно. Да, мы таким образом расширим зону влияния на Африканском континенте, но Птипу слишком ненадежный союзник, наши ракеты для него — козырь, чтобы поторговаться с американцами, набить себе цену, по примеру Садата.

Председатель в очередной раз завинтил колпачок и тихо заметил:

— Ну, в отличие от Садата наш Александр Македонский пока ни с кем не воюет, американцев давно победил. Чего же он от них добивается?

— Гарантий, Юрий Владимирович, гарантий, что они позволят ему спокойно передвигаться по Западному миру, летать на личных самолетах, плавать на своих яхтах, жить на своих виллах. Он скоро окончательно разорит Нуберро, до косточек обглодает. Рано или поздно там начнется буча. Он хочет встретить старость миллиардером на Лазурном побережье, а не пенсионером на даче в Марфино, вот поэтому ему добрые отношения с Западом и нужны. Лежбище себе готовит, соломку подстилает.

Юра инстинктивно притормозил, сделал паузу. Возникло чувство, будто мчишься по скользкому горному серпантину в полной темноте. В голове пронеслось: «Все он отлично понимает, но ему не нравится, что я, никто, смею называть вещи своими именами».

Председатель отложил ручку, приказал:

— Продолжай!

— Контакты с американцами начались года полтора назад, возможно и раньше.

— Почему ты молчал?

— Не владел точной информацией. Доверенным лицом в этих делах был покойный начальник полиции Васфи, я не мог его зацепить, только в конце ноября удалось подвести к нему моего человека. Я подбросил Птипу идею, что при его высших чиновниках, которые выезжают за границу, обязательно должны быть личные переводчики. Так принято.

— Кто твой информатор?

— Исса Захран, двадцать пять лет, служит в тайной полиции, свободно владеет арабским и английским, с большой симпатией относится к нашей стране…

— Знаю-знаю, — перебил Андропов, — оперативки твои читал. Меня интересует, что он за человек?

— Смышленый, энергичный, наблюдательный, ненавидит Птипу, переживает, что служит в тайной полиции, но иначе не сумел бы прокормить мать-вдову и двух младших сестер. Импульсивный, детски-восторженный. СССР для него идеальное государство, где все равны и счастливы. Считает, что мы просто не понимаем, кто такой Птипу. Мы помогаем Нуберро, даем беспроцентные займы на строительство дорог, больниц, школ, а Птипу кладет наши деньги к себе в карман. Исса хочет восстановить справедливость, открыть нам глаза, чтобы мы узнали о Птипу правду. На контакт пошел легко, готов на нас работать потому, что это согласуется с его принципами.

— Но от гонорара не отказывается, — язвительно заметил Андропов.

— В тайной полиции платят чисто символически, основной источник дохода — воровство и грабеж, для Иссы это невозможно, совесть не позволяет. А работа на нас требует времени, сил, знаний. Я уж не говорю о том, как он рискует. С нашей стороны было бы просто нечестно использовать его бесплатно.

— Ну-ну, не кипятись, про гонорар это я так, в шутку. — Председатель улыбнулся. — Где он выучил английский?

— До переворота учился в британской школе, успел окончить два курса филологического факультета Университета в Утукку. Он способный парень, языки даются легко, сейчас вот в свободное время учит русский.

— Из богатой семьи?

— Не богатой, но достаточно состоятельной и образованной. Он потомок знатного рода из племени Чва, в этом племени был самый высокий процент грамотных еще в начале века, королевская династия принадлежала Чва, англичане делали ставку на Чва.

— Почему?

— Чва, в отличие от Каква, никогда не практиковали ритуальное людоедство, ну и вообще, традиционно не такие кровожадные. Отец Иссы был врачом, погиб во время переворота. Чва погибло больше сорока процентов.

— Да, я как раз недавно просматривал твои сводки, — кивнул Председатель, — если я правильно понял, эти два племени издревле враждовали, после смены власти представителей Чва запрещено принимать на службу в госаппарат. Как же твоему парню удалось устроиться в тайную полицию?

— Там катастрофически не хватает грамотных, тем более со знанием иностранного языка. Птипу пришлось пойти на некоторые послабления, но это касается только тайной полиции.

— Ясно. — Председатель помолчал, разгладил загнувшийся уголок страницы, не поднимая глаз, глухо, медленно произнес: — Ты сказал: Птипу готовит себе лежбище, соломку подстилает. Что конкретно ты имел в виду?

Очки блестели, полные губы сжались в брезгливой гримасе, знакомой по официальным портретам. Ничего хорошего это не предвещало, но отступать было некуда.

— Наши инвалютные рубли он перекачивает в доллары. — Юра машинально покосился на телефонные аппараты и понизил голос: — В Базеле есть такой маленький, скромный семейный банк «Дрейфус», он там нашу братскую помощь конвертирует и вкладывает в недвижимость.

— Ну, насчет его бескорыстной дружбы мы никогда не обольщались, — Андропов усмехнулся, — тут важен масштаб.

— Масштаб серьезный, Юрий Владимирович, аппетиты растут не по дням, а по часам. Иссе удалось переснять несколько платежек, снимки в этой папке.

Андропов кивнул, быстрым движением вытащил из-под страниц плотный запечатанный конверт и убрал в карман пиджака.

— Хорошо. Ты сообщил в Центр о контактах с американцами. Про банк в Базеле, кроме тебя и твоего Иссы, кто-нибудь знает?

— Юрий Владимирович, до нашего с вами разговора я этой темы не касался ни письменно, ни устно.

— М-гм. — Он опять отвинтил колпачок и что-то быстро записал на листе бумаги. — А что, Васфи действительно договаривался с американцами о перевороте?

— Они сказали, что дипотношения могут быть восстановлены только при условии смены власти. Васфи спросил — они ответили, причем ответ прозвучал вполне формально, без намеков на переворот и конкретных обещаний. А Васфи точно выполнял указания своего хозяина.

Председатель снял очки, протер стекла фланелевой салфеткой, тихо спросил:

— Почему же тогда головы лишился? Магическая паранойя?

— Птипу сожрал всех, с кем вместе пришел к власти, он постоянно чистит и обновляет свое близкое окружение. Васфи в любом случае был обречен. Слишком много знал про финансовые дела хозяина, с таким багажом долго не живут. Ну, и со служебными обязанностями перестал справляться.

— Что ты имеешь в виду? — Лицо без очков преобразилось, глаза стали больше, взгляд как будто оттаял, потеплел и даже показался немного растерянным.

«Вот об этом я точно ни разу не сообщал. Ох, огорчу я его сейчас. — Юра слегка покрутил головой, разминая затекшую шею. — Только не надо строить иллюзий, будто на его решение это сильно повлияет».

— Главная задача тайной полиции — пополнять государственный бюджет. Полицейские могут арестовать и убить любого жителя страны. Для нуберрийцев оставить своих мертвых без погребения немыслимо. За это духи предков накладывают смертельное проклятие, лишают жизни земной и загробной. Родственники убитых готовы отдать последнее, чтобы выкупить труп и похоронить. Но население нищает, у них просто больше нет денег и продано все, что можно продать. Птипу решил, что виноват Васфи, плохо работает, деньги берет себе. Впрочем, это скорее повод, а не причина.

— Ну, а в чем причина?

— Юрий Владимирович, вы же сами очень точно сказали: магическая паранойя.

— Если у них нет денег, как же этот новый, Раббани, справляется с поставленной задачей? — Председатель надел очки, спрятал глаза за стеклами.

— Не знаю, наверное, никак. — Юра пожал плечами. — Электричество в последнее время отключается слишком часто.

— При чем здесь электричество? — Голос Андропова зазвучал глухо, отстраненно, лицо опять застыло в брезгливой гримасе.

Во время визита в Москву Птипу очень понравились борщи и пельмени, он попросил подарить ему повара. В Нуберро отправили молодого оперативника, тот проработал на дворцовой кухне меньше месяца. Однажды увидел в холодильнике несколько человеческих голов и был срочно возвращен домой с психическим расстройством. Его рассказ сочли бредом.

«И ты, Юра, скоро угодишь в психушку, как диссидент какой-нибудь, за злостную клевету на Нубберройскую прекрасную действительность и лично на дорогого нашего товарища Петюню», — обрадовал себя Уфимцев и устало объяснил:

— Невыкупленные тела сбрасывают в реку. Их слишком много, крокодилы не успевают жрать. Течение относит тела к электростанции, они забивают лопасти турбин.

Андропов помолчал, опять снял очки, потер вмятины на переносице:

— Мг-м… Однако без доверенного лица в банковских делах ему не обойтись. Как считаешь, уже есть кто-то? Может, новый начальник полиции?

— Закария Раббани? Исключено. Человека Каддафи он к своему швейцарскому лежбищу близко не подпустит. Птипу, если в принципе способен кому-то доверять, то только выходцам из своего племени. Среди Каква на тысячу один грамотный. Васфи был идеальной кандидатурой, закончил бухгалтерский колледж, владел арабским, мог худо-бедно объясниться по-английски.

— Кто переводил ему раньше?

— Точно не знаю, вероятно, кто-то с той стороны помогал. — Юра нахмурился, помолчал секунду. — Вроде причин убрать Васфи было много. С другой стороны, новое доверенное лицо найти непросто. Почему он так поспешил?

— Вот именно. Подумай об этом. — Андропов внимательно взглянул на Юру: — У тебя еще что-то?

— Да, Юрий Владимирович, но, понимаете, как-то даже и сказать неловко…

— Говори!

— Птипу вручил мне телеграмму для Леонида Ильича. Официальные дипломатические поздравления с юбилеем для него ничего не значат, он захотел поздравить лично, от себя, написал от руки, по-русски, отдал мне, попросил исправить ошибки.

В отличие от Кручины Андропов не спросил: «Почему тебе, а не дипломатам?» Глаза живо блеснули:

— Ну, и где она?

— У Александра Владимировича, но поскольку он приболел, я решил вам доложить, чтобы вы узнали до заседания, а не после, — смущенно объяснил Юра и заметил про себя: «Кручина мне этого не простит».

— Решил, так докладывай.

— Собственно, телеграммой это назвать трудно. Там такой текст… ну, не совсем приличный.

— Ничего, переживу.

Юра глубоко вдохнул и процитировал почти дословно:

— «*Я очин тибья люблу и еслы вы был бы женчина я жинюс на тибья хотя ваша голова уже сидая. Твой на века…*» — дальше полное имя со всеми регалиями, из пятидесяти четырех слов на суахили, дата и подпись.

Андропов слушал с каменным лицом. Ни тени улыбки.

«Нет, не станет он показывать Брежневу эту пакость, — подумал Юра. — Все я неправильно рассчитал, рискнул напрасно. Кручина не простит, он мстительный…»

— Считаешь это весомым аргументом против размещения ракет на территории Нуберро? — спросил Председатель.

— Может, и не такой весомый, но тут любые аргументы пригодятся. Вот разместим мы наши базы, а там начнется гражданская война. Выхода к морю нет. Эвакуировать ракеты по суше в условиях межплеменной африканской бойни затруднительно. Наши военные станут заложниками. Да и вообще, не хочется, чтобы этот урод нами манипулировал, из-за его капризов мы можем вляпаться в международный кризис покруче Карибского, — произнес Юра с уверенностью, которой от себя совсем не ожидал.

В голове мелькнуло: «Показать — не покажет, но сам к сведению примет».

— Ладно, я тебя услышал. — Андропов поднялся, проводил Юру до двери, крепко пожал руку. — Постарайся выспаться. Завтра на Политбюро докладывай точно, как написал, ни слова лишнего.

* * *

Давно уж никто так тепло, подробно, вдумчиво не говорил о книгах и статьях Вячеслава Олеговича. Наконец нашелся человек, способный оценить по достоинству его труд. Муть в душе окончательно улеглась, темные обрывки беспорядочных воспоминаний больше не всплывали, не тревожили. Стало неловко за кличку «Глазурованный», слава богу, глупое словцо ни разу не сорвалось с языка.

К концу вечеринки Влад, в отличие от прочих, остался трезв и сохранил способность к серьезным разговорам. А поговорить хотелось.

В «Литературной России» вышла статья Галанова, чрезвычайно важная, выстраданная. Речь шла о писателе Илье Цареве и его романе «Авоська».

Вячеслава Олеговича давно возмущала легковесная посредственная писанина Царева. Наглый хапуга, пустозвон, строчил без остановки повести, романы, пьесы, киносценарии, пролез во все творческие союзы — писателей, журналистов, кинематографистов, пробил себе трехкомнатную квартиру в писательском кооперативе, катался по заграницам, встречался там с эмигрантами, диссидентами, давал интервью вражеским изданиям, женился на дочке высокого чиновника из Минкульта и, не скрываясь, крутил романы с юными красотками. Других за подобные безобразия примерно наказывали, а ему все сходило с рук.

Однажды Вячеслав Олегович выступал перед старшеклассниками в библиотеке в маленьком провинциальном городке. После выступления, прогуливаясь вдоль полок, увидел свою книгу, взял, пролистал. Формуляр в конвертике девственно чист, на пальцах пыль. Он поинтересовался у пожилой библиотекарши, кто из современных советских писателей пользуется спросом, и услышал: «Царев. На него всегда очередь». Она перечислила еще несколько имен, таких же пустых и дутых, но они плодили откровенную халтуру — детективы, фантастику, на высокую литературу не претендовали. А вот Царев претендовал, мнил себя классиком.

Высокомерие и вседозволенность сыграли с ним злую шутку. Он написал настоящий клеветнический пасквиль. Четыреста пятьдесят страниц откровенной антисоветчины, русофобии и порнографии. Ни одно издательство, ни один толстый журнал в СССР напечатать такое не мог. Да и вряд ли автор на это рассчитывал. Он переправил рукопись на Запад.

Накануне заседания Правления, на котором планировалось исключить Царева из Союза писателей, несколько членов президиума получили на руки, под расписку, ксерокопии «Авоськи» с грифом «Для служебного пользования».

Галанов читал быстро. Жена выхватывала у него страницы, качала головой, краснела, поджимала губы. Они проглотили мерзкий пасквиль за пару суток. Опомнившись, она сказала:

— Тьфу, сволочь! При Сталине за такое сразу к стенке, без разговоров, а сейчас с ними цацкаются, и они еще чем-то недовольны.

Вячеслав Олегович засел за статью, разнес в пух и прах «Авоську» вместе с прочими творениями Царева, начиная от самых ранних, и заголовок придумал отличный: «Накипь».

Оксана Васильевна просмотрела рукопись статьи и сказала:

— В принципе, все верно, только, по-моему, ты переборщил с эпитетами. Слишком много эмоций.

Он не придал этому значения, жена любила покритиковать его стиль.

Статья вышла целиком, без купюр. Тексты авторов такого уровня, как Вячеслав Галанов, править не принято. Только корректор убрал опечатки. Впрочем, одну пропустил. Во фразе «Об элементарной благодарности Советскому государству за бесплатное образование даже говорить не приходится» вместо слова «образование» напечатали «обрезание».

Сама по себе опечатка — пустяк, но в ней читался грубый намек на истинную национальность Царева, которую тот тщательно скрывал. Вячеслав Олегович не хотел никаких намеков. Он писал очень серьезно, искренне, с болью за великую русскую литературу и гневом на таких вот подонков, которые к ней примазываются. Чертово «обрезание» выглядело неуместно и придавало тексту пошлую фельетонную игривость.

Царева исключили из всех союзов, собирались лишить советского гражданства. Вячеслав Олегович опасался, что теперь этот сукин сын предстанет святым мучеником, а он, Галанов, окажется в неприглядной роли гонителя. Либеральная сволочь, конечно, воспользуется, обольет грязью, потом не отмоешься.

Вячеслав Олегович принадлежал к патриотическому лагерю, был искренне, всей душой предан идее русского национального возрождения, но никогда не скатывался к фанатизму. Он дорожил своей репутацией умеренного консерватора и старался не наживать врагов, поддерживал хорошие отношения с такими же умеренными представителями противоположного лагеря. Если, допустим, писатель или критик либеральных взглядов публиковал действительно талантливое, сильное произведение, Галанов отзывался положительно, так сказать, невзирая на лица.

На самом верху, в ЦК, в КГБ, имелись разные идеологические группировки: либералы, сторонники разрядки и консерваторы-державники, которые в свою очередь делились на русских патриотов и сталинистов. Генеральная Линия колебалась справа налево, слева направо. Тот, кто этих колебаний не улавливал, создавал себе много проблем. Для людей думающих, интеллигентных, граница между лагерями оставалась приоткрытой. Иногда сделаешь шажок-другой на противную сторону, отступишь назад, потом опять шажок, осторожно, мягко, на низких полупальцах. Одно резкое движение — и либеральная сволочь выпихнет тебя с воплем или свои объявят Иудой.

Коллеги встретили статью ледяным молчанием. Его стали мучить сомнения: что, если жена права и он действительно переборщил с эпитетами? Оглянуться не успеешь — прилепят ярлык фанатика, маргинала, вместе с репутацией потеряешь покой и стабильность.

Ему снились кошмары, будто он в огромном зале при большом скоплении народа вместо старинного менуэта отчебучивает дикий непристойный гопак. Или еще — выступает на съезде с хорошей, правильной речью и с него сваливаются брюки.

Весь долгий сегодняшний вечер он ждал, что скажут друзья, которые обычно не пропускали его газетных и журнальных публикаций. Но друзья болтали о чем угодно, кроме статьи, будто сговорились. Никто не успел прочитать? Или со статьей действительно что-то не так? Особенно неприятно, что промолчал Федя Уралец, он служил в Пятом управлении КГБ и всегда первым был в курсе малейших колебаний Линии.

Срочно требовалось непредвзятое объективное мнение. Судя по тому, как высоко оценивал Влад книги Галанова, в литературе он разбирался. После чая, улучив подходящий момент, Вячеслав Олегович подсунул ему газету и услышал:

— Уже читал. Поздравляю! Мощно, хлестко, главное, очень своевременно. С «обрезанием» вы здорово придумали, вроде невинная опечатка, но сразу вносит ясность. Царев он по отцу, а по матери самый что ни на есть Нудельман.

Они сидели в углу гостиной, на старинной кушетке у серванта, заполненного статуэтками, вазочками, малахитовыми шкатулками, фарфоровыми пасхальными яйцами на серебряных подставках. Влад говорил спокойно, негромко:

— Такие, по матери, особенно опасны. Надо разоблачать эту нечисть и бить, бить, бить, выжигать каленым железом!

Вячеслав Олегович вздрогнул: «Что он несет? Откуда знает девичью фамилию матери Царева? Даже я впервые слышу».

— Я не призываю никого разоблачать и бить, опечатка всего лишь опечатка, я совершенно не хотел… — забормотал он и невольно отпрянул, отодвинулся подальше.

— Бросьте! — жестко перебил Влад. — Как раз опечатка — главная изюминка, высший пилотаж! Ваша статья — это поступок, настоящий поступок, мужской, патриотический, и оправдываться вам не в чем. Хватит с ними церемониться, пора называть вещи своими именами, срывать маски и раскрывать псевдонимы.

Оксана Васильевна принесла кофе в маленьких китайских чашках тончайшего яичного фарфора, поставила поднос на столик, вздохнула:

— Ох, и не говорите, пора, давно пора. Лезут во все дыры, у них круговая порука, все схвачено, а мы молчим, терпим. — Она концом шали стерла невидимое пятнышко со стеклянной дверцы серванта и удалилась.

— Вы как истинный патриот, большой русский писатель, чутко улавливаете запах опасности, — продолжал Влад, прихлебывая кофе, — настоящая опасность не вовне, а внутри. Наша литература, кино, музыка, сама плоть нашей культуры пронизана ими, как метастазами. А наука? А государственные структуры? Всюду они, сверху донизу. Допустим, партийные чиновники высшего ранга имеют чистую кровь. А жены? А дети от таких вот жен?

«Крайности сейчас не приветствуются, — тревожно размышлял Галанов. — Одно дело — шуточки, анекдоты, эвфемизмы, пивной треп, бабье ворчание Оксаны, и совсем другое — призывы к физической расправе... Да, но при этом ни одного конкретного имени: высшие партийные чиновники, жены, дети. И слово «евреи» ни разу не произнес. Учитывая его прошлое... Ладно, хватит о прошлом. Он поднялся на очень высокий уровень, значит, человек здравый, осмотрительный, за буйки не заплывает. И все же, каленое железо, чистая кровь — это явно не сегодняшняя лексика. А если завтрашняя? Профессор ИОН обязан улавливать колебания. Неужели там, наверху, наметился резкий уклон вправо? Тогда статья попала в яблочко. Однако за правым всегда следует левый, и тогда мою «Накипь» мне обязательно припомнят».

— Это война, — продолжал Любый горячим шепотом, — война биологическая, между разными видами, понимаете? Мы же не делим крыс на полезных и вредных, мы не разглядываем под микроскопом каждого отдельного термита, чтобы определить, хороший он или плохой. Мы уничтожаем их всех, скопом. Тут нет и не может быть компромиссов. Мы — их или они — нас. Закон природы.

Вячеслав Олегович принюхался. Нет, перегаром не пахло, его собеседник был трезв. Может, он просто сумасшедший? Как это называется в психиатрии? Круг бредовых идей. Во всем остальном нормальный, а насчет евреев — псих.

Любый поставил чашку, вытащил из кармана брюк монету и протянул Галанову:

— Полюбуйтесь!

Это был серебряный рубль, совсем новенький, юбилейный.

— Ничего не замечаете? — Влад прищурился. — Посмотрите внимательней. Видите, профиль Ленина, а рядом что?

— Кажется, символ атома, три пересекающиеся орбиты...

— Вот именно, символ, а внутри еще один, особый, тайный. Шестиконечная звезда, масонский знак.

Галанов сипло кашлянул, хотел вернуть ему масонскую монету, но рубль упал, покатился по полу и был прихлопнут подошвой замшевого сапога Вики.

— Оп-ля! Новенький, красивенький! — Вика подняла рубль, подкинула на ладони и спрятала в карман распахнутой дубленки. — Что упало, то пропало!

— Ты почему одета? — спросил Галанов. — Куда собралась?

— Домой.

— Погоди! — Он схватил ее за руку. — Ты же хотела остаться!

— Хотела-расхотела, мама опять дурит, орет, что я над ней издеваюсь, что я хамка и мерзавка.

— Вика, второй час ночи, электрички не ходят, это опасно! Я запрещаю! — Галанов повысил голос и не заметил, как выскользнули из его руки Викины пальцы.

Любый поднялся.

— Не волнуйтесь, Вячеслав Олегович, я ее отвезу.

Глава четырнадцатая

Влад подвел итоги, взвесил плюсы и минусы. Дядя вроде бы одобрил его план. Это плюс. Но не сказал ничего определенного, поддержки не обещал. Минус. Учитывая их с Рюминым отношения, фразу «Рюмину твоя идея вряд ли понравится» можно считать плюсом. А вот на слова о сыне Этингера он отреагировал чересчур резко. Минус. Да еще прикрылся цитатой Самого: «Сын за отца не отвечает».

«Знаем, как же! — усмехнулся про себя Влад. — Сам сказал это в тридцать четвертом. Он всегда говорит то, что хотят услышать ширнармассы, а потом делает, как считает нужным. Практика показала, что сын за отца очень даже отвечает, и дочь за мать, и жена за мужа. Иначе нельзя. Иначе вражью породу не вывести. Каждое публичное высказывание Самого, каждый его приказ таит в себе разные глубокие смыслы. Расшифровать может только посвященный. Вот недавно он приказал применять меры физического воздействия. Достаточно лишь слегка шевельнуть мозгами, чтобы обнаружить противоречие. Если мы готовим клиентов к открытому процессу, калечить их нельзя, даже зубы должны быть целы, а то начнут шамкать на суде, и никто их откровений не разберет».

Влад видел кинохронику процессов над троцкистами тридцать шестого — тридцать восьмого. Подсудимые выглядели здоровыми, никаких следов побоев, говорили внятно, четко. Почему? Потому, что тактику и стратегию разработал Сам. Большинство подсудимых он знал лично и безошибочно определял их уязвимые места. А теперь ситуация в корне иная. Докторишки Самому мало знакомы, при всем его тонком чутье и знании психологии определить их болевые точки трудновато, тем более речь идет не совсем о людях. Они существа другой породы, и подход к ним нужен особый. Нынешние цели *и задачи сложней, масштабней. Тогда просто выметали мусор. Сейчас планируется переустройство мирового порядка. Новая эра в истории человечества. Вся Европейская часть СССР без единого жида. Вся равнина от Балтики до Кавказа — славянская и неделимая.*

Чтобы справиться с такой работой, нужны профессионалы, не просто умные и грамотные, а по-настоящему преданные, убежденные борцы. Тупые халтурщики и матерые враги одинаково опасны. Необходим тщательный отбор внутри чекистского аппарата. Сталин отдал приказ о мерах физического воздействия потому, что отлично понимает: все эти скоты, игнатьевы-рюмины, работать умеют только на грубом, примитивном уровне. Тупицы колошматят клиентов, не задумываясь о последствиях. Враги калечат их, приводят в непотребный вид, чтобы нельзя было показать на открытом процессе. Приказ поможет отделить зерна от плевел, выявить врагов и тупиц, убрать вредных, оставить полезных и таким образом подготовить элиту, надежную гвардию для настоящей серьезной борьбы.

Конечно, Дядя осторожничает, как положено бюрократу. Но если план удастся, первым побежит докладывать, мол, вон какой у меня тут молодой красивый кадр!

Влад выдал Дяде лишь малую часть, грубый набросок своего плана. Все подробности он мог изложить только Самому при личной встрече. Что встреча состоится, он не сомневался. Судьба посылала ему тайные знаки, высшие силы помогали двигаться по пути выполнения миссии.

Игнатьев и Рюмин спешно готовили большой отчетный доклад по «Делу врачей» для Самого. Влад вошел в спецгруппу, которая занималась чтением и сортировкой накопившихся документов, не только протоколов текущих допросов, но и архивов.

Негласная повальная проверка всего медицинского персонала в Лечебно-санитарном управлении Кремля и крупных московских клиник началась еще при Абакумове. Сотни папок, тысячи страниц: данные агентурных наблюдений, истории болезней, расшифровки фонограмм тайного прослушивания в квартирах и служебных кабинетах.

На забойщиков типа Гаркуши бумажная возня действовала как сильное снотворное, а Владу работа с архивами пришлась по душе. Он быстро отобрал то, что требовалось для доклада Игнатьева-Рюмина, занялся собственными поисками и наконец нашел.

С декабря 1946-го в Нюрнберге проходил процесс над немецкими врачами, которые ставили опыты на заключенных в концлагерях. На заседаниях международного трибунала присутствовали в качестве экспертов советские врачи. Вот она, реальная возможность свободного общения с американцами, вербовки, передачи шпионских заданий, денег и средств связи. Немцы и сам процесс Любого не интересовали, он читал материалы СМЕРШ. Наблюдение за советскими врачами велось добросовестно, аккуратно фиксировались контакты с американцами. Наверняка не все. Влад был уверен: самые важные встречи проходили конспиративно. Вообще, многое пока оставалось неясным. Он выписывал имена, звания, время, место и продолжительность контактов, строил графики и таблицы, думал, анализировал. Скоро появился первый, черновой, список подозреваемых.

Доклад Игнатьева и Рюмина был готов. Любый прочитал его и в очередной раз подивился тупости этих жвачных животных. Накатали несколько десятков страниц нуднейшей тягомотины о вредительстве и саботаже. Перечислили, кто в разные годы был замечен в сочувствии антипартийной оппозиции. Ну, а где шпионские связи, каналы передачи информации и денег? Кто конкретно возглавляет заговор? Кто обработан таким образом, что готов выступить на предстоящем открытом процессе и не откажется от своих показаний в последний момент? Никто! В общем, пустота, вязкое бюрократическое словоблудие. Чем же они занимались все это время? Так и не поняли, придурки, что вредительство и сочувствие оппозиции — примитив, прошлогодний снег. Сегодня главное — шпионаж, заговор. Не поняли или не захотели понять?

Через два дня Сам снял Окурка за профнепригодность, выкинул из МГБ в Министерство госконтроля, на жалкую должность старшего контролера. Любой вздохнул с облегчением. Конечно, по-хорошему Игнатьева тоже следовало выкинуть, а заодно еще десяток-другой разной сволочи. Но ничего, все еще впереди.

* * *

Семен Ефимович гулял с правнуком часа два. Надя за это время успела перестирать и развесить груду белья, сварила кастрюлю щей, вымыла плиту и холодильник. Лена пыталась ей помогать, но довольно вяло, в конце концов взяла книжку, улеглась и через несколько минут заснула.

Потом Надя и Семен Ефимович искупали Никиту, Лена покормила его и опять отключилась.

Стараясь не шуметь, они навели порядок в кухонном шкафу, выпили чаю, хотели разобрать и вынести полысевшую елку, но решили сделать это позже, после Старого Нового года. Смели осыпавшуюся хвою и тихо ушли.

На улице Надя закурила, Семен Ефимович стряхнул тонкий слой снега с лобового стекла, положил на заднее сиденье пустые сумки, сел за руль, включил зажигание. «Москвичок» сердито зафырчал. Надя кинула окурок в сугроб и продолжала стоять неподвижно.

Справа, за трассой, заснеженный пустырь сливался с небом, таким низким и темным, что полоска леса у горизонта казалась тенью тучи. Слева высились новостройки с черными рядами окон. На двенадцатом этаже одиноко мерцал слабый огонек бра, которое они оставили включенным.

Семен Ефимович открыл дверцу:

— Ну, в чем дело?

— Извини, пап, задумалась. Давай-ка я поведу, ты устал.

— Это ты устала, с ног валишься, а я в порядке.

— Ладно, как хочешь. — Она залезла в машину.

«Москвичок» поворчал и тронулся. Надя ерзала на сиденье, теребила замок сумочки, наконец выпалила:

— Так и будем молчать? Рано или поздно она почувствует, догадается, и что тогда?

— Разведется с ним, вот и все. Но только это должно быть ее решение. Ее, а не наше! Поменяем две квартиры на одну, побольше, станем жить-поживать вчетвером, она с Никиткой и мы с тобой. По-моему, неплохо.

— Слишком сильный удар для нее. — Надя помотала головой. — Просто страшно представить.

— А ты и не представляй заранее. Ну, сходил он в театр с какой-то девицей, ну, скрыл, соврал. Всякое бывает. Мы же договорились забыть.

— Хорошо, забыли. Но только его опять нет. Где он на этот раз шляется?

— Она же объяснила: отправился на заработки, играть Деда Мороза в пионерлагере. В понедельник вернется. — Семен Ефимович помолчал и продолжил, притормозив на перекрестке: — Он старается, вкалывает, хватается за любую работу.

— Мг-м, еще добавь: чтобы кормить семью!

— Вот этого не скажу, — Семен Ефимович вздохнул, — кормим и одеваем их мы с тобой, что правда, то правда.

— Они с Никиткой будто в ссылке, несчастные, брошенные какие-то! Мне кажется, ночами она плачет в подушку! — возбужденно продолжала Надя.

— Не выдумывай. Когда мы уходили, она крепко спала, не плакала. Было бы так уж плохо, не выдержала бы, вернулась к нам. Она ведь у нас нежная, балованная, привыкла быть самой маленькой и самой главной.

— Пап, ты кого пытаешься успокоить, меня или себя? Ладно, мы договорились больше не обсуждать девицу в театре. Я сейчас вообще не об этом, я о Лене. Бледная, вымотанная, нервная, шатается от слабости, спит на ходу. Как она будет восстанавливаться в институте?

— Ничего, наверстает, мы поможем.

— Вот, опять — мы! А он вообще, кто, где и зачем? Ладно, оставим за скобками его блядство. Но ведь он живет как в бесплатной гостинице, на полном пансионе, приходит и уходит когда вздумается, вообще ни черта дома не делает, никак ей не помогает, тарелку за собой не вымоет! Поспал, поел, встал, пошел.

— Он елку купил.

— Очень трогательно, сейчас зарыдаю!

— Надя, остановись, ты опускаешься до уровня Ирины Игоревны!

Эта фраза давно стала ритуальной. Папа произносил ее всякий раз, когда Надя заводила разговор об Антоне. Ей Антон с самого начала не нравился, Семену Ефимовичу тоже, но он считал, что перемывать косточки зятю — занятие жалкое и бессмысленное.

— Идеальных людей не бывает, ты вот все выбирала, нос воротила, и что в результате? Ладно, пусть он не самый лучший, но есть в нем очевидное мужское обаяние. Красавец, артист, она его любит, это главное.

Выехали на широкую пустую Ленинградку. Свет фар выхватывал из мрака монументальные сталинские фасады, спящие станции метро, стеклянную башню гостиницы у Аэровокзала.

— А что, если эта безумная любовь существует только в ее фантазиях? — пробормотала Надя, глядя в окно. — В шестом классе сочинила себе папашу, английского лорда, на первом курсе — красавца-мужа.

— Ну, муж у нее все-таки есть, и отец ее действительно англичанин, — тихо заметил Семен Ефимович, — насчет лорда она, наверное, слегка преувеличила.

Надя ничего не ответила, раздраженно подумала: «Насчет отца тоже. Биологически — да, отец, но какое это имеет значение, если он даже не знает о ее существовании?»

Тема отца волновала Лену лет с четырех. Надя врала разное, в зависимости от возраста. Сначала объясняла, что папа для рождения ребенка — предмет желательный, но не обязательный. Примеров детей без пап хватало и во дворе, и в детском саду.

Во втором классе Лена узнала, что ее отчество «Васильевна», и смутный призрак папы стал тревожить ее все настойчивей. Пришлось придумать погибшего летчика-испытателя Васю, но вместо того, чтобы решить проблему, Вася потянул за собой длинный хвост вопросов, которые усложнялись с каждым годом. Ладно, погиб. Но куда делись его родители? И почему в метрике в графе «отец» стоит прочерк? Надя так устала сочинять все новые подробности биографии этого призрачного бедолаги, что однажды не выдержала и выложила правду.

История о романтическом приключении во время Всемирного молодежного фестиваля летом пятьдесят седьмого, о знакомстве со студентом из Лондона по имени Безил Поллит, здорово взбодрила двенадцатилетнюю Лену. Она расспрашивала, как он выглядел, как одевался, какие у него были привычки, похожа ли она на него. Надя рассказывала все, что помнила, ну, почти все.

Лена старательно учила английский, побеждала на районных олимпиадах, распевала песни «Битлз» и прицепила на ранец большой значок в виде флага Великобритании. Своего любимого плюшевого медвежонка Васю, с которым никогда не расставалась, переименовала в Безила.

Однажды позвонила классная и попросила зайти в школу. Выяснилось, что Лена всем рассказывает, будто ее отец — английский лорд, и показывает открытки, которые этот лорд регулярно присылает ей из Лондона. Несколько штук отобрала у нее учительница математики на уроке.

— Вот, полюбуйтесь.

Классная вручила Наде стопку глянцевых цветных открыток: Биг-Бен, Парламент, Вестминстерское аббатство, дворцы, лужайки. На обратной стороне каждой красовался короткий текст, написанный по-английски, крупными печатными буквами, без ошибок: «Привет, моя дорогая дочь!.. Люблю, скучаю, твой папа Безил». Какой-то мальчик при всех заметил, что такие открытки продаются в «Доме книги». Лена вылетела из класса, найти ее удалось в подвале, в каморке уборщицы. Забилась там в угол и плакала.

Надя и Семен Ефимович несколько вечеров шепотом обсуждали, как с этим справиться. В итоге выбрали самую мягкую, на их взгляд, тактику — просто попросили Лену не посвящать весь класс в сугубо личные, семейные дела.

Разговор получился бестолковый, нервный. Лена порвала открытки, а заодно и пачку писем, которые писала папе Безилу и хранила в коробке из-под конфет, в ящике своего письменного стола, под старыми тетрадками и контурными картами. Вместе с бумажными клочьями в помойное ведро полетел латунный британский флаг, содранный с ранца. Медвежонок из Безила опять превратился в Васю.

Потом несколько лет ни слова о папе-англичанине не произносилось, и вот недавно, когда Никите исполнилось полгода, Лена вдруг спросила:

— Он похож на него?

Надя сразу поняла, о ком речь, и пожала плечами:

— Пока трудно сказать, слишком маленький.

— Главное, чтобы не вырос таким, как он, — мрачно заявила Лена.

— Каким?

— Трусливым и подлым. Хорош лорд! Смылся, когда ты залетела.

— Ну, во-первых, не каждый англичанин лорд, а во-вторых, он понятия не имел...

— Откуда дети берутся?

— О моей беременности он знать не мог, — терпеливо объяснила Надя, — я сама узнала только через месяц. Это во-первых, а во-вторых, если уж кто смылся, то я, а не он. Мы договорились встретиться, но я не пришла, потому что у бабушки случился сердечный приступ.

— Ладно, — кивнула Лена, — в Банном телефона не было. Но он же знал твой адрес. Мог бы сам прийти...

— Значит, не сумел.

— Почему?

— Фестиваль закончился, вероятно...

— Вероятно, не захотел! — резко перебила Лена. — Уж написать тебе потом точно мог!

— После твоего рождения мы переехали на Пресню, дом в Банном снесли. Может, он и писал, но письма приходили на несуществующий адрес.

— Хорошо, допустим. А свой адрес и телефон почему не оставил?

— Я же сказала, мы не попрощались.

— А если бы оставил?

— Я бы не решилась писать.

— Почему?

Надя усмехнулась:

— Советский инстинкт. Прошло слишком мало времени после смерти Сталина. Да, Москва тем летом была полна иностранцами, но все отлично помнили, как за общение с ними шили шпионаж и расстреливали.

— У бабушки поэтому приступ случился? Испугалась, что у тебя роман с иностранцем?

— Мг-м. Бабушка и дед очень сильно испугались. Да и все равно, не было у нас с ним никакого будущего. Он не смог бы здесь жить, а меня бы вряд ли к нему выпустили.

— Из-за этого? — Лена тронула шрам на ее запястье.

Надя кивнула. Лена помолчала, подумала и спросила:

— Мам, а сейчас ты что-нибудь к нему чувствуешь?

— Ничего, кроме благодарности.

— За что же?

— За то, что появилась ты.

— Ну, знаешь, ему это большого труда не стоило!

* * *

В трубке дребезжали длинные гудки. Юра нажал отбой и набрал домашний номер в третий раз.

В отделе, в его сейфе, не оказалось ключей от квартиры. Он так хотел спать, что не сразу вспомнил: когда улетал, по-тихому отдал их Глебу, тот свои потерял, а Вера в таких случаях сильно ругалась, называла Глеба безответственным разгильдяем.

— Совсем вырубаетесь, товарищ полковник, — дежурный смотрел на него с жалостью, — может, покемарите в комнате отдыха?

— У меня чемодан в багажнике. — Юра все не выпускал трубку, упрямо крутил диск.

— Поднимем сюда ваш чемодан, шоф а отпустим. Либо звук у телефона выключили, либо дома нет.

— Я матери звоню.

Она ответила после третьего гудка и так вскрикнула, услышав его голос, что он испугался, не станет ли плохо с сердцем.

— Все хорошо, Юрочка, они уехали в Раздольное, на лыжах кататься, — объяснила она, отдышавшись. — Каникулы школьные, забыл? Вера взяла неделю за свой счет.

«Значит, чтобы повидать семью, придется ехать к дорогим родственникам», — с тоской подумал Юра.

Родители Веры жили на своей генеральской даче в Раздольном круглый год, с перерывами на отдых в санаториях Минобороны в Юрмале и в Крыму.

— Минут через сорок буду у тебя, — сказал Юра и наконец положил трубку.

Шофер спал в машине, откинув спинку сиденья. Юра назвал ему адрес, уселся назад и выключился, как перегоревшая лампочка.

Ему приснился отец. Он снился часто, особенно в состоянии предельной усталости. Юра до сих пор скучал по нему. В снах приходилось снова и снова переживать его долгую мучительную болезнь и смерть, но иногда возникал тот ясный образ теплого надежного папы, который остался в памяти с младенчества.

Отец, по образованию математик, по профессии криптограф, до войны служил в ГУГБ НКВД, в секретно-шифровальном отделе. О своей службе молчал, зато рассказывал Юре о криптографии, учил составлять и разгадывать разные шифры. Его работа была связана с языками, он свободно владел английским и немецким. Мама, историк-арабист, преподавала в Институте востоковедения. Она начала заниматься с Юрой английским и арабским лет в пять. Ему легко давались языки, он знал, для чего их учит, мечтал отправиться в кругосветное путешествие.

Вместе с лучшим другом, соседом Васей, они рисовали цветными карандашами карты вымышленных стран. Синие моря и реки, зеленые леса, серые горы с белыми вершинами, города-кружочки. Вася придумывал законы, по которым живут племена и народы на разных стадиях развития: первобытно-общинный строй, рабовладение, феодализм, капитализм, революция, коммунизм. Юра сочинял языки, на которых они говорят. Выдуманные языки напоминали английский и арабский. Границы между странами намечали простым карандашом, из-за войн и революций они часто менялись, приходилось стирать ластиком и намечать новые.

По картам двигали оловянных солдатиков. Тяжелые орудия сооружали из деревянных катушек от швейных ниток, проволоки и спичек. На листах плотной бумаги рисовали много рожиц, листы складывали вдвое, наклеивали на картонные подставки. Это был народ. Сильных личностей — вождей, революционеров, героев-освободителей — рисовали и вырезали отдельно. Также отдельными фигурками были шпионы и разведчики. Юра прорисовывал их особенно тщательно, придумывал клички шпионам и кодовые имена разведчикам. Благородные разведчики разгадывали шифры подлых шпионов, рискуя жизнью, срывали их тайные злодейские планы.

Юре и Васе было по девять лет, когда началась война. Они снисходительно посмеивались над страхом и паникой взрослых. Взрослые не понимали, что Красная армия разобьет фашистов легко и быстро, потому что хорошие всегда побеждают плохих.

В августе 1941-го Юра с мамой отправились в эвакуацию в Куйбышев. Ехали в спецпоезде для семей работников НКВД, никаких проблем и неудобств Юра не заметил, наоборот, было интересно, только Васи не хватало. Его семья эвакуировалась в Томск.

Юра с мамой поселились в маленькой комнате в частном доме на окраине. Мама преподавала английский в школе, где учились дети начальства военных заводов и работников НКВД. Юра тоже там учился. Он не узнавал маму, когда она вела уроки. Жесткая, напряженная, какая-то чужая.

В Куйбышеве скопилось много эвакуированных. Юра запомнил очереди — бесконечные серо-черные массы заполняли улицы и переулки. Лица женщин, детей, стариков казались ему не совсем реальными, вроде рожиц, которые они Васей рисовали на плотной бумаге, изображая «народ». То, что ни маме, ни ему не надо стоять в таких очередях, он воспринимал как должное. Они с мамой из тех, кто прорисован и вырезан отдельно, потому что папа служит в Органах. Там служат только сильные личности, благородные разведчики.

В сентябре 1943-го отец приехал, увез их в Москву, побыл дома неделю и опять уехал. Вернулся в июле 1945-го, глубоким инвалидом. Сгорбленный, согнутый под прямым углом, он с трудом передвигался по комнате. Ни слова о том, как и где воевал, каким образом получил ранения и контузию. Лицо стало отечным, бескровным. Густые темно-русые волосы превратились в белый реденький пух. Он часами сидел неподвижно, глядя в одну точку. Всегда был молчуном, а после контузии совсем помешался на секретности, говорил чуть слышным шепотом, затыкал дырки розеток спичками. Выше майора он так и не поднялся, награды имел самые скромные.

Юра пытался растормошить его, разговорить и слышал шепот:

— Терплю, терплю, терплю…

Его мучили сильные боли. Защемились какие-то нервные окончания. Помогал морфий, но того, что удавалось добыть в аптеке по рецепту, не хватало, дозы приходилось увеличивать, врач предупредил, что это плохо действует на мозг и нельзя допускать привыкания.

Мама поила отца травяными отварами, кормила с ложки, ухаживала за ним, как за маленьким. Юра читал ему вслух по-английски Диккенса, Стивенсона, Конан Дойла. Вечерние чтения стали не только утешением для папы, но и отличной языковой практикой для Юры. Мама сидела рядом, занималась своими делами и механически поправляла его произношение.

Юра относился к болезни отца как к чему-то временному, не желал с ней смириться. То, что взрослый, сильный и надежный человек может навсегда превратиться в беспомощного инвалида и так страшно страдать, не укладывалось в его картину мира. Да, случается всякое, вот Васин отец вообще погиб, а им с мамой повезло. Вернулся живой. Значит, обязательно поправится. Главное не отчаиваться, не сдаваться.

Он учился изо всех сил, тянул на золотую медаль, но не дотянул, закончил школу с серебряной и поступил в Московский институт востоковедения, на отделение арабского языка. Мама там преподавала и когда-то сама училась.

Дополнительным языком он выбрал суахили. В СССР мало кто им владел, а говорил на нем почти весь Африканский континент.

После войны колониальная система рушилась, начиналась эпоха Африки. Мама верила, что знание суахили обеспечит Юре интересную престижную работу, яркую, наполненную событиями и впечатлениями жизнь. Он станет уникальным специалистом, будет много путешествовать по самым невероятным, экзотическим странам.

В институте на семинар суахили, кроме Юры, записалось еще два студента, скоро они ходить перестали, а он продолжал, сначала ради мамы и из уважения к старику-африканисту, потом увлекся.

До середины XIX века, пока миссионеры не ввели латиницу, в суахили использовалась арабица. Юра прочитал эпическую поэму «Повесть о Тамбуке», написанную в XVIII веке арабицей, некоторые фрагменты выучил наизусть и очень этим гордился.

В 1954-м Институт востоковедения слили с МГИМО, на четвертом курсе Юра стал студентом факультета международной журналистики.

В январе 1955-го умер отец.

За несколько дней до смерти взгляд его прояснился. Однажды вечером Юра кормил его с ложки жидкой овсяной кашей и вдруг услышал:

— Только не строй иллюзий...

Он поставил миску, придвинулся ближе.

— О чем ты, пап?

— Сам знаешь... Они обязательно пригласят тебя, ты им подходишь. Обаятельный, умный. Языки, спортивные успехи...

На самом деле его уже пригласили, и он согласился, но пока молчал об этом, даже маме не сказал.

— Конечно, там теперь все не так, как было при покойнике...

После марта пятьдесят третьего «покойником» отец называл Сталина. Он сжал Юрину руку слабыми дрожащими пальцами и продолжал шептать сквозь тяжелую одышку:

— Но все равно собачья работа. Опричнина. Псы государевы... Государь, государство — один черт... Государство — самое холодное из всех чудовищ...

— Пап, ты кого цитируешь? — осторожно спросил Юра.

— Не важно... Главное, себе не ври... никогда...

Глава пятнадцатая

Каждый раз, когда выпадал свободный вечер, Влад спешил со службы домой, в свою тихую казенную квартиру, чтобы побыть одному, взвесить плюсы и минусы, выработать тактику и стратегию, но почему-то оказывался не дома, а у Шуры. Ноги сами туда несли.

Он доезжал до метро Сокол, садился в трамвай, вылезал через пять остановок, бодро шагал по грязным немощеным улицам и вдруг резко останавливался, таращил глаза, крутил головой, осознавал, куда и зачем идет, но повернуть назад уже не мог.

К дому подходил незаметно, со стариками-хозяевами не сталкивался. Их будто вовсе не существовало. Лишь слабоумный Филя иногда появлялся, тяжело топал на веранде, заходил в комнату, сваливал дрова у печи.

Шура разговаривала с Филей ласково, как с ребенком, поила чаем. Филя пил с отвратительным громким свистом, посасывал сахарок, размачивал баранку в стакане и грыз ее краем щербатого рта. Рядом, на табуретке, лежал его топорик.

Пухлая рожа, слюнявый бесформенный рот, рыжеватый пух на подбородке, громкое возбужденное мычание — все это здорово бесило. Хотелось вытолкать урода взашей, но Влад жестко контролировал свои эмоции. Урод был очень силен физически, мог дать сдачи. Ну, не стрелять же в него из табельного оружия! Потом неприятностей не оберешься, узнают на службе, придется писать кучу объяснительных: что он делал в этом доме, кто такая Шура, каков характер их отношений.

Влад не скрывал свою связь, но старался не афишировать. Чем успешней работаешь, тем больше завистников. Прицепиться могут к чему угодно. Оглянуться не успеешь — подста-

вят, затопчут. Впрочем, на службе личная жизнь капитана Любого никого не волновала, пока, во всяком случае.

Единственным человеком, который мог бы догадаться, что у него появилась собственная, не казенная девочка, был Федька Уралец. Но Федька интересовался только собой, задавая вопрос, никогда не слушал ответ, сразу перебивал: «А вот я... а вот у меня...»

Федька считал свою личную жизнь бурной и увлекательной. На самом деле он утешался казенными куклами, но искренне верил, что каждая очередная красотка «втюрилась в него как кошка», и взахлеб хвастал «победами по бабской части».

— Пока молодой, надо нагуляться всласть, потом женюсь, остепенюсь, — рассуждал Федька. — Дети, семья, ну, как положено.

Однажды ранним утром после ночи допросов Влад вернулся домой и на подоконнике между этажами увидел Федьку. Очень хотелось спать, но пришлось вести балбеса к себе. От него разило перегаром, он шмыгал носом и бормотал:

— Да я ж эту суку пальцем не трогал! Вранье! Провокация! Нагуляла неизвестно от кого, а на меня валит! Твой он, говорит, точно, твой, и по срокам все совпадает!

Влад удивился. По собственному опыту знал, что с казенными куклами таких проблем не возникает. Может, они и залетают иногда, но сами с этим разбираются, претензий не предъявляют. Неужели балбес нашел кого-то на стороне?

— Шантажирует меня, тварь: «женись — или повешусь!»

Влад зажег огонь под чайником и насмешливо бросил через плечо:

— Пусть вешается, тебе-то что?

— Ы-ы... — Федька помотал головой, зажмурился и выпалил петушиным фальцетом: — Она мой агент!

Влад тихо присвистнул. Да, похоже, балбес допрыгался. Интимная связь с агентом это не шутки. То есть в целях вербовки, при оперативной необходимости, с одобрения руководства, можно, да только у Федьки явно не та ситуация.

«Мне повезло, — подумал он, — Шура чем-то там перебо-
лела в эвакуации и стала бесплодной, но даже если вдруг зале-
тит, не посмеет предъявлять претензии, тем более шантажировать. Повезло, что моя связь ни малейшего отношения
к моей службе не имеет. Хотя при чем здесь везение? Иначе
и быть не может. Ясно же, кто я и кто он!»

Влад сел, протянул балбесу носовой платок:

— Сопли утри и расскажи все по порядку.

Федька высморкался, заговорил механическим голосом,
будто начальству докладывал:

— Встречались на конспиративной квартире два раза
в неделю, вроде нормально работала, информацию давала
регулярно, добросовестно. Отношения чисто деловые, с моей
стороны никаких намеков, все строго в рамках служебной
инструкции.

— А тогда чего дергаешься?

Федька скорчился, губы задрожали, опять послышался
тоненький долгий звук: «Ы-ы...»

Влад выключил газ под чайником, налил себе и ему, покрепче, положил по два куска сахару.

— Выпей горячего, соберись!

Федька послушно отхлебнул, всхлипнул:

— Напишет она на меня, сволочь! Главное дело, врет, сука,
будто я, пользуясь служебным положением, склонил ее, а теперь угрозами принуждаю к нелегальному аборту.

— Погоди, как же она напишет? Ни фамилии твоей, ни
чина, ни должности не знает. Быстренько под любым предлогом скинь ее кому-то другому, и ни черта она не докажет.

— Ага, попробуй скинь! Она за мной числится, все наши
встречи документально зафиксированы, все разговоры запи...

Влад быстро приложил палец к губам, пристально взглянул
на балбеса и бодро произнес:

— Федь, а Федь, пойдем подышим.

Балбес всхлипнул, закивал:

— Точно! Хорошая идея! Мне на воздухе сразу полегчает,
голова трещит, ни черта не соображаю.

Они поднялись к Федьке, чтобы он оделся, потом вышли на улицу. Еще не рассвело, сыпал медленный мелкий снег. На остановке серая тихая толпа ждала трамвая.

— Ну, теперь выкладывай, — сказал Влад, когда отошли подальше от толпы и зашагали по пустому Покровскому бульвару.

— Да, понимаешь... Винцо, закусочка, то да се... Там еще диван такой большой, мягкий... — Он достал из кармана платок и принялся сморкаться.

— На том диване ты ее и склонил?

— Еще неизвестно, кто кого! Она нарочно юбку надела широкую, чтоб задиралась до подвязок, и блузку такую специальную, ну, у которой пуговки сами расстегиваются, будто случайно, и еще волосами встряхивала, помаду вынула, стала губы мазать, ресницами помахивать, знаешь, как они это умеют...

— Знаю, — кивнул Влад, — дальше!

— Ну, че? Дальше, ясно, не сдержался я!

— И часто ты не сдерживался? Ты о чем вообще думал? Забыл, что на конспиративных квартирах прослушки стоят? Балбес надулся, запыхтел, пробубнил сердитым баском:

— Влад, ну, хватит, мне и так хреново!

Белесые брови вздыбились, нижняя губа выпятилась и задрожала. Влад понял, что перегнул палку. Друг ждал сочувствия, а не насмешек и упреков.

— Федь, я просто пытаюсь разобраться, насколько все серьезно, поэтому спрашиваю, — мягко объяснил он, — какая на ней была юбка-блузка, к делу не относится. Передо мной оправдываться не надо. Лучше скажи, кто она, где работает, с каким контингентом...

Федька резко остановился, вытаращил глаза, взвизгнул:

— Ты оху...л?!

Оперативник не имел права раскрывать своих агентов никому. Судя по такой бурной реакции, этот пункт служебной инструкции балбес усвоил накрепко, стараниями Дяди, конечно. А вот о том, что спать с агентами не стоит, Дядя сказать забыл.

— Ладно, — Влад кивнул, — не хочешь, не надо.

— Что значит — не хочу? Не имею права, это же должностное преступление!

Влад ничего не ответил, только пожал плечами. Несколько минут шли молча. Балбес пыхтел, кряхтел, наконец не выдержал:

— Я по-хорошему намекнул ей, мол, давай договоримся, ты эту свою бабскую проблему решаешь, я тебе ущерб моральный-материальный возмещаю, и спокойно работаем дальше.

— То есть денег предложил?

— Ну да! Как иначе-то? Ведь не отвяжется! Главное дело, вначале согласилась, а потом вдруг заартачилась, поперла на меня с шантажом-угрозами.

— Может, мало предложил?

Федька так сильно замотал головой, что слетела шапка. Он присел, поднял ее и снизу вверх взглянул на Влада:

— Я сумму вообще не называл, сказал: дам, сколько нужно. Она вроде согласилась, притихла. Ладно, говорит, подумаю. А потом... — Он сморщился, принялся счищать со своей шапки грязь, но руки так дрожали, что он опять ее выронил.

Влад поднял, отряхнул, нахлобучил балбесу на голову, легонько похлопал его по плечу.

— Эй, кончай киснуть! Первым делом надо выяснить, написала или еще нет.

Федька замер. На мокром от слез лице читалась напряженная работа мысли. Он выпучил глаза и прошептал:

— Как?

— Поговори с ней. Денег больше не предлагай. Изобрази чувства. Попроси прощения, скажи, что любишь, успокой, расслабь, ну, не мне тебя учить, ты же умеешь.

— Пробовал. — Федька махнул рукой. — Люблю, мол, с моей стороны все серьезно, просто с ребенком спешить не стоит, надо сначала привыкнуть нам друг к дружке, а потом уж, когда поймем, что подходим характерами, тогда будем решать насчет детей.

— Странно, — Влад нахмурился, — что же она вдруг так на тебя взъелась?

— *Это они на нее повлияли,* — *прошептал Федька,* — *сама она вряд ли решилась бы.*

— *Кто — они?*

— *Ну, кто? Докторишки! Жиды-заговорщики!* — *Он скорчил рожу и пропищал противным бабьим голосом:* — *Доктор сказал — есть риск, что я больше забеременеть никогда не смогу...*

— *Погоди,* — *перебил Влад,* — *у нас аборты вообще-то запрещены, это уголовная статья!*

— *Ой, ладно, брось, она сама медсестра, в больнице работает. На лапу дать, не жадничать,* — *сделают тихо, аккуратно, и все шито-крыто.*

— *Так, может, они там догадываются, что она агент?* — *Влад остановился, полез в карман за папиросами.* — *Да, вляпался ты крепко. Ума не приложу, как тебе помочь!*

Федька взял папиросу из его пачки, прикуривая, поднял опухшие красные глаза, жалобно пробормотал:

— *Влад, ну придумай что-нибудь, ты же умный!*

* * *

Гости разъехались, Клавдия и прапорщик домывали последние тарелки. Вячеслав Олегович надел пижаму, почистил зубы, залез под одеяло, взял свежий номер толстого литературного журнала. В голове кружилась карусель пережитого дня. От этого навязчивого кружения слегка подташнивало.

Оксана Васильевна в теплой ночной рубахе сидела перед трельяжем и расчесывала короткие светлые волосы массажной щеткой.

— С этим надо что-то делать, — произнесла она, как бы размышляя вслух, но достаточно громко, чтобы муж услышал и отвлекся от чтения.

— С чем именно? — Вячеслав Олегович поправил очки и перевернул страницу.

— Вика ведет себя отвратительно, нарочно подставила меня, опозорила перед Галиной и Зоей!

«Значит, кумушки все-таки проболтались. — Галанов печально вздохнул. — Конечно, она взбесилась. Но и Вика хороша со своими шуточками».

— Что ты молчишь и вздыхаешь? — Жена отложила щетку и открыла банку с кремом.

— Отвратительно подставила, опозорила... — пробормотал он, не отрываясь от журнала. — И ты еще будешь говорить, что я перебарщиваю с эпитетами.

— При чем здесь эпитеты? Не придирайся к словам!

— Ну, извини, я как-никак писатель, — он хмыкнул, — слова для меня значат много.

Она выдвинула вперед нижнюю челюсть и принялась похлопывать между подбородком и шеей. Он покосился на ее отражение и понял, что следующие несколько минут пройдут в тишине. Он знал наизусть этот ежевечерний ритуал. Вот сейчас кончики пальцев пройдутся мелкой дробью по скулам и вокруг прикрытых глаз. Потом она приблизит лицо к зеркалу, подвигает губами, бровями, выдернет пинцетом несколько лишних волосков, откинется на спинку стула, вздохнет, размажет по рукам остатки крема и лишь после этого продолжит разговор.

Он поймал себя на том, что в третий раз читает один абзац. Карусель замедлила ход, стала застревать на отдельных эпизодах. Поросячий визг. Запах валерьянки. Чужой голос за стенкой, чужой язык, испуганный шепот Глеба: «Это арабский!»

В тот момент Вячеслав Олегович пережил целую бурю чувств: возмущение, унижение, бессилие. Чужой человек заперся в его кабинете, болтал по телефону, как у себя дома, да еще по-арабски. Потом, когда Любый извинился, все объяснил, полегчало. А когда принялся нахваливать его книги и попросил автограф, стало совсем хорошо.

«Как же я истосковался по читательскому вниманию, по доброму слову! — подумал Вячеслав Олегович. — Была в его речах приторность, чрезмерность, да просто грубая лесть, а я развесил уши, растекся киселем».

— Слава, почему ты ведешь себя так, будто ничего не произошло? — Оксана Васильевна размазала крем по рукам и промокнула лицо салфеткой.

— Что произошло и как я должен себя вести? — спросил он с иронической серьезностью, словно разговаривал с ребенком.

Она погасила бра над трельяжем, пересела на кровать, выдержала долгую трагическую паузу и нарочито спокойным голосом произнесла:

— Дуся научила ее вязать. Наша дочь вяжет.

Это прозвучало так, словно речь шла о чем-то постыдном и опасном для жизни.

До сих пор любое упоминание старой няни бесило ее. Дуся была виновата в ее конфликтах с дочерью, настраивала Вику против матери, по Дусиному научению Вика постоянно возражала, спорила, хамила, делала все не так, как Оксане Васильевне хотелось.

У него едва не сорвалось с языка: «Ну и что?» — но он промолчал, только подумал: «Видишь дочь раз в месяц, и пары часов не можешь продержаться, чтобы не раздуть очередной скандал из-за любого пустяка».

Жена стала изображать в лицах свой диалог с Галиной и Зоей. За них она говорила тонким ехидным голосом, за себя — низким и рассудительным:

— «Ах, какая талантливая девочка, прямо золотые руки!» Я готова была сквозь землю провалиться, улыбаюсь, как идиотка, глазами хлопаю. А они: «Ксанчик, ты что, не в курсе? Няня Дуся передала ей нитки из Оренбурга, через внучку, и вот эту прелесть, которая на ней, она сама связала, из Дусиных ниток!»

— Успокойся, — он взглянул на нее поверх очков. — Оренбург, внучка, нитки… Вика просто шутила, забавлялась, ты же знаешь эту ее манеру. Совершенно ничего обидного для тебя…

— Между ними сохранялись тайные контакты! — перебила жена с нервическим взвизгом. — Вика до сих пор иногда называет себя Тошей! Мы с тобой дали ей прекрасное имя: Виктория! Старая карга нарочно ее переименовала, чтобы отдалить от нас, перекроить ее личность на свой лад! Тоша!

— Она заикалась, дети ее дразнили: Вика-заика — напомнил Галанов. — Произносить «Вика» ей было трудно, тянула «В», спотыкалась на «К». А «Тоша» вылетало легко. На самом деле это я придумал так ее называть.

— Хватит! Я отлично помню, кто это придумал! Заикалась она, между прочим, из-за Дусиных страшных сказок! Ну, каких еще нам ждать сюрпризов? Сегодня она вяжет, как жалкая домохозяйка, убогая бездуховная мещанка! Завтра окажется, что она в церковь ходит, попам ручки целует! Ее выгонят из комсомола, из института! Ты что, не понимаешь, насколько это серьезно?! Дуся продолжает на нее влиять!

— С того света?

Оксана Васильевна застыла, будто его слова вызвали у нее болевой шок. Она всегда так делала, если он не заводился вместе с ней, сохранял спокойствие и рассуждал здраво.

Несколько секунд она сидела молча. Наконец погасила лампу на своей тумбочке, откинула край одеяла, улеглась, повернулась к нему спиной, принялась вздыхать и всхлипывать:

— Я в нее всю жизнь вложила, и ни малейшей благодарности, никакого уважения! Все только мне на зло! Лишь бы побольней уязвить, унизить!

В такие минуты он чувствовал к ней сильную жалость и нежность. Она становилась собой — настоящей. Из-под маски властной амбициозной тетки, работника идеологического фронта, вылезала беспомощная маленькая девочка, глупая, болезненно обидчивая вредина. Никто, кроме него, не знал этой ее несчастной сути, никто не мог приласкать и утешить.

Он обнял ее, дождался паузы между всхлипами и зашептал:

— Ну-ну, Ксанчик, не преувеличивай, не выдумывай. Вика очень любит тебя, просто у вас обеих трудный характер. Обе спорщицы, вот и спорите из-за каждой ерунды. Лучше скажи, как тебе Любый?

Она прерывисто вздохнула, высморкалась и произнесла вполне спокойным голосом:

— Очень приятный, солидный. До сих пор неловко перед ним за мою глупую бабью реакцию на поросячий визг.

«А вот он ни малейший неловкости не почувствовал, когда заперся у меня в кабинете, да еще соврал, будто ты ему позволила, — подумал Галанов и представил комично-жалобную рожицу Вики: "Только папе не говорите, в случае чего, валите все на маму…"»

— Тебе он вроде тоже понравился? — Оксана Васильевна зевнула. — Вы так долго с ним говорили.

— Мы оказались давними знакомыми. Он вырос в Горловом тупике.

— Ой, надо же как интересно!

«Ничего интересного, — заметил про себя Галанов, — но все-таки лучше, чем слушать бесконечные претензии к дочери и жалобы на покойную няню».

— Я его не узнал, конечно, столько лет прошло. Мы редко встречались, мельком. — Он погладил жену по волосам. — В детстве я его не замечал, он младше года на три. Бегал по коридору какой-то шпендрик. Его папаша пил крепко, лупил мать, Антонину Ефремовну. Вот ее помню хорошо. Совсем простая женщина, уборщица.

— Уборщица? Глядя на него, не скажешь… Ну, дальше!

— После войны я там прожил всего три года, потом переехал к тебе на Бауманскую.

— Ты в Горловом очень часто бывал, иногда на ночь оставался.

— Потому что папа тяжело болел. Когда он умер, мама стала болеть и глохнуть.

— Ох, не напоминай, ужасно все это было, — она шмыгнула носом, — лучше про Любого расскажи. После войны он чем занимался?

— Он служил в Органах. Из Горлова переехал в казенную квартиру, приходил в гости к матери. Дослужился до майора. Весной пятьдесят третьего его, конечно, турнули.

— Почему — конечно? Уральца вот не турнули, наоборот, продвинулся, дослужился до генерал-майора.

— Уралец продвинулся, а Любого турнули, и он вернулся в Горлов. Он производил тогда странное впечатление. — Вячеслав Олегович снял очки, выключил лампу на своей тумбочке. — Все, Ксанчик, давай спать.

— Погоди! — Она приподнялась на локте. — Что значит — странное впечатление?

— Ни с кем не здоровался, ни на кого не смотрел. Какая-то болезненная бледность, отечность, щетина. Я грешным делом думал: сломался человек, запил.

— Еще бы, судя по всему, досталось ему крепко. — Оксана Васильевна сочувственно вздохнула.

— Нет, он не пил. Антонина Ефремовна говорила, он много вкалывает, готовится поступать в институт, на курсы ходит.

— Если Федя сохранил с ним отношения, значит, все было не так уж плохо, Уралец абы с кем не дружит, — заметила Оксана Васильевна.

Вячеслав Олегович задумчиво помолчал и продолжил шепотом:

— Однажды я остался у мамы ночевать, не мог уснуть, вышел в кухню, покурить, и увидел его в коридоре. Он бормотал и размахивал сжатыми кулаками, будто дубасил кого-то. В кухне было темно, в коридоре горела лампочка. Он меня не заметил. Знаешь, это выглядело так, будто он помешался.

Оксана Васильевна поудобней устроилась у мужа на плече, чмокнула его в ключицу и совершенно по-детски прошептала:

— Дальше!

— Ксанчик, я правда почти ничего не помню. Мне было не до него. Хотя, в молодости меня сильно впечатлила его судьба. Я всю войну прошел и вернулся старшим лейтенантом. Он фронта не нюхал и дослужился до майора. Холеный, подтянутый, надменный. Хозяин жизни. А потом в одночасье потерял все, рухнул с большой высоты. Не верилось, что сумеет подняться. Теперь вот доктор исторических наук, занимает профессорскую должность в ИОН, читает спецкурс у Вики в институте, да еще и выглядит лет на десять моложе своего возраста. Только полысел и с усами расстался.

— Надо с ним дружить, — строго заметила Оксана Васильевна. — ИОН — это очень перспективно. Вике бы туда в аспирантуру, зацепиться, преподавать… Уралец, гаденыш, прятал такого полезного человека. Интересно, он женат? Дети есть?

— Понятия не имею.

Оксана Васильевна зевнула, устроилась поудобней у него на плече, сонно забормотала:

— Да, Горлов… Жуткое место, Бутырка совсем рядом, аура тяжелая, мрачная, толстенные стены, колючка, башня эта Пугачевская торчит. Я там бывать не любила, а ты в первые наши годы вообще не вылезал оттуда, дневал и ночевал, на машинке печатал, у этой, как ее?

— У Голубевой Елены Петровны.

— Хромая, тощая, на Бабу-ягу похожа. К ней потом вроде внучка приехала?

— Шура. — Вячеслав Олегович вздохнул, помолчал и продолжил чуть громче: — Елена Петровна была хорошим человеком, земля ей пухом... Порядочная, образованная, интеллигентная. Первые мои статьи и часть кандидатской я печатал в ее комнате, на ее машинке. Древний такой чугунный «Ундервуд».

— В пятьдесят третьем у тебя появилась собственная «Эрика», — она потерлась щекой об его плечо, — мой папа достал по случаю, подарил тебе на день рождения, помнишь?

— Еще бы! Век буду благодарен Василию Игоревичу. Слушай, Ксанчик, у нас сегодня ночь воспоминаний? Мало тебе было полного дома гостей? Не наболталась? Завтра встанешь разбитая, с головной болью. Все, спи.

Она и так уже спала. Его всегда поражало это ее свойство — выключаться мгновенно, на полуслове. Он лежал, смотрел в потолок, слушал ее мирное уютное сопение и думал: «А ведь я узнал его раньше, чем он представился и напомнил о Горловом тупике. На самом деле я узнал его почти сразу, но надеялся: вдруг все-таки не он, просто похож. Вот уж кого точно не ожидал увидеть у себя на даче среди гостей. Зачем Федор притащил его? Почему именно сейчас? Наверняка знал о Горловом, но промолчал, не представил как бывшего соседа. Странно...»

Вячеслав Олегович осторожно переложил голову жены со своего плеча на подушку, выскользнул из спальни, спустился вниз, надел тулуп, валенки и отправился бродить по поселку. Ночь была тихая, звездная. Он шагал по узкой тропинке между сугробами, дышал морозным воздухом, слушал скрип снега под ногами, пытался успокоиться и договориться с самим собой.

* * *

— Приехали, товарищ полковник!

Юра не сразу сообразил, где находится: в Утукку, в самолете, в кабинете Андропова или в своем далеком прошлом, рядом с умирающим отцом. Долго тер глаза, наконец разглядел сугроб под фонарем, деревянную горку в глубине двора, знакомый козырек подъезда в снежной шапке.

Дверь квартиры на десятом этаже была открыта. Мама стояла в проеме. Даже в домашнем застиранном платье и теплых тапочках она выглядела элегантно. Он обнял ее, уткнулся носом в белоснежные, подстриженные аккуратным каре волосы. От мамы пахло антоновкой, теплым молоком и ванилью. Этот ее природный запах Юра помнил столько же, сколько самого себя. Что бы ни происходило, мамин запах означал, что ты дома и все будет хорошо.

Она спросила:

— Надолго?

— Ничего не знаю, завтра точно не улечу, — пообещал он.

— А в субботу?

Он пожал плечами и еще раз поцеловал ее в щеку.

При ярком свете бра в тесной прихожей она вгляделась в его лицо и воскликнула шепотом:

— О, боже! Сию минуту в душ и спать!

Он собирался выпить чаю, поболтать хоть немного, узнать, как дела у нее, у Глеба, у Веры, здорова ли тетя Наташа, но после душа сразу уснул, только успел предупредить, чтобы достала из чемодана его костюм, повесила на плечики и поставила будильник на половину шестого.

Нигде ему так сладко не спалось, как на этом древнем скрипучем диване. Он спал на нем в детстве, на Самотеке. Двухэтажный деревянный дом во 2-м Самотечном переулке, где он вырос, снесли семь лет назад, мама получила двухкомнатную «распашонку» на десятом этаже пятнадцатиэтажной новостройки в Сокольниках. Она трудно расставалась с привычными вещами, в новую квартиру, кроме дивана, переехали три венских стула, шаткая этажерка, колченогий журнальный столик, такой низкий, что когда приходили гости, его использовали как табуретку. Окно и балконную дверь закрывали старые чернильно-синие шторы из плотной хлопковой диагонали.

Вася однажды познакомился с портным-частником и подбивал Юру сшить из каждого полотнища по штанам на брата. Портной обитал на Малюшинке, за Центральным рынком.

Шел 1947 год. Жрать было нечего, донашивали латаные обноски. Азартный легкомысленный Вася твердил: «Штаны, главное, штаны! Кузя своим в долг шьет, потом что-нибудь придумаем!» Юра тоже вначале загорелся, но, увидев Кузю, сразу остыл. Судя по роже, этот портной если когда-нибудь держал в руках ножницы, то лишь в качестве холодного оружия. Надо совсем спятить, чтобы угодить к такому в должники. А скорее всего, он просто возьмет оба полотнища, и поминай как звали.

Юра отказался рисковать. Вася щупал шторы и вздыхал. Через десять лет, во время Фестиваля молодежи и студентов, они увидели, как выглядят штаны их несбывшейся мечты, и узнали волшебное слово «джинсы».

В шестьдесят первом Юра привел Веру к маме, знакомиться, и когда провожал ее домой, услышал: «Между прочим, у вас на окне настоящие джинсы висят, сразу две пары. У меня портниха знакомая, сама клепки лепит, фирменные лейблы пристрачивает и берет недорого».

Недавно Глеб навестил бабушку вместе с подружкой-одноклассницей. «Ого! Какая тканька клевая, настоящий деним индиго! — восхитилась девочка. — Тут на двое штанов, а если с умом раскроить, еще и на мини-юбку хватит».

Вася так и остался ближайшим Юриным другом. Приятелей было много, а друг один — Василий Евгеньевич Перемышлев. Он закончил юрфак, служил в Следственном управлении КГБ. Взрослый, тертый, с брюшком и лысиной, износивший в нерабочее время по меньшей мере дюжину вполне приличных джинсов, Вася до сих пор не мог успокоиться, как видел шторы, начинал вздыхать: «Эх, зря мы тогда струсили. Нам, голодранцам, такие штаны повысили бы самооценку до небес».

Прошлой весной, когда собрались в этой квартире на мамин день рождения, Вася, слегка поддатый, печальный, увел Юру на балкон, курить. Стали вспоминать разных ярких персонажей из послевоенного детства, в том числе и Кузю с Малюшинки.

— Конечно, ничего бы нам Кузя не сшил, забрал бы шторы, и наша самооценка обвалилась бы на фиг, на самое дно мироздания, — задумчиво произнес Вася. — А не смирились бы, набрались окаянства, стали бы пищать, права качать, и нас с тобой, двух мальчиков-отличников, малюшинская шпана поставила бы на перо, легко, играючи.

— Ты только сейчас, через тридцать лет это понял? — Юра усмехнулся. — Хочешь сказать, я был прав?

— Нет, — Вася решительно помотал головой, — просто нам повезло, что они висели у тебя, а не у меня. Я бы точно не удержался.

Шторы висели до сих пор. В детстве они напоминали Юре ночное небо, белесые блики на складках были бледными созвездиями и Млечным Путем. Если полотнища покачивал ветер, они превращались в медленные, тяжелые океанские волны. Во сне Юра летал между небом и океаном, до сих пор летал, правда, очень редко, только если спал на этом диване.

Глава шестнадцатая

Балбесу грозили серьезные неприятности, но больше всего он боялся, что о его похождениях узнают Дядя и Тетя:

— *Тетя насчет морального облика ужас какая строгая, заругается, объявит мне бойкот.*

Любый слушал это нытье и едва сдерживал смех. Особенно позабавило детсадовское словцо «заругается» и пионерское «бойкот». Он достаточно хорошо изучил своего друга, знал, что Федька инфантильный балованный слабак, но не до такой же степени!

Они гуляли по бульвару часа полтора, промерзли, промочили ноги. Федька выложил все свои оперативные секреты. Влад слушал, мотал на ус. Выстраивалась интересная комбинация.

Он принялся убеждать балбеса, что Дяде рассказать придется, и чем скорее, тем лучше.

— *Не-могу-не-могу-не-могу!* — *скулил Федька.*

— *Хочешь, я с ним поговорю?* — *предложил Влад.* — *Как мужик с мужиком. Он первую злость на меня выплеснет, успокоится, тебе меньше достанется. Заодно попрошу, чтобы Тете ни слова.*

Слезы высохли.

— *Ты серьезно? Ты правда сделаешь это для меня?*

— *Разговор, конечно, предстоит тяжелый.* — *Любый нахмурился, вздохнул.* — *Но ради нашей дружбы, так и быть, попробую.*

— *Влад, спасибо, я твой должник до гроба!*

— *На здоровье,* — *он ухмыльнулся и потрепал друга по плечу,* — *потом как-нибудь сочтемся. Ты, главное, встречу нам организуй поскорей, и чтобы без посторонних.*

Они вернулись в дом. Федька не хотел оставаться один, пришлось опять вести его к себе. Закрылись в ванной. Под шум воды Влад продиктовал черновой текст служебной записки на имя Федькиного непосредственного начальника, полковника Патрикеева, хорошего приятеля Дяди. Федька устроился на коврике на полу, в качестве стола использовал табуретку, записывал, сопел от усердия. Влад перечитал, исправил несколько орфографических ошибок, налил балбесу стопку водки, уложил на диван. Скоро послышался храп.

Влад сидел на подоконнике, курил, размышлял.

Медсестра, которую Федька обрюхатил, работала в Боткинской больнице, в отделении урологии. До середины тридцатых в Боткинской имелось «кремлевское отделение». Туда попадали не только высокопоставленные члены партии и правительства, но и сотрудники посольств, иностранцы. Отличная возможность для шпионских контактов. С Боткинской был тесно связан арестованный академик Вовси, бывший главный терапевт Советской армии, генерал-майор медицинской службы, двоюродный брат артиста Михоэлса, который возглавлял так называемый Еврейский антифашистский комитет. Пресловутый Шимелиович тоже состоял в этой жидовской шайке и до ареста являлся главным врачом Боткинской. Вот они, тайные связи, ядовитые щупальца, нити липкой паутины.

Двенадцатого января сорок восьмого Михоэлса сбил грузовик. В газетах напечатали почтительный некролог, похороны прошли торжественно. На самом деле наезд грузовика был сверхсекретной, тщательно спланированной спецоперацией. Сам уже тогда начал распутывать жидовский заговор, но не хотел спугнуть заговорщиков.

Через год, тринадцатого января сорок девятого, арестовали Шимелиовича. Он отрицал свое участие в заговоре, не назвал сообщников. Такое упорство только подтверждало версию, что Шимелиович — одна из ключевых фигур. Заокеанские хозяева делали ставку на самых выносливых, использовали особые методики психологической обработки, чтобы ключевые фигуры выдерживали любые пытки и всеми силами препятствовали ходу следствия.

В июле пятьдесят второго Шимелиовича расстреляли вместе с другими членами ЕАК. Досадная спешка. Члены ЕАК очень пригодились бы для публичного суда, особенно артист Михоэлс.

Ладно, покойников не воскресишь, надо работать с живыми.

На следующий вечер Влад встретился с Дядей в бильярдной клуба МГБ. Покатали шары, потом вышли на улицу.

— Товарищ генерал, разрешите доложить, — начал Влад вполголоса, — есть основания подозревать, что агент, с которым работает наш Федя, ведет двойную игру. Заговорщики поручили ей втереться к нему в доверие и добыть через него особо секретную информацию, касающуюся хода следствия. По приказу своих тайных хозяев она спровоцировала Федора вступить с ней в интимную связь, забеременела и занялась наглым шантажом. Угрожает написать в парторганизацию и покончить с собой.

Они шли переулками от Лубянки к Арбату. Любой назвал имя и место работы медсестры, красочно описал Федькино раскаяние, растерянность, страх. Дядя слушал молча, лишь иногда тихо матерился. Под каждым фонарем Влад пытался разглядеть выражение его лица. Лицо оставалось каменным. Когда вышли на Зубовский бульвар, Дядя спросил:

— Чего она хочет?

— Чтоб женился и признал ребенка.

— Сука, — прошипел Дядя и сплюнул.

— Вражеская сука, — уточнил Влад, — она его не просто склонила, она опаивала его чем-то. Он практически ничего не помнит.

— То есть как?

— Приходил на конспиративную квартиру усталый, после долгого рабочего дня, а иногда и бессонной ночи. Он ведь вкалывает не щадя сил, ну, и отключался там иногда. Думал, от усталости. А на самом деле она по заданию своих хозяев добавляла ему что-то в еду, в питье, чтобы заснул и ничего не пом-

*нил. Это все не просто так, это тщательно спланированная
вражеская операция по внедрению в наши ряды, понимаете?*

Дядя кивнул и медленно процедил:

— *Понимаю-понимаю. Давай дальше!*

— *Ну, допустим, поступает от нее заявление на Федора.
Что такое это заявление по сути? Часть вражеской операции,
хитрый ход, для отвода глаз, с целью опорочить ценного
работника и запутать следствие, то есть, косвенное подтверждение честности и острого профессионального чутья
капитана Уральца. Да, ошибся Федор, дал себя обмануть,
опоить, склонить, проявил ротозейство и благодушие, однако
ошибку свою вовремя осознал, происки врагов разоблачил. Вот
если бы он поддался на провокацию, женился на ней, тогда
враги получили бы постоянный, надежный источник информации о ходе следствия.*

*Дядя остановился, достал папиросы. Прикуривая, взглянул
на Любого:*

— *Гладко излагаешь, прямо готовая докладная.*

— *Так точно, товарищ генерал, докладная, то есть служебная записка на имя полковника Патрикеева. Федор ее уже написал, вы ознакомьтесь, поправьте, если что не так. А вообще,
похоже, именно в Боткинской одна из основных ячеек заговора.
Мы бы могли не догадаться, если бы не провокация медсестры,
так что благодаря бдительности капитана Уральца...*

— *Ту-ту-ту, — Дядя пальцем в перчатке легонько постучал
Влада по лбу, — как отмазать Федьку, ты, конечно, здорово
придумал, слов нет, но уж палку-то не перегибай, героя из него
делать ни к чему. Тоже мне, герой! Сексотку обрюхатил! Да
еще на конспиративной квартире! Я ему, паршивцу, уши-то
надеру!*

— *Товарищ генерал, — смущенно произнес Влад, — он очень
просил, чтобы вы Тете ничего не рассказывали.*

— *Ну твою же мать! — Генерал усмехнулся, покачал головой. — Вон, кобелина какой вымахал, а ума что у дитяти
малого! Тетю испугался!*

— *Еще раз прошу меня извинить, Федор попросил, я передал.*

— Ладно, все это сопли. — Дядя махнул рукой и выпустил клуб дыма. — Повезло, что Окурка сняли, уж он бы отыгрался, раздул это дело по полной.

— А товарищ Гоглидзе что за человек? — осторожно спросил Влад.

— Человек Берии, — тихо отчеканил Дядя, — в принципе, ничего мужик, нормальный, толковый. Уж точно поумней Окурка.

Дядя сам был человеком Берии, но благоразумно льнул к Игнатьеву, поскольку авторитет Берии в последнее время сильно пошатнулся. Дядя втайне надеялся, что Берия уцелеет, сохранит власть и влияние. Игнатьева он не любил, и назначение Гоглидзе здорово его взбодрило.

— Хорошо, что кавказец, — задумчиво произнес Влад, — ну, в смысле, для Феди хорошо. Они по бабской части традиционно ни в чем себе не отказывают, если эта сука все-таки напишет, кавказец особо свирепствовать не станет, отнесется с пониманием, по-мужски.

Дядя резко остановился, развернулся. В фонарном свете Любый мог разглядеть каждую черточку его крупного одутловатого лица. Губы сжались, глаза-щелки заблестели.

— Эй, ты говори, да не заговаривайся! Национальность товарища Гоглидзе тут вообще ни при чем!

— Виноват, товарищ генерал!

— За языком следи. Мой тебе добрый совет на будущее, — проворчал Дядя уже вполне мирно и после паузы спросил: — На Боткинскую есть что-то интересное?

— Шимелиович был там главным врачом, Вовси вплоть до ареста являлся научным руководителем терапевтического отделения.

— Мг-м... — Дядя почесал нос и сосредоточенно сдвинул белесые брови.

— Печенью чую, там у них грибница, гнездо, — продолжал Влад страстным шепотом, — Шимелиович и Вовси наверняка оставили тайного эмиссара, из низовых, незаметных.

Дядя хмыкнул, прищурился, глаза его спрятались в кожных складках. Он хлопнул Влада по плечу:

— Из тех, кто выезжал в Нюрнберг? Из тех, у кого официальный статус не соответствует авторитету?

— Так точно, товарищ генерал!

* * *

Надя не заметила, как подъехали к дому, и спохватилась:

— Ой, Боба!

— Давно спит, главное, не разбудить, — зевнув, проворчал Семен Ефимович.

Боба боялся темноты. Он лежал на кухонном диванчике в позе эмбриона. Были включены все электроприборы, кроме утюга и пылесоса. Тихо потрескивал телевизор. Вещание давно кончилось, на экране мигали серые полосы. На столе, вокруг открытой кастрюли с остатками супа, валялись хлебные корки и мандариновая кожура. На полу белели в лужице чая осколки чашки.

— Моя любимая, — прошептал Семен Ефимович.

— Что будем делать? — Надя тоскливо оглядела кухню.

Оставлять всю эту грязь до утра не хотелось, но еще меньше хотелось будить Бобу, а прибрать бесшумно вряд ли получится.

Семен Ефимович на цыпочках подошел к мойке, взял веник и принялся подметать. Надя держала совок. Осколки звякнули, Боба резко вскочил, выпалил:

— Нет! Я не сплю!

— Погоди, не прыгай, поранишься, — предостерег Семен Ефимович.

Боба послушно поджал ноги в дырявых носках, пару минут сидел молча, таращил сонные глаза. Надя выкинула осколки в мусорное ведро, принесла тапки для Бобы.

Семен Ефимович понюхал содержимое кастрюли, сморщился:

— Эх, Боба, Боба!

— Пропал супчик? — спросила Надя.

— Скис, разумеется. А я рассчитывал съесть его завтра на обед. — Он понес кастрюлю в туалет, ворча: — Неужели трудно в тарелку налить, потом в холодильник поставить?

— Тогда тарелку и половник пришлось бы мыть, — мрачно возразил Боба, слез с дивана и вырвал у Нади тряпку. — Я сам!

Протирая клеенку, он опрокинул сахарницу и сшиб на пол вазочку с мармеладом.

— Боба, уймись, мы все очень устали, завтра рано вставать, — Надя взглянула на часы, — то есть уже сегодня.

Он застыл с тряпкой в руке.

— Извини, я виноват, насвинячил, но тут такое творилось, такое! — Он помолчал и продолжил страшным шепотом: — Они звонили пять раз по телефону и копошились под дверью. Я не брал трубку, не подходил к двери. Они видели свет в окнах, не могли не видеть, а все равно лезли во все дыры. Ясно, это очередной этап, новая тактика, теперь они не успокоятся, пока не добьются своего.

— Боба, о ком ты говоришь? — кашлянув, спросил Семен Ефимович.

Надя быстро взглянула на отца:

— Ты что, не понимаешь?

Семен Ефимович охнул и болезненно сморщился, будто с размаху наткнулся на острый угол.

Наде казалось, что отцу легче поверить в Бобин бред, чем смириться с его паранойей. Из-за секретности он не мог показать Бобу хорошему психиатру, боялся, что беднягу уволят, запрут в психушку. Надя объясняла: там у них свои психиатры и свои критерии психического здоровья. Никто Бобу не уволит, спокойно доработает до пенсии. Они там все такие, она бы тоже стала такой, если бы согласилась на предложение Трояна и перешла в «Биопрепарат».

— Когда погибла лаборантка, даже не дали родственникам проститься, — продолжал шептать Боба, — зарыли по-тихому на спецкладбище, в цинковом гробу, вместо савана — толстый слой негашеной извести. Хорошо, что у меня нет ни жены, ни детей. Никого, кроме вас. Но теперь они и к вам подбираются.

— Давай-ка ты примешь валерьянки и ляжешь спать, — предложил Семен Ефимович. — Можешь взять мою пижаму.

— Спасибо, дядя Сема, только я вряд ли сегодня усну.

— Уснешь как миленький, пойдем, постелю тебе в Лениной комнате. — Надя тронула его локоть.

Боба поймал и сжал ее руку.

— Они спрашивали о тебе.

Семен Ефимович застыл в дверном проеме.

— Пап, не дергайся, я же тебе говорила, Троян давно переманивает меня туда, — спокойно объяснила Надя, — только не понимаю зачем? Мои фаги никому на фиг не нужны.

— Это ты так думаешь, — возразил Боба, — со мной беседовал высокий чин, выспрашивал, что ты за человек.

— Делать им нечего! — Надя скривилась и пожала плечами.

— Что за чин? — тревожно спросил Семен Ефимович. — Что ему нужно от Нади? Давай-ка подробней.

— Около недели назад в столовой подсел ко мне за столик Троян вместе с этим чином, говорит: а вот, кстати, двоюродный брат той самой Ласкиной. Чин был в штатском, представился Иваном Петровичем, спросил, правда ли, что моя сестра такая вся из себя гениальная?

— С чего ты взял, что это высокий чин, если он был в штатском? — спросила Надя.

— Определил по выражению лица. Не перебивай, будь любезна! — огрызнулся Боба. — Ну, так вот. Он спросил. Я ответил, что не могу компетентно оценивать твой научный потенциал, поскольку работаю в другой области. Он: ну, а что она вообще за человек? Я: хороший человек, честный, добросовестный советский ученый. Он кивнул и стал уплетать бефстроганов. Потом мы выпили компот и пожали друг другу руки.

— Все? — спросил Семен Ефимович.

— Формально — все, но это только маскировка. — Боба опять вытаращил глаза и продолжил свистящим шепотом: — Они наверняка уже влезали сюда и перерыли твои записи. У них бульдожья хватка.

— Ладно, пора спать. — Надя решительно повела его за руку в Ленину комнату.

Пока она стелила чистое белье, он продолжал бубнить о круглосуточной слежке, тайных обысках и бульдожьей хватке. Семен

Ефимович принес пижаму, пожелал Бобе спокойной ночи. Они вышли и закрыли дверь.

— Пап, расслабься, это никакая не проверка и никак не связано с моими поездками за границу. Троян обожает хвастать своими питомцами и всех со всеми знакомить.

— А что, если их действительно заинтересовали твои исследования и они решили перетянуть тебя в свою структуру любым способом?

— Было бы что-то серьезное, они бы взяли у Бобы подписку о неразглашении, — пробормотала Надя сквозь долгий зевок.

— Ты считаешь, тогда он бы не стал рассказывать? Он же ничего не соображает!

— Именно поэтому не стоит ломать голову над его бредом.

— Ну, а звонки с молчанием?

— Все, пап, давай спать!

После душа она на цыпочках проскользнула в свою комнату мимо спящего отца. Он свернулся калачиком на правом боку, подложил руки под щеку и тихо похрапывал. Надя облегченно вздохнула. Она боялась, что отец слишком разволновался и не уснет.

У нее слипались глаза, усталость и Бобина паранойя приглушили тревогу за Лену. Больше всего на свете хотелось нырнуть под одеяло. Она потянулась к выключателю настольной лампы и нечаянно скинула с края стола лиловую папку. Папка раскрылась на лету и оказалась пустой.

Надя складывала в нее черновики докторской с рукописными пометками. В принципе, ничего ценного там быть не могло. Как раз вчера вечером она хотела разобраться в бумагах, выкинуть лишнее, но не успела. Ее стол был завален папками, книгами и журналами со множеством торчащих закладок. Она ничего тут не трогала дней десять, работала только в институте, а дома занималась чем угодно, кроме своей диссертации. Новогодние праздники, январские панические атаки, усталость — вполне уважительные причины, чтобы взять паузу. К тому же лента в пишущей машинке истерлась до дыр, а в запасе осталась только одна, последняя катушка, паршивая, отечественного производства. Заправлять ее не хотелось, лента пачкала пальцы и бумагу, из нее лезли нитки и цеплялись за крючки держателя. Павлик Романов обещал достать хорошую, чешскую, сразу три штуки.

Надя скользнула взглядом по машинке, подняла крышку. Из каретки торчала страница, начатая за несколько дней до Нового года. Строчки бледные, почти слепые, а страница почему-то грязная, в темных пятнах, и лента вставлена новая. Смятая пустая коробка от последней катушки валялась в деревянном лотке, среди скрепок, ластиков, клеевых карандашей и бутылочек с белой замазкой. Надя никогда не клала в этот лоток ненужный мусор. Пустую коробку она бы обязательно бросила в помойное ведро. В голове глухо прозвучал Бобин голос: «Они наверняка уже влезали сюда и перерыли твои записи. У них бульдожья хватка».

Она потерла сонные глаза, забормотала сквозь долгий зевок:

— Ну, ты даешь! Черновики выкинула, ленту поменяла и ничего не помнишь! Когда ты умудрилась это сделать? Во сне?

Рука сама потянулась к ящикам стола. Захотелось проверить более основательно, все ли на месте. Она представила, как проведет остаток ночи, вытряхивая содержимое ящиков, роясь в бумагах, и одернула себя:

— Ты же не думаешь, что это антоновская мартышка? Мартышка могла стащить свитер, но твои черновики ей зачем? Тебе теперь постоянно будет мерещиться, что кто-то побывал у нас дома? Хватит сходить с ума!

Она выключила настольную лампу, нырнула под одеяло и по старой привычке запела шепотом, в подушку:

А ну-ка, парень, подними повыше ворот,
Ты подними повыше ворот и держись.
Черный ворон, черный ворон, черный ворон
Переехал мою маленькую жизнь.

Песенка фельдшера дяди Моти до сих пор согревала, утешала, баюкала.

* * *

Вячеслав Олегович здорово продрог, пока бродил по ночному поселку. Обычно после таких прогулок он спокойно засыпал и спал до полудня. На этот раз прогулка не помогла. Он нырнул под одеяло к Оксане Васильевне, согрелся у ее мягкого бока. Глаза слипались, но в голову назойливо лезли тревожные мысли.

Зачем Уралец притащил этого Любого? Знал заранее, что поросят доставят живых, нашел профессора-живодера? Ладно, шутки шутками, а все-таки зачем?

Генерал Федя никогда ничего не делал просто так, он только прикидывался валенком. Этакий компанейский мужик, душа нараспашку, язык без костей, любитель выпить, попариться в баньке, потравить анекдоты. Галанов на собственном опыте убедился, какая у него хватка. Сидишь с ним вечером на веранде за пивком или утром с удочками на берегу. Ничего особенного, обычный треп. А потом, наедине с самим собой, спохватишься: боже, сколько разных подробностей он из тебя вытянул о твоих коллегах, писателях и критиках, о настроениях и разговорах в институте, о преподавателях, студентах…

Да, вытягивать информацию генерал Федя умел, но и в долгу не оставался. Вовремя ориентировал в колебаниях Линии, помогал в сложных ситуациях.

Девять лет назад, когда случились известные события в Чехословакии, некоторые студенты сильно возбудилось, стали задавать на семинарских занятиях провокационные вопросы, по институту пошли гулять рукописи с грязной антисоветчиной, на доске объявлений появилась листовка, призыв к демонстрации протеста против ареста кучки диссидентов, которые вылезли с плакатами на Красную площадь. Выяснилось, что из дюжины бузотеров трое самых злостных учатся на семинаре Галанова. Ректор был сволочь, давно имел на него зуб, мог воспользоваться случаем, отыграться.

По совету Оксаны Васильевны он напросился в гости к дачному соседу. Уралец уже был в курсе. Проговорили полночи. В итоге отчислили всего одного студента, автора листовки, а ректора через пару месяцев с почетом проводили на пенсию. Вячеслав Олегович вздохнул с облегчением. Федя помог ему не только собственные проблемы решить, но и защитил двух талантливых ребят. Его подчиненные, люди грамотные, тактичные, провели с ними профилактическую работу. Ребята осознали свои ошибки и стали спокойно учиться дальше.

Еще был случай, посерьезней. Старший сын Володя угодил в милицию. Оксана Васильевна привезла ему из ГДР модный замшевый пиджак, о котором он мечтал с девятого класса. Но что-то Володе не понравилось, то ли фасон, то ли цвет, в общем, решил он по-тихому продать или обменять обновку. Он учился на втором курсе МГИМО. Приятель-сокурсник свел его с фарцовщиками, и попал Володя под милицейскую облаву в гостинице «Интурист». Неизвестно, чем бы все закончилось, если бы не Уралец. Он вмешался, и, как по волшебству, Володя вернулся домой целый и невредимый, никакого дела не завели, ни единого пятнышка в его биографии эта скверная история не оставила. Только пиджак во время облавы кто-то спер в суматохе.

Когда они с Оксаной Васильевной отправились в гости к Уральцу с коньяком, икрой, севрюгой, домашними пирогами и горячими благодарностями, Федя добродушно хмыкнул: «Уши ему, паршивцу, надрать не забыли?»

Да, из всех дачных соседей генерал Федя был самый полезный и надежный человек. Но все-таки, зачем он притащил Любого? Ладно, что гадать? Поживем — увидим.

Вячеслав Олегович тихонько вылез из-под одеяла, закутался в халат, спустился на кухню, вскипятил чайник. Со стаканом горячего чая поднялся к себе в кабинет, взял с полки зачитанный до ветхости том Сергея Аксакова «Детские годы Багрова-внука». Глаза механически скользили по знакомым строчкам, а неприятные мысли шли своим чередом.

Плохо, что Вика так и не позвонила. Ведь обещала. Неужели трудно набрать номер, сказать: «Папулище, я дома, спокойной ночи»? Разумеется, волноваться не о чем, Любый благополучно доставил ее в Горлов и убрался восвояси. Совершенно не о чем волноваться. Он, конечно, псих, но за пределами круга своих бредовых идей вполне нормален и уж никак не похож на отчаянного ловеласа, готового рискнуть карьерой ради романа со студенткой, тем более студентка не просто девочка из провинции, а дочь Галанова. Да и Вика вряд ли на такого позарится. Староват, скучноват, слишком пафосный, к тому же лысый.

Он вспомнил, как пару недель назад повел Вику обедать в ресторан ЦДЛ. За соседним столиком сидел знаменитый журналист-международник. Вика насмешливо на него косилась, потом скорчила брезгливую рожу и прошептала: «Ненавижу таких вот лысых, пафосных, с короткой шеей». Кстати, у Любого шея тоже короткая. Голова будто намертво ввинчена в плечи.

Вячеслав Олегович пытался не думать о Любом, но только о нем и думал. После общения с ним остался тяжелый, тошный осадок. Почему? Ну, да, человек со странностями. А у кого их нет? Любит потрепаться о жидомасонах. А кто не любит? Вот Сошников тоже выискивает везде масонскую символику, всякие циркули, треугольники, шестиконечные звезды. Генерал Ваня пресловутые «Протоколы сионских мудрецов» наизусть шпарит. Однако у них это на уровне трепа, а у Любого слишком уж серьезно, фанатично. В гостиной за кофе настоящую агитацию развернул, давил, обращал в свою веру. Мессия! И внешне какой-то неприятный. Вроде сложен ладно, крепко, лицо правильное, черты соразмерные. Глаза? Да, глаза нехорошие. Елена Петровна Голубева много лет назад очень точно подметила: «У него не глаза, а просто органы зрения».

Вячеслав Олегович глотнул остывшего чаю и едва не уронил чашку. Рука дрожала.

«Славочка, дело не в том, где и кем он служит, — голос Елены Петровны прозвучал так отчетливо, будто она была здесь, рядом, — я допускаю, что он может оказаться вполне нормальным человеком. Но когда я вижу его, мне почему-то страшно. Глаза. Знаешь, бывают пустые, злые, застывшие или бегающие, вороватые. А у него… Как бы лучше объяснить? У него не глаза, а просто органы зрения».

Тогда, в ноябре пятьдесят второго, он слушал Елену Петровну с молчаливым сочувствием и думал, что для нее дело как раз в том, где и кем Любый служит, однако сказать об этом прямо она, конечно, не может. Ей боязно за Шуру. Он понимал ее, Любый ему тоже не нравился, а Шура очень нравилась. Определение «не глаза, а просто органы зрения» он сохранил в своей писательской копилке, записал в блокнот.

Елена Петровна была единственным интеллигентным образованным человеком на всю Горловскую коммуналку. В детстве ее тесная коморка в глубине коридора казалась ему волшебным домиком. Там ожидали его сюрпризы и чудеса. Она читала ему сказки Пушкина, басни Крылова. У родителей не хватало на это времени, оба работали с утра до ночи, дома валились с ног. Она тоже работала, но для соседского мальчика Славика всегда находила немножко времени и немножко его любимого овсяного печенья.

«Аленький цветочек» Аксакова, «Городок в табакерке» Одоевского, «Черная курица, или Подземные жители» Погорельского были озвучены голосом Елены Петровны. Много лет спустя он читал эти сказки маленькому Володе, потом Вике, каждый раз замечал, что повторяет ее интонации, и во рту возникал вкус овсяного печенья.

В детстве, в юности он мало интересовался жизнью Елены Петровны. Знал, что муж ее погиб в Гражданскую, смутно помнил сына Николая и крошечную внучку Шуру. Николай был то ли геолог, то ли горный инженер, работал где-то на Урале, оттуда ушел на фронт и погиб. После войны она долго разыскивала Шуру, обивала пороги разных инстанций, инстанции отмахивались, отказывали, какая-то там случилась путаница с документами. Но она все-таки нашла внучку, в Нижнем Тагиле, в детдоме. Потом еще много времени ушло на разные запросы и справки, наконец в мае пятьдесят второго Шура появилась в Горловом тупике.

Галанов давно женился на Оксане Васильевне, жил на Бауманской с ее родителями, Володе исполнилось четыре года. Он не желал признаваться самому себе, что стал чаще приходить в Горлов не только к больной маме, не только к Елене Петровне, но и к Шуре. Прежде всего к Шуре. С ее появлением вернулось детское чувство, будто тесная коморка — волшебный домик, в котором ждет его сказочное чудо.

Она носила огромные стоптанные тапки и ветхий бабушкин халат. Убогие обноски подчеркивали ее прозрачную, хрупкую красоту. Он старался ничем себя не выдать, говорил с ней нарочито взрослым, иронично-покровительственным тоном. Он пробовал описать ее в своем блокноте, но получалось нечто плоское, безликое. Большие синие глаза, волнистые светлые волосы, тонкие руки. Казалось, под напором его чувств слова разбегаются, как тараканы.

В октябре он узнал, что Шура живет с Любым. Елена Петровна сразу сгорбилась, постарела.

— Не нравится он мне, нехорошо ей с ним. Приезжает пару раз в неделю, на полчаса, привозит разные деликатесы, чмок в щеку: «Бабуля, не волнуйся, у меня все в порядке». И улыбка стала какая-то натянутая, искусственная.

Однажды она попросила:

— Славочка, попробуй поговорить с ней при случае. Мне ничего не скажет, бережет мое старое сердце, а с тобой, может, и поделится. Она совсем ребенок, наивная, чистая душа, врать и фальшивить не умеет.

Случай представился довольно скоро. Он встретил Шуру неподалеку от дома и не сразу узнал. Шикарная юная дама в котиковой шубке с собольим воротником, в модной маленькой шляпке. Даже походка изменилась, наверное, из-за высоких каблуков. Увидев его, она обрадовалась, принялась взахлеб рассказывать про цирк, Театр оперетты, рестораны.

— Тигры и львы настоящие, слон огромный, ушастый, весь в складках, глаза умные, грустные… В «Праге» на Арбате зеркала, статуи, хрусталь, ковры, скатерти-салфетки, официанты с бабочками. А какая еда! А какие шикарные наряды! Вот это жизнь! Я раньше даже не знала, что я красивая!

— Ну-ну, не кокетничай, — заметил он своим обычным покровительственным тоном.

— Нет, серьезно! Ходишь в тряпье, моешься раз в неделю хозяйственным мылом. Волосы, как пакля, кожа шелушится. И постоянно жрать хочется. С голодухи холодно, даже когда тепло. Ну какая уж тут красота? А теперь шубка! — Она отошла на шаг и покружилась, раскинув руки. — У меня собственная шубка! Платья, духи, сумочка, чулки шелковые, бабушку могу подкормить вкусненьким. Конечно, приходится кое-что потерпеть, бывает больно, и вообще, противно, но ничего, привыкла, в детдоме не такое терпела. Глаза закрываю и думаю о чем-нибудь хорошем или считаю про себя.

— В детдоме? — глухо переспросил Галанов.

— Воспиталка ночью поднимала, вела в кладовку, там завхоз Горыныч, партийный секретарь, здоровенный, толстый, с бородавкой на щеке, гадости ужасные делал. — Шура испуганно зажала рот ладонью. — Ох, что ж это я, нельзя! У Горыныча связи на самом верху, найдут везде, из-под земли достанут, заметут по статье за клевету и очернительство.

У Галанова пересохло во рту.

— Ты Любому рассказала?

— Ну, я еще не совсем тю-тю! — Шура покрутила пальцем у виска. — Он же сам оттуда!

— Откуда?

— Вы что, маленький? — Она сердито сдвинула брови и понизила голос до шепота: — Оттуда, где у Горыныча связи, оттуда, куда заметают!

Они дошли до Миуссов. Галанов остановился, достал папиросы и процедил сквозь зубы:

— Неужели никто на эту мразь ни разу не пожаловался?

— Одна девочка рассказала врачу во время медосмотра. Не поверил, обозвал ее лгуньей. Горыныч хоть и здоровенный, и партийный секретарь, но импотент. Следов не оставлял, ничего не докажешь. Ту девочку скоро увезли в другой детдом или куда похуже… Можно? — Шура взяла папиросу из его пачки.

Он чиркнул спичкой. Она прикурила, взглянула на него снизу вверх, сквозь дым.

— Вячеслав Олегович, вы меня не заложите?

— Шура, о чем ты?

— Не обижайтесь, вам я, конечно, доверяю, вы воевали, как мой папа, и бабушка вас очень уважает, но все-таки боязно. Проболталась сдуру, сама от себя не ожидала. Просто до жути захотелось душу излить, тяжело все в себе держать. Бабушка старенькая, больная, ей такое не расскажешь, а кроме нее, у меня никого на свете нет и уже не будет.

— Почему? Тебе только девятнадцать, вся жизнь впереди, выйдешь замуж...

— За кого? За него, что ли? — Она усмехнулась. — Такие, как он, на таких, как я, не женятся.

— Зачем обязательно за него? — Галанов пожал плечами. — Встретишь хорошего человека, полюбишь. Семья, дети...

— Не будет! Детей у меня точно не будет. — Она помотала головой и бросила окурок в лужу. — Знаете, когда на папу похоронка пришла, Витюша, братик мой сводный, и Катя, мачеха, болели сильно, их в больничку забрали. Я туда переселилась, стирала, полы мыла, все делала, лишь бы с ними быть. Кате повезло, она раньше Витюши умерла, не видела. А я видела. Мне было десять, ему четыре с половиной, мы с ним вдвоем остались, я из больнички не вылезала, за ним ухаживала, даже молоко раздобыла, надеялась, спасу. Не спасла. Вот тогда я стала Богу молиться: Господи, говорю, пожалуйста, если Ты есть, сделай так, чтобы у меня детей не было! Слишком страшно, невозможно больно! И сразу слегла. Как болела, не помню. Доктор сказал — выжила чудом. Ну, потом, после той болезни, что-то в моем организме разладилось навсегда.

Галанов обнял ее, прижал к себе и услышал:

— Дура я, неправильно молилась, поздно спохватилась, надо было раньше просить Его за Витюшу, за папу, за Катю, пока еще не умерли, может, Он и пожалел бы...

Даже теперь, пожилой, тертый, огрубевший от разочарований и компромиссов, не мог Вячеслав Олегович думать о ней без комка в горле. С тех пор прошло двадцать четыре года, на пять лет больше, чем ей тогда было. Он хотел ее забыть, а Любый своим появлением напомнил.

Глава семнадцатая

Влад составил докладную на имя Гоглидзе, изложил и обосновал свою версию: крупная ячейка заговора скрывается в Боткинской больнице. Враг использует все возможности, чтобы препятствовать расследованию, непременно попытается скомпрометировать и опорочить лучших оперативных сотрудников, закрепленных за контингентом вышеозначенной больницы, прежде всего тех, кому удалось выйти на след заговорщиков. В ближайшее время можно ожидать грубых провокаций, которые явятся весомыми аргументами в пользу того, что в Боткинской прячутся под видом врачей и среднего медперсонала матерые враги.

Дядя позаботился, чтобы докладная Влада легла на стол Гоглидзе без задержек и волокиты. Одновременно на стол полковника Патрикеева, начальника шестого отдела Второго Главного управления, легла служебная записка его подчиненного, капитана Уральца, та самая, которую Федька писал под диктовку Влада. Дядя предварительно ее прочитал, никаких особенных изменений не внес, только слегка сократил и подсушил — сделал текст более сдержанным и казенным. В результате получилось следующее:

«Довожу до Вашего сведения, что завербованный мной агент такая-то (оперативный псевдоним, имя, должность, место работы) шантажом и угрозами склоняет меня к вступлению в брак, утверждая, что имеющаяся у нее беременность якобы является результатом нашей интимной связи. Считаю необходимым заявить, что подобной связи с вышеозначенным агентом у меня никогда не было и быть не могло. Наши встречи на конспиративной квартире проходили строго в рамках служебной инструкции, без всяких нарушений с моей стороны. Однако имели место несколько случаев, когда я во время таких встреч испытывал странные недомогания в виде сонливости и кратковременного отключения сознания. До того, как агент занялась шантажом, я не придавал этому особенного значения, считал естественным результатом переутомления после напряженной работы, в чем полностью признаю свою вину и готов ответить за свое благодушие и ротозейство.

Учитывая, что агент является медицинской сестрой, имеет доступ к сильнодействующим препаратам, она могла незаметно добавлять препараты в пищу и напитки во время наших встреч, с целью выведения меня из строя и последующего шантажа. На основании вышеизложенного не исключена вероятность тщательно спланированной операции врага по внедрению своей агентуры в семьи сотрудников Органов с целью прямого влияния на ход следствия».

Патрикеев включил это в свой отчет министру Игнатьеву. Но Игнатьев слег с очередным инфарктом, и отчет Патрикеева попал к заместителю министра, к тому же Гоглидзе. В отличие от Рюмина, который повсюду совал свой нос, Гоглидзе не знал, что оперативник Уралец и следователь Любый — друзья, да это и не важно. Он довольно живо отреагировал на версию Любого о вражеском гнезде в Боткинской больнице. Версия отлично смыкалась с информацией, полученной от Патрикеева.

Гоглидзе распорядился копать в этом направлении и подробно докладывать результаты. Сроки поджимали, следствие окончательно зашло в тупик. Главное — выйти из тупика, сдвинуться с мертвой точки, показать Самому, что работа кипит, открываются новые улики, выявляются тайные связи, разоблачаются коварные замыслы врагов.

Тут как раз подоспела очередная переаттестация. Гоглидзе избавлялся от рюминской команды, набирал свою. Федьку не повысили, но и не понизили. Патрикеев пожурил его за ротозейство и потерю бдительности. Влад получил звание майора и должность старшего следователя. Дядя умел быть благодарным и неплохо разбирался в людях.

Влад решил отпраздновать свои успехи, поужинать с Шурой в ресторане. Заехал за ней пораньше, прихватил для нее подарочек, ювелирный комплект — сережки и кольцо с большими синими камнями.

Она встретила его с кислой миной, на радостную новость отреагировала равнодушным кивком:

— Ну, здорово, поздравляю.

Он двумя пальцами оттянул вверх уголки ее рта: улыбайся! Он всегда так делал, если ему не нравилось выражение ее лица. Пока держалась эта улыбка, он достал из кармана коробочку, вдел золотые крючки в ее мочки, надел кольцо на средний палец. Оно оказалось впору. Она спросила:

— Откуда?

Он, как обычно, ответил:

— Где брал, там уж нет.

— Это очень дорогие вещи, настоящие сапфиры, алмазы, — заметила она почему-то без восторга.

Он самодовольно ухмыльнулся:

— Да уж, не стекляшки, — и добавил, слегка нахмурившись: — Не знал, что ты в этом разбираешься.

— Мой папа был геммолог.

— Кто?

— Специалист по драгоценным камням. Пишется с двумя «м».

Эти два «м» Влада взбесили, будто она намекала на его безграмотность. Во рту пересохло, ладони вспотели и зачесались. Он дал Шуре оплеуху. Ее глаза наполнялись слезами. Размякшую, дрожащую, покорную, он рывком поднял ее над полом, усадил на круглый стол и получил свое законное мужское удовольствие.

У нее на щеке остались красные пятна от оплеухи. Через пятнадцать минут они исчезли под слоем пудры и румян. В ресторане Шура ела с аппетитом, пила шампанское за его повышение по службе. В ушах и на пальце посверкивали камушки.

* * *

Юру разбудил тактичный писк будильника. Пахло кофе. Он босиком прошлепал на кухню. Мама возилась у плиты. Он чмокнул ее в макушку.

— Доброе утро.

— Привет. Почему босой?

Он вернулся в комнату за тапками и отправился в ванную. Под контрастным душем смыл остатки сна, побрился. Глядя в зеркало, попытался увидеть себя глазами кремлевских Старцев и увидел пустое место.

Из кухни доносилось тихое шуршание, потрескивание. «Спидола» с поднятой антенной стояла на столе рядом с кофейником. Зазвучала знакомая музыкальная заставка, приглушенный баритон произнес:

— Говорит «Радио Свобода».

— Соседей потревожить не боишься? — спросил Юра.

— Тут, слава богу, не коммуналка.

— Тут стены тоньше. — Он покрутил колесико настройки.

После треска и свиста звонкий девичий голос прощебетал:

— И вот волнующая весть! Туле присвоено почетное звание города-героя!

Мама приглушила звук, подвинула ему тарелку с омлетом.

— Я почему про субботу спросила — восьмого тете Наташе семьдесят лет.

— Не ушлют назад, постараюсь прийти.

Тетя Наташа, мать Васи, осталась маминой подругой на всю жизнь. Когда сломали дом на Самотеке, ей дали квартиру на Первомайской, они с мамой виделись часто, вместе ходили в кино, в театры, гуляли то в Сокольниках, то в Измайловском парке.

— Да уж, постарайся. У них двойной праздник, Наташе семьдесят, а Наточке пять. Представляешь, Вася с Ольгой третьего ждут! — Она намазала маслом подогретый рогалик, протянула ему.

— Ого! Молодцы. — Юра хрустнул рогаликом и спросил с набитым ртом: — Как Глеб полугодие закончил, не знаешь?

— Знаю, он у меня дневник оставил, Вера очень уж болезненно реагирует на оценки. Ты ешь, сейчас принесу.

Пока ее не было, Юра принялся крутить колесико. Обрывок марша, приказ: «Встаньте прямо, товарищи!» Треск, свист, легкие гитарные аккорды. Суровый механический тенор: «...партийные и комсомольские организации в своей деятельности по коммунистическому воспитанию трудящихся...» Юра опять поймал «Свободу».

Мама вернулась, положила перед ним дневник:

— Только осторожно, не заляпай.

Глеб окончил полугодие вполне прилично, без троек, но с четверкой по поведению. Несколько раз мелькнули красные учительские чернила в графах замечаний, одно Юру умилило: «Не допущен к занятиям по причине длинных волос».

— Увидишь его, не пугайся, завуч доконала, побрился наголо ей назло, теперь ходит, как после тифа, — сказала мама. — Вера с ним неделю не разговаривала, а он с ней.

— Вчера, около семи часов вечера, в центре Москвы, был жестоко избит писатель Георгий Зыбин, — сообщил баритон.

— Надеюсь, уже помирились? — спросил Юра.

— Погоди! — Мама увеличила звук.

— Блестящий переводчик, литературовед, исследователь творчества Шекспира и Байрона, двадцать из своих семидесяти лет Зыбин провел в лагерях и ссылках. Год назад он закончил вторую часть романа «Без права переписки».

— Мам, в чем дело? — удивленно спросил Юра, заметив, как мрачнеет ее лицо.

Она молча помотала головой и приложила палец к губам.

— В СССР опубликовать дилогию не решилось ни одно издательство, друзья переправили рукопись в Париж, — продолжал ведущий, — роман выпустило издательство «Галлимар», как раз вчера Зыбин отправился в Дом литераторов, отпраздновать выход книги. В фойе на него напали четверо молодчиков в штатском. На глазах многих свидетелей они повалили семидесятилетнего писателя на пол и стали избивать ногами. Присутствующие молча наблюдали. Наконец кто-то догадался вызвать милицию и «Скорую». Молодчики спокойно удалились, милиция даже не пыталась задержать их. По информации нашего источника, сейчас Зыбин в Институте Склифосовского, в реанимации, состояние тяжелое. Вы слушаете «Радио Свобода».

— Что за ерунда! — растерянно прошептала мама. — В центре Москвы, в общественном месте, при свидетелях, нападают на беспомощного старика, ногами бьют. Бред какой-то…

— Наверное, обычное хулиганство, — Юра выключил спидолу, — эти сволочи готовы любую бытовуху раздуть в политическое событие, и роман приплели, и Париж с «Галлимаром». Почему ты так разволновалась?

— Потому, что я его знаю, — она стала наливать кофе дрожащими руками, — Зыбин Георгий Осипович, мы года три назад в «Иностранке» на шекспировских чтениях познакомились, в Ленинке часто встречаемся. Один из лучших у нас в Союзе специалистов по Шекспиру.

— И что, правда отсидел двадцать лет? — Юра промокнул салфеткой кофейную лужицу.

— Не знаю. — Она передернула плечами. — Нет, ты сам подумай, хулиганы нападают в темном дворе, в подъезде, но чтобы в фойе ЦДЛ… Как они вообще туда проникли? Туда же не пускают кого попало, с улицы!

— Может, твой шекспировед поел в ресторане, хорошо выпил, расплатиться забыл, молодчики в штатском на самом деле официанты и швейцар, ну, поговорили с ним невежливо. — Юра открыл форточку, закурил и вдруг вспомнил: «Что значит — перестарались? Кто конкретно перестарался?»

Перед глазами возникла гладкая, литая физиономия генерала Бибикова Дениса Филипповича. Бибиков зозглавлял Пятое Управление, раздутый аппарат дармоедов, занятых охотой на инакомыслящих. Управление называли «Пяткой». Сотрудники внешней разведки «подпятников» презирали, стыдились, что служат с ними в одной системе. Те отвечали взаимностью, да еще завидовали: вы по заграницам прохлаждаетесь, а мы тут дерьмо разгребаем.

В гигантских джунглях КГБ Юре доводилось встречать много лгунов, мерзавцев, гиен и крокодилов, но генерал Бибиков — нечто выдающееся. Его физиономия гладкостью, тупостью и полным отсутствием выражения напоминала большую розовую пятку. Его «подпятники» довольно часто выходили из-под контроля, действовали, как штурмовики Рема в Берлине в начале тридцатых.

— Настолько невежливо, что он сейчас в реанимации? — Мама поджала губы и принялась убирать со стола.

— Мам, ты же знаешь, что такое мюнхенская «Свобода» и кто там работает: бывшие полицаи, власовцы, нацисты вперемежку с нашими сексотами. — Юра загасил сигарету и отправился в комнату, одеваться.

Служебный автобус от Лубянки в Ясенево отправлялся в семь тридцать. Костюм висел на плечиках, от рубашки пахло утюгом. Мама, конечно, догадалась, что ему предстоит важный выход на начальственный ковер, она привыкла не задавать вопросов. Он мог бы сказать про Политбюро, но берег ее нервишки, знал, как сильно разволнуется.

Она вошла, вытирая руки кухонным полотенцем, бледная, растерянная, с красными мокрыми глазами. Он покосился на яркие пакеты, торчавшие из приоткрытого чемодана. Захотелось красивым жестом достать пуховый жакет, накинуть ей на плечи. Но времени осталось в обрез, к тому же ей сейчас было явно не до подарков. Он выругался про себя:

«Сволочи, испортили утро. Эти, со "Свободы", и штурмовики-подпятники, и публика в фойе ЦДЛ. Стояли, смотрели, потом разболтали западным журналистам. Играют в свои скотские игры, а она теперь будет переживать».

Мама принялась завязывать ему галстук, руки все еще дрожали.

— Даже если он выпил и денег не хватило, разве можно бить старика ногами? Почему никто не вмешался, не заступился? Почему милиция их не задержала?

Юра подумал: «Ты бы вмешался? Старика-епископа Птипу поставил на колени и застрелил у тебя на глазах, и что? Ты стоял и смотрел».

— Потому, что ничего этого не было, все вранье, от первого до последнего слова, — произнес он вслух и поморщился от собственного фальшиво-бодрого тона.

Она отвернулась и забормотала:

— Я знакома с его женой, представляю, каково ей сейчас. У меня есть их домашний номер… Не беспокойся, звонить не стану, что само по себе отвратительно.

— Ну, не очень уж близкие твои друзья, просто знакомые, там наверняка есть кому помочь, к тому же… — Он осекся, махнул рукой.

Повисла пауза. В тишине стали слышны собачий лай, топот и невнятные голоса за стенкой. Юра застегнул ремешок часов на запястье.

— Мам, я сегодня поздно освобожусь, сколько пробуду в Москве, пока не знаю. Могут прямо завтра отправить назад, тогда в Раздольное смотаться не успею.

— Конечно, Юрочка, — она погладила его по голове, — я позвоню им, скажу, что ты здесь. Сейчас рано, спят еще, часов в десять позвоню.

Надевая ботинки в прихожей, он заметил, что они сверкают, как новенькие, и проворчал:

— Рубашку отутюжила, ботинки начистила, встала небось часа в четыре.

— Не спалось, надо было чем-то полезным заняться. — Она поправила ему шарф. — Ах, да, все забываю тебя спросить — кто такая Надя?

Юра застыл.

— Недавно в ящиках разбиралась, — спокойно объяснила мама, — нашла несколько тетрадных листков, там разные узоры, зигзаги, рожицы и много раз, вдоль и поперек, мелко и крупно, твоим почерком: «Надя, Наденька, Найденыш».

— А-а. — Он взглянул на потолок и быстро пробормотал: Это просто так, ручку расписывал.

— Ясно, — она обняла его, — все, иди, буду держать за тебя кулачки.

* * *

Ночь пролетела, Вячеслав Олегович так и не поспал ни минуты. Читать не мог, глаза слипались, слезились. Он подвинул к дивану столик со «Спидолой», вытянул антенну, покрутил колесико настройки, услышал сквозь помехи знакомый баритон одного из ведущих «Голоса Америки». На даче вражеские голоса ловились неплохо. Слушали все обитатели поселка, делились впечатлениями, конечно, не забывали добавлять гневные ругательства в адрес «голосов».

Вражеский баритон звучал интеллигентно, уютно, по-домашнему:

— Наше общество заражено апатией, лицемерием, узколобым эгоизмом, скрытой жестокостью. Большинство в партийном и правительственном аппарате и в наиболее преуспевающем слое интеллигенции упорно цепляются за свои явные и тайные привилегии...

Галанов скривился:

— Пустая демагогия! В каком обществе всего этого нет, интересно?

— Мы передавали отрывки из писем академика Сахарова. Вы слушаете «Голос Америки» из Вашингтона.

После короткой музыкальной заставки баритон заговорил жестче:

— Срочное сообщение от нашего московского корреспондента. Вчера, около семи часов вечера, в центре Москвы, в фойе Дома литераторов четверо неизвестных в штатском избили писателя Георгия Зыбина. Били ногами, в присутствии десятка свидетелей.

— О, господи... — выдохнул Галанов.

Он давно знал Зыбина, читал «Без права переписки» в самиздатовской распечатке. Роман был абсолютно антисоветский, но талантливый, яркий, глубокий. Не то что пошлая писанина Царева. Генерал Федя Царевым никогда не интересовался, будто его вовсе не существует, а Зыбиным очень даже интересовался, расспрашивал, что за человек, хорош ли его роман. Вячеслав Олегович ответил честно: да, роман сильный. И тогда Федя намекнул, мол, получится скверно, если эта вещь выйдет за кордоном. Раздуют очередную антисоветскую истерику. ГУЛАГ, аресты невиновных, допросы, расстрельные рвы... Им бы только ковыряться в наших темных пятнах, клеветать и гадить. Не надо передавать на Запад, пусть в самиздате разойдется, это ничего, главное, на Запад не надо.

Вячеслав Олегович зашел в редакцию журнала, в котором Зыбин зарабатывал переводами. Они мало общались, хотя были на «ты», Славка — Гоша. Зыбин избегал его, но затащить старика в ресторан ВТО удалось легко. С деньгами у Зыбина было туго, от еды и выпивки он отказаться не мог. Галанов начал издалека, о Толстом, о Шекспире и, лишь когда вышли на бульвар, заговорил о романе. Сдержанно похвалил, тактично, по-дружески, посоветовал не переправлять за кордон. В ответ услышал:

— Ладно, Славка, я тебя понял. Спасибо.

Вроде ничего обидного Зыбин не сказал и руку пожал на прощание, но посмотрел холодно, отчужденно. Осадок остался неприятный.

— Сейчас Зыбин в реанимации, в Институте Склифосовского, состояние тяжелое, — мрачно сообщил «голос».

Вячеслав Олегович вздохнул, пробормотал:

— Бедный Гоша! Ногами... И не где-то в подворотне, а в ЦДЛ, демонстративно, нагло...

Он сжал ладонями виски: «Неужели и вправду наметился резкий уклон вправо? Да, но Зыбин русский... Или национальность тут ни при чем? Просто начали завинчивать гайки? Андропов вроде бы разумный образованный человек, Брежнев совсем не кровожадный... Нет, гайки гайками, но всему есть предел! Не мог Уралец отдать такой чудовищный приказ, не мог! Явная самодеятельность. Кто-то там на низовом уровне перестарался и наверняка будет наказан. Конечно, Гоше от этого не легче. Позвонить жене, спросить, чем помочь?»

Вячеслав Олегович выключил «Спидолу», открыл ящик стола, хотел найти старую записную книжку с домашним номером Зыбина. Не нашел. Попытался вспомнить, как зовут жену. Тамара? Татьяна? Можно узнать в редакции журнала или в секции переводчиков. Но стоит ли? Потом опять будешь чувствовать себя идиотом. Тебя в грош не ценят, а ты лезешь со своей помощью.

Он поплёлся на кухню, сварил кофе, съел миску свежего деревенского творога с мёдом. В голове немного прояснилось. Он подумал: «Скверная история... А вот случись такое с Царевым, моя статья сразу привлекла бы всеобщее внимание, ох, заклевали бы меня либералы, на куски порвали бы. Сексот, палач... И ведь не отмоешься, не объяснишь, что политика тут ни при чем, что дело только в литературе, что писал искренне, от души, а не по приказу. Слава богу, генерал Федя не интересуется Царевым...»

Глава восемнадцатая

Медсестра все-таки успела накатать свое дурацкое заявление на Федьку, и сразу после этого ее арестовали. Неделю продержали в одиночке, без допросов, в наручниках, на хлебе и воде. Влад с самого начала знал, что проблем с ней не будет, но хотел испробовать свою психологическую методику.

На первом допросе, после всех положенных формальностей, он очень мягко, сочувственно спросил:

— Скажите, вы с кем-нибудь из врачей обсуждали вашу сложную личную ситуацию?

— Я никому ничего не говорила! — испуганно пролопотала арестованная.

— Не надо так волноваться, — он улыбнулся, — в вашем положении это нехорошо, вредно. Вот вы тут написали в заявлении, что ваш куратор Иван Олегович (оперативный псевдоним Федьки) шантажировал вас и склонял к нелегальному аборту.

— Нет-нет, никаких претензий к Ивану Олеговичу не имею, заявление писала в расстроенных чувствах, раскаиваюсь, беру свои слова обратно!

— Тяжело вам пришлось. — Он вздохнул. — И поговорить не с кем, душу излить, добрый совет получить. Неужели в вашей больнице вы никому не доверяете? Неужели там работают такие равнодушные, черствые люди?

— Да... то есть нет... — забормотала она сквозь всхлипы. — Я с одним доктором поговорила, это случайно вышло, я сидела на лавочке в больничном парке, плакала. Он проходил мимо, остановился, сел рядом, спросил, что случилось. Ну, вот, я не выдержала, рассказала, что беременна, отец ребенка жениться отказывается, отцовство свое признавать не желает... Я про сотрудничество ни слова, только про беременность...

— *Погодите минуточку! Доктора как зовут?*

— *Ласкин Семен Ефимович, из экстренной терапии.*

Влад затаил дыхание. Арестованный Вовси тоже был терапевтом, в тридцатых возглавлял терапевтическое отделение, потом стал научным руководителем. В голове мелькнули Федькины слова: «Это они на нее повлияли... Докторишки! Жиды-заговорщики!»

— *Давно вы знакомы с Ласкиным?*

— *Нет, мы не знакомы, он работает в другом отделении.*

— *Значит, вы совершенно постороннему человеку, который подсел к вам в парке, стали рассказывать о своих личных проблемах?*

— *Почему постороннему? Я знала, кто он. Очень уважаемый терапевт, отличный диагност.*

— *А он знал, кто вы?*

— *Да... То есть нет.*

— *Так да или нет?*

— *Ну, просто медсестра из урологии, знакомое лицо.*

— *Он спрашивал, кто отец ребенка?*

— *Нет... Зачем ему? Я бы ни за что на свете... и он не интересовался... Если бы спросил, я бы вообще не стала с ним разговаривать, сразу бы убежала!* — *Медсестра опять зарыдала.*

«Не интересовался, — повторил про себя Влад. — Почему? Знал? Боялся спугнуть?»

Имя доктора Ласкина Семена Ефимовича из отделения экстренной терапии Боткинской больницы, полковника медицинской службы, впервые попалось ему на глаза в списке советских экспертов на Нюрнбергском процессе. Он, конечно, внес его в свою таблицу, но особенного внимания не обратил. В архивных материалах СМЕРШ ничего существенного на него не оказалось, ни одного подозрительного контакта с иностранцами зафиксировано не было. В показаниях арестованных врачей Ласкин не мелькнул ни разу. В принципе, понятно, они перечисляли тех, кто работал в системе Лечсанупра. Назвать его мог бы покойный Шимелиович, но он вообще никого не назвал. Вовси тоже мог бы, но он пока отказывался давать показания и перечислять имена.

В своей таблице Влад пометил Ласкина буквами: «ВТНН», что означало: «военный, теневой, незаметный, Нюрнберг». Сейчас мысленно добавил еще две буквы: «УА» — «уважаемый, авторитетный» — и взглянул на арестованную:

— Ну, вот, опять слезы! Успокойтесь, все хорошо!

Он вызвал дежурного, приказал снять наручники, принести чаю с бутербродами, протянул арестованной платок. Она его сразу выронила, после наручников пальцы ее занемели.

— Значит, об отце ребенка речь не заходила? — вкрадчиво спросил Влад.

— Нет... То есть да. Ласкин посоветовал мне на него плюнуть. — Она громко всхлипнула, принялась разглядывать свои красные распухшие руки.

— Плюнуть? — Влад изобразил наивное удивление. — В каком смысле?

— Ну, забыть, и все. Он сказал, что мужчина, который так поступает, слезинки моей не стоит и жалеть не о чем. Такой козел все равно ни в мужья, ни в отцы не годится.

«Активно настраивал арестованную против оперативного работника, применял в его адрес грубые оскорбительные выражения», — записал Влад на отдельном листочке, поднял глаза, помолчал минуту, наблюдая, как медсестра морщится, шевелит пальцами, и тихо приказал:

— Продолжайте, конкретно и подробно, что еще вам говорил Ласкин?

— Он предложил взглянуть на ситуацию по-взрослому. Сказал: есть ты, здоровая, молодая, сильная. Есть твой ребенок. Какие варианты? Аборт? Подсудное дело. Теряешь ребенка, свободу, здоровье. Ладно, допустим, удастся сделать по-тихому, не угодишь в тюрьму. Но где гарантия, что потом сумеешь опять забеременеть? Ты себе этого не простишь, будешь мучиться всю жизнь. Вариант второй. Вынашиваешь, рожаешь. Да, тяжело придется, кто спорит? Но ребенок, свобода, здоровье — все твое останется с тобой.

Дежурный принес чай. Влад заметил, с какой жадностью смотрит сестра на стаканы, на бутерброды, и спросил:

— Проголодались?

Она сглотнула, кивнула. Он сочувственно улыбнулся:

— Понимаю. Сначала дадим показания, потом будем угощаться. Ну, так на чем мы остановились? — Он заглянул в протокол и прочитал последние слова: «Все твое останется с тобой». Что Ласкин имел в виду, когда сказал вам это?

Она растерянно заморгала:

— Ну, в смысле, не надо делать аборт...

— А вы собирались делать?

— Нет... я не знаю... я думала... Аборты у нас запрещены, и потом, если первая беременность, после аборта всякие бывают осложнения, вообще-то я детей очень хочу. Но с другой стороны, кому буду нужна, мать-одиночка? Нас и так четверо на восьми метрах...

— Вот этим они и воспользовались, — пробормотал Влад достаточно громко, чтобы арестованная услышала, — пообещали улучшить жилищные условия... Льстивые обещания, шантаж, запугивание. Жидовские фокусы. Вы сами не заметили, как запутались в их паутине, увязли в шпионском болоте, верно?

Арестованная застыла с открытым ртом, забыла про свои руки и даже про чай с бутербродами. Вытаращила глаза, уставилась на Влада, словно увидела его впервые.

— Конечно, вы были ранее знакомы с Ласкиным, но факт знакомства отрицаете, — продолжал он спокойно и задумчиво. — Почему? Да потому, что вам страшно. Вы боитесь сказать правду, вам кажется, что даже эти стены не защитят вас от него и от его сообщников.

Она шевельнулась, закрыла рот, облизнула сухие растрескавшиеся губы, часто быстро заморгала.

— Сейчас я расскажу вам, как все было на самом деле. — Влад встал и принялся расхаживать по кабинету. — Ласкин приказал вам пойти на сотрудничество с органами и склонить вашего куратора к интимной близости. Куратор не поддавался на провокацию, и вам выдали сильнодействующие препараты, чтобы вы незаметно добавляли ему в пищу. Когда вы забереме-

нели, вам приказали шантажировать куратора, женить его на себе, проникнуть в его семью. Куратор опять на провокацию не поддался, и тогда вас вынудили написать на него заявление с целью оклеветать и опорочить честного офицера, ценного работника. Верно?

Арестованная шмыгнула носом, неуверенно кивнула.

— *Вот видите, нам все известно.* — *Влад вернулся за стол, устало вздохнул.* — *Мы же тут не просто так штаны протираем, мы работаем не щадя сил, защищаем от жидовской заразы таких, как вы, наивных доверчивых русских девушек и весь наш советский народ. Так что бояться вам больше нечего.*

Признательные показания медсестры заняли восемь страниц. В качестве тайных руководителей она перечислила всех врачей-евреев, но их оказалось мало, и она добавила еще нескольких полукровок. Главным назвала терапевта Ласкина Семена Ефимовича и подробно изложила полученные от него приказы, даже вспомнила латинское название снотворного препарата.

* * *

Генерал-майор Федор Иванович Уралец проснулся с головной болью и сильной изжогой, утреннюю гимнастику делать не стал, сразу отправился в душ, потом сел завтракать.

— Не надо было столько пить! — сказала жена.

Вчера в гостях у соседа он ни в чем себе не отказывал, мешал коньяк с пивом, в итоге перебрал и обожрался. После поросят, под пивко — астраханская вобелка, соленые орешки, напоследок — Оксанины сладкие пироги, чаек-кофеек.

Зоя заварила горькую траву, растворила в воде какую-то шипучую таблетку, по вкусу еще противней травы, проворчала:

— Соленого и жирного тебе вообще нельзя!

Он скорчил жалобную рожу, послушно все выпил, съел миску жиденькой геркулесовой каши. Полегчало. На утреннее совещание приехал бодрый, свежий, как огурец.

Совещание было экстренное, ночью шеф получил клизму от Ю. В. и, конечно, по полной разрядился на подчиненных. Орал матом, да так темпераментно, что Федор Иванович не сразу сообразил, о чем речь. Оказалось — о писателе Зыбине. Оперативники из девятого отдела перестарались, отдубасили старика до полусмерти, прямо в фойе ЦДЛ, на глазах дюжины свидетелей. Вражеские голоса мгновенно подняли вой.

Начальник девятого отдела полковник Владимир Шустряк стоял красный, потный, переминался с ноги на ногу, шмыгал носом, сморкался, всхлипывал.

Все в кабинете, включая провинившегося Шустряка, знали: когда шеф орет матом, серьезных последствий не будет. Вот если бы обращался к Вове на «вы», по имени-отчеству, говорил спокойно, вежливо, тогда беда. А так — обычный ритуал. Шеф изображал ярость, Вова изображал страх и раскаяние, впрочем, настолько правдоподобно, что смотреть было больно. Совсем раскис парень, даже слезу пустил.

Федор Иванович решил вмешаться, он всегда заступался за подчиненных, если речь шла о незначительных провинностях, это помогало сохранять здоровые доверительные отношения в коллективе.

— Я вот думаю, полковник Шустряк все осознал, прочувствовал, драчунам своим хорошие клизмы поставит.

Собравшиеся заулыбались, а Шустряк радостно выпалил:

— Так точно, ведерную, каждому!

— Вова, сядь и заткнись! — прорычал шеф и кивнул Уральцу: — Продолжай, Федор Иванович.

Шеф не спал ночь, психанул, устал от собственного матерного ора, выдохся, и трепаться дальше сил у него явно не осталось. Ладненько, на то и первый зам, чтобы подставить плечо. Федор Иванович сделал серьезное и лицо и продолжил:

— Значит, с клизмами разобрались. Теперь по существу. Профилактировали, предупреждали. Не помогло. Зыбин к добрым советам не прислушался, рукопись на Запад передал, а мы этот момент проворонили. — Он помолчал, наслаждаясь тишиной и всеобщим вниманием, вздохнул, поднял вверх палец. — Грубая ошибка номер один. Следовало усилить оперативное наблюдение, не подпускать к Зыбину иностранцев, провести обыски у него и у лиц из близкого окружения, своевременно изъять все экземпляры. Однако вместо того, чтобы ошибку номер один осознать, мы допустили ошибку номер два, совсем уж идиотскую. Своими руками, вернее, ногами, напялили на очередного антисоветчика мученический венец, сделали ему рекламу, а себе антирекламу. Ну, товарищи, дорогие, сколько раз повторять? Не ногами надо работать, а головой! Активизировать мероприятия по компрометации объекта. Распространять слухи, что был завербован, когда сидел, что роман писал не сам, украл и присвоил чужую рукопись, а настоящего автора загубил доносом. Зыбин пьет? Пьет! Значит, его произведения — плоды белой горячки, болезненные фантазии, далекие от реальности. В общем, вариантов достаточно, методика проста, стара, как мир, и чрезвычайно результативна. — Он оглядел кабинет со своей фирменной добродушно-хитроватой улыбкой и добавил: — Ребят, ну это ж азы психологии!

Присутствующие в ответ заулыбались, закивали.

После совещания шеф попросил его остаться. Присев к столу поближе, Федор Иванович заметил красные опухшие глаза, вчерашнюю щетину, нехорошую бледность с зеленоватым отливом, какая бывает после нескольких бессонных ночей. Спросил сочувственно:

— Что, Денис, крепко досталось тебе от Ю. В.?

Наедине они всегда были на «ты» и по имени, знали друг дружку больше двадцати лет.

— Да ладно, не привыкать, — шеф махнул рукой, — неприятно другое. Ночную клизму он мне ставил при свидетелях.

— Странно, — Уралец нахмурился, — это не его стиль. А что за свидетели? Много их было?

— Один всего. Но возможна утечка.

— Куда?

— К Сашке!

«Сашкой» шеф называл своего заклятого врага, Александра Владимировича Кручину. Кручина возглавлял Первое Главное управление, а Бибиков — Пятое, то есть отставал от Сашки на четыре позиции, к тому же Первое именовалось «Главным», а Пятое — нет. Кручина всячески подчеркивал свою особую близость к Ю. В., а Бибиков похвастать этим не мог. Зато Бибиков имел колоссальное влияние и связи внутри страны. «Пятку» называли «мозгом КГБ», постепенно среди льстивых подчиненных закрепилась кодовая кличка начальника: «Мозг». А ПГУ и лично Кручину так никто не называл. Но в общем, никакого реального смысла в их борьбе не было. Только эмоции. Если Кручина узнавал, что у Бибикова проблемы, обязательно добавлял масла в огонь, подстраивал дополнительную пакость. Бибиков старался нанести ответный удар, а лучше — упреждающий.

Федор Иванович сдвинулся на край стула, подался вперед, приготовился слушать.

— Я позвонил Ю. В., доложился о Зыбине, он взорвался, орал по телефону. — Шеф ослабил узел галстука, расстегнул верхнюю пуговку рубашки. — Правильно, кто спорит? Облажались мы. Ну, покаялся, пообещал строго наказать виновных. Он в ответ обматерил меня и трубку бросил. Однако на ковер не вызвал, ну, думаю, ладно, завтра, в смысле — сегодня, соберу совещание, вечером доложусь о принятых мерах, он к тому времени остынет, тем более Политбюро сегодня, ему не до меня. В общем, успокоился, только заснул, тут звонок от Фанасича. Извини, говорит, что разбудил, информация срочная. Когда Ю. В. тебе клизму ставил, в его кабинете сидел полковник Уфимцев из ПГУ...

— Погоди, — удивленно перебил Федор, — какой Уфимцев? Юра, что ли? Вани Дерябина зять? Так он же в этой своей Черножопии.

— Прилетел срочно, докладывать на Политбюро. Сашке в самолете плохо стало, из аэропорта сразу в больницу повезли, а Уфимцева — к Ю. В. в Ясенево.

— Так наоборот, повезло, — Федор Иванович подмигнул, — если бы Ю. В. тебе при Сашке клизму ставил, тогда да, неприятно. А Уфимцев мужик нормальный, не трепло, докладывать Сашке точно не побежит. Вряд ли он вообще понял, с кем Ю. В. говорит. Ну, представь, человек после двадцати часов перелета, да еще в кабинете Ю. В., да еще накануне доклада на Политбюро.

Бибиков ничего не ответил, достал из ящика сигареты. Закурили, помолчали. Федор прищурился, выпустил дым, про себя выругался, а вслух спросил:

— Денис, хочешь мое мнение?

Шеф вяло кивнул:

— Валяй.

— Только не злись, хорошо? Значит, Фанасич дернул тебя среди ночи. Небось предложил подстраховать, намекнул, мол, есть у него кой-чего на Уфимцева? Ты потом до утра глаз не сомкнул, верно?

— Мг-м, хотел снотворное принять, но время уж было — пятый час, вставать в семь.

— Ты, Денис, кстати, со снотворным осторожней, — Федор Иванович шутливо погрозил пальцем, — смотри, подсядешь, как Леонид Ильич, а тебе нельзя, ты ж у нас Мозг!

Бибиков постучал по столешнице:

— Тьфу-тьфу-тьфу, типун тебе на язык.

Они взглянули друг другу в глаза и рассмеялись. Фамилия Фанасича была Типун.

Типун Карп Афанасьевич сидел на кадрах с тридцать седьмого, задницу имел чугунную, должность занимал скромную, за чинами не гнался, пересидел всех, от Ежова до Семичастного, и до сих пор его, почетного пенсионера, привлекали к воспитанию молодняка.

— Так на фига он звонил? — спросил Федор, отсмеявшись, и промокнул платком слезинку.

— Ну, как это на фига? — Бибиков пожал плечами. — Получил сигнал от своего источника в Ясеневе и сразу меня предупредил.

— О чем предупредил, Денис? Что Сашка о клизме узнает? Так он все равно узнает! Тут никаких свидетелей и тайных информаторов не требуется. «Голоса» еще месяц будут трындеть, а Сашка не дурак, поймет, чья это работа и кто получил клизму. Или ты надеялся, что Сашка решит, будто Ю. В. тебя за это орденом наградил?

Бибиков фыркнул и развел руками.

— То-то и оно. — Федор сочувственно вздохнул, помолчал. — Не знаю, как тебя, а меня Фанасич уже достал своими намеками! Все-то у него схвачено! На всех-то у него есть! Козлина! Гонит волну, цену себе набивает. Подстраховать, говоришь, предложил? Ага, конечно, он постоянно страхует, но не тебя, не меня, а Виталика своего драгоценного, единственного сыночка, запойного алкаша. Ну сам подумай, Мозг! Виталика давно пора гнать вон поганой метлой, а мы терпим, из отдела в отдел перекидываем после каждого очередного запоя. На фига?

— Из уважения к Фанасичу. — Бибиков неуверенно пожал плечами.

— Из уважения, но не из страха! Чуешь разницу? — Федор Иванович раздавил окурок в пепельнице. — Мы с тобой давно уж не пацаны сопливые, чтобы трепетать перед всемогуществом старого пердуна! Надоело, блядь!

— Федь, ты че орешь? — Шеф поморщился. — И так башка гудит.

Федор Иванович опомнился, перевел дух, налил воды из графина, выпил.

— Извини, Денис, сорвался. — Он кисло усмехнулся. — Умеет Фанасич испортить настроение, даже на расстоянии. Представляю, как он тебя ночью завел.

— Да, Федь, — Бибиков сжал пальцами виски, глаза стали узкими, как у монгола, — в общем, ты прав, завел он меня здорово, че-то психанул я из-за Фанасича, даже больше, чем из-за нашего косяка и клизмы.

— Вот то-то и оно. А нервишки у нас с тобой не казенные, надобно беречь нервишки-то, особенно сейчас, накануне сам знаешь чего.

Последние слова он произнес неслышно, одними губами, и заметил, как ожила унылая физиономия шефа. В глазах блеснул знакомый мальчишеский азарт.

— От таким ты мне нравишься больше, Денис Филиппыч. — Уралец весело подмигнул.

* * *

Юра перепечатал доклад, ровно в девять отнес папку в приемную Андропова, отдал секретарю. Тот кивнул:

— Присаживайтесь.

Кроме секретарей, в приемной никого не было. Председатель обычно приезжал к девяти. Прошло полчаса. Юра шуршал свежим номером «Правды». Телефоны молчали. Секретарь предложил кофе. Он поблагодарил и с удовольствием выпил две чашки.

Заседания Политбюро всегда начинались в шестнадцать ноль-ноль. Очередь до Нуберройского вопроса дойдет в самом конце, часам к шести-семи. Ждать предстояло долго, сначала тут, в Ясенево, потом в Кремле, в приемной зала заседаний. Юра знал, что точно так же ждут сейчас военный атташе на Знаменке и посол на Смоленке, шуршат газетами, пьют кофе и думают каждый о своем. Атташе рвется на повышение, хочет генеральские погоны. Конечно, состряпал доклад в угоду новому министру, однозначно пафосно, с оборотцами типа «американо-израильская военщина, братская помощь в построении социализма».

Посол уже никуда не рвется, хочет на пенсию. Раньше работал в Международном отделе ЦК, в Нуберро его спустили из-за безобразных дебошей, которые устраивал в Париже его сын-алкоголик. Если он и попытается кому-то угодить, то скорее Суслову, чем Громыко, и то вряд ли. Ему уже все равно. Да и вообще, доклады — формальность. Тексты одинаково гладкие, обтекаемые, ни одно словечко не цепляет.

Время на выступления отводилось строго по ранжиру: послу двадцать минут, атташе — пятнадцать, резиденту — десять. Брежнев долгих посиделок не выдерживал, вырубался, но ради своего любимца Бессменного-Бессмертного Петюни мог и проснуться. Вот товарищ Устинов точно спать не будет. Этот коршун стал министром и вошел в Политбюро лишь несколько месяцев назад. Он на пике номенклатурного счастья. Карьеру сделал на боеголовках, относится к ним любовно, трепетно. Они для него фетиш, символ его собственного мужского достоинства, он стремится натыкать их по всему миру. Конечно, этот пациент доктора Фрейда не упустит случая, скажет свое веское слово за размещение ракет в Нуберро.

Устинов будет обеими руками за. А кто против? Громыко? Он слывет «голубем», благодаря ему мы перестали вооружать Северную Корею, он сделал все, чтобы сорвать ядерную сделку с террористом Каддафи, он отлично знает цену людоеду Птипу, отрубленные детские пальчики в своей тарелке на торжественном обеде не забыл. Да, Громыко будет против. Косыгин тоже, но в последнее время у них с Брежневым скверные отношения. Слишком уж он стал популярным, настолько, что ходят слухи, будто он вовсе не Косыгин, а Романов, чудом спасшийся от расстрела в 1918 году царевич Алексей, то есть прямой законный наследник российского престола. Леонида Ильича это здорово раздражает, может закапризничать и настоять на размещении ракет назло Косыгину.

А Суслов? «Серый кардинал», «византийский евнух», эмблема Политбюро и вообще российской чиновной власти. Идеолог-охранитель, как Победоносцев при Александре III. Победоносцев называл Россию «ледяной пустыней, по которой бродит лихой человек». Такой вот был патриот. Можно перефразировать Блока: «Товарищ Суслов над Россией простер совиные крыла». Итак, Устинов — коршун, Громыко — голубь, Суслов — сова. У него и правда взгляд совиный. Суслов не любит крайностей. Людоед Птипу — очевидная крайность. Но дружба и сотрудничество с развивающимися странами назло империалистам — вопрос идеологический, тут без товарища Суслова никак. Жаль, Сова давно никуда не летает, не довелось товарищу Суслову побывать в гостях у Бессменного-Бессмертного.

Конечно, личные симпатии-антипатии Леонида Ильича, аппетиты Устинова, популярность Косыгина, осторожность Громыко, фанатизм Суслова значат много, но главный аргумент в пользу размещения наших баз куда серьезней.

В пустыне Калахари на территории ЮАР появились шахты для испытаний ракет с ядерными боеголовками. Их заметили и засняли самолеты-разведчики, наши и американские. Стало известно, что существует секретная совместная программа ЮАР и Израиля по разработке ядерного оружия.

Аргумент, конечно, весомый. Если на Африканском континенте у них есть, значит, и у нас должно быть, причем в десять раз больше. Но для начала неплохо бы получить конкретные доказательства. Разведданные и косвенные признаки Совету Безопасности ООН не предъявишь. Израиль свое участие категорически отрицает. Правительство ЮАР заявило, что урановые разработки ведутся в рамках международной программы мирных ядерных взрывов в целях развития горнодобывающей промышленности. Доказать, что ЮАР производит ядерное оружие, невозможно, а вот зафиксировать наши ракеты на территории Нуберро — легко.

Председатель в беседе с Юрой этой темы не коснулся, а самому проявлять инициативу не стоило. Юра и так слишком много на себя взял.

В приемной зазвонил телефон. Судя по выражению лица секретаря, звонок был от Председателя. Секретарь отвечал тихо и коротко:

— Так точно… Слушаюсь…

На Юру даже не взглянул, принялся озабоченно листать содержимое одной из папок на своем столе. Зазвонил другой аппарат. Секретарь, не отрываясь от бумаг, буркнул в трубку:

— Ждите, вас вызовут.

Часы показывали половину одиннадцатого. Юра поймал взгляд секретаря. Задавать вопросы не полагалось, но спросить молча не запрещено. Секретарь едва заметно помотал головой и развел руками. Юра понял: Председатель не сказал ничего определенного. Возможно, перед заседанием он беседует с Леонидом Ильичом. Как долго продлится беседа — неизвестно. Отобедают вместе, а потом вместе отправятся в Кремль?

«Правда» была прочитана от первой до последней страницы. Юру восхищало умение газетчиков писать километры текстов ни о чем. Впрочем, что же скромничать? Он сам это умел. Каждая клетка мозга с детства пропитана пропагандой, надо просто расслабиться, отключить совесть, уважение к русскому языку, и правильные тексты польются сами, без всяких усилий. Главное, не останавливаться, не задумываться.

В молодости он, как многие в СССР, увлекался чтением между строк. Потом эта забава ему наскучила. Глупо выискивать намеки и скрытые смыслы в бюрократическом словоблудии. Тайна в том, что нет никакой тайны. Пустота. Лишь изредка блеснет шедевр стиля, вроде: «Ревизионистские волки свили осиное гнездо», и не поймешь, то ли автор пошутил, то ли окончательно спятил.

Он отложил газету. Единственное, что имело в ней реальный смысл, — прогноз погоды: «В Москве и в Подмосковье облачно с прояснениями, небольшой снег, днем –10, ночью –15». Неплохо. Завтра можно покататься с Глебом на лыжах.

Он стал мечтать о встрече с сыном, о зимнем лесе и так размечтался, что не услышал очередного телефонного звонка.

— Товарищ полковник, — окликнул его секретарь, — там у подъезда машина, сейчас вас отвезут на Лубянку.

Глава девятнадцатая

Дядя в устной форме изложил Самому идею о гнезде в Боткинской больнице и о свидетельских показаниях детей заговорщиков на открытом процессе. Сам одобрил, вспомнил пионера-героя Павлика Морозова, который разоблачил злодейский кулацкий заговор своих ближайших родственников. Операция получила кодовое название «Свидетель» и статус сверхсекретной.

— Раскрутишь это дело — буду рад за тебя, — сказал Дядя, — облажаешься — прикрывать не стану. Твоя инициатива — твоя ответственность.

В Дзержинском райотделе МГБ и в Первом отделе мединститута по срочному запросу собрали кое-что на единственную дочь Ласкина, Надежду Семеновну, тридцать шестого года рождения. Материалов оказалось совсем мало.

В школе патриотически настроенная одноклассница возмущалась, что ученицам определенной национальности натягивают оценки, дают привилегии для поступления в вузы, и в качестве примера приводила Ласкину. Учительница литературы включила ее в список учениц, которые в своих сочинениях неверно отражают классовую сущность конфликтов в произведениях русских классиков. Был сигнал, что на дне рождения подруги Ласкина отрицательно высказывалась о некоторых действиях партии и правительства, в частности, что День Победы сделали обычным рабочим днем. Мол, у нее мама и папа воевали, а теперь получается, будто войны и Победы вообще не было. «Я сказал, — писал источник, — что она врет. Ее родители — евреи, а евреи не воевали, отсиживались в тылу, на Ташкентском фронте, это всем известно. Ласкина ничего не ответила и ушла, чем наглядно продемонстрировала типично еврейскую трусость, лживость и высокомерие».

Он перевернул очередную страницу. Самый свежий сигнал поступил неделю назад, от библиотекаря институтской библиотеки, которая сотрудничала с органами и докладывала своему куратору о настроениях и разговорах преподавателей и студентов. Агент сообщала:

«Студентке первого курса Ласкиной Н. С. было указано от лица комсомольской организации подтянуться по общественной линии. В связи с этим ей поручили подготовить статью для стенгазеты по докладам и выступлениям товарища Маленкова. Ласкина в читальном зале библиотеки взяла подшивки газет и журналов, сидела, читала, выписывала в тетрадь цитаты. Наблюдая за Ласкиной, я обратила внимание, что она постоянно вздыхает и что-то бормочет. Проходя мимо нее по залу, я отчетливо расслышала ее слова: «Кретин, идиот, черт бы тебя побрал!»

Из услышанного, особенно учитывая национальность Ласкиной, напрашивается вывод, что Ласкина в грубых выражениях оскорбляла товарища Маленкова, в дикой чудовищной злобе и ненависти желала товарищу Маленкову смерти, поскольку черт может «побрать» только в случае смерти».

Влад закрыл тощую папку, перекурил, походил по кабинету. В общем, ясно: Ласкина держится в тени, старается не выделяться, не привлекать внимания, при этом с трудом скрывает свою ненависть к советской власти и русскому народу. В последние годы евреев не принимают в вузы, а она поступила. Определенные силы сделали на нее ставку. Она не только знает о шпионской деятельности своих родителей, но готовится активно участвовать в ней. Уже участвует. Скорее всего, ей дано задание создать тайную террористическую организацию студентов. Сейчас, на первом курсе, присматривается, отбирает потенциальных кандидатов в заговорщики, позже займется вербовкой. Необходимо взять ситуацию под контроль, использовать эту тварь для внезапного сокрушительного удара по врагу.

Влад откинулся на спинку стула, прикрыл глаза. В его воображении знакомый родной баритон произнес с мягким грузинским акцентом: «*Молодец, товарищ Любый, настоящий чекист умеет заранее предугадать тайные замыслы врага, знает о враге больше, чем враг знает о самом себе, и ведет следствие, опираясь на эти знания. Вы хорошо поработали, но главная работа еще впереди*».

Вечером он отправился с Шурой в кинотеатр «Ударник», на «Падение Берлина». *В фойе на нее пялились мужики, она переглядывалась с каким-то хлюпиком подозрительной наружности в солдатской шинели и круглых очках на горбатом носу. Когда дали третий звонок, побежала в женский туалет и появилась в зале только после киножурнала. Во время просмотра шуршала конфетными фантиками, жевала шоколад, зевала. После сеанса спросила:*

— *Можно я сегодня переночую у бабушки? Уже поздно, завтра с утра мне на работу.*

Он молча поволок ее за руку к такси. В машине на заднем сиденье она уснула. Приехали в Тушино, зашли в дом. Она скинула шубку, разулась, прямо в платье плюхнулась на кровать, отвернулась к стене, накрылась с головой покрывалом. Он сдернул покрывало, схватил ее, швырнул на ковер. Она пыталась увернуться, сжимала колени, потом обмякла, сдалась.

Ее слезы и дрожь напитывали его какой-то невероятной, фантастической энергией, он чувствовал себя сверхчеловеком, героем древних мифов, да что там — богом!

* * *

Надя проснулась и несколько минут лежала неподвижно. Очень не хотелось вставать. Фосфорные стрелки будильника показывали половину десятого. Ночью она забыла завести его и, конечно, проспала. Ее рабочий день начинался в девять. Ладно, не страшно, Гнус простит опоздание, только надо позвонить, предупредить, а то подумает, что она заболела накануне командировки.

Сквозь щель под дверью пробивалась полоска света. Надя села, нащупала ногами тапочки, стянула со спинки стула халат.

Она не стала включать лампу, знала, что не удержится, займется своим письменным столом, будет открывать папки, копаться в ящиках, проверять, все ли на месте. Стоит только начать, и страх вернется. Ночью она справилась с паникой, убедила себя, будто сама выкинула черновики, поменяла ленту, просто сделала это машинально и сразу забыла. Усталость, рассеянность. Надо выспаться, а то голова совсем не работает. Утро вечера мудреней.

Проснувшись, она ясно вспомнила, что в последний раз печатала на своей машинке двадцать седьмого декабря, перед походом на Таганку. Только начала формулировать важную мысль, и папа сразу влез: «Все, пора собираться, опоздаем». Она оставила лист в каретке, закрыла машинку, и с тех пор к ней не прикасалась, даже пыль не вытирала с крышки.

Надя затянула пояс халата, вышла на кухню. Папа стоял у плиты, грел бублик на сухой сковородке, переворачивал его вилкой, чтоб не подгорел. Боба сидел за столом и уплетал что-то из большой чашки. Понятно что. Он всегда ел по утрам яичную болтушку. Тетя Соня его приучила, и он всю жизнь так завтракал. Выливал в чашку три яйца, крошил мякиш белого хлеба. Единственное блюдо, которое он умел готовить.

— Твой Гнус уже звонил, — папа выключил газ, скинул бублик на тарелку, — я объяснил, что вчера ты легла очень поздно и тебе надо хорошенько выспаться.

— Да? И в котором часу я появлюсь на работе?

— Не раньше половины двенадцатого. Гнус, душа-человек, беспокоился, не приболела ли ты, просил тебя не будить. — Папа открыл холодильник. — Завтрак готов, так что слишком долго под душем не плескайся, все остынет.

— Я, наверное, тебя не дождусь, — сообщил Боба, облизнув ложку, — вот сейчас доем и побегу. У меня самолет сегодня в семь вечера, надо еще собраться.

Ее сильно знобило, горячий душ не согревал. Начиналась очередная паническая атака, внутри все дрожало, сердце взбесилось, пульс не меньше ста двадцати в минуту. Заныли кисти рук.

Боль поднималась выше, к локтям, к плечам, и скоро стало казаться, что запястья стиснуты наручниками.

Надя попыталась сосредоточиться на привычных механических действиях. Пошевелила пальцами, помассировала онемевшие кисти. Когда руки ожили, почистила зубы, растерлась полотенцем, закуталась в халат и стала медленно расчесывать волосы. Глядя в запотевшее зеркало, думала: «Прежде всего освободись от страха. Страх — самая токсичная из всех эмоций. Страх создает эффект туннельного восприятия, сужает сознание до размера игольного ушка. Ты больше не принадлежишь себе. Страх убивает. Помнишь, в Нуберро совершенно здоровый подросток из племени Чва умер, узнав, что колдун из племени Каква наложил на него заклятие? Ты видела это своими глазами. Родители привезли его в наш госпиталь. Они верили, что наша магия сильней магии черных колдунов Каква и мы, белые мзунгу, спасем их мальчика. Они верили, а он нет. У него не было холеры, которая скосила в то лето несколько тысяч нуберрийцев. Он просто испугался бормотания безумного кликуши. Так сильно испугался, что сердце не выдержало. Мальчик Чва умер от острой коронарной недостаточности. Ты же не собираешься умирать, правда?»

Она вышла из ванной и наткнулась на Бобу в тесной прихожей. Он, сидя на корточках, надевал ботинки, вскинул на нее глаза и радостно сообщил:

— Знаешь, в результате некоторых размышлений я понял, что женщины прошли больший путь эволюции, чем мужчины.

— Это ты к чему?

Боба крякнул, встал, снял с вешалки куртку.

— Смотри, они, то есть вы, ходите на двух ногах и рожаете. Это же чудо природы! Таз чуть шире — не сможете ходить. Чуть уже — головенка ребенка не пролезет. — Он говорил тихо, вдохновенно и пытался попасть в рукав куртки.

Надя помогла ему, застегнула молнию.

— Боба, ты гений.

Боба замер, сосредоточенно сдвинул пегие лохматые брови и забормотал:

— Эволюция... Несколько тысяч лет назад, когда не было ни больниц, ни акушеров, множество младенцев умирало... Что же получается? Размер женского таза связан с прямохождением, объем черепа ему не соответствует, поэтому человеческие роды — единственные в природе трудные и болезненные. Естественный отбор забраковал бы либо то, либо другое. Ну, и при чем здесь эволюция? Какого соперника человек должен был победить за счет размера и сложности своего мозга? В борьбе с кем развился мозг? Для выживания вида математика, философия, поэзия, музыка не нужны. Достаточно чутья, инстинктов и мускулов.

— Хочешь поспорить с великим Дарвином? — Надя усмехнулась.

— Это не я, — Боба помотал головой, — это природа, высший разум с ним спорит. Если бы все сводилось к теории эволюции, мы либо остались бы на четвереньках, либо с маленьким мозгом. Гомера, Аристотеля, Шекспира, Моцарта, Пушкина, Эйнштейна среди нас не было бы.

Надя надела на него шапку, замотала шарф, чмокнула в щеку. Он вышел, она хотела закрыть за ним дверь, но он развернулся у лифта и крикнул:

— Самого Дарвина тоже не было бы, если бы суровая реальность соответствовала его романтической теории!

На кухне Надю ждала рисовая каша в кастрюльке, закутанной в одеяло. Папа, уютно устроившись на тахте, шуршал газетой. У него был свободный день, он никуда не спешил. Взглянув на нее поверх очков, стал читать вслух:

— «По данным Федерального бюро расследований в США, в 1976 году было совершено три миллиона семьсот пятьдесят тысяч серьезных преступлений. С учетом поправок на очковтирательство американской официальной статистики советские ученые полагают, что уровень преступности в США надо определять не менее как в десять миллионов преступлений в год».

— Интересно, а у нас сколько? — спросила Надя.

— У нас неуклонно падает.

— Что?

— Все! — Он с громким шорохом перевернул страницу. — Все плохое падает, все хорошее растет. А, кстати, я кофе без тебя не пил!

— Кофе кончился, обойдемся чаем. — Надя взяла с полки открытую пачку.

Чай был невкусный, грузинский, второго сорта, с палками и без запаха, но выбирать не приходилось.

— Погоди! Кажется, осталась кофейная заначка, — вдруг вспомнил папа.

Кто-то посоветовал ему хранить кофе в морозилке. Наде в голову не пришло посмотреть там. Она с трудом отодрала примерзший мешок с курицей, окаменевшую пачку пельменей и обнаружила в глубине коробку, покрытую толстым слоем сероватого инея. Папина заначка пролежала в морозилке не меньше года. Удивительно, как он вспомнил? Внутри оказались прекрасные крупные зерна, они слегка поблескивали и пахли восхитительно.

Сквозь гул кофемолки она услышала:

— О, тут про твою Нуберро! «Неприкрытый произвол США в Африке. Вашингтон отбросил в сторону фарисейские рассуждения о дружеских чувствах к африканским народам. На освободительную борьбу народов был наклеен ярлык терроризма. Одновременно в Вашингтоне распростерли объятия южноафриканским расистам, врагам номер один независимой Африки, вновь протянувшим свои грязные лапы к Республике Нуберро, народ которой выбрал социалистический путь развития».

— Папа, тебе делать нечего? Читаешь всякую галиматью, да еще вслух.

— Нет, я просто подумал — вдруг там очередной переворот?

— Там всего лишь очередная дизентерия, был бы переворот, полетели бы не мы, а «Врачи без границ».

— Одно другому не мешает, в Анголу и вы, и они летали.

После завтрака Надя спокойно выкурила сигарету, зашла в свою комнату, включила свет, вытянула из машинки испачканные страницы, спрятала их в лиловую папку, осторожно сняла катушки с новой лентой, прихватила смятую картонную коробку от нее, сложила в пластиковый пакет и сунула в сумку.

* * *

На Лубянке в приемной Юра прождал еще сорок минут, листал «Известия», «Огонек», «За рубежом». Секретари уткнулись в бумаги, тихо, коротко отвечали на звонки. Он больше не прислушивался, не гадал, кто звонит и что будет дальше. Кабинет Председателя явно пустовал.

В четырнадцать тридцать один из секретарей поднял на него взгляд и сказал:

— Товарищ полковник, идите пообедайте.

Он действительно проголодался, рад был отвлечься от бесконечного ожидания, но обедать в лубянской столовой не очень хотелось. Кормили там вкусно, да только столовая находились в здании бывшей Внутренней тюрьмы. Каждый раз накатывало неприятное чувство.

Он спустился по лестнице, вышел во внутренний двор, закурил. Двор-колодец оглушил его удивительной для центра Москвы тишиной. Ни ветерка, ни звука.

Здание «внутрянки» когда-то строилось под гостиницу Страхового общества «Россия». Гостиницу спрятали во внутреннем дворе, чтобы постояльцам не мешал шум Большой Лубянки. В тюремных камерах на первых трех этажах были гостиничные паркетные полы. При советской власти надстроили еще четыре этажа, специально для тюрьмы. Внизу сохранились широкие оконные проемы, строгая изящная отделка фасада. Выше — гладкие стены с маленькими оконцами-бойницами.

Тюрьму закрыли при Семичастном. Больше никаких камер, никаких решеток. Обычное административное здание, выкрашенное унылой желтой краской. По углам водосточные трубы, над головой ровно очерченный квадрат сизого январского неба. Справа арка, закрытая наглухо черными воротами.

— Привет погорельцам! — проурчал за спиной благодушный басок.

Юра обернулся. Давний знакомый, майор Виталий Типун, скалил в улыбке белоснежные, идеально ровные зубы.

«Погорельцами» называли офицеров разведки, досрочно отозванных или высланных из-за границы. Имелся в виду, конечно, капиталистический Запад, в Юрином случае — Лондон. Страны «третьего мира», так же как и весь соцлагерь, заграницей не считались.

Судя по панибратскому тону, по блеску глаз, гладкости щек и аромату хорошего одеколона, майор здорово продвинулся. Полтора года назад, когда они виделись в последний раз, от него несло перегаром и двух передних зубов не хватало. Он прикуривал «Яву» от спички. На этот раз вытащил пачку «Данхилла», щелкнул зажигалкой «Ронсон».

В начале шестидесятых Типун служил в 7-м Управлении (наружное наблюдение, охрана дипкорпуса), в отделе, который курировал студентов Института Патриса Лумумбы. Юра познакомился с ним тринадцать лет назад, новогодней ночью с 1963 на 1964-й, в приемном отделении Института Склифосовского.

Тот Новый год он собирался встречать на Сретенке, у родителей Веры, и, как назло, пришлось задержаться на службе. Вылетел из метро в начале двенадцатого, помчался к Уланскому переулку, в полутемной арке проходного двора споткнулся обо что-то, едва не грохнулся, выругался и услышал странное глухое рычание.

Посреди арки лежал человек, очень крупный, чернокожий и почти голый. Ничего, кроме трусов и майки. Он лежал навзничь, раскинув руки. Об эту большую черную руку Юра и споткнулся. Приложил пальцы к шейной артерии, почувствовал слабое неровное биение пульса, прислушался к рычанию и понял, что раненый бормочет на суахили.

Юра снял пальто, накрыл раненого, помчался к ближайшему автомату. Когда вернулся в арку, пульс едва прощупывался. Пришлось делать искусственное дыхание через носовой платок и массаж сердца. Это помогло ему самому не замерзнуть до приезда «Скорой».

Раненый пришел в себя в приемном отделении Института Склифосовского, под бой курантов, который доносился из радиоприемника в ординаторской. Юра в это время общался по телефону с дежурным из «Семерки». Минут через двадцать явилась команда во главе с лейтенантом Виталием Типуном. Взмыленный, красный, со съехавшим набок галстуком и трясущимся подбородком, лейтенант Типун узнал в пострадавшем своего подопечного, студента второго курса Лумумбария, подданного королевства Нуберро, Птипу Гуагахи ибн Халед ибн Дуду аль Каква.

Птипу тогда еще не говорил по-русски, выучил лишь десяток слов, в основном матерных. Из-за травмы головы соображал туго, но все-таки сумел назвать свое имя и рассказать, что познакомился с красивой девушкой, она назначила ему свидание. Он заблудился, по дороге на него напали бандиты, ударили по голове, сняли с него всю одежду и оставили замерзать насмерть. Но мать племени Каква, божество женского пола по имени Кхве, не могла допустить гибели потомка рода вождей и отправила в темную московскую подворотню своего посланника. Посланник выглядел как мзунгу, белый призрак. Кхве вдохнула в него душу леопарда и таким образом навсегда породнила его с родом вождей Каква.

Юре пришлось переводить с дикой смеси суахили, арабского и английского. Лейтенант Типун постоянно перебивал:

— Слышь, я не понял, кто это, ну, как ее? Ке, Хе?

— Кхве. Мать — покровительница племени Каква.

— К нему что, мать прилетела из Африки?

— Нет, Кхве не его мать, — терпеливо объяснил Юра, — это божество, которому поклоняется их племя.

Хотелось поскорей удрать, Юра успел позвонить родственникам, предупредил, что жив-здоров, просто случилось ЧП. Вера явно обиделась, а главное, там у них сидела мама и ей без него было неуютно. Но Типун вцепился намертво, пытался с Юриной помощью задавать вопросы Птипу. Тот демонстративно игнорировал лейтенанта, наконец сверкнул на него налитыми кровью глазами, выдал весь свой матерный запас, заявил, что разговаривает только с Ндугу Чуи, то бишь с Братом Леопардом, и указал на Юру.

Когда Птипу увезли, Типун отвел Юру в сторонку и стал бормотать, что не представляет, каким образом этот черножопый ускользнул из институтской общаги, и не мог бы Юра по-товарищески, в честь Нового года, ну, как бы немножко смягчить и облагородить его, Типуна, роль в этой поганой истории, когда будет докладывать руководству. Юра спросил: как? Типун покраснел еще ярче и ответил: не знаю!

Юра тогда подумал: «Этот парень сопьется».

Фамилия «Типун» была ему знакома. Отчество «Карпович» развеяло сомнения. Перед ним стоял сын того самого кадровика, Типуна Карпа Афанасьевича, который однажды своими вопросами и угрозами, сам того не ведая, круто изменил Юрин взгляд на мир вообще и на работу Комитета в частности. Были эти изменения во вред или во благо, Юра не понимал до сих пор. Единственное, что он мог сделать для его сына, Виталия Карповича, — не сообщать об отчетливом запахе перегара, исходившем от лейтенанта при исполнении в ту новогоднюю ночь.

С тех пор Виталик Типун называл Юру «Нгуду Чуи» и каждый раз спрашивал, как поживает мамаша Кхве. Однажды Юре попался на глаза бланк проверки иностранца, который Типун заполнял на Птипу. В графе «национальность» там стояло: «негр», в графе «род занятий» — «вождь».

Иногда Виталик выглядел совсем скверно, его давно бы выгнали из Органов за пьянство, если бы не уважаемый папаша. Типун-старший умудрялся и на пенсии оставаться влиятельным человеком.

Из запоев Типун-младший вылезал бодрым, помолодевшим, словно возвращался с курорта.

— Что-й ты, Нгуду Чуи, какой-то невеселый, — Виталик прищурился и покачал головой, — почернел, отощал.

— Спасибо на добром слове, — Юра взглянул на часы, — извини, Виталик, времени в обрез, надо успеть пообедать.

— Так и я туда же. — Типун зашагал рядом. — Ну, а как поживает мамаша Кхве?

— Твоими молитвами.

В столовой Виталик сел с ним за один стол. Уплетая куриную лапшу, болтал без умолку:

— Эх, Юрка, жаль, редко видимся. Ты все по заграницам, я тут вкалываю, как раб на галерах, сутками, а время летит. Знаешь, с возрастом приходит понимание, что самое ценное в жизни — дружба. Нельзя терять старых друзей.

«Ну, положим, друзьями мы с тобой никогда не были», — заметил про себя Юра, а вслух задумчиво произнес:

— Как же я соскучился по борщу!

— Это разве борщ? — Типун воодушевился. — Нет, я не спорю, тут у нас готовят хорошо, и продукты только самые качественные, свежие, но со Светкиным борщом не сравнить, уж извини-подвинься. У нее борщок с чесночком, с оливками, я за раз полкастрюли съедаю, остановиться не могу. Ты вот приходи к нам обедать, сам убедишься.

Юра поблагодарил, пообещал обязательно прийти, если будет в Москве и если появится хотя бы пара часов свободного времени. Типун продолжил нахваливать стряпню своей жены и звал в гости слишком уж навязчиво, причем одного только Юру. Обычно на семейные обеды приглашают семью, а он ни разу не упомянул Веру и Глеба, не спросил, как они поживают, и постоянно ввинчивал в разговор тему «старых друзей». На прощание заявил:

— Э-э, нет, Юрка, ты от меня так просто не отделаешься, поклянись, что придешь!

— Честное пионерское! — Юра хмыкнул и вскинул руку в пионерском салюте.

Встреча оставила неприятный осадок, в какой-то момент даже показалось, что она не случайна. Типун давно перешел из «семерки» в «пятку». В мае Юре предстояла очередная переаттестация. Весь офицерский состав проходил переаттестации каждые четыре года. Накануне шли проверки по разным линиям. «Подпятников» иногда подключали для проверки политической лояльности, особенно если по этой линии поступали «сигналы».

Он вернулся в приемную. Ждать осталось недолго. Председатель появится с минуты на минуту или не появится вообще. Доклад так и лежал в папке. Без подписи Андропова он зачитан на заседании быть не может, в таком случае Юрино выступление отменяется. Стало быть, вопрос размещения наших ракет в Нуберро снят с повестки? Но не исключен и другой вариант. Председатель решил не пускать в святилище к Старцам полковника

Уфимцева. Слишком много возомнил о себе полковник, вдруг ляпнет что-нибудь не то? Вопрос обсуждать будут, только вместо Уфимцева выступит надежный предсказуемый Кручина. Он наверняка уже поправился. Что ж, тогда хреново.

Юра больше не обращал внимания на телефонные звонки, листал журнал «Вокруг света», пытался читать, но не мог. Ожидание выматывало, не давало ни на чем сосредоточиться. Он чувствовал себя перевернутой черепахой. Нубберройцы так называют человека, от которого ничего не зависит. Сколько ни дергай лапами, с места не сдвинешься. Перевернутая черепаха вернуться в естественное положение без посторонней помощи не может. Надежная защита, плотный тяжелый панцирь, становится тюрьмой и могилой.

У племени Чва черепаха числится в пантеоне добрых божеств, дети и женщины специально ищут и спасают перевернутых. Наверное, черепахи это знают, до последнего мгновения ждут, надеются, дергают лапами. Но везет немногим. Племя Чва малочисленно, спасателей на всех не хватает, а врагов у черепах много, например крупные черные муравьи гунданы. Они заползают внутрь панциря и сжирают беднягу заживо. Впрочем, гунданы могут сожрать тебя, если ты не перевернут и если ты вообще не черепаха.

Глава двадцатая

Влад знал по опыту, что клиенты делятся на два типа. Одни пытаются разговаривать с охранниками, с дежурными, с врачом, задают глупые вопросы, твердят о своей невиновности, преданности партии и лично товарищу Сталину, повторяют, что произошла чудовищная ошибка, иногда угрожают: «Я буду жаловаться, вы за это ответите!» Потом раскисают, агрессия сменяется истерическими рыданиями. Скулят, ноют, заискивают перед персоналом и следователями, легко идут на сотрудничество, подписывают признательные показания, перечисляют сообщников.

Другие замыкаются в себе, цепенеют, на вопросы отвечают коротко, односложно или вообще молчат, от сотрудничества отказываются, ни в чем не признаются, все обвинения отрицают, имен не называют. Таких меньшинство. Такое поведение свойственно именно заговорщикам. Их специально отбирают, готовят, учат лгать, притворяться, изображать при аресте и на допросах полнейшее безразличие, бесчувствие. Да собственно, и учить не надо, это у них в крови, они могут нацепить любую личину.

Когда доставили Ласкину, он наблюдал, как ее оформляли, обыскивали, снимали отпечатки пальцев, фотографировали, проводили медосмотр. Она отвечала на вопросы чуть слышно, приходилось переспрашивать. Двигалась настолько медленно и неловко, что надзирательница помогала ей раздеваться и одеваться.

Он внимательно разглядывал ее при ярком свете и не заметил характерных еврейских признаков, разве что волосы темные и глаза карие. Но среди славян, особенно южных, много темноволосых, а евреи бывают со светлыми волосами и глазами.

Влад читал кое-какую литературу на эту тему, знакомился с научными материалами, в том числе трофейными, из Третьего рейха. Там учение о расовых отличиях разрабатывалось с немецкой дотошностью, входило в программу среднего образования как обязательный предмет. Издавались учебники с картинками, подробно описывались типичные признаки: курчавые волосы, толстые губы, выпученные глаза, носы длинные, горбатые или, наоборот, сильно приплюснутые. Для воспитания ширнармасс, конечно, полезно, а вот избранному, посвященному, такой примитивный подход только мешает, притупляет чутье.

Если все так просто, если каждого еврея можно определить с первого взгляда, по уродливой внешности, почему еврейский вопрос до сих пор не решен? Как им удалось организовать свой гигантский заговор, веками опутывать паутиной весь мир? Проблема именно в том, что они умеют мимикрировать, притворяться людьми. Только посвященный знает: они вообще не люди. Другая кровь, другая порода, чужая, враждебная.

Влад видел евреев под благообразной личиной пожилых интеллигентов, профессоров и академиков. Враг в образе привлекательной юной девушки явился ему впервые, и это было как раз то что нужно. Ласкиной предстояло выступить на открытом процессе в качестве главной свидетельницы обвинения.

Он заранее распорядился принять ее вежливо, не орать, не толкать, не бить. Это было частью его плана и входило в программу психологической обработки. Любопытно, что ее медлительность и вялость, тихие невнятные ответы, застывший взгляд, показная лживая отрешенность ни у кого не вызывали обычного раздражения. Фотограф, когда усадил ее перед объективом, подошел к ней, что-то прошептал, улыбнулся и бережно заправил ей прядь за ухо. Врач легонько, незаметно, погладил ее по руке. Короткие приказы охраны «Вперед! Стоять! Лицом к стене!» звучали формально, невыразительно. Даже ледяное лицо надзирательницы слегка подтаяло.

Кадровый состав был проверенный, надежный, дисциплина на должном уровне. Две недели назад, когда принимали медсестру, работала та же смена, Влад отдал такое же распоряжение: обращаться вежливо. Наблюдал внимательно, однако мягкости и расслабленности в действиях персонала не заметил. Что же происходит? В детали спецоперации «Свидетель» никто из них не посвящен, их только предупредили, что эта арестованная особенная и сам факт ее ареста является сверхсекретным. Но во «внутрянке» все арестованные особенные и все сверхсекретно. Может, она их заворожила, загипнотизировала?

Влад понял, что перед ним особь элитной породы, образец сверхмощного оружия, штучный экземпляр, из категории самых опасных. Нежная кожа, тонкие черты лица, легкое изящное тело. В некоторых ракурсах она напоминала Шуру, и чем пристальней он вглядывался, тем отчетливей улавливал сходство. Те же хрупкость, беззащитность, те же гармоничные пропорции, будто по одному лекалу скроены, только Шура блондинка, а Ласкина чернявая.

Он зажмурился, тряхнул головой: «Гипноз, наваждение! Эта особь не может быть настолько сильной, чтобы воздействовать на меня! На кого угодно — только не на меня! Я посвященный, вижу ее насквозь, знаю, что имею дело с машиной, с механизмом, который необходимо перенастроить таким образом, чтобы оружие врагов ударило по ним самим».

Он потратил несколько бессонных ночей, стопку бумаги и чернильницу чернил, работая над текстом свидетельских показаний Ласкиной.

Родители с детства внушали ей ненависть к советской власти, к русскому народу и лично к товарищу Сталину. Уверяли, будто евреи, высшая раса, должны быть хозяевами страны, а все остальные, гои, вообще не люди. Самых сильных гоев следует уничтожать, слабых ждет участь рабов.

Мрачная злодейская атмосфера семьи резко контрастировала со светлой счастливой жизнью простого советского ребенка. Школа, пионерская организация, комсомол воспитывали чувство коллективизма, преданности Советской Родине, чистой дочерней любви к родной партии и лично к товарищу Сталину.

Она слышала, как ее отец обсуждал с другими врачами-заговорщиками планы убийства партийных лидеров и рядовых советских граждан путем заведомо неправильного лечения. В детстве она не вникала в такие разговоры, не понимала медицинских терминов и считала, что отец и его коллеги просто говорят о своей работе. Лишь когда сама начала изучать медицину, догадалась, что речь идет вовсе не о лечении, а об убийствах.

Сообщники отца помогли ей поступить в мединститут с условием, что она создаст тайную студенческую организацию. Став дипломированными врачами, члены организации начнут убивать пациентов, прежде всего русских, в массовом масштабе и совершенно безнаказанно. Она понимала: если откажется, ее убьют, если проболтается кому-то, отец и сообщники сразу узнают, у них везде имеются свои люди. Ей было очень страшно, она согласилась выполнять их задания и молчать, но в глубине души зрел протест. Совесть советской девушки, комсомолки, не позволяла ей окончательно увязнуть в болоте гнусных преступлений.

Когда их курс проходил практику в роддоме, ей выдали маленькую бутылочку с ядом, приказали отравить трех-четырех новорожденных, только обязательно с русскими фамилиями. Объяснили, что яд скрытого действия. Смерть младенцев будет выглядеть естественной, никто ничего не заподозрит.

Это стало для нее последней каплей. Ночью она потихоньку сбежала из дома и направилась на площадь Дзержинского, к главному зданию МГБ, рассказала чекистам правду, попросила защитить ее и покарать преступников.

Теперь предстояло заставить Ласкину подписать этот текст, заучить наизусть и четко, выразительно повторить на открытом процессе. Речи прокурора, признания обвиняемых — только фон. Настоящая правда о заговоре прозвучит из уст хрупкой беззащитной девушки. Ее облик должен вызывать *сочувствие. Она — жертва, живая иллюстрация подлости, коварства и жестокости врагов. Родители не пощадили ее, поставили перед чудовищным выбором: стать убийцей или умереть.*

* * *

Антон решил взять паузу, исчезнуть на несколько дней. Утром, пока Ленка с Никитой спали, он тихонько вытащил из шкафа кинокамеру и две коробки пленки, оставил записку, будто едет в пионерлагерь под Волоколамском, играть Деда Мороза. До пятницы, до встречи с Тошей, надо было где-то перекантоваться, и он отправился на «Проспект Мира», к Людмиле.

Отношения с Людмилой, умирая и возрождаясь, длились восьмой год, а знакомы они были лет сто. Людмила когда-то вела драмкружок, в который Антон ходил с пятого класса и который теперь вел сам. Она помогла ему поступить в Щукинское, сватала в театры, знакомила с кинорежиссерами. Она стала для него почти мамой, виделись они часто, но спали все реже, без всякого удовольствия, просто по привычке.

Людмила писала статьи для журнала «Театр», была на «ты» с доброй половиной киношно-театрально-литературной Москвы, с режиссерами-тяжеловесами, актерами-звездами, писателями разных мастей, чиновниками из Москонцерта, Минкульта и прочих важных контор. Она могла многое, но не все.

После училища Антон попал в захолустный театрик в промышленном подмосковном городке. Дорога туда-обратно на электричке отнимала больше трех часов. Главреж оказался тупой скотиной, труппа захлебывалась в интригах и склоках, достойных ролей Антону не давали, платили позорные гроши. Он мечтал уволиться, но не мог найти ничего другого. Людмила к тому времени стала директором Дома пионеров и устроила Антона руководителем драмкружка.

Получал он там значительно больше, чем в театре, плюс хорошие премиальные раз в квартал. Дом пионеров находился в центре Москвы. Подростки смотрели Антону в рот, девочки были поголовно в него влюблены, но все равно эту работу Антон считал унизительной для актера его уровня. Людмила утешала: «Ничего, пока перекантуешься».

Людмиле стукнуло сорок. Правильные черты, большие серые глаза, гладкая, медово-смуглая кожа, роскошные темно-каштановые волосы, хороший рост, длинные стройные ноги — все в ней было прекрасно. Природа задумала слепить красавицу, но отвлеклась и допустила ошибку. На спине, на уровне правой лопатки, у Людмилы был горбик, небольшой, почти незаметный благодаря особому крою блузок, пиджаков и платьев, он не уродовал Людмилу. Он уродовал ее женскую жизнь.

Она долго не открывала дверь, наконец появилась на пороге в розовом стеганом халате, с припухшими веками и лоснящимся от крема лицом.

— Прости, не ждала тебя так рано, легла в шесть, вчера засиделась у Колесниковых.

Ему стало жаль, что не приехал к ней вчера, она бы, конечно, взяла его с собой. У Колесниковых собирались сливки. Попасть к ним в гости было очень престижно и полезно.

Он достал из сумки шоколадное ассорти, изобразил церемонный мушкетерский поклон и прогнусавил дребезжащим старческим голосом:

— Ваше королевское величество, позвольте преподнести вам скромненький маленький сладенький подарочек к Новому году!

— Ой, ладно, не ерничай. — Людмила поморщилась, отвесила ему легкий подзатыльник и небрежно кинула коробку на тумбу в прихожей. — Лучше бы хлеба купил по дороге.

— Так ты не сказала!

— Так ты не позвонил, не спросил!

Пока она принимала душ, он развалился на диване, лениво листал журналы и пытался отвлечься. Зловредный вопрос продолжал вертеться в голове, жалил мозг, кувыркался и подпрыгивал. Антон прихлопнул его, словно комара-кровопийцу: «Нет-нет-нет! Не могли они заметить. Сидели впереди, ни разу не обернулись».

Билеты на «Гамлета» достала Людмила, но пойти не сумела, неожиданно улетела в Ялту на какой-то выездной семинар, и предложила ему взять в театр жену. Людмила здраво смотрела на жизнь, к Ленке не ревновала, жалела ее, называла бедной девочкой и дурехой.

Сначала он действительно хотел взять в театр Ленку. Но накануне встретился с Тошей, она спросила, что он собирается подарить ей на Новый год, и рука сама потянулась в карман за билетами: вот, смотри, какой я крутой!

Антон машинально листал свежий номер журнала «Театр», заметил закладку: очередная Людмилина статья. Надо бы прочитать, наверняка спросит. Он пробежал глазами первые несколько строк, но ничего не понял. В голове неслось: «А ведь Ленка знала, что они собираются на "Гамлета". Дед точно готов был отдать ей свой билет и остаться с Никитой. Почему отказалась? Почему мне ничего не сказала? — Он вдруг представил, что на месте деда в партере сидела бы Ленка, и поежился. — Нет, в таком случае я бы знал заранее и не пошел бы с Тошей. Тогда билеты пропали бы. Или, допустим, я решил бы взять Ленку, а у них тоже билеты, и кто остался бы с Никитой? Дед! Он для Ленки на все готов, обожает ее, трясется над ней. Даже если они меня заметили, Ленке не скажут. Теща могла бы, но дед не позволит, костьми ляжет, лишь бы не ранить драгоценную внученьку».

Эта мысль вроде бы успокоила Антона, но одновременно и уязвила. Почему его никто никогда так не обожал, не берег его чувства? Дедов-бабок он вообще не помнил, кто-то помер до его рождения, кто-то доживал далеко, в провинции. Мать старалась нарочно побольней обидеть, называла это закалкой характера, правильным строгим воспитанием, для его же блага. Даже когда маленький был, не жалела. Отец, тряпка, подкаблучник хренов, ни разу не заступился.

Людмила вышла из душа, отправилась варить кофе, из кухни крикнула:

— А твоя дуреха, оказывается, красотка!

Антон дернулся, выронил журнал, спрыгнул с дивана, застыл посреди комнаты, глубоко вдохнул, выдохнул и лишь затем вошел в кухню. Расслабленно плюхнулся на стул, пробормотал сквозь долгий зевок:

— Да-а, ничего, симпатичная, других не держим. — Опять зевнул и равнодушно спросил: — Ты откуда знаешь?

— Москва — город маленький, все со всеми знакомы, и все ходят на Таганку. — Людмила стянула с головы чалму из полотенца, тряхнула мокрыми волосами.

— Ой, ладно тебе! — Антон фальшиво усмехнулся. — Можно подумать, я прям такая звезда-знаменитость, что меня узнают те, кого я не знаю.

— Не скромничай! — Она потрепала его по загривку. — Конечно, ты знаменитость, и твоя дуреха тоже.

— Слушай, кончай темнить! — буркнул Антон, с трудом сдерживая раздражение.

— Ух, как мы занервничали! Глазки заблестели, забегали. Где же твоя актерская выдержка? — Она хихикнула и чмокнула его в ухо. — Стас Бравицкий видел вас театре.

Антон стал вспоминать, кто такой Стас Бравицкий.

— Журналист из «Литературной России», — подсказала Людмила. — Я тебя с ним в Доме кино знакомила, и потом в ВТО он к нам за столик подсел, ну, помнишь?

Антон кивнул, хотя никакого Стаса Бравицкого не помнил.

Людмила открыла холодильник:

— Сосиски будешь?

Он опять кивнул, хотя аппетит пропал совершенно.

— Вчера у Колесниковых встретились, поболтали. — Она поставила кастрюльку на огонь. — Давай-ка, доставай тарелки-вилки, нарежь сыр, а то расселся, как турецкий паша в гареме.

Когда завтрак был готов, Людмила взяла из вазы яблоко, откусила и произнесла с набитым ртом:

— Да, она красотка, только зовут ее не Лена, а Вика. Виктоша Галанова, дочь литературного критика Галанова Вячеслава Олеговича.

* * *

Федор Иванович покинул кабинет шефа со сложными чувствами. Он был доволен, что удалось предотвратить глупость, которую шеф едва не сделал под влиянием Фанасича.

Наезд на полковника Уфимцева только из-того, что он оказался случайным свидетелем телефонной клизмы, — глупость в чистом виде. Ю. В. благоволил начальнику Уфимцева, генералу Рябушкину, а Сашка его ненавидел. Рябушкин — интеллигент. Обаяние, образование, языки, чувство юмора — все при нем. Сашка, скучный закомплексованный хмырь, таким всегда завидовал. Наезд на Уфимцева означал бы наезд на Рябушкина. Ну, и зачем обижать врага твоего врага?

Был еще и личный момент: ссориться с дачными соседями Федору Ивановичу не хотелось, а генерал Ваня, хоть и тупой солдафон, просек бы мигом, откуда ветер дует, и зятя своего в обиду не дал бы, просто из принципа: моих не тронь!

Да, глупость Федор Иванович предотвратил, это хорошо. Мозг нуждался в его мнении, в его советах, все важные решения они принимали вместе. Приятно в очередной раз убедиться, что ты умней Мозга. А вот то, что Фанасич повсюду сует свой нос, интригует, провоцирует конфликты, нашептывает всякую чушь, плохо. Но еще хуже, что он, генерал Уралец, до сих пор так болезненно реагирует на старого пердуна. Прямо колдовство, черная магия!

Выглядел Типун вполне безобидно: мягонький, беленький старикашка, божий одуванчик, на черного мага уж точно не похож. В реальности его намеки гроша ломаного не стоили. Многие годы он проводил собеседования с курсантами сто первой школы, помнил поименно всех выпускников, однако это вовсе не означало, что на каждого у него имелся тайный убойный компромат. Сотрудники Органов через десятки сит проходили, все тайное быстро становилось явным. Фанасич давно уж не владел серьезной кадровой информацией, мог вытащить лишь всякую ветошь, пустяки, которые сегодня абсолютно не актуальны. Лично Федору Ивановичу он ничем не навредил, наоборот, помогал в трудные времена. Но трудные времена давно прошли, а он все лез со своей помощью.

Когда Мозг рассказал о ночном звонке, Федора Ивановича аж передернуло, жалобно пискнул в генеральской душе запуганный капитан-оперативник Федька, маменькин сынок, Дядин племянник. Проснулись, зашевелились старые страхи.

Жизнь Федора Ивановича делилась на три периода. Первый — с детства до марта пятьдесят третьего, до кончины Хозяина. Именно там обитал Главный Страх, глубокий, безотчетный, животный. Ты принадлежишь к элите, одеваешься в самое лучшее, ешь самое вкусное. Ты молод, здоров, отлично устроен, уверен в завтрашнем дне, но это лишь игра, видимость. На самом деле ты болтаешься на ниточке над пропастью, беспомощно перебираешь ногами и притворяешься, будто ступаешь по твердой земле, старательно изображаешь спокойствие и бодрость, лишь бы никто не догадался, как тебе страшно. В любую минуту, внезапно, без причины, без малейшей твоей вины, ниточка может оборваться. Шлеп — и нет тебя. В таком подвешенном состоянии существовали все. Главный Страх был всеобщим, постоянным, привычным, как дыхание. Казалось, это нормально. Так устроен мир, так будет всегда.

В середине февраля Дядя Миша вдруг сообщил шепотом, на ухо: «Хозяин сильно сдал, одряхлел, долго не протянет. Что потом — неизвестно». Федор похолодел от ужаса. Конечно, умом он понимал: Хозяин тоже человек, из плоти и крови, и лет ему уже немало. А душа трепетала, душа верила в бессмертие товарища Сталина. Без Хозяина нельзя! Он стальной своей рукой держит нас всех за ниточки над пропастью, без него упадем, пропадем.

«Давай-ка, Федька, затихни, замри и не высовывайся, — велел Дядя Миша. — Разборки пойдут серьезные, особенно по «врачам-убийцам», слишком уж там намудрили».

Федор спросил дрожащим шепотом: «Значит, суда не будет?» Дядя Миша мрачно усмехнулся: «Может, и будет, но совсем другой».

Девятого марта Федор увидел маленького дряхлого старика в гробу. Слезы, конечно, лил, умом понимал, насколько все стало зыбко, неопределенно. Но душа ликовала. Душа сделала великое открытие: ниточки оборвались, а жизнь продолжается.

На следующий вечер в квартире Дяди Миши на Смоленке собралась вся семья, из Ленинграда приехала старшая сестра Светлана с мужем и сыном Ванечкой. Мужчины изображали суровую мужскую скорбь, произносили тосты во славу покойника. Женщины плакали. Ванечка бегал, крутил юлу, с рычанием возил паровозик, громко смеялся. Отец отшлепал его, домработница увела спать. Он долго ревел в соседней комнате. «Маленький, а все понимает, вон как по товарищу Сталину убивается!» — сказала Светлана.

Федор и Дядя Миша ушли курить на кухню, молча дымили в открытое окно, и вдруг Дядя, горячо дыша коньячным перегаром, зашептал Федору на ухо: «Помер, уф-ф, аж не верится! В последнее время совсем сдурел. Мы все по лезвию ножа ходили… уголовник, параноик, страну разорил, Гитлеру поверил, в начале войны обосрался…»

Никогда больше он этих слов вслух не повторил, даже шепотом, даже спьяну. Потом, многие годы, и по сей день Дядя Миша изображал жесткого принципиального сталиниста-державника. Громко проклинал Хруща за XX съезд и кукурузу, восторгался Сталиным: «Великий Вождь, при нем был порядок, страну поднял, войну выиграл».

Дядя Миша взвешивал каждое словечко, обдумывал каждый карьерный шажок, заранее угадывал, на кого сделать ставку. В феврале поставил на Берию и не прогадал. Но уже к концу марта, когда Берия подмял под себя все что мог, Дядя Миша почуял неладное, стал осторожно отползать, пожаловался на проблемы со здоровьем, отказался от бериевских заманчивых предложений, лег в «Кремлевку», потом в санатории отдыхал месяц. Там, в Барвихе, встретился со своим старым приятелем Леней Брежневым.

С Леней Дядя Миша познакомился еще в конце тридцатых, вместе начинали на Украине. В октябре пятьдесят второго, на XIX съезде, Хозяин заметил Леню, Первого секретаря ЦК Молдавии, и поднял его сразу до кандидата в члены Президиума ЦК, назначил членом двух постоянных комиссий — по внешним делам и по вопросам обороны. Не успел Леня обустроиться в Москве, расправить крылышки, тут Хозяин взял и помер. Леню сразу выперли отовсюду, лишили всех должностей, непонятно за что. Кстати, за что его Хозяин так высоко поднял, тоже не совсем понятно.

В апреле пятьдесят третьего Леня в Барвихе восстанавливался после инфаркта, а Дядя Миша пережидал Бериевскую бурю, тянул время. Обоим было тревожно, а Лене еще и очень обидно. Дядя Миша посоветовал ему написать письмо Маленкову. Не скулить, не спрашивать «за что?», просто напомнить о себе, выразить готовность честно и самоотверженно служить делу партии.

Текст сочиняли вместе. Леня писал с ошибками, слова в предложения складывал с трудом, а Дядя Миша аппаратными формулировками владел блестяще. Письмо помогло, должностенку Леня получил не ахти какую, но и на том спасибо.

Дядю Мишу без всяких писем направили послом в Румынию. Тоже не ахти какая должностенка, зато спокойно пересидел тревожные времена. Уезжая, наказал Федору поступить в ВПШ и во всем слушаться Типуна Карпа Афанасьевича.

В то время шли сокращения, увольняли десятками, сотнями, лишали званий. Фанасич пристроил Федора в самый плохонький отдел, на оперативную работу с попами. Федор обиделся, ему хотелось поработать с иностранцами. Фанасич объяснил: «С иностранцами все хотят, там вакансий нет, конкуренция зверская. Тебя там сожрут, ты еще слабенький, не оперился. А церковной линией заниматься никому не охота: скучно, неперспективно. Ничего, потерпишь, перекантуешься. Ты покамест поучись, напитайся партийной наукой».

После расстрела Берии буря в органах не утихла, Серов уничтожал документы и увольнял всех подряд: «не внушающих доверия злостных нарушителей социалистической законности, карьеристов, морально неустойчивых, малограмотных и отсталых работников». Под эти формулировки мог попасть любой.

Вот тогда и начался второй период в жизни Федора. Длился он до октября шестьдесят четвертого, до снятия Хруща. Там тоже был страх, однако совсем другой, послабей, пожиже. Под ногами уже не пропасть, однако еще и не твердая земля. Хлябь, трясина болотная. Страх не смертельный, вполне осознанный, но липкий, унизительный. Очень уж не хотелось вылететь из Органов, остаться в дураках, изваляться в грязи.

Двадцатый съезд поднял новую волну увольнений, Органы затрясло еще сильней, и Федор в очередной раз оценил проницательность старого кадровика. Счастливчиков из лучших отделов увольняли в первую очередь. А он как раз заканчивал двухгодичное обучение в ВПШ, успел хорошо себя зарекомендовать в работе с попами, получил долгожданные майорские погоны. Фанасич похлопотал, и Федора перевели с попов на творческие союзы. Это оказалось куда интересней и перспективней. Правда, за время работы по церковной линии оперативное чутье притупилось, навыки вербовки Федор подзабыл, расслабился. Больно уж легко вербовались семинаристы, а среди взрослых попов практически все были уже давно завербованы.

Двадцатый съезд Федора сильно впечатлил, хотя ничего нового о покойном он не узнал. Хрущ в своем длиннющем многословном докладе лишь повторил то, что в марте пятьдесят третьего кратко и точно сформулировал Дядя Миша: «Мы все по лезвию ножа ходили... уголовник, параноик, страну разорил, Гитлеру поверил, в начале войны обосрался...» Федор не сомневался: именно так думает о Хозяине все высшее руководство. Они же не идиоты, не слепые, жить каждому хочется. Но признаться в этом можно только шепотом, наедине, близкому человеку. Орать с трибуны съезда, выплескивать в ширнармассы потаенные мысли и чувства высшего руководства — это значит предавать своих. Ширнармассы обязаны на товарища Сталина молиться, тем более на мертвого товарища Сталина. Не их собачье дело судить его, хаять и грязью поливать, потому как он — Символ Власти, а Власть — это святое.

Дядя Миша все еще торчал в Румынии, поделиться было не с кем, и Федор шепотом разоткровенничался с Фанасичем: «Совсем спятил Хрущ! Это ж предательство!» В ответ услышал: «Такова линия партии, сынок».

В пятьдесят седьмом Дядя Миша вернулся в Москву. Леня Брежнев стал уже членом Президиума ЦК. Дядя Миша поставил на него и опять не прогадал, хотя до падения Хруща и воцарения Лени оставалось долгих семь лет.

При Хруще Дяде Мише пришлось опять уехать и послужить послом, правда, уже не в захолустной Румынии, а в более престижной Югославии. Леня Брежнев тем временем поднялся до Председателя Президиума Верховного Совета СССР.

Наконец после года в Югославии Дядя Миша получил из щедрых Лениных рук должность начальника Главного Политуправления Советской Армии и Военно-Морского флота. Поскольку этот орган являлся еще и отделом ЦК КПСС, Дядя Миша получил сразу две должности: начальник ГЛАВПУРА и начальник отдела ЦК, по статусу и полномочиям это выше министра обороны. Теперь он зависел только от Лени. Вместе они потихоньку подчинили армию интересам высшего партийного руководства, это помогло спокойно, без риска, скинуть Хруща.

Между тем Серова сменил Шелепин, привел с собой своих комсомольцев, далеких от чекистской работы, а старые опытные кадры сокращал тысячами, все также в угоду Хрущу. Шелепина сменил Семичастный, тоже комсомолец, однако действовал уже разумней, осторожней, главное, похерил чудовищную идею Хруща «распогонить» Органы. Федор благополучно пересидел все волны сокращений, при Семичастном поднялся до полковника, служил в Четвертом Управлении (идеологическая контрразведка), обрастал полезными связями, набирался опыта, близко сошелся с Денисом Бибиковым, по совету Дяди поставил на него и не прогадал.

В октябре шестьдесят четвертого начался третий период его жизни и продолжался по сей день. Страхи остались в прошлом. Наконец под ногами была твердая земля, по которой можно ходить спокойно и уверенно. Федор Иванович получил все, о чем мечтал капитан-оперативник Федька. Занять место начальника Управления он не стремился, нарочно держался в тени, наслаждался оптимальным соотношением власти и ответственности. Сумел, наконец, зауважать себя, избавился от комплексов, оценил в полной мере свой ум, чутье, тонкое знание психологии. Он был не просто первым замом Мозга и «серым кардиналом». Он сам был Мозгом, а Денис — всего лишь пяткой, без кавычек, в прямом смысле слова. Хорошо, что никто об этом не догадывался.

Глава двадцать первая

Влад приказал надеть на Ласкину наручники и закрыть в одиночке. Вызвал врача к себе в кабинет, спросил:

— Что скажете по поводу состояния ее здоровья?

— Практически здорова.

— Да? — Влад изобразил удивление. — А вот вы тут написали: тахикардия, пониженное артериальное давление, резкое сужение зрачков, холодный пот, синюшная бледность.

— Реакция на острую психотравму, — сухо объяснил врач.

— Что вы имеете в виду?

— Арест, — врач отвел глаза и добавил чуть слышно: — Семнадцать лет, совсем ребенок.

— Это не арест, — сурово напомнил Влад.

— Так точно, товарищ майор! — спохватился врач.

— Вам ее жалко?

Врач вздрогнул:

— Никак нет, товарищ майор!

«Врешь, — снисходительно усмехнулся про себя Влад. — Конечно, жалко, даже тебе, прожженному тюремному чинуше, жалко! Это означает, что я сделал правильный выбор. Публика в зале суда и по всей стране должна до слез сочувствовать несчастной запуганной девочке. Если первая часть операции пройдет успешно, можно приступать ко второй: найти доказательства, что она похищена в младенчестве из русской семьи. Враги давно это практикуют: похищают и подменивают младенцев с целью выращивать из русских детей еврейских марионеток, профессиональных убийц. Да, придется объявить ее русской по крови. Нельзя, чтобы ширнармассы сочувствовали еврейке».

Вечером он отправился к Шуре на такси, с большим пакетом пайковых продуктов. Хотелось поскорей увидеть ее, убедиться, что нет никакого сходства, спокойно поужинать и получить свою порцию мужского удовольствия.

Шура в валенках, в телогрейке, накинутой прямо на шелковый халат с драконами, расчесывала перед зеркалом влажные волосы. В печке потрескивали дрова. За столом сидел Филя, пил чай.

— Привет! Закрой, пожалуйста, дверь. Филя только натопил, а я после бани, — сказала Шура.

Влад застыл в проеме с пакетом в руках. Да, рост и комплекция примерно одинаковы. Лицо... Нет, вот сейчас повернулась, ракурс изменился, и видно, что лицо совсем другое. Волосы кажутся темными потому, что мокрые. Высохнут — посветлеют. Освещение тусклое, лампа мигает. В поселке перебои с электричеством... Все, хватит! Надо помнить главное: Ласкина орудие, механизм, а Шура — организм, из плоти и крови. Человек. То есть, конечно, бабы не совсем люди, существа низшей породы, вроде животных. Делятся на домашних и диких. Шура — животное домашнее, покорное. Знает свое место, подчиняется хозяину. И Ласкина подчинится, никуда не денется. Она тоже баба. Состав крови иной, порода иная, но — баба».

Шура бросила гребень на комод, опять взглянула на Влада:

— Что с тобой? Ты не здоров? — Она подошла, сняла с него шапку, тронула теплыми пальцами лоб. — Температуры нет. На работе что-то? Неприятности?

Он запретил ей спрашивать о служебных делах, прежде она никогда не нарушала запрета. Почему вдруг спросила?

— Все в порядке, — ответил он спокойным ровным голосом и поставил пакет на табуретку возле двери.

— Ну, тогда раздевайся, давай ужинать.

Свет в комнате задрожал и погас. Послышалось тревожное мычание Фили.

— Господи, какая темень. — Шура вздохнула. — И фонари на улице не горят. У тебя есть спички?

Он вытащил из кармана коробок, на ощупь сунул ей в руку. Она чиркнула, нашла и разожгла керосинку, вместе с Владом вышла на веранду, светила ему, пока он раздевался. Ее лицо, подсвеченное снизу, опять напомнило личину Ласкиной. Через пару минут электричество включилось, и сходство исчезло. Филя замычал, на этот раз радостно, и ощерил свою мерзкую пасть.

— Выгони его, — приказал Влад.

Она села за стол, рядом с уродом:

— Филя, тебе пора домой.

Урод взял ее руку, ощерился и принялся гладить себя по голове ее ладонью.

— Да-да, Филя хороший, Филя молодец. — Она улыбнулась. — Ну, все, иди, мама с папой ждут.

Он, наконец, вылез из-за стола, попятился к двери, прижимая к животу свой топорик.

— Тебе не противно пускать в комнату этого дебила? — спросил Влад.

Она отвернулась, пробормотала чуть слышно:

— А кто будет приносить дрова и воду? Ты?

Он взметнул руку и вдруг заметил краем глаза, что Филя еще здесь. Вместо того, чтобы дать Шуре оплеуху, он почесал себе затылок. Это получилось машинально. Почему-то не смог ударить даже при таком свидетеле, рука сама двинулась в другом направлении.

«В чем дело?» — изумился он, переводя взгляд с нее на Филю, застывшего у двери со своим топориком.

Ему вдруг почудилось, что они переглядываются, перешептываются, смеются над ним. Шура сидела за столом, закрыв нижнюю часть лица сплетенными пальцами. Филя придерживал плечом дверь и смотрел на нее.

— Иди домой, Филя, все хорошо, — произнесла она низким ласковым голосом.

Филя с явной неохотой удалился. Обитая войлоком дверь беззвучно закрылась. Влад закурил и спокойно заметил:

— За дрова, между прочим, они дополнительную плату дерут. Зачем за стол сажать, чаем поить? Принес и сразу ушел.

— Чаю жалко? Или ревнуешь? — Она повела плечами, взглянула исподлобья.

Глаза у нее были синие, с лиловым отливом, но сейчас показались темно-карими, как у Ласкиной.

* * *

Наедине с собой Семен Ефимович сразу старел. Шестьдесят восемь прожитых лет наваливались на него всей тяжестью. Спина горбилась, ноги волочились, вяло шаркали тапки. Он бестолково слонялся по квартире, искал то очки, то карандаш, то справочник, который оставил вчера на кухне. Наконец все нашел, уселся за письменный стол, пробормотал себе под нос:

— Нуберро. Юго-Восточная Африка, бывшая британская колония. Алмазы, нефть, кофе, какао, малярия, сыпной тиф, трахома, ядовитые змеи и скорпионы, племена каннибалов в джунглях...

Он собирался посвятить свободный день статье для журнала «Советская медицина». Печатать на машинке так и не научился, писал от руки. У него было два разных почерка — докторский, для историй болезней и рецептов, неразборчивый, как шпионский шифр, и обычный, для статей и научных работ, ясный, четкий, чтобы машинистки не мучились.

На столе перед ним лежала почти готовая рукопись, осталось вычитать, отредактировать, добавить несколько вставок, сносок и ссылок, упорядочить библиографию. Ветер из приоткрытой форточки шевелил верхний листок с крупно выведенным заглавием: «Системный анализ психосоматических соотношений в клинике внутренних болезней». Семен Ефимович пытался сосредоточиться на тексте. Не получалось. Он отложил ручку, уронил руки на колени, прошептал, едва шевеля губами:

— Ну, про каннибалов ты, братец, загнул, там хватает чудес без них. И вообще, кончай паниковать.

Надины командировки пугали его, он мучился бессонницей и ночными кошмарами, но молчал, знал: она ни за что не откажется от них. Это ее работа — летать на чумные и холерные очаги, спасать людей. Ради этого в партию вступила, иначе за границу не выпустили бы. Ладно, пока ее заграница — страны третьего мира. Может, выпустят, наконец, в Западную Европу, на международные конгрессы и симпозиумы? Увидит Париж, Рим, Амстердам. Надя говорила, что всякий раз, когда самолет отрывается от земли, ее захлестывает детский восторг, она чувствует себя юной, сильной. Возникает иллюзия, будто путешествуешь по миру как свободный человек.

В Африку летали через Турцию, Грецию, Италию. Приятно после очередной чумы-холеры послоняться по международной транзитной зоне, перенюхать все духи во фри-шопе. Командировочные платили мизерные, но кое-что купить удавалось.

Надя привозила для них троих заграничные шмотки, недорогие и совсем немного — джинсы, кофточки, обувку. Это здорово поднимало настроение. Советский ширпотреб даже Семена Ефимовича вгонял в уныние, а о Леночке и говорить нечего.

Благодаря Надиным командировкам Семен Ефимович на старости лет увидел своими глазами удивительные вещи, например, непромокаемые одноразовые подгузники-трусики для младенцев. Стоили они недешево, Надя могла привезти из каждой поездки не больше пачки. Подгузники быстро заканчивались, но существенно облегчали Леночке жизнь.

На шестидесятипятилетие Надя привезла ему из Эфиопии кожаный пиджак. Семен Ефимович примерил и ощутил себя работником Внешторга, директором универмага или народным артистом. Благородный кофейный цвет был ему к лицу. В клинике обновка произвела фурор. Главный пижон кафедры Вова Голощекин, великий знаток шмоточной науки, ходил кругами, тревожно принюхивался, наконец спросил:

— Где отхватили?

— Надя привезла.

— Разрешите? — Вова прикоснулся к рукаву осторожно, словно к святыне, пощупал мягкую кожу, произнес: «Диладже»… «Гринелли»…

Незнакомые названия итальянских фирм в исполнении Голощекина звучали как музыкальные аккорды.

Уже не спрашивая разрешения, будто в молитвенном экстазе, Вова распахнул полы пиджака, застыл с открытым ртом, глаза заблестели, он громко прочитал на этикетке на внутреннем кармане: «Маде ин Терки» — и сразу успокоился, вздохнул облегченно, гармония мира восстановилась. Ну не может такой человек, как Ласкин Семен Ефимович, носить настоящую итальянскую «фирму́», хоть он и профессор, и завкафедрой, и дочь имеет выездную, а все равно до итальянской «фирмы́» не дорос.

Забавное воспоминание отвлекло от страха за Надю, но лишь на пару минут. Дело, конечно, не только и не столько в ее командировках. В последнее время что-то нехорошее происходило. В ноябре вдруг явился призрак из прошлого. Пришел на прием в клинику, по предварительной записи, в порядке общей очереди, лысый коренастый мужчина. У Семена Ефимовича не хватило духу принять его. Как услышал фамилию-имя-отчество, сразу руки задрожали, сердце зачастило. Вылетел из кабинета, попросил первого попавшегося ординатора посмотреть больного, мол, сам не могу, голова раскалывается, давление подскочило. Оно правда подскочило: 180 на 100.

Он не собирался рассказывать Наде о призраке, но не выдержал, рассказал. Хотел убедить себя и ее: нет тут ничего странного, тем более зловещего. Прошло почти четверть века. Случайное совпадение, может, вообще не он, просто полный тезка.

А потом начались звонки с молчанием. И при каждом таком звонке подскакивало давление. Семен Ефимович запретил себе паниковать, гнал прочь тревогу и страшные воспоминания. Именно сейчас, когда столько проблем у Нади, у Леночки, свалиться с инсультом, превратиться из опоры в обузу равносильно предательству.

Он смотрел на фотографию покойной жены в резной деревянной рамке, стекло блестело, на фоне ее лица он видел смутное отражение собственных глаз и шептал чуть слышно:

— Ляля, что происходит? Подскажи, помоги!

Ляля ненавидела свою интуицию, считала ее чем-то вроде хронической болезни, ничего не желала знать заранее — слишком страшно, слишком большая ответственность. В молодости Семен Ефимович подшучивал над женой. Он был твердо убежден, что никакого дара предвидения в природе не существует, заглянуть в будущее невозможно, это противоречит всем современным научным знаниям.

Однажды ранним мартовским утром он вышел из подъезда, прошел несколько шагов, лавируя между лужами и сугробами, и вдруг услышал крик: «Сема, стой!» Ляля высунулась по пояс из открытого окна. Он хотел вернуться, подумал: может, забыл что-то важное?

— Стой, не двигайся! — крикнула Ляля.

Через мгновение с крыши сорвалась огромная глыба льда. Ледяные крошки и грязные брызги из лужи обдали его с ног до головы.

Потом Ляля рассказала, что ей вдруг стало ужасно холодно, какая-то сила заставила открыть окно и крикнуть.

Это выглядело нелогично, абсурдно. Когда холодно, окна закрывают, а не распахивают, раздирая полоски бумаги вдоль рамы. Но отрицать факт своего чудесного спасения Семен Ефимович не мог. Единственным разумным объяснением стала «счастливая случайность». В принципе, тоже антинаучно, но звучало все-таки приличней, чем «какая-то сила заставила».

Подшучивать он перестал, однако со своими материалистическими убеждениями не расстался.

В июне сорок первого они планировали съездить в Каунас, навестить родственников, с которыми не виделись сто лет и уже не надеялись встретиться. После присоединения Прибалтики такая возможность появилась. Ехать собирались втроем, вместе с маленькой Надей. Купили билеты на двадцатое июня. Поезд отправлялся в семь утра. Накануне легли поздно. Проснулись утром в половине восьмого. Семен Ефимович ужасно злился на себя, что забыл завести будильник. Билеты пропали, но через два дня, двадцать второго июня, это уже не имело значения.

Позже Ляля призналась, что той ночью совсем не могла уснуть, чувствовала: нельзя им ехать, и нарочно отключила сигнал будильника.

Сразу после войны Семен Ефимович побывал в Нюрнберге. Он вошел в группу советских экспертов на процессе над нацистскими врачами. Именно там, через Международный Красный Крест, ему удалось узнать судьбу каунасских родственников: погибли все.

Он сидел в зале суда, слушал выступления свидетелей, прокуроров, адвокатов, подсудимых, смотрел чудовищные кадры кинохроники и думал: «Ночью с девятнадцатого на двадцатое июня сорок первого Лялина интуиция спасла нам троим жизнь. Если бы мы тогда уехали в Каунас, нас бы давно уж не было на свете».

Война и Нюрнберг сделали его другим человеком. От материалистических убеждений остался пшик. Чем больше знаешь, тем ясней понимаешь, как мало знаешь.

Ляля работала научным редактором в издательстве «Медгиз». Весной пятьдесят второго арестовали главного редактора и директора. Незадолго до их ареста Лялю перевели на должность младшего корректора. Это было не наказание, а шанс спрятаться, отсидеться. Разворачивалась антисемитская кампания, по образцу Третьего рейха.

Он и она были евреями. Он и она прошли войну, но все их заслуги и награды больше не имели значения, как и сама война. Девятое мая объявили обычным рабочим днем. Выплаты за ордена и льготы ветеранам отменили, безногие-безрукие инвалиды исчезли куда-то. Власть уничтожала следы войны и победы, будто стыдилась того и другого. А затем включился древнеримский механизм децимации — казнь каждого десятого. Такое уже было накануне войны, с тридцать шестого по тридцать восьмой. Тогда брали всех подряд, независимо от национальности. Теперь брали евреев в первую очередь, но и не евреев тоже брали.

Семен Ефимович работал старшим ординатором в отделении экстренной терапии Боткинской больницы. Его не понизили, шанса спрятаться и отсидеться не дали. Надеяться было не на что, оставалось покорно ждать увольнения и ареста. Главврача Шимелиовича взяли еще в сорок девятом. В ноябре пятьдесят второго взяли академика Мирона Семеновича Вовси. С ним Семена Ефимовича многое связывало: годы работы в Боткинской, война, Институт усовершенствования врачей. После ареста Вовси он просыпался и засыпал с одной мыслью: я следующий.

В декабре умерла от острого инфаркта миокарда Лялина старшая сестра Соня. Она никогда не жаловалась на сердце, была неугомонной болтуньей. После самоубийства мужа ее природная импульсивность стала чрезмерной, нарочитой. Соня как будто пыталась заболтать реальность, заглушить свои настоящие чувства театральными ахами-охами, слишком бурными рыданиями, слишком громким смехом. Когда началась антисемитская кампания, она воодушевленно твердила, что в СССР антисемитизма быть не может, мы победили нацизм, у нас многонациональное государство. Чем страшней ей было, тем бодрей и категоричней звучала ее болтовня. Лялю раздражал фальшивый оптимизм сестры, Семен Ефимович заступался: пусть болтает, если ей от этого легче.

Однажды Соня вытащила из кошелька маленькую фотографию мужа, с которой не расставалась, и стала вспоминать, как он за ней ухаживал. Полились звонким потоком истории. Ляля и Семен Ефимович слушали их в сотый раз. Половину Соня выдумала, другую половину сильно пересластила, но искренне верила, что именно так было на самом деле. Она болтала без передышки весь вечер и вдруг запнулась, долго хмуро молчала, смотрела на фотографию, наконец произнесла:

— Что же все-таки чувствуют мертвые, которые нас любили, когда мы о них думаем?

— Помрешь — узнаешь, — сердито бросила Ляля.

На следующий день Сони не стало.

До конца жизни Ляля не могла простить себе этих слов. А Семен Ефимович не мог себе простить, что ни разу не удосужился послушать Сонино сердце.

Каждое утро, прощаясь перед уходом на работу, он смотрел Ляле в глаза, спрашивал взглядом: «Сегодня ничего плохого не случится?» Она мотала головой и пожимала плечами: «Не знаю!» Этот молчаливый диалог вошел в привычку.

Утро девятого января пятьдесят третьего было вполне обычным. Ляля спокойно отпустила Надю в институт и через полчаса сама ушла на работу. Семен Ефимович простыл, лежал с высокой температурой. Надя обещала вернуться с экзамена пораньше. Хотела поцеловать его на прощание, но он сказал:

— Не подходи, я заразный!

Волноваться они начали после восьми вечера. Ляля побежала к автомату, позвонила знакомому преподавателю, единственному, у кого имелся домашний телефон. Он сказал, что Надю в институте не видел.

В милиции пожилой мрачный капитан разговаривал с ними сквозь зубы, не хотел принимать заявление, но потом все-таки сжалился: «Ладно, пишите! — и добавил чуть слышно: — Только это без толку, сами, что ли, не понимаете?»

Позже Ляля призналась, что предчувствие катастрофы мучило ее нестерпимо, интуиция душила, сжигала и не подсказывала никакого выхода. Не тот случай, когда достаточно открыть окно и крикнуть или отключить сигнал будильника. На них троих ползет лавина, и остановить ее невозможно.

Они привыкли бояться, поэтому Ляля своему предчувствию не придала значения. Не требовалось никакой особенной интуиции. Страшно было всем. В любую минуту могли арестовать любого, особенно если ты еврей, врач. Но представить, что лавина накроет семнадцатилетнюю Надю, студентку первого курса мединститута, не мог никто.

Тринадцатого января, через четыре дня после исчезновения Нади, «Правда» вышла с передовицей *Подлые шпионы и убийцы под маской профессоров-врачей* и сообщением ТАСС: *«Хроника. Арест группы врачей-вредителей».*

«Некоторое время тому назад органами госбезопасности была раскрыта террористическая группа врачей, ставивших своей целью, путем вредительского лечения, сокращать жизнь активным деятелям Советского Союза... Следствием установлено, что участники террористической группы, используя свое положение врачей, злоупотребляя доверием больных, преднамеренно, злодейски подрывали здоровье последних, умышленно игнорировали данные объективного обследования больных, ставили им неправильные диагнозы, не соответствующие действительному характеру их заболевания, а затем неправильным лечением губили их... Врачи-преступники старались в первую очередь подорвать здоровье советских руководящих военных кадров, вывести из строя и ослабить оборону страны... Установлено, что все эти врачи-убийцы, ставшие извергами человеческого рода, растоптавшие священное знамя науки и осквернившие честь деятелей науки, состояли в наемных агентах у иностранной разведки. Арестованный Вовси заявил следствию, что он получил директиву «об истреблении

руководящих кадров СССР» из США от организации «Джойнт» через врача в Москве Шимелиовича и известного еврейского буржуазного националиста Михоэлса. Другие участники террористической группы (Виноградов, Коган М.Б., Егоров) оказались давнишними агентами английской разведки.

Следствие будет закончено в ближайшее время».

Пожелтевший, почти истлевший номер «Правды» за 13 января 1953 года до сих пор хранился на дне ящика письменного стола. Текст был ни чем иным, как медицинским диагнозом, точно по учебнику психиатрии: деменция, синильный психоз с характерным комплексом бредовых идей, когда больному мерещится, что враги хотят его убить, отравить, плетут заговоры, кругом шпионы, надо срочно их разоблачить и обезвредить. Стало быть, Сталин окончательно спятил и заразил своим слабоумием огромное количество людей. Население СССР разделилось на искренних психопатов и симулянтов, которые изображают психоз, повинуясь инстинкту самосохранения.

Под пытками арестованные могли оговорить не только себя, но и кого угодно, его в том числе. Тогда почему не берут его, даже с обыском не приходят? Зачем им Надя?

Он понимал, что ответов не существует. Наверняка там есть какой-то план, однако разгадать логику психопатов нормальному человеку не под силу. В пространстве бреда вообще ничего не имеет значения, кроме источника психической пандемии. Источник исчезнет — пандемия прекратится.

Семен Ефимович поделился этой простой мыслью с Лялей, она прошептала в ответ: «Он скоро сдохнет, я чувствую».

* * *

Один из секретарей наконец поднял голову от бумаг, сообщил громким механическим голосом:

— Товарищ полковник, вы свободны, — и добавил чуть слышно: — Вопрос снят с повестки.

298

Юра поблагодарил секретаря за это уточнение, облегченно вздохнул, вернулся в Ясенево на служебном автобусе, встретился с начальником отдела англоязычных стран Африки генералом Рябушкиным.

— Ну, тебя поздравить или, наоборот, посочувствовать? — спросил Рябушкин с хитрой улыбкой.

— Конечно, поздравить, Иван Сергеевич.

Они обнялись. Они знали друг друга очень давно, между ними сложились настолько хорошие отношения, насколько это вообще возможно между начальником и подчиненным.

Рябушкин был старше Юры на семь лет, успел повоевать, после войны закончил отделение арабского языка Института востоковедения, учился у Юриной мамы, ходил на семинар суахили к тому же старику-африканисту, что и Юра, только на четыре года раньше.

Кручина терпеть не мог Рябушкина и с удовольствием выжил бы его из аппарата, если бы не Андропов. Эрудиция, знание языков, чувство юмора — все те качества, которые Кручину бесили, Председатель ценил. Впрочем, тупую серьезность, исполнительность и показной фанатизм Кручины он ценил не меньше, строго соблюдал баланс между интеллектуалами-либералами и бульдогами-бюрократами. Одно из условий сохранить власть — иметь таких подчиненных, которые друг друга ненавидят, соперничают, грызутся между собой и никогда ни о чем у тебя за спиной не договорятся.

Председатель отлично понимал, что вольнодумство одних и преданность других относительны. Интеллектуалы чувствуют границы дозволенного, за флажки не вылезают. Бульдоги верны тебе, пока ты у власти, их преданность легко оборачивается предательством, причем не только личным. Большинство «кротов» и перебежчиков имели репутацию идеальных служак, фанатиков режима, с начальством не спорили, произносили правильные речи. Никаких сомнительных шуточек, анекдотов, никакого собственного мнения. Возможно, Председатель это тоже понимал, в глубине души интеллектуалам доверял больше, чем бульдогам, точно по формуле Наполеона: «Опереться можно лишь на то, что сопротивляется».

— Поесть успел? — спросил Рябушкин.

— Мг-м. Во «внутрянке», в компании Виталика Типуна, — вполголоса ответил Юра.

Рябушкин нахмурился, кивнул, помолчал секунду и весело произнес:

— Ну, ежели сыт и нос в табаке, тогда давай-ка прогуляемся, подышим. Небось соскучился по снежку, по морозцу?

— Еще бы!

Они вышли с тыльной стороны синего корпуса в тихий заснеженный парк, побрели по аллее. Иван Сергеевич шел медленно, прихрамывал из-за ранения, Юра старался идти с ним в одном ритме. Стемнело, зажглись фонари, аккуратные сугробы вдоль обочин заблестели слюдяным блеском.

Рябушкин задал несколько вопросов о маме, о Вере и Глебе, рассказал о своих, остановился под фонарем и показал фотографию щекастого удивленного младенца.

— Внучка, Маргошка, три месяца.

— Красавица. — Юра улыбнулся. — Поздравляю.

— Спасибо. — Рябушкин спрятал снимок, хмыкнул: — Вот ведь, не ожидал от себя, старого циника, таких сантиментов. Конечно, дочек люблю, и говорить нечего, но когда были младенцами, я по молодости лет не понимал, не ценил да и видел их, маленьких, редко, урывками. Работал сутками, мотался по командировкам, домой возвращался никакой, а они пищат, выспаться не дают. Потом, конечно, когда подросли, осознал, что они для меня значат. А в Маргошку влюбился мгновенно, с первого взгляда. Как приехали забирать из роддома, на руки взял — дыхание перехватило, в глазах слезы, смотрю на нее, налюбоваться не могу. Теперь вот главный человек в моей жизни.

— В начале ноября родилась? — спросил Юра.

— Двадцать седьмого октября.

— Ого, точно как мой Глеб.

— Он у тебя шестьдесят второго?

— Ну да, двадцать семь — одиннадцать — шестьдесят два.

— Историческая дата, «черная суббота», апогей Карибского кризиса. — Рябушкин вздохнул, остановился у скамейки. — Давай-ка передохнем, нога сегодня ноет, зараза, видать, погода будет меняться.

Юра стряхнул перчаткой тонкий слой снега, помог Ивану Сергеевичу сесть, закурил, помолчал, наблюдая, как слоится дым в синеватом фонарном свете.

— Ну, о чем задумался? — спросил Рябушкин.

— Да так, вспомнил «черную субботу». — Юра передернул плечами. — Ночь накануне вообще не спал, слушал «Голоса», названивал в роддом. Странное было чувство. Мир замер, в любую минуту может начаться ядерная война, а я сижу на кухне и матерю их всех: совсем охуели? У меня жена рожает, а вы тут, блядь, что устроили? Очень выпить хотелось, но терпел, кофе варил. Думал, сразу, как родит, поеду. В палату, конечно, не пустят, под окнами постою, передам Вере цветы, яблоки. В одиннадцать утра позвонили. Мальчик, три пятьсот. Ну, собрался, сел в свой новенький «москвич». Еду. И вдруг перед глазами все вспыхнуло, ослепительный свет, ни фига не вижу, сердце колотится: началось! Кто начал? Мы или они? Господи, какая теперь разница? Ребенок, Вера, мама… Сейчас, сию минуту, что мне делать?

— И что ты сделал?

— Вслепую съехал к обочине. Вокруг спокойно, машины, пешеходы, никакой паники. Передо мной вместо лобового стекла паутина. Отдышался, понял, в чем дело: камушек из-под чьих-то колес ударил в стекло, пошли мелкие трещины, выглянуло солнце, в каждой грани преломился солнечный свет. Получился эффект ослепительной вспышки, а я со страху решил, что взрыв, ядерная война.

— До роддома в итоге доехал?

— А то! Достал из багажника тряпки, выдавил треснувшее стекло и вперед, с ветерком.

— Ты мне этого никогда не рассказывал, — заметил Рябушкин.

— Я никому не рассказывал. Стекло поменял и похоронил эту историю. Знаете, одно дело — учебные тревоги, лекции, документальные фильмы, и совсем другое — испытать реальный ужас, всем нутром ощутить. Вот интересно, эти бравые коршуны, в нашем Генштабе, в ихнем Пентагоне, они что, всерьез надеются отсидеться в бункерах? Ладно, себя не жаль. А дети, внуки? Они вообще соображают, что творят? Мы на Египет потратили полтора миллиарда долларов, вооружили их до зубов, Насер в шестьдесят седьмом чуть не столкнул нас лбами с Америкой, все на волоске висело. А потом Садат нас вышвырнул, как котят, и к американцам переметнулся. Так давайте теперь вооружать голубчика нашего Птипу! Великолепный реванш!

— Ты мне повторил пламенную речь, которую толкал в кабинете Ю. В.? — ехидно спросил Рябушкин.

— Нет, Иван Сергеевич, это я собирался так на Политбюро выступить.

Иван Сергеевич хохотнул, покачал головой, медленно, тяжело поднялся. Юра поддержал его под руку, они двинулись дальше.

— На одной чаше весов — ядерное оружие в ЮАР, на другой — перспектива нового Карибского кризиса, — пробормотал Рябушкин, — задачка не для слабонервных. Как думаешь, какой аргумент мог стать решающим?

— Наверное, фотокопии платежек банка в Базеле.

— Ты мне об этом не докладывал.

— Виноват, Иван Сергеевич. Информация совсем свежая и настолько серьезная, что я не рискнул передавать ее по обычным каналам. Маленький такой скромный семейный банчок, называется «Дрейфус». Там Птипу нашу братскую помощь конвертирует в доллары, вкладывает в недвижимость, тратит в свое удовольствие.

Рябушкин полез в карман за сигаретами. Сквозь дрожащий свет огонька взглянул Юре в глаза.

— Тебе нельзя туда возвращаться. Если ты действительно нашел лежбище Птипу, он тебя сожрет, в прямом, а не в переносном смысле.

— Он не знает.

— Ну что ты говоришь? Как он может не знать? Наверняка допросил твоего парня, все из него вытянул.

— Меня бы уже не было, — Юра помотал головой, — несчастный случай, змея укусила или скорпион, ну, или просто выпил, свалился в реку, там крокодилы.

— Он надеялся получить наши ракеты, поэтому тебя не тронул.

— Нет, Иван Сергеевич, он меня не тронул потому, что не догадался тронуть Иссу. На самом деле мне здорово повезло, Иссе тоже. Для Птипу представители племени Чва, которые остались в живых после переворота, вообще не люди. Он их так сильно презирает, что уже ни в чем не подозревает.

— Ладно, это мы с тобой обсудим подробно, со всеми деталями, у меня в кабинете. — Рябушкин поежился, поправил шарф.

— Замерзли, Иван Сергеевич? — спросил Юра.

— Да, немного. Давай еще кружок и пойдем греться.

Они свернули с главной аллеи, обогнули приземистое здание генеральской столовой. У заднего крыльца под фонарем белело объявление, крупными буквами: «Кормить кошек на территории объекта запрещается!» На крыльце сидел здоровенный упитанный котяра вместе со своим гаремом из трех кисок. Рядом — пластиковые тарелки с обглоданными куриными костями. Семейство мурлыкало, облизывалось.

— Эх, Юра, упустил ты свой шанс! — сказал Рябушкин. — Вот выступил бы в Кремле, посмотрел бы на тебя Леонид Ильич, и понравился бы ты ему, ну, как артист Тихонов, и спросил бы он Ю. В.: почему этот красивый полковник до сих пор в полковниках? Давай-ка мы его поднимем в генералы! Потом за наши ракеты Птипу наградил бы Леонида Ильича большим бриллиантовым орденом, а тебя полюбил бы еще горячей.

— Птипу, если кого сильно полюбит, может сожрать, у племени Каква это принято, — заметил Юра.

— У нас тоже, только без любви, из карьерных соображений, ну, или просто так, из принципа. — Иван Сергеевич нервно усмехнулся. — Говоришь, с Виталиком Типуном обедал?

— Мг-м. Случайно встретились во дворе, поболтали. Он чего-то вдруг проникся ко мне теплыми дружескими чувствами, стал в гости звать.

— Случайно… чего-то вдруг… — передразнил Рябушкин. — А что, если копают под тебя? Что, если, как выражается Диня Бибиков, ты там у них «зафигурировал»? Понять бы еще, с какой стороны.

— Накануне переаттестации всех потрошат, — Юра пожал плечами, — «зафигурировать» я мог со стороны военного атташе, он активно стучит и на меня, и на посла. У самого рыльце в пушку, вот и старается.

— Нет, Юр, дело не в атташе. Он, конечно, старается, но такие сигналы у нас всерьез не воспринимают. К тебе подъехал именно Виталик Типун, значит, тут что-то другое. Надо заранее подстраховаться — Рябушкин хмуро сосредоточенно помолчал. — Слушай, а ты с Типуном-старшим знаком?

У Юры сильно стукнуло сердце. Он выдавил улыбку, небрежно махнул рукой:

— Кто ж с ним не знаком? Через него все выпускники сто первой прошли, каждого рентгеном просвечивал.

— Давай-ка по порядку. Когда именно встречались? О чем говорили?

— Встречались раза три-четыре. — Юра отвел взгляд, снял перчатку, сгреб горсть снега с куста, сжал в кулаке. — Иван Сергеевич, ну не помню я, лет двадцать прошло, обычные собеседования, на Кузнецком, в бюро пропусков.

— Эти собеседования с Типуном помнят все, вот я — сколько буду жить, не забуду, — жестко произнес Иван Сергеевич.

Снежок растаял. Юра достал платок, вытер мокрую ладонь, помолчал и вдруг выпалил:

— А, вот! Вспомнил! Он мне однажды анекдот рассказал. Зимой летел воробей, замерз и упал. Мимо шла корова. Лепешка шлеп — воробья накрыла. Воробей отогрелся и зачирикал. Мимо бежала кошка, услышала, вытащила воробья и съела. Три морали. Не тот враг, кто тебя в говно посадил. Не тот друг, что тебя из говна вытащил. Сидишь в говне — не чирикай.

Рябушкин усмехнулся:

— Любимый анекдот старых волков последнего сталинского призыва. Бибиков часто его рассказывает, особенно в подпитии. Где теперь служит Типун-младший, знаешь?

— Ну, ясно, в «пятке».

— А в каком отделе?

— Понятия не имею.

— В пятом!

— Значит, на анонимках сидит? — Юра равнодушно пожал плечами. — При чем здесь я? При чем здесь мои собеседования с Типуном-старшим двадцать лет назад?

— Действительно, при чем здесь ты? Не худо бы понять. — Иван Сергеевич вздохнул. — Видишь ли, о том, что Нуберройский вопрос снят с повестки, стало известно в двенадцать десять. Ю. В. опередил Устинова, приехал к Леониду Ильичу первым и нашел весомые аргументы. Он ведь с самого начала был против.

— Серьезно? Я не знал…

— Думаешь, Ю. В. не понимает, кто такой Птипу? Просто собирал информацию. Противостоять Устинову — все равно что с гранатой на танк идти. Подготовка требуется. Вполне возможно, именно фотокопии банковских платежек и стали для Брежнева решающими. Ты только слишком уж не возгордись.

— Постараюсь, Иван Сергеевич… А все-таки приятно, жизнь прожита не зря.

Рябушкин остановился, развернулся лицом к Юре:

— Юр, ты меня услышал или нет? В двенадцать десять тебя должны были из приемной отправить ко мне, но вместо этого повезли на Лубянку. Сколько ты там просидел?

— Минут сорок. — Юра почувствовал неприятный холодок в солнечном сплетении.

— А потом тебя отпустили обедать, верно? И в столовой ты встретился с Типуном-младшим.

— Во внутреннем дворе.

— Не важно. — Рябушкин раздраженно повысил голос. — Ладно, допустим, собеседования с Типуном-старшим ты забыл. Сегодняшний разговор с младшим, надеюсь, помнишь?

— Иван Сергеевич, ну, я же сказал. Виталик нахваливал стряпню своей жены, звал в гости, философствовал насчет ценности старой дружбы. В общем, настроен был на высокие чувства.

— Как он выглядел?

— Отлично. Он всегда выглядит отлично после очередного запоя. Гладкий, улыбчивый, зубы вставил.

Они медленно двинулись дальше по аллее. Рябушкин помолчал, потом произнес, уже вполне спокойно, задумчиво:

— Папаша, старый кадровик, чадо свое после этих запоев каждый раз прикрывает, спасает от увольнения. Кого-то подмажет, кого-то припугнет, намекнет на прошлые грешки. А на кого-то подкинет чаду материал из своих сокровенных запасов, мол, давай,

Виталик, отличись, уважь руководство, прояви бдительность и чекистскую смекалку.

— Думаете, на этот раз Типун-старший подкинул чаду материал на меня? — тихо спросил Юра.

Рябушкин кивнул:

— Не исключено. Бибикову всегда интересно на разведку наехать. Года полтора назад, помнишь, «подпятники» мотали нервы нашим китаистам? Тогда бойцы Бибикова мальчишку-диссидента столкнули под колеса электрички. Поднялась шумиха в западной прессе, Сахаров собрал пресс-конференцию. Бибикову досталось по полной, вот и решил на нас отыграться. Когда его боевики борзеют, у него начинается острый приступ бдительности, старается Кручине нагадить, мол, мои, конечно, отличились, но и твои не лучше.

— Да, есть такая закономерность. — Юра прикусил губу, помолчал. — Иван Сергеевич, знаете, когда я сидел в кабинете Ю. В., он кого-то очень крепко материл по телефону. А утром «Голоса» передали: вчера вечером в ЦДЛ неизвестные избили ногами писателя Зыбина. И понял я, опытный разведчик, кого материл Ю. В.: дорогого нашего доблестного товарища Бибикова. Опять его боевики перестарались, вышли из-под контроля. Видите, как удачно совпало: Виталик вышел из запоя, боевики — из-под контроля, а тут как раз Кручина привез меня, такого красивого-умного, выступать на Политбюро, вот понравился бы я Леониду Ильичу, как артист Тихонов…

— Перестань ерничать! — перебил Рябушкин. — Что может быть на тебя у Типуна? Ты сказал — двадцать лет прошло. Пятьдесят седьмой? Всемирный молодежный фестиваль? Ты проходил практику…

— Иван Сергеевич, я вспомнил! Мы с Типуном-старшим встречались весной пятьдесят пятого, когда я заканчивал институт. На меня пришел официальный запрос, перед медкомиссией пригласили на собеседование…

— Юра, хватит! — Рябушкин похлопал его по плечу. — Первое собеседование не в счет, у тебя с Типуном-старшим наверняка было несколько свиданий, ты, конечно, отлично все помнишь, но почему-то не хочешь рассказывать. Может, тебе просто надо подумать?

— Да, Иван Сергеевич, мне надо подумать.

Глава двадцать вторая

Ласкину закрыли в одиночке до особого распоряжения, присвоили ей кодовый номер пятьдесят три, по номеру камеры. Начало открытого процесса планировалось на пятое марта. Дата была условной, так скоро завершить подготовительный этап вряд ли удастся, но цифры таили в себе глубокий символический смысл. Пятое марта пятьдесят третьего года, 5353. И номер камеры 53.

Как раз недавно Влад откопал в библиотеке дореволюционную брошюрку «Занимательная нумерология» и прочитал, что пятерка и тройка считаются счастливыми числами, приносят удачу. В сумме выходит восьмерка, символ бесконечности, ответного действия, возмездия, торжества справедливости. Что случайных совпадений не бывает, он знал давно, без всяких брошюр, и твердо верил: три восьмерки, зашифрованные в дате суда и номере камеры, это знак судьбы, предвестник победы.

Персоналу было строго запрещено разговаривать с номером пятьдесят третьим. В отличие от медсестры, которая постоянно чего-нибудь клянчила: снять наручники, принести воды, еды, позвать врача, объяснить, за что ее взяли, и так далее, Ласкина вела себя тихо. Влад заглядывал в глазок, видел, как она сидит на маленьком откидном табурете или стоит, задрав голову, смотрит в узкий, забранный решеткой проем окна. Однажды заметил, что она без наручников, правда, через пару минут явился охранник, наручники опять надели. Оказалось, там что-то заело в механизме, их пришлось менять.

В другой раз дежурный забыл поднять и пристегнуть к стене койку, и Ласкина лежала в дневное время. Грубейшее нарушение режима. Влад вызвал начальника смены, потребовал наказать виновного.

На оперативках Гоглидзе не трогал Влада, не торопил, знал, что его инициатива получила одобрение на самом верху, и занял выжидательную позицию. Если план удастся, можно приписать победу себе, если провалится — отвечать будет Любый.

У Гоглидзе имелась собственная схема заговора. Она мало чем отличалась от рюминской, хотя выглядела проще, конкретней, убедительней и вполне годилась для ширнармасс. Бюро Президиума ЦК схему утвердило. Тринадцатого января «Правда» вышла с передовицей под заголовком: «Подлые шпионы и убийцы под маской профессоров-врачей» и сообщением ТАСС об аресте «группы врачей-вредителей».

В обоих текстах, особенно в передовице, чувствовались спешка, нервозность. Сплошные эмоции, никаких фактов. Главой заговора объявили Вовси. Написали, будто Вовси признался, а он еще ни в чем не признавался, вину свою отрицал. И вообще, ни один из клиентов пока не дозрел.

Влад осторожно поинтересовался у Дяди:

— Почему такая спешка? Ничего же не готово!

— Так здесь и написано: следствие продолжается. Просто нужен крепкий пинок, а то разболтались, расслабились.

Да, вот с этим не поспоришь. Действительно, ненависть стала потихоньку угасать, бдительность притупилась.

Влад в очередной раз заглянул в глазок и увидел, что Ласкина лежит на полу камеры. Дежурный сообщил, что номер пятьдесят три ничего не ест.

— Давно?

— С первого дня а... — Дежурный запнулся, хотел сказать «ареста», но спохватился: — С самого начала, только воду пьет.

— Почему сразу не доложили?

— Виноват, товарищ майор! Думали, проголодается, начнет питаться как положено.

Вызвали врача. Владу хотелось зайти вместе с ним, но сдержался, ушел ждать в свой кабинет. Через полчаса врач доложил:

— Пульс слабый, редкий, температура тела понижена, бледность кожных покровов. Анорексия, следствие тяжелой психотравмы. *Расстройства такого типа в ряде случаев переходят в церебральную кахексию, которая в свою очередь...*

— А покороче нельзя? — раздраженно перебил Влад.

Днем и ночью, во время допросов и очных ставок, он только и слышал этот идиотский птичий язык, медицинскую терминологию. Ладно, если работаешь над «делом врачей», приходится терпеть. Но тюремный врач мог бы изъясняться проще.

— Виноват, товарищ майор, она переживает сильно из-за аре... — *врач вздрогнул и вжал голову в плечи.* — Ну, из-за того, что с ней случилось, волнуется за родителей, у матери слабое сердце.

— Это она вам сказала? — *быстро тихо спросил Влад.* — Или вы с ее родителями знакомы?

— Никак нет, товарищ майор, не знаком. Я поговорил с аре... с номером пятьдесят три, она описала мне свое состояние, рассказала, что ее беспокоит.

— Поговорили? — *Влад прищурился.* — А как же приказ: с номером пятьдесят три не разговаривать?

— А как прикажете осматривать больную, не поговорив с ней? — *парировал врач и, спохватившись, пискнул:* — Виноват, товарищ майор!

Влад внимательней вгляделся в его лицо. Типично славянские черты, даже отдаленно ничего еврейского. Серые глаза, нос-картошка, остатки волос вокруг лысины седые, прямые. Откуда эта наглость? Он явно сочувствует Ласкиной. Что, если он с ней заодно? Что, если охрана сняла с нее наручники и забыла поднять койку не случайно?

— Ладно, — *Влад спокойно кивнул,* — она объяснила, почему отказывается от еды?

— Сказала: нет аппетита, кусок в горло не лезет.

— Какие-нибудь вопросы задавала?

Врач молча помотал головой.

— То есть вообще никаких? — *уточнил Влад.*

— Нет. Только спросила, какое сегодня число и который час.

— Как вы считаете, номер пятьдесят три начнет есть самостоятельно или придется кормить насильно?

— Ну, голодовку она объявлять вроде бы не собирается, — врач пожал плечами, — отсутствие аппетита в ее случае нормальная реакция, думаю, через некоторое время начнет есть, организм крепкий, молодой, свое возьмет.

Влад хотел сказать: «Учтите, к процессу она мне нужна здоровая», — однако промолчал. Он больше не доверял врачу.

* * *

Очередная паническая атака накрыла Надю по дороге на работу. Она шла обычным своим маршрутом к трамвайной остановке. В проходном дворе услышала шаги за спиной, побежала, не оглядываясь, и угодила в незамерзающую глубокую лужу возле пункта сдачи стеклотары. Сапоги промокли насквозь, ноги заледенели, сердце взбесилось, зачесались, заныли шрамы на запястьях.

Конструкцию наручников Надя помнила в мельчайших подробностях. К плоскому квадрату размером с папиросную коробку были прицеплены две пары подвижных клешней. Дернешься — замки автоматически перещелкивались на следующий уровень, клешни-браслеты стягивались туже, зазубрины впивались в кожу, кисти немели, распухали. Днем руки сковывали за спиной, ночью спереди. Невозможно почесаться, высморкаться, поправить волосы, и в этом было какое-то особенное, изощренное издевательство, которое переживалось мучительней физической боли.

Надя поскользнулась, едва не грохнулась, но удержала равновесие. Следовало передохнуть, отдышаться, но только не здесь, не сейчас. Главное добраться до остановки, влезть в трамвай. Там обязательно полегчает.

Порывы ветра швыряли в лицо пригоршни крупного липкого снега, перед глазами замаячило знакомое чудовище, персонаж привычных кошмаров.

Чудовище вкрадчивое, неторопливое, никогда не повышало голоса, не делало резких движений, подолгу молчало, наблюдало, словно стремилось замедлить ход времени, продлить кайф, насладиться в полной мере своей властью над жертвой.

В реальности оно выглядело вполне презентабельно — ладный холеный мужчина с идеальным пробором и толстыми, светлыми, аккуратно подстриженными усами. Признаки, свойственные классу паукообразных, проступали постепенно. У него не было шеи. Голова и грудь слиты в единое целое — головогрудь. Розовая гладкая кожа лоснилась, поблескивала и на вид казалась плотной, как хитиновая оболочка.

Надя была не единственной его жертвой, но почему-то именно ее он решил сделать ключевой фигурой своих бредовых замыслов и планов. В отличие от других ее не били, не калечили, только держали в наручниках, не давали спать и периодически обливали ледяной водой. Это продолжалось почти три месяца. Потом внезапно власть его кончилась, планы сорвались. На прощание он прошептал: «Ты, ведьма, жидовская сука, думаешь, выкрутилась, ускользнула? Не надейся! Все еще впереди!»

Ее качало от слабости, тошнило, голова кружилась, перед глазами мелькали вспышки. Она плохо соображала, но запомнила его слова и взгляд. Казалось, его мозг, будто губка, впитывает каждую ее черточку. Тогда, сквозь обморочную одурь, она поняла: ничего не кончилось, по крайней мере для них двоих. Он не оставит ее в покое, будет мстить.

За двадцать четыре года из всех, кого он мучил, в живых осталась только она, просто потому, что была значительно моложе других и не получила серьезных физических увечий. Она знала, что каждый из них умер своей смертью, от болезней, от старости, но иногда закрадывалась мысль: что, если это его работа? Что, если он тихо, незаметно убивал их по одному? Конечно, трудно представить, как именно он делал это и ни разу не попался. Но в любом случае к смерти каждого он причастен. Каждому, кто отведал его паучьих объятий, он сократил и отравил остаток жизни.

Почему он до сих пор не убил ее? Опасался, что найдут и посадят? Вряд ли. Его хитрости хватило бы, чтобы инсценировать несчастный случай и ускользнуть незамеченным. Несколько раз он пытался, но что-то его останавливало в последнюю минуту. Что-то или кто-то. Впрочем, если бы хотел, давно бы убил. Скорее всего, это казалось ему слишком банальным решением. Он лишился бы главного своего кайфа — питаться страхом жертвы, наблюдать, как она мучается, слабеет. Есть еще одно объяснение, совсем уж безумное: он не расстался со своими планами. Он не успокоится, пока не доведет задуманное до конца. Она ему нужна живая.

Она внушала себе, что все это случайные совпадения, бред, галлюцинации. Маньяк не может преследовать жертву столько лет. Иногда он исчезал на год, два, три. Она думала: «Ну вот, все, успокойся, наконец! Нет никакого чудовища, он давно забыл о тебе, остался только твой страх, твои глюки». Но опять на улице, в метро, в толпе возникало знакомое чувство пристального взгляда. Она оборачивалась, видела паучьи глаза и повторяла как заклинание: «Нет! Почудилось!»

В последнее время он стал действовать активней. Пару месяцев назад папа вернулся с работы подавленный и нервный. Долго отмалчивался, наконец рассказал, что впервые за сорок лет практики отказался консультировать больного. На вопрос «почему», назвал имя, отчество и фамилию чудовища и добавил: «Скорее всего, случайное совпадение, просто полный тезка, но я все равно не смог его принять». Надя спросила, как он выглядел, и услышала: «Среднего роста, лысый, коренастый, холеный. Впрочем, какая разница? Я же его никогда не видел. В любом случае, он не похож на человека, отмотавшего десятку».

Папа не сомневался, что его посадили, а Надя очень даже сомневалась. Они не имели возможности выяснить это. Если и был суд, то закрытый. Если и посадили, то давно вышел на свободу.

Через неделю, поздним вечером, она ждала поезда в метро на пустой платформе, стояла, уткнувшись в книжку. Послышался шум, в туннеле блеснули огни, порыв ветра зашевелил страницы, Надя машинально шагнула ближе к краю, чтобы сразу войти в вагон, и вдруг продрал озноб, началось бешеное сердцебиение. Кисти заныли, пальцы онемели, книжка выпала и соскользнула вниз, на рельсы. Чудовище приближалось, она увидела знакомые паучьи глаза под низко надвинутым козырьком замшевой кепки, метнулась от края и налетела на дежурную в синей униформе.

— Гражданочка, что вы там уронили? — крикнула дежурная сквозь грохот.

Надя смотрела на нее и не могла сказать ни слова. Поезд остановился, стало тихо.

— Что уронила-то? Погоди, вот отъедет поезд, достану.

Сердце застучало медленней, дрожь отпустила. Она не видела, куда делось чудовище, но чувствовала: на платформе его уже нет. Поезд уехал. Дежурная специальной штукой с крючьями достала книжку. Это был американский детектив в мягкой обложке, который дал почитать Павлик Романов. Книжке повезло, упала в прогалину между рельсами и осталась целехонька.

Надя опять, по привычной схеме, внушала себе: почудилось. Мужчина в замшевой кепке просто спешил к поезду. Но внушение больше не действовало. Она знала: да, на платформе был он, и он бы ее столкнул под поезд, не окажись рядом дежурная в синей униформе.

На следующий вечер прозвучал первый звонок с молчанием.

И вот теперь в ее сумке лежал пластиковый пакет. В нем лиловая папка, катушка с новой лентой, смятая коробка от старой. Бывший сокурсник Павлика Романова работал в Институте судебной медицины. Она хотела попросить Павлика передать ему все это хозяйство, чтобы сняли отпечатки пальцев. Она не знала, есть ли в этом какой-нибудь смысл, но надо было хоть что-то сделать.

В трамвае страх отпустил, она смотрела в окошко и сочиняла более или менее правдоподобную историю для Павлика — что случилось, зачем ей вдруг понадобилось снимать отпечатки. Наконец поняла: либо придется рассказывать все, либо надо вообще отказаться от этой сомнительной затеи.

* * *

Вячеслав Олегович не любил садиться за руль после бессонной ночи, но все-таки отправился в Горлов. Очень хотелось пообщаться с Викой, да и маму пора навестить. По дороге слушал «Евгения

Онегина», все арии знал наизусть, подпевал и доехал спокойно, без приключений.

Он припарковался на небольшом пустыре, за домом, там, где раньше стояли бараки, а теперь — ржавые коробки гаражного кооператива и мусорные баки под рифленым навесом. В сумерках сквозь дымку снегопада темнела громадина Бутырки. Кирпичные стены цвета запекшейся крови, серые спирали колючки по периметру, редкие, маленькие, забранные решетками окна, приземистая Пугачевская башня с зубцами, похожими на кремлевские.

В детстве тюрьма пугала и завораживала, страх мешался со жгучим любопытством. Среди окрестных ребят ходили рассказы о расстрелах в Пугачевской башне, о ночных фургонах с надписью «Хлеб», груженных трупами, о тюремных призраках, неразменных рублях, фантастических побегах и благородных блатных мстителях.

Елена Петровна называла громадину Бутырским замком, остальные просто Бутыркой. В молодости Галанов хотел собрать и сравнить факты и легенды, написать книгу об истории старинной тюрьмы, но бросил, так и не начав.

С возрастом любопытство и страх угасли. Он понял, что за этими стенами нет ничего таинственного, только тоска, беда и тупая жестокость. Бутырский замок стал для него частью привычного городского пейзажа.

После вчерашнего застолья остались пироги, салаты, ветчина, рыба. Оксана Васильевна разложила все по пакетам и банкам. Сумка получилась тяжелая, лифта в доме не было, он едва доволок ее на третий этаж.

В коридоре пахло вареным мясом и каким-то моющим средством. Незнакомый парень в трениках и тельняшке разговаривал по телефону, прикрыв ладонью трубку. Аппарат по-прежнему висел на стене, только номера больше не царапали по обшарпанной краске, а записывали в блокнот, который болтался на шнурке. Стены заклеили обоями, пол застелили линолеумом, старая коммуналка приобрела вполне пристойный вид. Из прежних жильцов никого, кроме его матери, не осталось.

Плечистый странно ухмылялся в трубку:

— Будьте добры Надежду Семеновну… Нет, ничего, спасибо, извините, перезвоню позже.

«Кто такая Надежда Семеновна? — рассеянно подумал Галанов. — «Будьте добры-спасибо-извините» никак не вяжется с грубой физиономией, с бычьей шеей, с могучими плечищами. Ломается, дурачит кого-то? Впрочем, внешность обманчива, может, он вполне приличный воспитанный человек. Хамы, хулиганы и алкаши тут больше не обитают».

Одинокий алкаш, которого выселили за сто первый километр, занимал комнату рядом с маминой. Мама была ветераном труда с инвалидностью, ну и, конечно, Оксана Васильевна задействовала кое-какие связи. Получилось очень удобно — две смежные, даже дверь между ними имелась, просто многие годы оставалась забитой, пряталась за буфетом.

Мама дремала в кресле. Работал телевизор, шла передача с сурдопереводом. Он поставил сумку возле холодильника, снял ботинки, заглянул в приоткрытую дверь Викиной комнаты. Никого. Пахнуло духами и табачным дымом. Посреди письменного стола стояло зеркало, вокруг него валялись косметические тюбики и баночки. По полу и по неубранной постели были раскиданы скомканные шмотки.

Осторожно, чтобы не напугать, он подошел к маме, чмокнул в скулу. Она открыла глаза, обняла его.

— Слава! Вот не ожидала!

Из-за глухоты голос ее изменился, она говорила громко, медленно, без малейшей интонации, зато лицо стало подвижней и выразительней. Несколько лет назад он нашел специалиста, который обучил ее азбуке глухонемых и чтению по губам.

Увидев сумку, она всплеснула руками:

— Зачем столько? Мы не съедим!

— Соседей угостите. — Он стал выкладывать продукты и спросил: — Где Вика, не знаешь?

— Пойду на кухню, поставлю чайник, — прокричала она в ответ, — электрический опять перегорел.

Он спохватился, что забыл повернуться к ней лицом. Повторять вопрос не стал, сказал:

— Я сам, ты пока достань чашки.

В кухне на одной из трех газовых плит что-то булькало в кастрюле, судя по запаху, мясной суп. Пока закипал чайник, он выкурил сигарету и опять вспомнил давнюю ночную сцену. Любый в пустом коридоре размахивал кулаком и бормотал: «Уходи! Пошла вон, вражина, сволочь!» Бормотал тихо, но цинковые тазы и корыта, висевшие вдоль стен, улучшали акустику. Галанов мог разобрать каждое слово. Потом пришлось прятаться в темной кухне, ждать, когда Любый уйдет. Очень уж не хотелось столкнуться с ним лицом к лицу той ночью.

«Поразительно, помнится так ясно, словно было вчера…»

Он замедлил шаг возле двери Елены Петровны. В ее комнате сменилось несколько жильцов. Он ни разу не решился постучать, заглянуть. Боялся увидеть чужую мебель, чужих людей. Слишком много связано с этой тесной каморкой.

В сундучке у кровати, под стопкой чистого белья, Елена Петровна прятала уцелевшие дореволюционные книги, в том числе шеститомник Бунина. Выносить из комнаты не позволяла и просила никому не рассказывать. Бунин — белоэмигрант, в СССР его не публикуют.

Он готов был читать всю ночь, но она отправляла его спать, и весь следующий день в школе, дома, он считал минуты, ждал вечера. Она вернется с работы, откроет свою комнату, и можно читать дальше. Именно тогда он понял, чего хочет больше всего на свете: писать. Но если писать, то как Бунин, или вообще никак.

Собственная жизнь казалась ему неинтересной. Что он знал? О чем мог рассказать? Пионерское детство, комсомольская юность, первая любовь. Об этом сотни тысяч страниц написано, ничего нового не добавишь. В голове крутились свежие сюжеты, живые характеры, но на бумаге все тускнело, умирало, рассыпалось трухой.

Восемнадцать ему исполнилось в ноябре 1941-го. К этому времени он накропал дюжину рассказов, настолько ничтожных, что вспоминать стыдно. Впрочем, когда вернулся с войны, отнес папку с рукописями в Литинститут им. Горького, и его приняли.

Свою первую настоящую прозу, большую серьезную повесть о войне, он начал писать летом сорок четвертого, в госпитале, когда выздоравливал после второго ранения, и закончил уже дома, в Горловом, поздней осенью сорок седьмого.

Черновики съедали много дефицитной писчей бумаги. В ход шла оберточная, папиросные пачки, обратная сторона старых бланков, инструкций, отрывных календарей. Перья рвали хилую бумагу, оставляли кляксы, гнулись. Он писал то простым карандашом, то чернильным. Когда закончил, сложил все в наволочку от маленькой подушки-думки и отдал Елене Петровне. Она работала редактором в издательстве и подрабатывала перепечаткой.

Он очень смущался. Рукопись выглядела ужасно. Некоторые строчки расплывались, и почерк неразборчивый, и эта дурацкая наволочка.

— Ты как Велимир Хлебников, — улыбнулась Елена Петровна, — был такой поэт-футурист, очень талантливый, почти гениальный и слегка сумасшедший. Называл себя «председателем земного шара». Он тоже свои рукописи в наволочке таскал.

Печатать она могла лишь вечерами, после работы, строго до одиннадцати. Старый «Ундервуд» стоял на толстой войлочной подстилке, но соседи за стенкой все равно жаловались, что стук клавиш мешает им спать. Через неделю она вручила ему три картонные папки с тремя экземплярами, по сто сорок пять страниц каждый. Деньги взяла только за бумагу и копирку, брать за работу отказалась категорически и сказала:

— Славочка, я всегда знала, что ты талантливый мальчик. Есть великолепные, пронзительные детали, например, вот это, о казенном обмундировании, которое выдали в госпитале. Штопка на дырках, пробитых пулей или осколком, запах керосина, чувство, что надеваешь на себя чужое страдание, чужую смерть. Ты пишешь честно, ясно, очень по-человечески. Но… — Она осеклась, отвернулась и пробормотала: — Погоди, кажется, у меня осталось немного овсяного печенья.

Он долго не мог добиться от нее, что «но». Наконец, услышал:

— Не надо пока никуда нести, никому показывать. Пусть отлежится, потом перечитаешь, отшлифуешь, доведешь до совершенства.

Он набычился, как в детстве, спросил:

— Хотите сказать, повесть слабая?

— Нет, повесть хорошая, просто время сейчас такое. — Она опять запнулась и покраснела.

Он тогда не понял ее. После войны его не покидало чувство легкости и полноты жизни. Он воевал честно, главный свой долг исполнил, написал о том, что видел, знал, испытал на собственной шкуре. Не кривил душой, не лгал. Зачем же прятать?

Первый экземпляр рукописи он отдал руководителю своего семинара, маститому литературному критику. Критик морщился и качал головой:

— Слав, ну ты же фронтовик, член партии, будущий инженер человеческих душ! Что ж ты такое насочинял? Сплошная чернуха, кровь, грязь, вонь, вши, портянки, кошмарные сцены отступления, хаоса. Солдаты перед атакой матерятся, маму зовут, вместо того чтобы кричать «За Родину, за Сталина!». И всем страшно! Что это за бойцы такие, которым страшно? — Критик наставительно поднял палец: — Война — это героическое самопожертвование, величественный народный подвиг.

«Будете учить меня, что такое война?» — огрызнулся про себя Галанов, а вслух промямлил:

— Народ состоит из людей, людям умирать и убивать страшно. Подвиг тем и велик, что человек преодолевает страх...

— И что за название придумал! «Вещмешок»! Лучше бы уж тогда назвал «Портянки»! — Критик заулыбался собственной шутке, потом посуровел, зашелестел страницами. — Вот тут у тебя персонаж, доктор в прифронтовом госпитале. Такой расчудесный, добрый, умный, о раненых печется, как о родных детях, прямо ангел с крылышками. Блинкин Аркадий Абрамович.

Имя доктора он произнес нарочито картаво, с пародийным еврейским акцентом. Галанов вздрогнул, сжался, словно на него вылили ведро ледяной воды. Замелькали в памяти передовицы центральных газет о безродных космополитах, фельетоны в «Крокодиле». Он отвел глаза:

— Почему ангел? Человек как человек. Отличный врач. Ногу мне спас, двоих ребят из нашего батальона с того света вытащил.

— Не понимаешь? Или дурачком прикидываешься? — Критик взглянул на него поверх очков. — Думай башкой, а не ногой, которую тебе спас этот твой Блинкинд!

— Блинкин, — машинально поправил Галанов, помолчал, кусая губы, и спросил чуть слышно: — А если назвать доктора как-то иначе? Допустим, Петровым?

— Да хоть Пироговым! Зачем вообще это все написано? Ради чего? — критик раскраснелся и повысил голос. — Вот главный твой герой, лейтенантик, он кто такой? Сплошные чувства и мысли! Во всем видит только мрачную сторону! Война для него — абсурд, кошмарная бойня, сумасшедшая мясорубка. Чему он учит молодое поколение? К чему призывает?

— Никого он не учит, ни к чему не призывает, — спокойно объяснил Галанов, — просто воюет, честно выполняет свой долг…

— Честно? Долг? Да он трус, тряпка, ревизионист-примиренец, гнилой буржуазный пацифист! А финал? Это что же за финал? Где радость победы? Где всеобщее ликование, народное единство? Где? Инвалид безногий с орденскими планками на вокзале милостыню просит! — Критик захлопнул папку и шарахнул по ней кулаком. — Писателем стать хочешь? Институт закончить, в Союз вступить, печататься, книги выпускать? Ну, хочешь или нет?

Галанов молча кивнул.

— В общем, мой тебе совет, Слава. Не ломай себе жизнь, забери это. Ты мне не давал, я не читал. Никому не показывай, спрячь подальше, а лучше вообще сожги.

Жечь он не стал, но спрятал. Первый экземпляр сунул под матрац, вторые два отдал Елене Петровне и чуть не расплакался, увидев, как она кладет папку в сундучок, рядом с Буниным.

Глава двадцать третья

В коридоре Влад столкнулся с Гоглидзе. Тот похлопал его по плечу, спросил:

— Ну, что, как дела? Начал девку раскручивать?

— Она должна дозреть, товарищ генерал.

— Ладно, тебе видней, — благодушно усмехался Гоглидзе. — Давай-ка пока займись Вовси.

Гаркуша и прочие тупые забойщики третий месяц возились с академиком. Конвейер по десять суток, дубинка, холодильник, опять конвейер. Признательные показания были давно готовы, но без подписи это просто бумажка. Влад решил добиться подписи во что бы то ни стало, не сомневался: психологическая методика сработает.

Генерал-майор медицинской службы, главный терапевт Советской армии, кавалер двух орденов Ленина и ордена Красного Знамени, заслуженный деятель науки, академик Вовси напоминал освежеванную тушу, на которую зачем-то напялили штаны и рубашку. Красное распухшее лицо в кровоподтеках и ссадинах, пятна засохшей крови на одежде.

Одна из главных проблем следствия: клиенты, подписавшие признания, для открытого процесса уже не годились, а те, что пока годились, еще ничего не подписали. Вовси не подписал, но товарный вид потерял.

Влад велел дежурному усадить академика на стул, принести чаю, бутербродов и шоколадных конфет.

— Угощайтесь, Мирон Семенович, вам необходимо подкрепиться.

Пока академик ел и пил, Влад пробежал глазами текст признательных показаний:

«Взвесив все происходящее, я пришел к выводу, что, несмотря на низость моих злодеяний, я должен раскрыть ужасную правду перед следствием о моей предательской деятельности, целью которой было подорвать здоровье лидеров парторганизации, госслужащих Советского Союза.

Став одним из исполнителей этих гадких преступных планов, я в первую очередь должен винить себя. Я противник Советской власти. Особую силу моя ненависть и враждебность к советским порядкам стала набирать в послевоенные годы.

Для воплощения моих подлых замыслов, из-за ненависти к партийным лидерам и Советскому правительству я обратился к медицине — не для того, чтобы улучшить их здоровье, а с целью подорвать и сократить жизнь партийной верхушки.

Я добивался исполнения моих преступных планов посредством ложных, развращенных способов лечения, не соблюдая порядка и профилактических мер во время лечения или диагностики болезни».

Признательные показания академика написал забойщик Гаркуша. Обычная практика. Клиент молчит, или все отрицает, или бормочет что-то невнятное, время идет, следак теряет терпение, начинает ему помогать, подсказывать и в итоге сам все сочиняет.

Влад усмехнулся: «Развращенные способы лечения...» Ничего не поделаешь, у Гаркуши четыре класса образования».

Он предложил Вовси папиросу, поднес спичку, произнес мягко, доверительно:

— Мирон Семенович, мне нужна ваша помощь. Не для протокола, это личное.

Академик молча жадно курил. Один глаз совсем заплыл, исчез, второй, с красным белком, был едва виден и глядел на Влада без всякого выражения.

«Наконец благопристойная личина сброшена. Теперь видно, кто ты на самом деле. Уродливая тварь. Циклоп», — подумал Влад и продолжал тихим, слегка охрипшим от волнения голосом:

— Моя мать болеет, чахнет, буквально тает на глазах. Разные специалисты смотрели ее, анализы, рентген, все, как положено, и никто ничего не понимает. Посоветуйте, пожалуйста, какого-нибудь хорошего терапевта-диагноста.

Вовси слабо помотал головой, пробормотал:

— Не могу.

Влад поднялся, вытащил из его пальцев потухший окурок, сделал печальное, озабоченное лицо:

— Мирон Семенович, у меня сердце разрывается, ведь это мать! В Боткинской наверняка остались хорошие диагносты, просто скажите, к кому обратиться?

— Не знаю.

— Вот я слышал, есть такой доктор Ласкин, — *подсказал Влад.*

— Не помню.

— Ну как же не помните, Мирон Семенович? Вы же с ним много лет вместе работали и во время войны пересекались часто, говорят, он прекрасный диагност...

«Давай-давай, колись, жидовская мразь, только повтори фамилию, а уж я тебя дальше раскручу!» — простонал он про себя и услышал:

— Не помню.

Влад не сдавался, принялся рассказывать о своих переживаниях из-за непонятной болезни матери, даже слезу пустил. Перечислял разных врачей — из Боткинской, из Института усовершенствования, оставшихся на свободе, и тех, кто уже сидел.

В ответ слышал:

— Не знаю... не помню...

— Мирон Семенович, я понимаю, вы не хотите называть имена своих коллег, опасаетесь, что они могут пострадать. Даю вам слово офицера, это не для протокола, не для следствия, это моя личная просьба. Просто по-человечески помогите! Поверьте, в долгу не останусь. Ну, только скажите, доктор Ласкин действительно хороший диагност? Его мнению можно доверять?

— Не знаю... Не помню... Меня тут много били по голове, я потерял память...

«Кажется, я попал в точку, — обрадовался Влад, — он упорно не желает говорить о Ласкине. Значит, Ласкин там остался за главного. Не исключено, что он изначально самый главный, а Вовси подчиненный, пешка».

Дверь открылась, вошел Гаркуша, бледный, осунувшийся и совершенно трезвый. Мгновенно оценил обстановку, понял, что подписи еще нет, и заорал:

— Встать!

Академик попытался встать, но не сумел. Гаркуша затряс кулаком перед его носом:

— По стенке размажу, мразь, жидовская рожа, сдохнешь тут, сгниешь, на хуй, давно в холодильнике не прохлаждался, блядь?

Влад опомнился. Охота на Ласкина отвлекла его от основной сегодняшней задачи: он должен получить подпись под признательными показаниями, во что бы то ни стало, здесь и сейчас. Подпись Вовси сразу поднимет его авторитет, заставит этих тупиц отнестись всерьез к его особой психологической методике.

— Пал Фомич, ну, зачем вы так? — обратился он к Гаркуше. — Подождите, дайте нам еще немного времени.

Гаркуша мрачно покосился на Влада:

— И так уж кучу времени потеряли из-за этой мрази! Цацкаемся с ними! Ладно, через десять минут не подпишет — отправится в холодильник, бессрочно, до особого распоряжения руководства. — Он еще раз потряс кулаком перед носом Вовси. — Ясно тебе, говно?

Когда дверь за ним закрылась, Влад подвинул Вовси протокол с признанием, обмакнул перо в чернильницу.

— Мирон Семенович, давайте быстренько, а то он вернется, и я уже ничем не сумею вам помочь.

Вовси под его диктовку нацарапал трясущейся рукой: «Протокол мною прочитан, показания с моих слов записаны верно. Вовси». И отключился.

⁕ ⁕ ⁕

Вячеслав Олегович вернулся в комнату с горячим чайником.

Мама сидела за маленьким круглым столом, нарезала сыр. Он сел напротив и повторил свой вопрос:

— Где Вика, не знаешь?

Мама выронила нож, испуганно прокричала:

— Так она же к вам на дачу уехала!

— Ну, да, конечно, только она там с нами не сидит, по гостям бегает, нас в свои планы не посвящает, я думал, может, уже вернулась в Москву.

Мама помотала головой:

— Обещала вернуться в субботу вечером. Сказала, будет на лыжах кататься и в бане париться.

У Вячеслава Олеговича заныло сердце.

«Куда же он повез ее в два часа ночи? Лыжи, баня… Что вообще происходит?»

— Обещала — значит, вернется, — произнес он вслух.

— Курит! Часто не ночует дома! — крикнула мама. — Поговори с ней!

— Обязательно! Прости, совсем забыл, надо срочно позвонить.

На телефоне опять висел амбал в тельнике. Вячеслав Олегович топтался рядом, поглядывал на часы, на амбала, наконец схватил теплую влажную после его ладони трубку и набрал дачный номер Уральца. Решил не дипломатничать, сказать прямо: «Федя, ты вчера притащил ко мне этого Любого. Полвторого ночи он взялся отвезти Вику домой. Дома она до сих пор не появилась».

Ответила Зоя:

— С утра на работу умчался. Когда вернется, не сказал. Ну, ты же знаешь его. Что-нибудь передать?

— Спасибо, Зоечка, если вдруг объявится, просто скажи, что я звонил.

Он повесил трубку. Что дальше? Идти в милицию, писать заявление? Не примут. Вика совершеннолетняя, прошло меньше суток. «Спросить у Марины, племянницы Любого? Черт, почему племянница? Откуда? У него вроде не было братьев и сестер… Ладно, не важно. Они с Викой подруги. Девица неприятная, наглая. Даже если знает, не скажет…»

Дверь комнаты возле черного хода была приоткрыта. Послышался раскат смеха, потом Викин голос громко, отчетливо произнес:

— А я вот советской власти очень даже благодарна, она меня научила динамо крутить!

Вячеслав Олегович застыл, будто примерз к полу.

Опять смех. Голос Марины:

— Давай колись, Тошка, рассказывай!

— Джинсы, настоящий «Левайс», будто на меня сшиты. Сто пятьдесят деревянных! Где же честной пионерке взять такие бабки? Предложили расплатиться натурой. А фарцак… ну, как бы это помягче выразиться… Фарцакян, Фарцакаридзе, Фарцманштейн, в общем, нерусский. Посадил он меня в свою тачку, повез на флэт, далеко, в Бибирево. Проезжаем мимо большого парка, я так нежно ему говорю: слушай, май беби, во-он там кустики, притормози на минутку, сил нет терпеть, сейчас описаюсь! Поверил, остановился. Я выскочила, рванула по парку, не оглядываясь. Потом прыг в троллейбус. Гуд-бай, дарлинг!

— А джинсы? — спросила Марина.

— На мне! Как примерила, так и не сняла. Ну, юбчонка моя пионерская, конечно, ему досталась.

— Прикольно, только я не понял, при чем здесь советская власть? — спросил незнакомый мужской голос.

— Дурак ты, Тосик! Не было бы советской власти, я бы просто зашла в магазин, купила себе джинсы и носила бы их без всякого удовольствия. Тоска смертная!

— Джинсы — происки американских сионистов назло святой Руси, — важно изрекла Марина, — ношение джинсов и курение «Мальборо» — сатанинское причастие.

— У-тю-тю какие мы сурьезные! — тоненько пропела Вика. — А сама что носишь, что куришь?

— Мне можно, я посвященная, — объяснила Марина.

Последовал очередной взрыв смеха, причем смеялись все трое. Когда успокоились, Тосик спросил:

— А сколько честной пионерке было лет?

— Четырнадцать.

«Врешь, — подумал Галанов, — в четырнадцать ты лечилась от заикания, выводила прыщи и сбрасывала вес. Первые джинсы я привез тебе из Парижа, потом привозил из всех поездок или в "Березке" покупал».

Надоело подслушивать, он распахнул дверь. Увидел вульгарную красотку Марину, Тосика, смазливого блондина лет тридцати, и Вику в халате, в чалме из полотенца, у Тосика на коленях. Она вскочила с колен как ошпаренная, заверещала:

— Папулище! Вот сюрприз!

— Ты когда вернулась?

— Часа в три ночи. — Она уже висела у него на шее и мурлыкала: — Ох, прости, забыла тебе позвонить, просто с ног валилась и будить тебя не хотела, ты, наверное, уже десятый сон видел.

— Бабушка сказала, ты не ночевала дома. — Он отстранил ее и попытался заглянуть в глаза.

Вика не покраснела, не отвела взгляд, сделала серьезное лицо и произнесла трагическим шепотом:

— Пап, у нее совсем плохо с головой, забывает все через минуту, мы же с ней сегодня завтракали вместе.

* * *

Скромный серый «жигуль» с номерами, заляпанными грязью, въехал в один из арбатских переулков, свернул во двор дореволюционного доходного дома, остановился возле углового подъезда, выпустил пассажира и сразу отчалил. Пассажир нырнул в подъезд, пешком поднялся на четвертый этаж, открыл дверь своим ключом.

В полутемном коридоре сладко пахло восточными благовониями, из глубины квартиры доносилась спокойная классическая музыка. Через минуту появилась высокая молодая брюнетка в узких джинсах и белой мужской рубашке навыпуск.

— Здравствуйте, Федор Иванович.

— Привет, Ритуля, — он по-отечески потрепал ее по щеке, — все хорошеем?

— Стараемся. — Она тряхнула короткими, зеркально гладкими волосами, повесила на плечики его дубленку, подала тапочки. — Уж остыло, пока вас ждали. Греть?

— Мг-м.

Посреди просторной идеально чистой комнаты стоял круглый стол под белой скатертью, накрытый на двоих, к обеду. В углу, у окна, сидел в кресле, у журнального столика, упитанный мужчина лет пятидесяти, в роговых очках, с аккуратной профессорской бородкой и благородными залысинами над высоким покатым лбом. Он сосредоточенно грыз ручку, листал блокнот. Рядом, на широком подоконнике, стоял маленький кассетный магнитофон, из которого лилась спокойная музыка. Благовониями пахло так сильно, что Федор Иванович сразу расчихался.

— Будьте здоровы! — Мужчина отложил ручку, снял очки, выключил кассетник, поднялся навстречу гостю, протянул руку. — Заждались мы вас, товарищ генерал!

— Привет, Валентин. — Генерал пожал мягкую женственную кисть, поморщился. — Слушай, ты бы погасил эти свои индийские вонючки, дышать нечем.

— Так они уж сами догорели! — Валентин хмыкнул. — А вы сегодня, кажется, не в духе, товарищ генерал. Проблемы на литературном фронте?

Федор Иванович вздохнул, кивнул.

Вошла Ритуля, поставила на стол миску квашеной капусты, тарелку с маринованным чесноком, пупырчатыми малосольными огурцами и спросила:

— Горячее сразу подавать?

Генерал шумно высморкался, поинтересовался:

— А что у нас на горячее?

— Уха из осетрины, киевские котлетки, полчаса назад из «Праги» доставили, — доложила Ритуля и добавила с улыбкой: — Товарищ генерал, может, форточку прикрыть?

— Не надо, пусть уж выветрится поскорей индийская дрянь.

— Ясненько. Так как насчет горячего?

— Подавай, Ритуля, подавай! — Валентин потер ладони. — Я, пока ждал товарища генерала, начал уж пухнуть с голоду.

Ритуля бесшумно удалилась. Они уселись за стол. Валентин взялся за графинчик, но Федор Иванович помотал головой:

— Нет!

— Ну, товарищ генерал, по маленькой, а? — Валентин подмигнул. — Под такую закуску хорошо пойдет.

— У меня еще куча дел, расслабляться не время, к тому же перебрал вчера. Хочешь — сам пей.

— Один пить не буду, давайте тогда морсику. — Валентин разлил по стаканам клюквенный морс из кувшина. — А насчет Зыбина не переживайте. Я вот как раз сегодня утром статейку навалял для «Византьен» о сталинских зверствах. Представляете, упекли в лагерь талантливого писателя, а у него эпилепсия, как у Достоевского!

— Ты чего, с Достоевским его сравнил? — Генерал нахмурился.

— Так само ж напрашивается: эпилепсия, каторга.

— Убери!

— Нельзя, товарищ генерал, без эпилепсии и каторги никак нельзя!

— Тогда хотя бы Достоевского убери.

Валентин обиженно фыркнул, запихнул в рот горсть капусты, проворчал:

— Сатрапы! Все бы влезть своими сапожищами в нежную душу творца! — Он прожевал, промокнул губы салфеткой. — Дослушайте сперва, потом будете запрещать и не пущать.

— Ладно, слушаю.

— Да, так вот. Лагерь, лесоповал, урки, охранники-упыри. Ну, кто эти муки вынесет? Писатели вообще народ хлипкий, а уж эпилептики самые из них чувствительные. После освобождения запил наш гений, понятное дело. Эпилептикам спиртное категорически противопоказано, врачи предупреждали. Гений разумными советами пренебрег, допился до цирроза печени, и припадки, разумеется, участились. В таком вот плачевном состоянии сочинил бедолага главный роман своей жизни. Проклятая советская цензура, конечно, не пропустила, зато в свободном мире, во Франции, издали сразу. Отправился наш писатель в знаменитый московский литературный клуб, праздновать выход книги. И случился у него припадок, прямо в фойе.

— Что, правда у Зыбина эпилепсия? — спросил Федор Иванович, отхлебнув морсу.

— Обижаете, товарищ генерал! Разве я когда-нибудь вру? — Валентин хрустнул огурчиком. — Припадок, само собой, зрелище не для слабонервных. Хорошо, какие-то неизвестные молодые ребята не растерялись, оказали первую помощь. Слабонервные стояли, смотрели, но не поняли сути происходящего, решили, будто писателя вовсе не спасают, а, наоборот, бьют.

Ритуля принесла супницу с ухой, разлила по тарелкам.

— Ты мне рыбки побольше зачерпни, картошки не надо, — попросил генерал.

Несколько минут ели молча. Валентин аккуратно выуживал вилкой кружочки моркови и откладывал на отдельную тарелку.

— С детства терпеть не могу вареную морковку. — Он проглотил ложку ухи, прищурился: — Федор Иваныч, так как насчет тезки вашего?

— Кого?! — Генерал вытаращил глаза, поперхнулся куском осетрины, закашлялся до слез.

Валентин поднялся, обошел стол, звонко хлопнул его по спине, пояснил:

— Насчет Федора Михайловича Достоевского как решаем? — Он подал стакан: — Водички попейте.

Генерал попил, справился с кашлем, махнул рукой:

— Черт с тобой, оставляй! Да, а что за газета? Как ее? — Он защелкал пальцами: — Вита… Вива…

— «Византьен», — подсказал Валентин, усаживаясь на место, — газетенка бельгийская, весьма популярная, большая часть тиража идет во Францию.

Федор Иванович насупился, задумался, минуту молчал, наконец лицо его расплылось в доброй широкой улыбке:

— Спасибо, Валь, ты молодец, оперативно сработал.

Валентин шутовски козырнул и отчеканил:

— Служу Советскому Союзу!

Да, вот уж кто служил, так служил — верно, безотказно и с немалой выгодой для себя.

Валентин Лисс, внештатный корреспондент нескольких солидных западных изданий, гражданин СССР, был самой парадоксальной личностью из всех, кого довелось знать генералу. Звали его Вениамин Израилевич Лившиц. В нежном возрасте он сел за мелкую спекуляцию, сразу предложил лагерной администрации свои услуги, показал себя надежным, толковым и удачливым агентом-осведомителем, вышел на свободу в пятьдесят седьмом, всем рассказывал, будто сидел по политической статье. Сотрудничество с Органами продолжил и скоро вырос до уровня Доверенного Лица (для внештатного агента это звание равно генеральскому).

Веня Лившиц окончил восьмилетку. Валентин Лисс свободно владел английским, французским, немецким. Когда и где успел выучить — загадка. Разбирался в литературе, истории, философии, музыке, восточной медицине, не говоря уж о психологии. Статейки строчил на трех языках, удивительно легко и быстро. Выполнял самые деликатные поручения высшего руководства и гонораров за это не брал. Единственное условие — не мешать, не лезть в его финансовые дела. Заслуги Лисса были бесценны. Ему позволяли зарабатывать как пожелает и сколько пожелает. В итоге он стал легальным советским миллионером.

О том, как именно зарабатывал, чем и в каком количестве владел Веня Лившиц, генерал старался не думать. Чужое богатство Федора Ивановича всегда интересовало, раздражало и больно ранило, но с возрастом он научился чувства свои держать при себе, особенно когда это касалось такого выдающегося человека, как Валентин Лисс. Работать с ним было престижно и приятно. Они встречались дважды в месяц на конспиративных квартирах. Федор Иванович приходил пешком или подъезжал на служебном авто из разряда «камуфляжных скромняшек», чтобы не мелькали во дворах слишком новенькие, слишком чистые «Волги» со спецномерами. Лисс тоже соблюдал конспирацию, нырял в метро или ловил такси.

Он не ждал заданий, сам проявлял инициативу, часто опережал события. Никто не просил его писать о Зыбине, а он взял и написал, умно, тонко и очень своевременно.

Кофе пили за журнальным столиком, раскинувшись в мягких креслах. По хитрому блеску маленьких зеленоватых глаз Федор Иванович догадался: на сегодня это не все, Валентин приготовил для него еще кое-что интересное. И не ошибся.

Лисс положил перед ним толстую потрепанную книгу. Генерал повертел ее в руках: «Ю. Дольд-Михайлик "И один в поле воин". Роман. Изд. "Родяньский письменник", Киев, 1965».

— Откройте, где закладка, там карандашиком подчеркнуто, — сказал Валентин.

Федор Иванович надел очки, стал читать:

— «...*Посеяв в России хаос, мы незаметно подменим их ценности на фальшивые и заставим их в эти фальшивые ценности верить. Как? Мы найдем своих единомышленников в самой России... Эпизод за эпизодом будет разыгрываться грандиозная по своему масштабу трагедия гибели самого непокорного на земле народа... Мы будем всячески поддерживать и поднимать так называемых творцов, которые станут насаждать и вдалбливать в человеческое сознание культ секса, насилия, садизма, предательства — словом, всякой безнравственности. В управлении государством мы создадим хаос, неразбериху...*»

Он поднял глаза, недоуменно взглянул на Валентина поверх очков:

— Это что такое?

— Персонаж романа, американский генерал, инспектирует разведшколу, дает наставления будущим шпионам, — объяснил Лисс, подмигнул и добавил: — Как живого вижу этого подлого янки. На Аллена Даллеса похож.

Федор Иванович еще раз, уже внимательней, прочитал подчеркнутый текст, пошевелил бровями, пробормотал:

— Мг-м... Любопытно... И когда же господин Даллес этот свой тайный план сочинил?

— Давно, товарищ генерал, очень давно, более века назад.

Федор Иванович вскинул глаза, взглянул на Валентина и не заметил даже намека на улыбку. Самые остроумные свои идеи Лисс обычно выдавал с непроницаемо-серьезным лицом. Генерал ждал, что будет дальше, и услышал:

— В первозданном виде «План Даллеса» появился в тысяча восемьсот семьдесят первом году, за двадцать два года до рождения самого господина Даллеса. Изложил его персонаж романа «Бесы» Петр Верховенский. — Лисс открыл блокнот и начал читать наигранно-взволнованным высоким голосом:

«*Слушайте, мы сначала пустим смуту... одно или два поколения разврата теперь необходимо; разврата неслыханного, подленького, когда человек обращается в гадкую, жестокую, себялюбивую мразь — вот чего надо!.. В русском народе до сих пор не*

было цинизма, хоть он и ругался скверными словами... Мы про-
возгласим разрушение... Мы пустим пожары... Мы пустим леген-
ды... Ну-с, начнется смута! Раскачка такая пойдет, какой еще
мир не видал...»

Он закрыл блокнот, пояснил:

— Выписал для вас короткие сухие выдержки, монолог Верховенского длинный, путаный, весьма эмоциональный. Высокая
литература, с Дольд-Михайликом даже сравнивать неловко.

— Я все-таки не совсем тебя понял, — Федор Иванович допил
остывший кофе, звякнул чашкой о блюдце, — давай-ка без шуточек, спокойно, по порядку.

Лисс вздохнул, снял очки, устало потер переносицу:

— Пару недель назад мне в руки случайно попал роман Дольд-
Михайлика. Знаете, я иногда почитываю на ночь всякую ерунду,
в качестве снотворного. Листаю Дольда, глаза слипаются, и вдруг —
ба! Монолог мерзавца Верховенского! Я вскочил, взял с полки
«Бесов», стал сравнивать. Конечно, скромный украинский письменник текст классика дословно передирать не стал. Отредакти-
ровал, осовременил, а главное, догадался вложить в уста амери-
канскому генералу. Вот вам настоящее литературное чутье! И тут
мне пришло в голову, что наверняка такой план существует не
только в художественной литературе, но и в реальности, причем
именно у американцев.

Федор Иванович возбужденно облизнул губы: «Как же я сразу не сообразил? "План Даллеса"... Нет, лучше "Меморандум Даллеса"... Грамотно подать, слить под видом случайной утечки се-
кретной информации...»

Он энергично кивнул:

— Конечно, существует! Именно у американцев!

— Пожалуй, Даллес мог изложить его году этак в сорок пятом.
Завидовал нашей победе, хотел подорвать растущий авторитет
нашего государства, — задумчиво пробормотал Лисс.

Уралец помолчал, пошевелил бровями, неуверенно заметил:

— Погоди-ка, ЦРУ в сорок пятом вроде еще не было?

— Ну, вы педант, товарищ генерал, — Валентин усмехнулся, —
да, ЦРУ не было, зато уже существовало Управление стратегиче-

ских служб, предшественник ЦРУ. Даллес тогда возглавлял Европейский разведцентр, сидел в штаб-квартире в Берне. Как раз в сорок пятом, в Берне, у нашей разведки имелась реальная возможность добыть этот сверхсекретный документ.

Федор Иванович поднял вверх палец, радостно выпалил:

— О! Штирлиц добыл!

Валентин скривился, помотал головой:

— Просто — наша разведка. Подробности пусть народ сочиняет, любителей много.

— В народе секретный «Меморандум Даллеса» хорошо пойдет, — промурлыкал генерал с мягкой полуулыбкой, — будут кушать и облизываться.

Пока Ритуля убирала посуду, они молча курили. Валентин ерзал в кресле, косился на часы.

— Если не возражаешь, отниму у тебя еще пару минут, — сказал Федор Иванович, когда они остались одни, и достал из кармана брюк сложенный вчетверо мятый листок. — Вот, взгляни.

Валентин надел очки, пробежал глазами первые несколько строк, присвистнул и дальше стал читать вслух:

— «...Для наших священных ритуалов нам требуется кровь ваших детей. США и СССР — два наших великих данника. Первый — у наших ног. Второй — практически тоже. США и Западная Европа уже принадлежат нам. Демократия, либерализм и права человека — наше тайное оружие. Нож, пистолет, бомба и смертоносные микробы — наше оружие явное. Орден Премудрых».

Закончив, прыснул.

— Что смешного? — мрачно спросил генерал.

— Штирлиц передал в центр фрагменты «Протоколов сионских мудрецов» в вольном переводе? — Он отсмеялся, снял очки, тщательно протер их и спокойно произнес: — Извините, товарищ генерал, но это уж совсем примитивная халтура.

— Это реальная листовка, их кидают в почтовые ящики в Москве, в жилых домах центральных районов.

— Кто?

— Пока не знаем. Авторов ищем. Похоже, диссиденты, сионисты-отказники.

— Не самая удачная идея.

— Это реальная листовка, — медленно, жестко повторил генерал, — текст имеет очевидную сионистскую направленность, содержит открытые террористические угрозы.

— И что? — Лисс скорчил комически серьезную рожу. — Они эти свои кошмарные угрозы осуществят?

— Могут. — Федор Иванович серьезно, уверенно кивнул. — Уже осуществляют. Иная книжонка по разрушительному воздействию опасней терактов, один «Архипелаг ГУЛАГ» чего стоит!

— Ну, уж Солженицын к сионизму точно отношения не имеет, — ехидно заметил Валентин.

— Не передергивай! — Уралец вдруг шарахнул кулаком по журнальному столику, да так сильно, что подпрыгнула пепельница с окурками. — Солженицын не имеет, а Сахаров еще как имеет! Каждый диссидент — сионист! Каждый! И те, кто за Святую Русь, за монархию, кто трендит, будто царскую семью евреи убили, подсчитывает проценты евреев среди большевиков и проценты еврейской крови у Ленина, — тоже сионисты. Потому что все они враги нашего государства, на Америку работают, а Америка — главное гнездо сионизма!

— Федор Иванович, я вас понял, не надо кричать.

Генерал тряхнул головой, провел ладонью по лицу:

— Извини, Валь, что-то я правда срываться стал часто.

— Работа нервная, а вы человек эмоциональный, горячий, все принимаете близко к сердцу. — Валентин понимающе улыбнулся.

— Ох, и не говори. — Генерал вздохнул, вытянул сигарету, подвинул пачку: — Угощайся.

— Спасибо, Федор Иванович, ваши крепковаты, я лучше свои.

Лисс курил длинные, коричневые с ментолом. Он щелкнул зажигалкой, откинулся на спинку кресла, сквозь дым, прищурившись, взглянул генералу в глаза:

— От меня что требуется?

— Ну, ты ж у нас представитель свободной прессы, вот и познакомь западную общественность с истинным лицом этих мучеников совести, чтоб они там не думали, будто диссиденты-сионисты такие скромники, овцы невинные. Книжонки пишут, плакатиками машут, а мы, палачи-сатрапы, душители свободы, их ногами в живот, по тюрьмам и психушкам, только за книжон-ки-плакатики.

— Федор Иванович, извините, но это не серьезно, — Лисс кивнул на листовку, — тут нет информационного повода.

— Так я ж не предлагаю тебе прямо сейчас писать. Появится повод — напишешь. Быстренько, по горячим следам, дашь оперативный комментарий для западной прессы.

— А он появится?

— Кто?

— Повод.

— Не исключено. — Федор Иванович вздохнул, помолчал. — Конечно, мы работаем, ищем, но мы не всесильны.

— Жертв много будет?

— Жертв? — Генерал вскинул брови. — Да ты чего, Валь? Какие жертвы? Если хоть один человек пострадает, их же из-под земли достанут! Они что, идиоты — самим себе вышак подписывать?

— Судя по тексту — идиоты.

— То листовка! В реальности у них кишка тонка людей убивать. Да мы и не допустим.

Валентин затушил окурок, минуту молчал, хмурился, сосредоточенно разглядывал свои ногти, наконец пробормотал чуть слышно, не поднимая глаз:

— Если только на экспорт и без жертв... В принципе, не так уж и глупо... Хотя листовка, конечно, халтура позорная...

Они встали, пожали друг другу руки.

— Ты, Валь, претензии к стилю им предъявляй, авторам-сионистам, а не нам. Мы-то здесь при чем? — добродушно пробасил Федор Иванович, прежде чем выпустить из пальцев вялую женственную кисть Лисса.

Глава двадцать четвертая

Влад приказал готовить номер пятьдесят три к допросу: дождаться, когда заснет, через двадцать минут будить. Вывести из камеры, провести по коридорам, затем вернуть в камеру. Опять дождаться, когда заснет. Будить через десять минут. Во время проходов по коридорам останавливать, поворачивать лицом к стене. И так не меньше трех раз, только после этого — на допрос.

Ее доставили в час ночи. Влад даже не взглянул на нее. Конвой вышел. Минут пять он не поднимал головы, делал вид, будто сосредоточенно читает бумаги. Ласкина стояла посреди кабинета. Наручники застегнуты спереди. Очевидное нарушение. Держать руки спереди положено только в камере, во время сна.

Он велел при каждом выходе перестегивать наручники назад.

Яркий свет настольной лампы бил ей в лицо. Она щурилась, стояла неуверенно, покачивалась, переминалась с ноги на ногу. Мятое шерстяное платье, коричневое, похожее на школьную форму, висело на ней неопрятно, как ночная рубаха. При аресте платье стягивал ремешок по талии. Ремешок забрали, нижний пояс с подвязками тоже. Чулки сползали, так же как у арестованных мужского пола сползали брюки без ремней, подтяжек и пуговиц.

Он поднял голову от бумаг.

— Добрый вечер, Надежда Семеновна. Извините, что заставил вас ждать. Очень много работы. Ну, давайте знакомиться. Меня зовут Любый Владилен Захарович, я ваш следователь.

Она смотрела сквозь него, запекшиеся губы слабо шевельнулись.

— Надежда Семеновна, вы меня слышите?

Она кивнула, подняла руки, пытаясь поправить упавшие на лицо волосы, но не сумела. Он вызвал дежурного. Наручники сняли. Она, как и все клиенты в таких случаях, сразу принялась потирать запястья распухшими пальцами. Он указал на табуретку:

— Присаживайтесь.

Она сделала несколько неверных шагов, села.

— Я понимаю, вы устали, неважно себя чувствуете, хотите спать. Честно говоря, я тоже не отказался бы вздремнуть. — Он изобразил зевок, прикрыв рот ладонью. — Не волнуйтесь, надолго не задержу. Вы просто ответите на пару-тройку вопросов, и вас проводят в камеру. Итак, фамилия, имя, отчество, дата рождения...

Она отвечала тихо, но вполне внятно. Покончив с формальностями, он опять углубился в бумаги, потом спросил, небрежным тоном, не поднимая головы:

— Надежда Семеновна, объясните, пожалуйста, за что вы так ненавидите товарища Маленкова?

— Кого? — переспросила она сипло.

— Товарища Маленкова. — Он пролистал несколько страниц и прочитал: «Кретин, идиот, черт бы тебя побрал!» Ваши слова?

— Не знаю, не помню...

— Хорошо, — он кивнул, — давайте вспоминать вместе. Накануне ноябрьских праздников по поручению комсомольской организации вы готовили статью для институтской стенгазеты, сидели в библиотеке, выписывали цитаты из выступлений товарища Маленкова. Было такое?

— Да.

— Вот тогда вы эти слова и произнесли. Теперь вспомнили?

— При чем здесь Маленков? Не понимаю...

— Не понимаете? А вам известно, что оборот «черт бы тебя побрал» означает прямое пожелание смерти?

Она ничего не ответила, продолжала разминать свои кисти и морщиться.

— Молчание — знак согласия, — тихо заметил Влад, ткнул перо в чернильницу и начал писать, повторяя написанное *вслух:* — *Ласкина Н. С. призналась, что действительно испытывает ненависть к товарищу Маленкову и желает ему смерти.*

— Нет.

— Что — нет?

— *Я не испытываю ненависти к товарищу Маленкову и не желаю ему смерти. Ничего подобного я не говорила.*

— *Значит, вы отрицаете собственные слова: «Кретин, идиот, черт бы тебя побрал»?*

— *Товарищ Маленков тут совершенно ни при чем.*

— *Как же ни при чем? Вы читали и конспектировали его выступления. О ком же вы это сказали, если не о нем?*

— *Об одном мальчике. Он постоянно портит мои тетради всякими надписями и картинками. Я конспектировала, перевернула страницу и наткнулась на очередное послание. Мне это надоело. Я разозлилась и выругалась, вот и все.*

В ее сумке нашли тетрадь с посланием, причем явно шифрованным. На чистой странице крупными печатными буквами было выведено: «Чем меньше женщину мы больше, тем больше меньше она нас». Изображена человеческая голова в виде ананаса, с глазами, носом и большими, жирно намалеванными усами. Внизу надпись: «Знаком ли вам, товарищ Ласкина, буржуйский запах Ананаскина?»

— *Разозлились и выругались, — повторил Влад. — На кого? Имя и фамилию назовите.*

Она оставила в покое свои руки, откинула волосы с лица. Она больше не щурилась, привыкла к яркому свету. Надо отдать ей должное, она мастерски изображала наивное изумление, растерянность. Окажись на месте Влада непосвященный, обязательно бы ей поверил. Но Влад видел ее насквозь. Под жалкой оболочкой беспомощной запуганной девочки скрывался оборотень. Хитрая наглая тварь бросала ему вызов, использовала свой гипноз, буквально на глазах превращалась в Шуру. Тот же взгляд исподлобья, такая же тонкая шея. Он зажмурился, тряхнул головой и услышал:

— *Я не знаю, как его зовут.*

— *То есть вы с ним не знакомы?*

— *Нет.*

— *Незнакомый человек берет ваши тетради, пишет вам послания. Он что, залезал в вашу сумку?*

— *Нет.*

— *Значит, вы сами давали ему свои тетради?*

— *Нет.*

Она смотрела ему в глаза. Он сжал кулаки под столом. Тупой забойщик типа Гаркуши давно уж взбесился бы, плюнул на все приказы и сделал бы из нее освежеванную тушу. Возможно, именно этого она и добивается. Ее задача — сорвать открытый процесс, пусть даже ценой собственной жизни. Она механизм, а не организм. У механизма инстинкта самосохранения нет.

Влад сглотнул, досчитал до двадцати и произнес мягким приглушенным голосом:

— *Что-то вы совсем запутались, Надежда Семеновна. В сумку к вам он не залезал. Сами вы ему свои тетради не давали. Каким же образом они попадали к нему в руки?*

— *Ну, наверное, на переменке. Если следующая лекция в той же аудитории, тетради обычно остаются на столах, их никто не убирает.*

— *Ладно, допустим. Почему же вы терпели выходки этого неизвестного пачкуна? Почему не пытались выследить его, установить личность и написать заявление в комсомольскую организацию?*

— *Зачем?*

— *Вы же сами сказали: «Мне надоело, я разозлилась и выругалась».*

— *Да, разозлилась и выругалась, но не писать же донос на человека! Он же не преступник, просто дурак.*

— *Не преступник, — задумчиво повторил Влад, встал и прошелся по кабинету. — И себя вы, конечно, преступницей не считаете и своего отца тоже?*

— *При чем здесь мой отец?*

Влад стоял у нее за спиной, лица не видел, но заметил, как она вздрогнула при слове «отец», почувствовал волны напряже-

ния, которые от нее исходили, и понял, что попал в точку. Впрочем, давить пока не стоило. Один из основных принципов его психологической методики заключался в том, чтобы действовать мягко, постепенно, максимально долго выдерживать спокойный вежливый тон, расслабить клиента, по возможности расположить к себе, перенастроить с враждебности на доверие.

Он вернулся за стол, пару минут помолчал, полистал бумаги, потом вздохнул:

— Вот вы назвали заявление «доносом». А вы никогда не задумывались, сколько преступлений было бы предотвращено, если бы о замыслах преступников вовремя сообщали в компетентные органы? Бдительность — отнюдь не пустое слово, тем более для вас, комсомолки. Может, вы не доверяете вашей комсомольской организации? У вас есть какие-то претензии к комсомольским вожакам? Назовите имена, фамилии, кому конкретно вы не доверяете и почему?

— Доверяю. Претензий нет, — прошептала она и качнулась на табуретке.

Волосы опять упали на лицо, но она не стала их поправлять, хотя руки были свободны. Сидела, сгорбившись, низко опустив голову. Распухшие кисти безжизненно лежали на сомкнутых коленях. Влад продолжал говорить, задавать вопросы. В ответ — ни звука. Она напоминала муляж, тряпичную куклу. Он догадался: «Подзаряжается, ловит тайные сигналы от своих хозяев».

У Влада вздулись жилы на лбу. Нижняя фуфайка прилипла к спине, подмышки промокали насквозь. Он чувствовал острый звериный запах собственного пота и металлический привкус ярости во рту. Он знал: стоит повысить голос, перейти к угрозам, и остановиться уже не сумеет. Начнет бить, забьет эту тварь насмерть. Тогда его план полетит к черту, вместе с карьерой, свободой, а возможно, и жизнью. Его обвинят, как Абакумова: нарочно угробил ключевую фигуру сверхсекретной операции, потому что сам участник заговора. Гоглидзе с радостью разоблачит очередного заговорщика внутри Аппарата, свалит на него все прошлые и нынешние провалы.

Искушение врезать ей было настолько сильным, что он решил не рисковать. Вызвал дежурного, приказал увести ее. Она встала с табуретки и едва не свалилась, ловко изобразила обморочную слабость. Шаталась, подгибала колени. Дежурному пришлось поддерживать ее под локти. Он делал это бережно и молча, без обычных окриков: «Встать! Пошла!»

— Наручники! — напомнил Влад прежде, чем дверь за ними закрылась.

* * *

Надя прилипла к микроскопу. Фаги напоминали инопланетные космические спутники из какого-то фантастического мультика. Они были крупнее обычных вирусов и сложнее устроены. Шестигранная головка, аккуратный круглый воротничок, туловище-пружинка, три пары тонких гибких конечностей. Эти простейшие, мельчайшие из всех живущих на Земле организмов двигались так спокойно и грациозно, что казались разумными существами с чувством собственного достоинства. Сибироязвенные бактерии Bacillus Anthrax превосходили их по размеру примерно в сто раз и выглядели гигантскими бесформенными чудовищами. Фаг медленно опускался на поверхность бактерии, приседал на своих шести лапках. Туловище-пружинка сжималось, выпускало стержень-иглу, впрыскивая в цитоплазму бактериальной клетки свою генетическую информацию, точно и умело, будто из шприца.

Капля фагов уничтожила колонию Bacillus Anthrax минут за сорок. Мутный бульон из бактерий превратился в чистую прозрачную водичку.

Надя глубоко вдохнула, выдохнула, прикусила губу под марлевой маской, строго сказала себе: «Тихо, тихо, не обольщайся, не ты первая, не ты последняя».

Их обнаружили в конце XIX века, с ними было связано много счастливых и трагических случайностей, упущенных возможностей, чудесных исцелений, поломанных судеб.

В 1896-м британский бактериолог Эрнест Ханкин с изумлением наблюдал, как в лужице грязной воды из Ганга подыхает

Staphilococcus aureus, очаровашка, золотистый стафилококк. Годом позже Николай Федорович Гамалея описал гибель наглой живучей сволочи, Bacillus Anthrax, вызванную «неизвестным компонентом».

В 1917-м, в разгар Первой мировой, канадец французского происхождения, микробиолог-самоучка, Феликс д'Эрелль, сражаясь с эпидемией дизентерии во французской армии, открыл вирусы, которые убивали бактерий, дал им имя: бактериофаги (пожиратели бактерий) и написал о них фундаментальный труд.

В 1924-м д'Эрелль вместе со своими сотрудниками провел первый эксперимент по фаготерапии дизентерии в детском госпитале в Париже. Прежде чем дать препарат больным детям, команда испытала его безопасность на себе. Эксперимент оказался удачным, большинство детей выздоровели.

Начался бум фаготерапии, фармацевтические фирмы запустили массовое производство, препараты с фагами продавались во всех аптеках и выписывались при всех инфекционных болезнях. Д'Эрелль отправился в триумфальное турне по США, читал лекции в Стэндфордском и Йельском университетах, получил медаль Левенгука. Нидерландская Королевская академия наук присуждает ее раз в десять лет за выдающиеся заслуги в микробиологии. Д'Эрелль очень гордился этой медалью, ею когда-то наградили его кумира Пастера, который так же, как он, не имел медицинского образования и был самоучкой.

Великий иммунолог, нобелевский лауреат Пауль Эрлих перед смертью завещал ученым и врачам найти «магическую пулю» — универсальный нетоксичный антисептик, способный поражать болезнетворных микробов, не причиняя вреда полезной микрофлоре и здоровым клеткам. Сторонники фагов назвали их «магической пулей Эрлиха», и это стало еще одной наградой д'Эреллю, пусть неформальной. Противники фагов отрицали их существование как отдельных организмов и считали продуктами жизнедеятельности бактерий, д'Эрелля величали алхимиком и шарлатаном.

До появления электронного микроскопа вирусы никто не видел, о них знали только по косвенным признакам. Первые препараты из фагов делались вслепую. Рядовые фармацевты и врачи в то время имели довольно смутное представление о микробиологии, часто ошибались в диагнозах. Между тем фаги действуют строго прицельно, каждый убивает свою конкретную бактерию, и чтобы правильно подобрать лекарство, надо точно определить болезнь.

Однажды д'Эрелль исследовал два десятка случайно купленных коммерческих препаратов, и все оказались пустышками.

В результате фаги не оправдали высокого звания «магической пули». Их шумный бестолковый дебют закончился провалом. На д'Эрелля посыпались злорадные насмешки недоброжелателей, которых за годы его триумфа накопилось значительно больше, чем сторонников. Но осталась команда верных учеников и последователей. В нее входил русский врач Николай Афанасьевич Булгаков, родной брат писателя, прототип Николки из «Белой гвардии», удравший из России во время Гражданской войны, и молодой грузинский микробиолог Георгий Григорьевич Элиава, который когда-то обнаружил загадочное бактерицидное действие воды Куры.

Элиава стал фанатиком фагов и любимым учеником д'Эрелля. Он успешно работал в Институте Пастера, ему предлагали французское подданство, но он вернулся в Грузию. Он мечтал создать в Тифлисе международный научный центр по изучению фаготерапии.

В Европе и в Америке фагов прокляли и забыли, а в СССР у них остались авторитетные сторонники, в том числе Николай Федорович Гамалея, который использовал их для дезинфекции ран, причем весьма успешно. Элиаве удалось заручиться поддержкой Серго Орджоникидзе, на строительство Центра выделили щедрый участок земли на правом берегу Куры. Д'Эрелль на собственные средства поставлял для Центра оборудование и специальную литературу, несколько раз сам приезжал в Тифлис.

Надя хорошо знала профессора Лидию Федоровну Подольскую, сейчас ей перевалило за восемьдесят. В годы создания Центра она работала вместе с д'Эреллем и Элиавой, помнила обоих. Д'Эрелль, пожилой красавец с пышными седыми усами и большими печальными глазами, был похож на испанского идальго. Он приезжал с женой и двумя взрослыми дочками. Парижских дам брала под крыло жена Элиавы, примадонна тифлисского театра оперы и балета, знаменитая певица Амалия Воль-Левицкая.

Д'Эрелль сутками не вылезал из лаборатории, все делал сам, даже владел искусством стеклодува и создавал необычную, очень удобную лабораторную посуду. Он никогда не уставал, после двенадцати часов непрерывной работы мог ночь напролет рассказывать, как боролся с эпидемиями в Мексике, Индии, Египте. К Элиаве он относился как к сыну и всерьез планировал переселиться в Тифлис. В парке неподалеку от будущего здания Центра фаготерапии построили двухэтажный коттедж на две семьи, для д'Эрелля и Элиавы.

Летом тридцать седьмого Элиаву и его жену арестовали. Обоих расстреляли «за шпионаж в пользу французского правительства и попытку распространения эпидемий по заданию троцкистско-шпионского вредительского центра». Аресты в тот год скосили лучших сотрудников Центра фаготерапии.

Лидия Федоровна уцелела. Она занималась чумой, после крыс и кроликов решила поставить эксперимент на человеке. Заразила чумную палочку фагами, получила живую вакцину и ввела себе. Когда за ней пришли, она лежала в изоляторе, на двери красовалась табличка: «Не входить! ЧУМА! Опасно для жизни!» И череп с костями — для наглядности.

Войти не решились. Арест отложили. Лидия Федоровна благополучно выздоровела, уехала из Грузии, устроилась лаборантом на противочумную станцию в Астрахани. Во время войны она работала в полевых инфекционных госпиталях, попала в научную группу под руководством легендарной Зинаиды Виссарионовны Ермольевой, создательницы первого советского пенициллина.

В 1942-м в осажденном Сталинграде началась эпидемия холеры. Группа Ермольевой прямо в городе, под развалинами, организовала подземную лабораторию по производству холерного бактериофага. Эпидемию удалось остановить.

Д'Эрелль в последний раз приезжал в Тифлис в ноябре 1935-го, в декабре уехал и больше не вернулся. До ареста Элиавы он продолжал отправлять в Центр книги и оборудование.

В оккупированном Париже к нему пришли нацисты, попросили организовать производство фагов для немецких госпиталей. Отказался. До освобождения Парижа сидел под домашним арестом.

Пару лет назад в Дели, в книжной лавке Института эпидеми-ологии, Надя наткнулась на мемуары д'Эрелля в английском пере-воде. Они читались как приключенческий роман. Там было все: Мексика, Египет, Индия, тур по Америке. Только о поездках в СССР ни слова. Любимый ученик, талантливый микробиолог Георгий Элиава упоминался лишь на страницах, посвященных работе в Институте Пастера.

Д'Эрелль умер в 1949-м, в возрасте семидесяти пяти лет. Он так и не увидел своих фагов воочию, электронный микроскоп был уже изобретен, но еще не появился в лабораториях. Через год, в 1950-м, состоялась первая в истории конференция вирусологов, и вирусология стала отдельной, самостоятельной наукой.

Феликса д'Эрелля забыли, фаготерапия больше никого не ин-тересовала. Началась эпоха антибиотиков, Флеминг получил Но-белевскую премию, и «магической пулей Эрлиха» провозгласили пенициллин, хотя сам Флеминг не считал такое определение вер-ным. Он знал, что антибиотики вместе с вредными микробами убивают необходимую организму микрофлору, и предупреждал об опасности массового использования пенициллина.

— Ласкина! Вот ты где!

Надя вздрогнула. В дверном проеме стоял Гнус. Халат был распахнут, тощая шея беззащитно торчала из широкого ворота свитера с оленями, очки съехали на кончик носа, длинные седые пряди, обязанные прикрывать лысину, свисали в разные стороны.

— Олег Васильевич, напугали! Что случилось?

— Там тебе кто-то названивает, это во-первых, а во-вторых, ты обещала посмотреть кое-что из «Байоледжи тудей».

Гнус так и не выучил английский и очень этого стеснялся: сам же без конца повторял, что современный ученый не может огра-ничиться только отечественной периодикой и обязан быть в кур-се последних событий мировой науки. Он притаскивал из инсти-тутской библиотеки свежие номера английских и американских научных журналов с закладками:

— Не в службу, а в дружбу, глянь одним глазком, а то я за-шиваюсь.

«Глянуть» означало прочитать, перевести, выписать самое существенное.

— У вас на столе, в оранжевой папке. — Надя стянула маску. — А кто звонил?

— В оранжевой? Я не заметил. Спасибо. — Он хотел убежать.

— Олег Васильевич, подождите! Кто все-таки звонил?

— Черт его знает, — он пожал плечами, — мужской голос, вежливый, не представился, ничего передать не просил, раз десять, наверное, совсем задергал меня.

— Ну уж, десять, — Надя нервно усмехнулась, — а что, кроме вас трубку взять некому?

— Да, понимаешь, там в профкоме заказы выдают, которые к Новому году не подвезли, — Гнус сморщил нос и поправил очки, — вот все и ринулись.

— Что?! — Надя вскочила. — И вы молчали!

— Извини, Надежда, я просто не подумал. Ну, ты беги, может, еще успеешь.

Вот почему так тихо стало в коридоре и никто не дергал Надю возле единственного на весь институт электронного микроскопа, который ласково называли «Электрошей». Очередь за новогодними заказами была, конечно, важней очереди к Электроше. Он никуда не денется, а заказы расхватают.

Завлабы питались из отдельной, начальственной кормушки, свой новогодний паек Гнус уже получил в закрытом распределителе.

«Эх ты, небожитель, хорошо тебе витать в облаках высокой науки», — думала Надя, перепрыгивая через три ступеньки.

Навстречу неспешно поднимались счастливчики с набитыми капроновыми авоськами, из которых торчали коричневые палки колбасы и синие куриные лапы.

Очередь к профкому заканчивалась у лестницы и ползла по длинному коридору, к заветной двери.

— Сказали больше не вставать, на всех не хватит, — предупредила мрачная машинистка из отдела кадров.

Надя медленно побрела вперед, вдоль очереди, вглядываясь в лица, кивая знакомым. Знакомых было много. Своих — никого.

— А седьмая лаборатория уже прошла, — ехидно сообщила толстуха из бухгалтерии.

— Надежда, привет, — пробасил Рубен Арутюнов из четвертой лаборатории, — ну, что, заработалась? Правильно, настоящий ученый должен быть голодным!

— Не стыдно? — Надя покачала головой.

— Голодным и злым. — Рубен подмигнул, поманил пальчиком и прошептал: — Там твой Романов на подходе, беги!

Она успела в последний момент, когда Павлик уже входил в заветную дверь профкома. Кроме кур и копченой колбасы давали гречку, две банки лосося, три пачки индийского чая со слоном, полкило сырых кофейных зерен, банку югославской ветчины, полкило твердого сыра «Советский», две коробки сливочной помадки, торт «Птичье молоко» и полтора кило апельсинов. В качестве обязательного «довеска» пришлось купить пару банок «Завтрака туриста» (вареный рис с рыбьими костями в томатном соусе), три пачки просроченного маргарина «Молодость» и полкило соевых батончиков.

В лаборатории надрывался телефон. Все занимались своими заказами, раскладывали сокровища на столах, запихивали кур в холодильник, менялись: колбасу на сыр, помадку на апельсины, лосося на ветчину.

— Надежда, возьми, наконец, трубку! — крикнул Гнус из дальнего угла.

— Седьмая лаборатория, — машинально произнесла Надя.

Рядом стояла Оля, она хотела отдать свой кофе за торт, но колебалась, задумчиво рассуждала:

— Зерна надо жарить, а в нашей духовке все всегда сгорает. Нет, в принципе, если бы кофемолка была, я бы конечно, меняться не стала, но кофемолка сломана безнадежно, а главное, мама «Птичье молоко» обожает.

— Слушаю вас. — Надя прикрыла ладонью трубку, посмотрела на Олю: — Ладно, хорошо, договорились.

— Спасибо, Надежда Семеновна! Так я тортик заберу?

Надя кивнула. Трубка тихо потрескивала. Надя хотела молча положить ее и вдруг услышала:

— Ты, ведьма, жидовская сука, думаешь, выкрутилась, ускользнула? Не надейся! Все еще впереди!

* * *

После встречи на конспиративной квартире Федор Иванович решил забежать к Дяде Мише, от Сивцева Вражка до Смоленки пять минут пешком.

Тетя умерла, Дядя остался один. Работал как зверь, лично инспектировал воинские части, отслеживал новинки кино и литературы военной тематики, боролся с очернительством нашего героического прошлого. Он крепко держал в кулаке ГЛАВПУР, мастерски регулировал расстановку военных кадров не только в СССР, но и в странах Варшавского договора, с Леней Брежневым встречался не реже раза в неделю, вместе с ним отдыхал, ел, гулял, играл в домино, охотился, сопровождал его в зарубежных поездках.

На людях Дядя о горе своем забывал. Дома, в одиночестве, тосковал сильно. Они прожили с Тетей душа в душу почти сорок лет. Четвертого января исполнился год, как ее не стало. На Новодевичьем, на скамеечке у могилы, Дядя сидел и плакал часа полтора, Федору Ивановичу никак не удавалось увести его. В итоге старик простыл, заболел ангиной.

Дверь открыла медсестра, полненькая, белокурая, улыбчивая, подала тапочки, сообщила, что сегодня первый день температура с утра нормальная, горло Михаил Алексеевич полоскать отказывается, на завтрак съел омлет, обедать пока не хочет.

Дядя в узбекском стеганом халате поверх фланелевой пижамы лежал на диване, читал свежий номер журнала «Советский воин». Федор Иванович клюнул его в небритую щеку, придвинул кресло, сел. Дядя поправил очки и строго спросил:

— Ну?

— Что — ну? — не понял Федор Иванович.

— Баранки гну! — раздраженно просипел Дядя. — Сделал, как я сказал? Свозил его на дачу?

«Тьфу, черт! — выругался про себя Федор Иванович. — Прям зациклился старик на Владе Любом!»

Дядя Миша в последнее время стал часто говорить о Владе: «Не нравится он мне, заносит его куда-то совсем не туда, будь с ним осторожней». Чем именно не нравится и куда Влада «заносит», не уточнял, темнил, упрямо твердил: «У тебя глаз замылился, так бывает, если слишком давно знаешь человека и слишком ему доверяешь. Людишки меняются, это надо учитывать. Ты свози-ка его к своим, дачным, глянь со стороны, так сказать, свежим взглядом, потом расспроси осторожненько, какое он там впечатление произвел на твоих друзей-товарищей».

— Свозил, свозил, — проворчал Федор, — ты вот лучше скажи, почему горло не полощешь?

— Хер с ним, с горлом! Давай рассказывай!

— Дядь, да нечего рассказывать. Собрались у Славки Галанова, посидели, потрепались.

— Он как себя вел?

— Нормально. Не пил, за столом помалкивал. Кстати, очень нас всех выручил. Свинарка из колхоза поросят привезла живых, сама забивать отказалась, уехала. А жрать-то хочется! Они в мешке визжат как бешеные. Галановская повариха чуть в обморок не грохнулась. Дерябинский ординарец уперся: не могу, не умею! Спрашивается: а кто умеет? Мы ж все люди городские. Как, чем кончать-то их? На бойне вроде электричеством…

Дядя вдруг отшвырнул журнал:

— Хер с ними, с поросятами! Я уже понял, твой Любый их забил. Молодец, герой! — Он повысил голос и сильно закашлялся.

Прибежала сестра, налила ему теплого чаю из термоса:

— Михал Алексеич, потихоньку, маленькими глоточками, а я вам пока молочка вскипячу.

— Исчезни! — пролаял он сквозь кашель. — Дверь закрой!

Сестра испуганно охнула и удалилась. Федор взял у него пустую чашку, завинтил крышку термоса, протянул платок. Дядя высморкался и повторил уже спокойней:

— Хер с ними, с поросятами! С кем общался? О чем болтал?

— Ну, со всеми понемногу, обычный треп. Сошниковы были, старший и младший, Ванька Дерябин с женой, дочкой, внуком… Да, вот с Ванькой они минут десять трепались. Ванька потом шепнул мне, мол, отличный мужик твой Влад, свой в доску, чего ж ты его раньше не привозил?

— Ванька не в счет, — Дядя махнул рукой, — дубье стоеросовое.

— Твой первый зам, — язвительно заметил Федор.

— Потому и держу! Приказы выполняет, вопросов не задает. Ладно, давай дальше!

— Со Славкой сидели в углу, кофе пили, трепались минут двадцать, может, полчаса.

Дядя кивнул, пробормотал:

— От се добре, Галанов мужик правильный. Ты с ним потом поговорил?

— Нет.

— Почему?

— Не успел.

Дядя поерзал на подушках:

— Куда эта дура мой журнал подевала?

Федор поднял с коврика «Советского воина», протянул:

— На. Ты ж сам его бросил.

Дядя взял журнал, поправил очки, буркнул:

— Ну? Че сидишь? Дуй на дачу, поговори с Галановым!

Если бы он был здоров, если бы не похоронил Тетю год назад, Федор, конечно, не выдержал бы, сорвался: «Я, что, пацан малолетний? Объясни толком, в чем дело, сформулируй свои подозрения насчет Влада!» Но, учитывая обстоятельства, приходилось молчать, смиренно терпеть стариковские фокусы.

— Чего сидишь? — повторил Дядя, опять отшвырнул журнал и заорал: — Сбредил твой Влад, свихнулся, спятил! Несет махровую антисоветчину!

— Кто? Влад?! — Федор Иванович рассмеялся.

— Кончай ржать! Он ревизионизмом занимается! Основы марксизма-ленинизма подрывает, пролетарский интернационализм критикует, мракобесную херню гонит, роль женщины принижает! Ведет антисемитскую пропаганду!

От последней фразы Федор Иванович вздрогнул. Слово «антисемитизм» на партийном жаргоне было ругательным. Относиться к евреям полагалось плохо, но говорить об этом можно только в узком кругу, среди своих, шепотком, намеками. Вслух, публично, прямым текстом — ни в коем случае. Табу. Грубое нарушение неписаных номенклатурных законов. Афишировать негативное отношение к евреям как к нации — значит подрывать основы, покушаться на пролетарский интернационализм. Насчет евреев генеральная линия колебалась постоянно, однако до крайностей ни разу не доходила. Чем активней мы боремся с сионизмом, тем суровей порицаем проявления антисемитизма. Путать одно с другим могут только люди темные, политически безграмотные, или враги с целью идеологической диверсии.

В случае с Владом получалось совсем уж неприятно. Влад искренне, всей душой, ненавидел евреев. Это его личное дело, но если его поймали на «антисемитской пропаганде», значит, он потерял самоконтроль, перестал чувствовать Линию, разучился сдерживать эмоции.

— Так он же с палестинцами работает, — напомнил Федор, — к ним особый подход нужен, полное бескомпромиссное согласие по еврейскому вопросу, иначе уважения и доверия не добьешься.

— Хер с ними, с палестинцами! Палестинцы мне рапорты не пишут! Он с лекциями ездил по воинским частям, на тему борьбы с сионизмом!

— Дядь, ну, ты чего? Попался какой-нибудь жидок обидчивый…

— Не было там жидов! Политруки тревогу забили, сразу двое, из разных частей, оба русские!

Дядя разошелся не на шутку, раскраснелся, орал, опять стал кашлять. Федор налил ему чаю из термоса, проворчал:

— Больно уж чувствительные политруки твои.

— Чувствительные, да! Генеральную линию очень даже чувствуют, справедливую борьбу с сионизмом от буржуазного антисемитизма отличить умеют! Все, Федька, хорош трепаться, давай вызывай машину.

Глава двадцать пятая

оглидзе вызвал Влада в половине первого ночи. В кабинете уже сидели Гаркуша и молодой смазливый следак Смирнов. Он был в капитанском чине, в спецгруппу попал недавно, после того, как Сам велел Маленкову с Игнатьевым влить в Следственное управление «свежую струю комсомола».

Когда Влад вошел, никто не шелохнулся, не проронил ни звука. Замминистра нервно перебирал бумаги на столе и даже головы не поднял. В кабинете висела плотная напряженная тишина. Влад осторожно опустился на краешек стула рядом с Гаркушей. Тот выразительно покосился на него, открыл рот, хотел шепнуть что-то, но не успел. Тишина взорвалась телефонной трелью. Гоглидзе схватил трубку:

— Да! Понял! — Он дернул головой, бросил трубку, скомандовал: — Подъем!

Пока шагали по коридору, Гаркуша выдохнул Владу на ухо:

— Ближняя!

Министерский «ЗИС» ждал у второго подъезда. В ярком фонарном свете лоснился черный лак, сверкала хромированная решетка радиатора. Гоглидзе уселся рядом с шофером, следаки влезли назад. Мягкие сиденья были обиты шерстяным сукном. В просторном теплом салоне витал едва уловимый запах нафталина.

Влад оказался в середке, Гаркуша и Смирнов по бокам. От Смирнова несло одеколоном «Шипр», наверное, всю бутылку на себя вылил. Гаркуша без конца сморкался, ерзал, вздрагивал. Влад с омерзением заметил, что это животное икает.

Гоглидзе ездил на Ближнюю часто. Похоже, приказ взять с собой следаков из спецгруппы застал его врасплох. Фамилии следаков назвал Сам. Ну не мог же он сказать: «Привези кого-нибудь, на твое усмотрение»! Он внимательно читает протоколы допросов, знает, кто как работает. В принципе, выбор правильный, логичный. Опытный забойщик Гаркуша, молодой капитан Смирнов, представитель «свежей струи комсомола», и майор Любый. Самому известно, кто добился подписи Вовси, имя майора Любого для него не пустой звук.

Влад нервничал: «Даже побриться не успел, не взял с собой блокнот и карандаш. Дядя говорил, Сам иногда диктует, надо записывать. Что мне делать в таком случае? Почему Гоглидзе вызвал сначала Гаркушу со Смирновым, а меня потом? Сам назвал мое имя позже? Или эта сволочь под меня копает? Их предупредил пораньше, а меня — в последнюю минуту, нарочно, чтобы поставить в идиотское положение...»

Когда переехали мост через Окружную железную дорогу, мощный луч прожектора на посту охраны пробил салон. Влад заметил прямо перед носом моль, хлопнул в ладоши, пытаясь поймать. Гаркуша и Смирнов тоже захлопали, но серая тварь продолжала носиться быстрыми зигзагами.

— Чего там у вас? — не оборачиваясь, спросил Гоглидзе.

— Моль в салоне, товарищ генерал, — объяснил Влад.

— Эта дрянь благородное сукнецо обожает, — проворчал шофер, — сколько раз говорил: кожей надо сиденья обить.

— На коже жопа потеет, брюки прилипают, — вяло отозвался Гоглидзе.

Гаркуша и Смирнов угодливо захихикали.

— Отставить смех! — одернул их Гоглидзе. — Слушайте и запоминайте! Как зайдем в кабинет, без моего разрешения ни звука, ни слова, ясно?

— Так точно, товарищ генерал! — отчеканили хором все трое.

— Товарищ генерал, а если он лично к кому-то из нас обратится? — робко поинтересовался Смирнов.

— Вопрос конкретный задаст — ответишь, коротко, четко, по существу. Когда я вас представлю, стойте смирно, молча, никаких там «Здравия желаю!» Он поздоровается — ответите: «Здравствуйте, товарищ Сталин!» Не рявкать,

*во всю глотку не орать, как на параде, но и не шептать,
как на похоронах, ясно?*

— *Так точно, товарищ генерал!*

— *Смотрите ему в глаза прямо, открыто, но не пяльтесь,
как бараны. Выражение лица спокойное, жизнерадостное, но
без улыбочек. Хмуриться и напускать серьезность нельзя.
Предложит сесть — рассаживайтесь быстро и тихо. Стулья-
ми не греметь, руки положить на стол.*

За Поклонной горой «ЗИС» свернул с главного шоссе на
узкую незаметную дорогу, мягко поплыл между заснеженными
ночными деревьями, после нескольких поворотов остановился
у шлагбаума. Вспыхнул прожектор, из будки выскочил офицер,
заглянул в салон, узнал Гоглидзе, махнул рукой. Шлагбаум поднялся. «ЗИС» поплыл дальше, вдоль высоченного забора, мимо
массивных тесовых ворот, ныряя из темноты в потоки про-
жекторных лучей и опять в темноту.

— *Докладов от вас никаких не требуется,* — продолжал
бубнить Гоглидзе, — *замечаний, мнений, инициатив* — *тем
более. Молчите и слушайте.*

Влада бесили эти наставления. Он давно ждал встречи,
чувствовал, что она непременно состоится, но представлял ее
совсем иначе, наедине, без посторонних. В голове неслось: «Он
увидит меня и сразу поймет, кто я и кто они... Он и я, никого,
кроме нас. Только Я и Он».

Сердце трепетало, во рту пересохло. Влад зажмурился,
глубоко вдохнул, задержал дыхание. Гаркуша, Смирнов, Гоглидзе
вместе с шофером превратились в призраков, в серую моль.
Оставалось только поймать и прихлопнуть.

Забор оказался двойным. Наружный, высотой метров шесть,
внутренний в два раза ниже. Между ними широкий коридор, по
которому ходили часовые с овчарками. Овчарки были тихие, не
гавкали. Сначала открылись наружные ворота, потом внутренние. По территории дорога шла через заснеженный сад, мимо
беседок, теплиц и хозяйственных построек. Сквозь заросли
высокого кустарника уютно блеснули золотистым огнем окна.
«ЗИС» остановился у крыльца полукруглой веранды.

Аскетическая скромность небольшого, выкрашенного темно-зеленой краской дома тронула Влада почти до слез: Самому не нужны царские хоромы, великий человек презирает мещанскую роскошь. Правда, чуть позже выяснилось, что это всего лишь пристройка для охраны и обслуги, и тогда Влад подумал: «Ну, конечно! Разве может великий человек обитать в таком убожестве?»

В комнате дежурного сняли шинели. Офицеры охраны проверили документы, обыскали. Кроме документов, носовых платков, расчесок, папирос и спичек Гаркуша и Смирнов выложили из карманов блокноты и остро отточенные карандаши.

Влад мысленно проклял Гоглидзе.

— Все оставить здесь, — приказал дежурный.

— А блокноты с карандашами? — пролопотал Смирнов. — Если надо будет записать указания товарища Сталина...

— Надо будет — вам все выдадут, — успокоил дежурный.

Влад вздохнул с облегчением: «Вот так-то лучше!»

Гаркуша попросил воды, попил и перестал икать. Смирнов покрутился перед зеркалом возле вешалки, поплевал на ладони, пригладил свои русые непослушные вихры. Гоглидзе скрылся за неприметной дверью между металлическими стенными шкафами. Влад догадался, что там сортир, тоже захотел отлить. Покосился на дежурного, подумал: «Гоглидзе тут свой, а мне придется спрашивать разрешения, это слишком унизительно. К тому же неизвестно, вдруг Сам позовет прямо сейчас?»

В тишине тикали большие настенные часы. Появился Гоглидзе, на ходу застегнул ширинку, о чем-то пошептался с дежурным. Через пятнадцать бесконечных минут в сопровождении прикрепленных офицеров все четверо двинулись по длинному коридору, освещенному матовыми шарами. Ковровая дорожка глушила шаги. Коридор упирался в двустворчатую дубовую дверь, за ней — второй коридор. Опять дверь. Возле нее стол с телефоном, у стола охранник. Опять обыск, проверка документов, запись в журнале посещений.

Наконец они оказались в просторном кабинете с пушистым узорчатым ковром по всему полу, с высоченным потолком и стенами, обитыми благородным светлым деревом. Окна плотно завешаны лимонными шторами. Посредине большой прямоугольный стол, простые добротные стулья. У дальней стены, в простенках между окнами — массивные кресла, журнальный столик, на нем пепельница, графин с водой, стаканы.

Люстры не горели, свет шел от нескольких бра с полукруглыми плафонами, направленными в потолок. Дальняя часть кабинета тонула в полумраке. Там белел зачехленный диван. Рядом, в глубокой темной нише, поблескивали стекла двустворчатой двери, до половины прикрытые шторками.

Влада бросило в жар. Он почувствовал взгляд. Кто-то стоял за дверью и наблюдал за ними из темноты, сквозь стекло, слегка отодвинув шторку.

Гоглидзе кашлянул и почесал нос. Смирнов нервным движением пригладил вихры. Гаркуша опять стал икать. Влад, не моргая, смотрел на медный блик дверной ручки. Мертвую тишину не нарушало ничего, кроме икания Гаркуши. Смирнов склонился к нему и прошептал:

— Пал Фомич, дыхание задержите, иногда помогает.

Блик медленно качнулся, дверь отворилась, вошел маленький сгорбленный старичок. Тужурка мышиного цвета обтягивала сутулую спину, покатые плечи, брюхо. Пуговицы на брюхе расстегнулись, вылезло голубое нижнее белье. Жидкие седые волосенки торчали дыбом над низким лбом, топорщились пегие слипшиеся усы под длинным толстым носом. Непропорционально крупное рябое лицо подрагивало, как рыхлый студень, при каждом шаге. Он ступал тяжело, вразвалку, заметно прихрамывал. Мятые штаны заправлены в деревенские шерстяные носки. На ногах тапки.

Влад изумился: «Что здесь делает это чучело? Как смеет бродить по дому Самого в таком неопрятном виде? Кто он? Печник? Садовник? Дальний родственник из грузинского колхоза?»

— Товарищ Сталин, по вашему приказанию прибыли, — доложил Гоглидзе и представил каждого: — Старший следова-

тель майор Гаркуша, старший следователь майор Любый, младший следователь капитан Смирнов.

«Двойник?» — ужаснулся Влад, вытягиваясь по стойке смирно.

— Здравствуйте, товарищи, присаживайтесь, — негромко произнес знакомый до мурашек, родной, единственный на свете баритон с мягким кавказским акцентом.

— Здравствуйте, товарищ Сталин! — ответили все хором, беззвучно отодвинули стулья, расселись, положили руки на стол.

Сам садиться не стал, принялся ходить по кабинету, останавливался за спинами сидящих, говорил:

— Воротилы из США и их английские младшие партнеры знают, что достичь господства над другими нациями мирным путем невозможно. Лихорадочно готовясь к новой мировой войне, они усиленно засылают в тыл СССР своих лазутчиков, пытаются создать в СССР свою подрывную «пятую колонну».

Влад слушал родной голос и думал: «Конечно, никакой не двойник. Но тут явно что-то не то. Я видел его на съезде, не мог он за три с половиной месяца так сильно постареть, превратиться в развалину! Они добрались до него, петля затягивается. Они добавляют ему в еду и питье яд скрытого действия...»

— Чем больше у нас успехов, тем больше наши враги будут нам стараться вредить. У нас еще сохранились пережитки буржуазной идеологии, пережитки частнособственнической психологии и морали — живые люди, скрытые враги нашего народа. Эти враги, поддерживаемые империалистическим миром, вредили и будут вредить нам впредь. Именно об этом убедительно говорит дело врачей-вредителей — подлых шпионов и убийц, спрятанных под маской врачей, продавшихся рабовладельцам-людоедам из США и Англии. Жертвами банды этих человекообразных зверей пали товарищи Жданов и Щербаков. Необходимо выяснить, кто направлял преступную террористическую деятельность подлых изменников Родины?

Какой цели хотели они добиться в результате убийств активных деятелей Советского государства?

Сам говорил очень тихо, с долгими мучительными паузами, повторял то, что Влад и остальные уже давно знали наизусть. Конечно, пока главные задачи не решены, пока следствие топчется на месте и к процессу ничего не готово, приходится по сто раз повторять одно и то же, вдалбливать этим тупицам азбучные истины.

«Со мной наедине он бы разговаривал совсем иначе», — заметил про себя Влад и услышал:

— Вот недавно вам, товарищ Любый, удалось добиться признательных показаний одного из главных заговорщиков, профессора Вовси.

Влад вздрогнул, хотел повернуться, но шея окаменела. Сам стоял у него за спиной:

— Конечно, это успех немалый, однако в полученных вами признаниях нет ничего конкретного, вы так и не добились ответов на главные вопросы: какие инструкции и задания получал Вовси от своих американских хозяев? Есть ли центр? Кто возглавляет? По каким каналам осуществляется связь с центром? На какую помощь извне рассчитывают заговорщики? На кого из иностранцев ориентируются и как, через кого связывались с ними?

Сам двинулся дальше, вдоль стола, остановился за спиной Гаркуши. Теперь Влад видел его лицо, и опять, как тогда, на съезде, возникло ощущение глубокой связи, незримых нитей. Хотелось объяснить ему: «Товарищ Сталин, я только подписи добился, над текстом работал майор Гаркуша». Но сдержался, промолчал, не потому, что Гоглидзе приказал молчать, и уж тем более не из страха мести Гаркуши. Плевать на этих скотов. Он неотрывно глядел в усталые, всевидящие глаза Великого Человека и читал в них: «Да, я знаю, понимаю, кто они и кто ты».

— В ближайшее время вы должны ознакомить арестованных с официальным заявлением следствия. — Сам встал так, чтобы видеть всех, заговорил еще медленней и тише: — Мы

имеем поручение руководства передать вам, что за совершенные вами преступления вас уже можно повесить, но вы можете сохранить жизнь и получить возможность работать, если правдиво расскажете, куда ведут корни ваших преступлений и на кого вы ориентировались, кто ваши хозяева и сообщники.

Паузы удлинились. Влад впитывал каждое слово.

— Нам также поручено передать вам, что, если вы пожелаете раскаяться до конца, вы можете изложить свои показания на имя вождя, который обещает сохранить вам жизнь в случае откровенного признания вами всех ваших преступлений и полного разоблачения сообщников. Всему миру известно, что наш вождь всегда выполнял свои обязательства.

Сам говорил еще минут десять, продолжал ходить вокруг стола за спинами. Вопросов никому не задавал. Зачем? Что нового могли поведать ему эти ничтожества? Он и так все знал.

Когда вышли из кабинета и сели в машину, Смирнов дрожащим голосом обратился к Гоглидзе:

— Товарищ генерал, нам товарищ Сталин официальное заявление продиктовал, а мы ничего не записали...

— Запоминать надо, память развивать, без хорошей памяти нет хорошего чекиста, ясно тебе? — пролаял Гоглидзе.

— Так точно, товарищ генерал!

* * *

По дороге на дачу Вячеслав Олегович дослушивал «Онегина», но уже не подпевал. Думал о Вике. Раньше он был уверен, что Вика врет только матери, причем Оксана Васильевна в этом сама виновата. Выпытывает, подозревает, пристает со своими поучениями, претензиями. Вика отшучивается, сочиняет всякие небылицы, чтобы избежать очередного конфликта. А вот ему, любимому папулище, Вика не врет никогда. О чем-то, конечно, умалчивает, но если уж говорит, то исключительно правду. От него ей скрывать нечего, он не задает бестактных вопросов, не оскорбляет недоверием, принимает ее такой, какая есть.

Оказывается, он совершенно не знает собственную дочь.

Боже, как честно она смотрела на него своими ясными, широко открытыми глазами, когда объясняла, что они с Тосиком просто репетировали! Дескать, к Восьмому марта в институте готовят капустник, решили поставить сценку из «Ярмарки тщеславия» на английском, а Тосик — профессиональный актер.

— Он не похож на человека, который знает английский, — тихо заметил Вячеслав Олегович.

— Зачем ему? Тосик играть не будет, просто учит меня актерскому мастерству. Когда ты зашел, у нас как раз был перерыв, мы болтали о всякой ерунде. Он вообще-то Маринкин хахаль, я, честно говоря, жалею, что в это ввязалась. Маринка, оказывается, такая ревнючая!

— У него обручальное кольцо.

— А, да, правда, Тосик женат. Жена — тупая курица, к ней ревновать глупо. — Вика помахала руками, покудахтала и весело рассмеялась.

— Ты откуда знаешь? — мрачно спросил Вячеслав Олегович.

— С Маринкиных слов, конечно. Он готов развестись, жениться на Маринке, но тогда ей придется прописать его сюда, своей хаты у него нет, с его предками жить невозможно, мамаша стерва, папаша выпивоха, в общем, мрак. А у курицы неплохой флэт, правда, Тосика там пока не прописывают. Вот если пропишут, ему при разводе достанется половина той флэтухи плюс Маринкина комнатенка, тогда в принципе можно обменять на что-то приличное. Но с другой стороны, идти замуж за такого красавчика, да еще актера, при Маринкиной-то ревнючести... — Она сморщилась и помотала головой. — К тому же ему алименты платить придется.

— У него ребенок?

— Мг-м.

— Наверное, совсем маленький?

— Откуда я знаю? Он Маринкин хахаль, а не мой.

Хотелось ей верить, но не получалось. Было мерзко увидеть ее на коленях у смазливого Тосика. Галанов представил, как Вика ведет Тосика за руку через бабушкину комнату к себе. Темно, бабушка спит, похрапывает по-стариковски. Они крадутся на цыпочках мимо ее кровати, хихикают, корчат рожи, издеваются над ее старостью, глухотой, храпом.

Он не стал выяснять, действительно ли мама и Вика завтракали вместе, и так понятно: вранье! Если мама сказала, что Вику утром не видела, значит, не видела. С головой у нее все в порядке, никакой особенной забывчивостью она не страдает. Ну, не устраивать же им очную ставку! Мама испугается, оскорбится, занервничает. Вика продолжит врать и выкручиваться. В итоге будет скандал, ужас. Зачем это нужно? Ясно, Вика ночевала с Тосиком и завтракала с ним.

Если бы она смутилась, покраснела, призналась: «Да, у нас роман, ситуация сложная, жена, ребенок», Вячеслав Олегович стал бы ее утешать, давать советы. Оказывается, не нужно ей ни утешений его, ни советов. Она врет ему так же, как всем остальным. Тосику наверняка тоже врет, но от этого не легче.

Он остановился на светофоре и жестко одернул себя: «Хватит ныть! Жива-здорова, и слава богу. По крайней мере, теперь ты точно знаешь, что с Любым она не спит. Перекрестись и успокойся. Да, Тосик женат и похож на альфонса. Дерьмо в сахаре. А ты бы хотел, чтобы она ждала прекрасного принца? Хранила чистоту до брака? Брось, не будь ханжой!»

* * *

Юре дали целых три свободных дня, лететь назад в Нуберро предстояло во вторник. Вера с Глебом укатили в Раздольное на машине, значит, придется ехать электричкой. Ничего, даже приятно. Но сначала надо заскочить к маме, взять подарки.

После разговора с Рябушкиным он позвонил ей и услышал:

— Пока доберешься до Сокольников, пока мы с тобой чаю попьем, потеряешь часа три, рискуешь опоздать на последнюю электричку. К тому же для генерала с генеральшей у тебя все равно подарочков нет.

— Ох, черт! — спохватился Юра.

Когда он возвращался в Москву, родственники ждали подарков, заграничных штучек. Ничего не поделаешь, традиция. Генеральша надменно щурилась и поджимала губы. Генерал изрекал с отрешенно-философским видом: «Важен не подарок, важно внимание!»

Генеральская квартира ломилась от барахла, дача была забита трофейным добришком, вывезенным из Германии. Сервизы, столовое серебро, ковры, горы шмоток. Отделаться пустяками, конфетами и сигаретами, не получалось, обижались еще больше. Обычно Юра просто давал Вере чеки, она покупала родителям заграничные штучки в «Березке», как бы от него.

— Что ж я, вообще с пустыми руками заявлюсь? — спросил он растерянно.

— Так даже лучше, — успокоила мама. — Скажешь: прямо с работы, чемодан оставил у меня. Вот если Вере и Глебу привезешь, а генералу с генеральшей — нет, тогда точно будет обида.

— Обида, — повторил Юра, живо представил лица генерала и генеральши, затосковал и предложил: — Мам, давай я у тебя переночую, высплюсь, а завтра утром забегу в «Березку» на Большой Грузинской, прикуплю им что-нибудь. От Белорусского вокзала два шага. Как тебе такая идея?

— Плохая идея. Высыпаться будешь долго, если еще в «Березку» забежишь, до Раздольного доберешься часам к двум, не раньше.

— Ну и что? У меня же куча времени, аж до вторника.

— Никакая не куча, три дня всего, а завтра суббота, Наташин юбилей. Ты, конечно, можешь сачкануть, поймут, не обидятся...

— Нет-нет, приеду обязательно, Васю сто лет не видел. Правда, для тети Наташи у меня тоже подарка нет и для маленькой Наты...

— Ты мне что привез?

— В чемодане, в красно-белом пакете, жакет серый пуховый.

— Погоди, сейчас посмотрю... — Она зашуршала пакетами. — Вот, нашла! Отлично, то что нужно!

Юре стало немного обидно, даже не примерила, сразу — дарить. Ну, да ладно, для тети Наташи не жалко, тем более круглая дата.

— Маленькой Нате куклу куплю в «Детском мире», немецкую, с моющимися волосами, — продолжала мама, — ты пораньше приезжай, а то с Васей заболтаетесь, вас потом за столом не дождемся. Я буду к шести. Ну, все, целую!

От Ясенева до Лубянки он доехал на служебном автобусе, нырнул в метро, вышел на «Белорусской».

Каждый раз, когда он оказывался на площади Белорусского вокзала, в голове звучал стишок из двух строчек: «Вокзал, пропахший блудом и тюрьмой, как холодно, и хочется домой». Он забыл имя автора. Стишок довольно точно передавал его собственное ощущение вокзала, особенно сейчас, темным ледяным вечером, когда летел в лицо колючий снег и промокли ботинки. Почему-то даже при минус десяти московские тротуары покрыты толстым слоем жидкой незамерзающей слякоти.

На площади выстроилась продрогшая очередь к стоянке такси. В центре, подсвеченный фонарями, высился на мраморном постаменте памятник Горькому, спиной к вокзалу, лицом к тусклым куполам старообрядческой церкви, в снежной пелерине на плечах и с неизменным голубем на голове. В детстве Юра думал, что пролетарский писатель специально снял шляпу и держит ее в руке, чтобы освободить голубю местечко.

Вдоль здания вокзала бродили цыганки в толстых пуховых платках, громко однообразно выкрикивали:

— Девочки! Тушь-тушь-тушь!

От кого-то Юра слышал, что под видом туши для ресниц они продают бруски гуталина.

Одна нахально встала на пути, заверещала:

— Мужчина, дай ручку, положи на ладонь бумажную денежку, не отниму, не бойся, только посмотрю и отдам, важную вещь скажу!

Почуяла, сорока, что человек устал смертельно. Они отличные физиономисты, знают, к кому прицепиться. Он обошел ее, ускорил шаг.

Возле пустых телег курили носильщики, несло прогорклым жиром от лотка с жареными пирожками, сновали какие-то личности уголовного вида. Провинциалы с фибровыми чемоданами, рюкзаками, мешками, в пудовых драповых пальто, в плюшевых душегрейках, ошалело озираясь, месили слякоть валенками с калошами. У закрытого ларька «Пончики» юродивый дедок в солдатской шинели, кривляясь и притопывая, исполнял матерные частушки, три вокзальные шалавы подбадривали его хриплым гоготом, скалили грубо накрашенные щербатые рты.

«Вот тебе и заседание Политбюро!» — усмехнулся про себя Юра.

В электричке народу оказалось немного, он прошел в последний вагон, сел у окна, закрыл глаза. В мозгу стали механически прокручиваться слова Рябушкина: «Копают под тебя, Юра... Что может быть на тебя у Типуна-старшего? Пятьдесят седьмой... Молодежный фестиваль, ты проходил практику... Ты отлично все помнишь, но почему-то не хочешь рассказывать».

Конечно, он помнил, никогда не забывал. Рассказывать не хотел, не мог, это была его личная история. Никому не рассказывал, кроме Васи. Даже мама не знала. А вот кадровик Типун-старший знал. Ну, и зачем понадобилось это вытаскивать, через двадцать лет? При чем тут запойный Типун-младший? Какая может быть связь? Абсурд, бред.

Допустим, кто-то смутно намекнул Рябушкину, мол, есть коечто интересное на твоего Уфимцева. Дело двадцатилетней свежести, но внезапно вскрылись новые обстоятельства. Типичная манера подпятников. Неопределенность здорово нервирует, а Рябушкин пугливый, мнительный. Может, под него и копают? Он идет на повышение, Андропов собирается ввести его в свой ближний круг, в Группу консультантов при Председателе КГБ. Это наверняка не нравится Бибикову и еще меньше нравится Кручине. Одно из железных правил внутри КГБ — начальник отвечает за подчиненного. Обычный прием — нагадить начальнику через подчиненного.

«Ты идиот, Уфимцев, — выругался про себя Юра, — вместо того, чтобы успокоить шефа, напугал еще больше, изрек с этаким загадочно-мрачным видом: да, Иван Сергеевич, мне надо подумать! Сказал бы просто и ясно: ничего серьезного у Типуна-старшего на меня нет. Во время фестиваля случалось всякое, молодые оперативники слетали с катушек, санкционированные контакты с иностранками превращались в несанкционированные романы. У меня вышло наоборот, я сам изображал иностранца, влюбился в нашу советскую девушку и не отразил это в отчетах. Типуны, старший и младший, мастера сочинять из ничего нечто, но я перед Комитетом чист».

Он не заметил, как заснул. Ему приснилась девочка на крыше. Она стояла у самого края. Возбужденная толпа прижимала ее к сломанному ограждению. Еще мгновение — и девочка сорвется, полетит над пестрой рекой людей, бурлящей между домами.

В реальности какой-то пьяный козел из толпы так рвался поглазеть на шествие по Садовому кольцу, так напирал, что едва не столкнул девочку с крыши. Юра вовремя заметил, ловко отпихнул пьяного, схватил девочку, оттащил от края.

Во сне ему не удавалось до нее дотянуться, и она летела, раскинув руки, плавно выгибая спину и роняя вниз, в людскую реку, белые туфли-лодочки.

В реальности туфли эти стерли ей ноги до крови, они зашли в дежурную аптеку на Малой Бронной и купили пластырь.

Во сне она исчезала в небе, он отрывался от земли, взлетал, искал ее, но там были только бледные звезды, огромная розовая луна и поперек ровное темное облако, будто повязка на лунных глазах.

Глава двадцать шестая

Влад вернулся домой глубокой ночью и долго не мог уснуть. В памяти всплывали подробности поездки на Ближнюю. Он многое упустил, не заметил. Слишком сильно волновался. Теперь, в тишине, в одиночестве, кое-что прояснялось, например, мимолетные взгляды, которыми обменивался Гоглидзе с офицерами охраны. Так переглядываются заговорщики, соучастники преступления. В комнате дежурного Гоглидзе вел себя уверенно, расслабленно. При появлении Самого напрягся, покашливал, почесывал кончик носа. Верные признаки лживости и скрытых враждебных намерений. А до чего красноречиво посмотрели друг на друга дежурный офицер и Гоглидзе, когда прощались! Рукопожатие длилось минуты три, не меньше. Влад уловил тайный смысл их беззвучного диалога: все идет по плану, ждать осталось недолго.

Формально охрана Самого подчиняется Игнатьеву, но Игнатьев — никто, пустое место, слабак, трус, постоянно болеет. Обязанности министра выполняет его первый зам, Гоглидзе, значит, охрана подчиняется ему. Он — человек Берии, а Берия — английский шпион.

Влад мерил шагами свою небольшую, идеально чистую квартиру, пил чай, курил, думал, взвешивал плюсы и минусы. Сам оценил его победу, похвалил. Это, конечно, плюс. О ходе спецоперации «Свидетель» не спросил. Ясно, операция слишком важная, чтобы обсуждать при этих скотах. Значит, скоро вызовет для отдельного разговора. Это огромный плюс. Но дальше — сплошные минусы. Враги добрались до Самого. Поговорить об этом не с кем, на поддержку рассчитывать не приходится. Дядя тоже человек Берии. Петля действительно затягивается?

— Нет! — Влад энергично помотал головой. — Не дождетесь! Думаете, Сам глупее вас? Он Великий Человек, а вы
скоты, ничтожества! Он все знает, видит вас насквозь,
нарочно притворяется старым и больным, заманивает вас
в ловушку, готовит ответный удар.

В ушах зазвучал тихий слабый голос: «Всему миру известно,
что наш вождь всегда выполнял свои обязательства».

Влад внезапно осознал, что финальная фраза официального
заявления следствия на самом деле была адресована лично ему,
майору Любому, и означала следующее: «Я не отступлю, и ты
не отступай!»

С этой утешительной мыслью он заснул и проспал до двух
часов дня. Проснулся бодрым, обновленным, сделал свой обычный комплекс гимнастических упражнений, принял ледяной
душ, растерся жестким полотенцем, перекусил, выпил кофе,
отправился на службу.

На вечерней оперативке Гоглидзе был в отличном настроении, не орал, никого не распекал. Все следователи получили
распечатки официального заявления следствия.

— Дадите каждому, в начале допроса, — приказал Гоглидзе, — пусть каждый прочтет и подпишет: с текстом ознаком-
лен. Что непонятно, объясните своими словами. Главное,
чтобы усвоили: товарищ Сталин лично гарантирует им жизнь
и возможность работать, если признаются и назовут сообщников. Ясно?

Влад заметил, как скривились в наглой усмешке тонкие
губы замминистра, когда он назвал имя Самого, поймал его
внимательный прищуренный взгляд и услышал:

— Майор Любый, задержитесь!

Накануне Влад передал Гоглидзе отчет по Ласкиной, вло-
жил тетрадь с тайным шифрованным посланием, добавил свои
подробные комментарии и предложения. Папка с отчетом
лежала на столе перед Гоглидзе.

Когда все вышли, Гоглидзе закурил, побарабанил пальцами
по картону папки:

— Значит, запрашиваешь добро на установление личности и арест студента, автора шифрованных посланий?

— Так точно, товарищ генерал! Необходимо срочно, на корню, пресечь вражескую деятельность террористического подполья в медицинском институте.

Гоглидзе выпустил дым, открыл папку, принялся нарочито небрежно, быстро листать тетрадь. На страницу упал столбик пепла. Он сдул пепел, тетрадь захлопнул, убрал назад в папку, внимательно взглянул на Влада и тихо, вкрадчиво спросил:

— Хочешь, мать твою, превратить следствие в балаган?

— Никак нет, товарищ генерал!

— Никак нет, товарищ генерал! — передразнил Гоглидзе омерзительно визгливым голосом, отшвырнул папку и прорычал сквозь зубы: — Какое, на хуй, подполье?! Какие, блядь, ананасы? Начнем брать этих сопляков, нарушим секретность твоей же гребаной спецоперации, завязнем по уши, потеряем время! Ты, блядь, сначала девку раскрути! Официальное заявление следствия ее тоже касается, хоть она тут у нас и добровольно.

Последняя фраза прозвучала издевательски-насмешливо. Любый сделал вид, что не заметил саркастической интонации и наглой блатной ухмылки. Ответил спокойно, четко:

— Слушаюсь, товарищ генерал!

«Явный, открытый саботаж, — думал Влад, пока шел по коридорам, спускался по лестнице, — возражать, спорить, что-то доказывать бесполезно и опасно. Сейчас главное — осторожность. Сам притворяется больным и старым, я притворюсь обычным тупым бюрократом, жвачным животным, которое печется лишь о своей жалкой мещанской выгоде и не видит дальше собственного носа. Никто не должен догадаться, что я другой, особенный, посвященный. Никто, в том числе и ведьма».

Когда привели Ласкину, он сразу приказал снять наручники, предложил сесть, участливо заглянул в глаза:

— Добрый вечер, Надежда Семеновна. Как вы себя чувствуете?

Она не ответила, уселась на табуретку и занялась своими красными распухшими руками. Он как ни в чем не бывало улыбнулся и бодро сообщил:

— Надежда Семеновна, у меня хорошие новости. Мне поручено ознакомить вас с официальным заявлением следствия.

Он дал ей листок, подождал, пока прочтет, и спросил:

— Вам все понятно?

Она слабо кивнула. Он ткнул перо в чернильницу:

— Вот тут, пожалуйста: «Читала», фамилия, имя отчество, число, подпись.

Она взяла ручку и вывела какие-то странные зигзаги. Ручка выскользнула из пальцев, покатилась по столу, упала на пол.

Влада будто ледяной водой окатило: «Каббалистические знаки! Магическое клеймо на официальном документе!»

Стараясь не смотреть на хитрую тварь, чтобы не прикончить ее сию минуту, он спокойно спросил:

— В чем дело?

— Извините, у меня болят руки, пальцы не слушаются.

Влад поднялся, прошелся по кабинету, остановился у нее за спиной, заговорил так мягко и сочувственно, что не узнал собственного голоса:

— Ладно, подпишете позже. Главное, чтобы вы уяснили суть: товарищ Сталин лично гарантирует вам жизнь и возможность продолжить учебу, если вы честно во всем признаетесь и назовете имена сообщников.

— Каких сообщников?

— Надежда Семеновна, вы смертельно запуганы, но здесь, в этих стенах, вам нечего бояться, вы можете все рассказать.

— Что — все?

— Правду о том, кто такие на самом деле ваши родители и чем они занимаются. Правду о том, как они внушали вам ненависть к советской власти, к русскому народу.

— Нет. Это неправда.

Влад вернулся за стол, закурил и продолжил:

— *Я понимаю, вам трудно преодолеть внутренний барьер, но, поверьте, стоит только начать, и сразу станет легче. Ваш отец говорил вам, что с евреями в СССР обращаются плохо, несправедливо?*

— *Нет, он никогда такого не говорил.*

— *То есть положение евреев в СССР в вашей семье не обсуждалось?*

— *Нет.*

— *Значит, эта тема была запретной?*

— *Нет.*

— *Если тема не была запретной, почему же вы и ваши родители никогда ее не обсуждали?*

— *В СССР все нации равны, и обсуждать тут нечего.*

Она нарочно отвечала тишайшим шепотом, приходилось напрягать слух. Влад терпел, не повышал голоса, говорил медленно, продолжал обращаться к ней на «вы», по имени-отчеству:

— *Надежда Семеновна, вы утверждаете, что ваши родители никогда не высказывали недовольства действиями Советского правительства?*

— *Утверждаю. Никогда не высказывали.*

— *Стало быть, вы сами додумались, что постановление Президиума Верховного Совета СССР от 24 декабря 1947 года считать праздник Победы 9 мая рабочим днем, имело целью показать, будто войны и Победы не было?*

— *День победы девятого мая объявили рабочим днем. Это больше не праздник.*

— *Праздник и выходной вовсе не одно и то же.* — Влад опять поднялся и принялся мерить камеру тяжелыми шагами. — *Вы, Надежда Семеновна, занимаетесь клеветой на партию и правительство. Советую прекратить и во всем сознаться.*

— *Что прекратить и в чем сознаться?*

— *Ваш отец поручил вам создать террористическую организацию из студентов, вам удалось завербовать некоторых ваших сокурсников. С одним из них вы обменивались тай-*

ными шифрованными посланиями. Мы установили его личность, он уже сознался, что был вами завербован. Очень скоро вы встретитесь с ним здесь, на очной ставке.

Ласкина смотрела на него сквозь упавшие на лицо пряди. В ее взгляде чудилась насмешка, будто она знала, что он блефует, обещая очную ставку с завербованным сокурсником.

— В данный момент он заключен под стражу, — продолжал Влад. — Арест вызвал сильнейшее нервное потрясение у него, у его родителей. Мать попала в больницу с тяжелым сердечным приступом. По вашей вине страдает простая русская семья. Я подчеркиваю: русская. Вам приказали вербовать именно русских студентов, превращать их в послушных марионеток заокеанских хозяев.

Ласкина качнулась и стала заваливаться набок.

Прибежали конвоиры. Трясли, брызгали водой в лицо, хлопали по щекам, давали нюхать нашатырь. Глаза она открыла, но на вопросы не отвечала, глядела в одну точку и висела на руках конвоиров, как тряпка.

Врач сказал, что продолжать допрос бесполезно. У нее шок, ступор, нервное истощение, кататония и еще что-то в таком роде. Ей нужен отдых, полный покой, в данный момент подписать она все равно ничего не может. Из-за наручников нарушилось кровообращение, кисти рук почти атрофировались.

Влад не вникал в этот птичий язык. Понимал только одно: все врачи — предатели, заговорщики, они обрабатывают и вербуют конвоиров. Персонал Внутренней тюрьмы надо срочно чистить, судить и расстреливать.

* * *

Антон не любил ночевать у Тоши. Там постоянно ощущалось присутствие бабки за тонкой стенкой. Бабка ничего не слышала, но издавала множество звуков: храп, скрип, шарканье тапок. У бабки была манера утром заглядывать к Тоше без стука. Просыпалась она в семь, поэтому в половине седьмого Тоша будила

Тосика и выгоняла к Марине. Там он досыпал на полу, в углу, на тощем старом тюфячке, вроде собачьей подстилки, под пледом.

Марина редко спала одна, к ней приходил Вован или Толян. Они обитали тут же, в коммуналке, выглядели как родные братья: глыбы мускулов, короткие военные стрижки, квадратные тупые рожи. Антон их путал, не мог точно определить, по очереди они спят с Маринкой или кто-то один, и кто именно.

Утром, спросонья, он наблюдал со своего собачьего тюфячка сквозь приоткрытые веки, как тупорылая скотина спускает с Маринкиной кровати огромные волосатые лапы, почесывается, потягивается, зевает, вяло матерится, и пытался угадать, это Вован или Толян.

К матерщине Антон привык с детства, отец только так и разговаривал. В школе и в армии матерились, чтобы слиться с коллективом и быть как все. В институте — чтобы выделиться и не быть как все. В исполнении Вована-Толяна привычные словечки звучали жутковато, по-блатному. Антону делалось не по себе, он притворялся спящим, и вылезал из-под пледа, лишь когда Вован-Толян выкатывался.

После каждого такого утра Антон зарекался ночевать в Горловом, но других вариантов не было. Тошина подруга перестала давать ей ключи от дачи. Оставалось ждать лета. Ленка с ребенком переселятся в Михеево, тогда можно будет привозить Тошу на Ракитскую. Правда, закрадывались сомнения: а дотянут ли они до лета?

Тоша требовала постоянного подогрева — сюрпризов, приколов, рискованных авантюр. Антон и сам ненавидел рутину, но не всегда хватало сил веселить Тошу. Иногда хотелось передохнуть, расслабиться. Ей сразу становилось скучно, она раздражалась, капризничала, взгляд делался холодным, слова колючими.

В последнее время его не покидало противное чувство, что Тоша ускользает и вот-вот исчезнет совсем. Почти весь декабрь звонков от «Виктора Вячеславовича» не было. Антон звонил в Горлов, она никогда не брала трубку. Он передавал через Вована-Толяна-Марину, что ждет звонка. Она не перезванивала. Наконец ему надоело. Он не звонил неделю, и тут она объявилась, как раз накануне Нового года. Мурлыкала, извинялась, объясни-ла, что была на даче у родителей, срочно дописывала какой-то реферат, подтягивала «хвосты» перед зимней сессией. Вот тогда, на радостях, он и вытащил из кармана эти злосчастные билеты на «Гамлета».

По идее, поход на Таганку должен был хорошо подогреть Тошу. В тот вечер он проводил ее до дома и не сомневался: при-гласит, оставит до утра. Ему так этого хотелось, что бабка за стенкой, тюфячок и Вован-Толян в Маринкиной комнате казались пустяками на фоне очередной сладкой ночи с Тошей. Даже страх, что Ласкины могли заметить их в театре, отступил на время.

Поднялись на третий этаж. Возле двери Тоша притянула его к себе, стала поглаживать и целовать, как только она одна умела, Антон сразу завелся, а она вдруг отпрянула, оттолкнула:

— Ох, черт! Который час? Кошмар, совсем забыла, он меня убьет! Извини, мне пора!

— Кто — он? — ошалело просипел Антон, но ответа не услышал.

Дверь захлопнулась у него перед носом. Его затрясло, он пред-ставил, как выйдет сейчас на улицу, одиноко поплетется сквозь вьюгу к метро. Захотелось долбануть в дверь ногой, вдавить кноп-ку звонка, так, чтобы там, внутри, все оглохли от звона. Но сдер-жался.

На площадке между третьим и четвертым этажами была глу-бокая темная ниша и широкий подоконник, оставшийся от окна, которое когда-то зачем-то заложили кирпичом. Антон поднялся, сел на подоконник, закурил, потихоньку успокаивался, матерился про себя и гадал: кто это «он»? Почему «убьет»? Так могла сказать замужняя о муже, но это уж точно не Тошин случай. А что, если у нее есть еще кто-то?

Прежде ничего подобного ему в голову не приходило, ревность он считал уделом закомплексованных импотентов. Но тут вдруг представил Тошу с кем-то другим, и бросило в жар, будто кипят-ку глотнул.

Внизу хлопнула дверь, послышались мужские голоса. Говори-ли на незнакомом гортанном языке. Антон быстро затушил оку-рок, вжался в темную нишу. Шаги и голоса приближались. Остановились на третьем этаже. Антон на цыпочках подкрался к перилам, взглянул вниз. В тусклом свете замызганной лампочки разглядел две мужские фигуры. Одна показалась знакомой. Приглядевшись, он узнал Маринкиного дядю.

Он видел его несколько раз, мельком. Коренастый, лысый, под пятьдесят. Выглядел очень солидно. Замшевый пиджак, дубленка. Тоша говорила, что он профессор, ходячая энциклопедия, знает кучу языков, настоящий гуру. Больше ни о ком она не отзывалась так уважительно, даже о собственном отце.

«Гуру» достал из кармана ключи, сказал что-то своему молодому спутнику. Тот напоминал кавказца, одет был дорого, не хуже «Гуру». Дверь открылась и сразу захлопнулась. Антон спохватился, что опоздает на метро, помчался вниз, мысленно проклиная Тошу, дядю-Гуру, Маринку-Вована-Толяна, неизвестного кавказца, ледяной ветер и колючий снег.

Через пару дней мать сообщила, что «Виктор Вячеславович» просил срочно с ним связаться. Антон позвонил в Горлов. Трубку взяла Тоша:

— Прости, солнышко, я поступила по-свински, прости! Тут такая история, понимаешь, Маринкин дядя, Владилен Захарович, ну, я тебе о нем рассказывала, он у нас ведет спецкурс, я не успела сдать ему зачет, в институте его фиг поймаешь, Маринка упросила, он согласился заехать в Горлов, принять у меня зачет, я из-за тебя обо всем на свете забыла, хорошо, вовремя вспомнила. Отец на моей учебе помешан, если бы к сессии не допустили, вообще убил бы!

Антон слушал ее сбивчивый лепет и снисходительно, самодовольно ухмылялся. Может, она и привирала, но вину свою прочувствовала, это главное.

Она спросила:

— Когда увидимся?

Он помолчал, нарочно помучил ее и лениво процедил:

— Ладно, как-нибудь заскочу.

— Буду ждать!

Он заскочил первого января днем, без звонка. Она повисла у него на шее, зацеловала, потащила в пустую Маринину комнату.

Пару часов им никто не мешал. Он рассчитывал остаться на ночь, но вдруг выяснилось, что через пять минут явится ее отец, чтобы отвезти на дачу.

— Давай, Тосик, быстренько одевайся!

Она поспешно выставила его за дверь и опять исчезла на неделю. Он не знал, обижаться или нет, в Горлов больше не звонил, но ее звонка ждал с замиранием сердца. И дождался. «Виктор Вячеславович» назначил ему свидание на пятницу и попросил прихватить кинокамеру.

В пятницу он приехал с кинокамерой. Дверь открыла Марина, сказала, что Тоша в ванной, и повела к себе. Он заметил, как она поглядывает на его большую спортивную сумку, и спохватился: а ведь тоже, наверное, ждет подарочка к Новому году. Ладно, заслужила. Может, сегодня уступит им с Тошей свою комнату на всю ночь?

Он открыл сумку, и Марина сразу сунула туда любопытный нос.

— Да, угадала! — Антон хохотнул. — Тут вот для тебя маленький презент.

Он вручил ей бутылку польского шампуня.

— Ага, спасибо! Обожаю всякие шампуньки-кремчики! — Она чмокнула пластиковый бок бутылки, потом Антона в щеку.

Наконец Тоша появилась, румяная после душа, в халате, в тюрбане из полотенца на голове, уселась рядом с ним. У него перехватило дыхание, он погладил горячую голую коленку. Тоша будто не заметила, принялась болтать о всякой ерунде. Он дождался паузы, спросил шепотом, на ухо:

— Камера тебе зачем?

— Принес?

— Мг-м.

— Отлично, молодец! Потом все объясню!

Болтали еще долго, мучительно долго, непонятно о чем. Заглянул Вован-Толян, позвал Маринку, она вышла, Антон обнял Тошу, руки нырнули под халат. Она мягко оттолкнула его:

— Потерпи, всему свое время.

Он зажал ей рот губами, но тут вернулась Маринка вместе с Толяном-Вованом, на этот раз в двух экземплярах, потом вошел

Руслан, тоже обитатель коммуналки, постарше Толяна-Вована, в отличие от них тощий, сутулый, но рожа такая же тупая. Они сбились у окна, курили, о чем-то шептались, косились на Антона. Долетали обрывки фраз:

— Ну, че, блядь, сказал?.. Ну, а она че?..

— Слушай, может, пойдем отсюда? — тихо предложил он Тоше. — Кажется, мы тут лишние.

— Куда? К бабке моей, телевизор смотреть с сурдопереводом? — Тоша потрепала его по волосам. — Сейчас выкатятся.

Они действительно выкатились, но не все. Маринка осталась, включила электрический чайник, достала из серванта банку растворимого кофе, чашки, пачку вафель.

— Придется вам, голубки, еще немножко потерпеть мое присутствие, — она захихикала, — ты уж извини, Тосик.

— Да брось, все нормально, это ж твоя комната. — Антон выдавил улыбку.

Его все больше раздражала Маринка, особенно это идиотское хихиканье. Но ничего не поделаешь, комната правда ее. Кофе оказался кислым, даже с двумя кусками сахара, вафли — влажными и приторными.

— Марин, а вы там о чем шушукались? — спросила Тоша.

— Советскую власть ругали, — объяснила Марина, подмигнула и опять захихикала.

— А вот я советской власти очень даже благодарна, — заявила Тоша, уселась к Антону на колени, принялась рассказывать какую-то совершенно дикую завиральную историю про джинсы и фарцовщика.

Антон почти не слушал, от кофе и вафель началась изжога. Худенькая Тоша вдруг потяжелела, ноги стали затекать. Он делал вид, что участвует в разговоре, бросал реплики, смеялся, когда они смеялись, а про себя скулил: «Дурак, примчался по первому зову, как собачонка, камеру притащил... Все, хватит, надоело, пора завязывать...»

Вдруг дверь распахнулась, на пороге возник незнакомый мужик лет пятидесяти, подтянутый, прямой, седой, хмурый. Антон успел разглядеть высокий лоб, черный кожаный пиджак, серую водолазку. Тоша соскочила с колен, повисла у мужика на шее с визгом:

— Папулище! Вот сюрприз!

Антона кольнуло, что Тоша не сочла нужным представить его отцу, сразу выскользнула из комнаты, закрыла дверь. То есть понятно, отношения с женатиком она от родителей скрывала, но Галанов — человек известный, влиятельный. К таким Антон инстинктивно тянулся, верил: чтобы продвинуться, добыть хорошие роли, надо изо всех сил обрастать связями.

Марина усмехнулась:

— Да уж, сюрприз! Сейчас будет врать, будто ты не ее хахаль, а мой.

— Почему ты так думаешь?

— Потому, что хорошо знаю Тошку! Еще кофе налить?

— Нет, спасибо. — Антон поднялся, подрыгал затекшими ногами. — Слушай, я, пожалуй, пойду.

— Да ты че! Обиделся? Брось, она скоро вернется.

Тоша вернулась уже одетая, в джинсах и свитере, тряхнула влажными волосами, присела на корточки, по-хозяйски открыла сумку Антона, вытащила камеру, коробки с пленкой.

— Эй, погоди, что за дела? — возмутился Антон.

— Извини, солнышко, потом все объясню! — Она чмокнула его в ухо и умчалась вместе с камерой.

Антон вскочил, хотел пойти за ней, Марина остановила его, усадила почти насильно:

— Не дергайся, потерпи. Через пару часиков уйду на всю ночь, комната ваша. — Она подмигнула и протянула ему пачку «Мальборо». — Перекури, расслабься.

Он послушно взял сигарету, подумал: «Все, хватит, сыт по горло, пора валить! Только сначала надо забрать камеру. Вещь серьезная, немалых денег стоит, и Ленка обязательно заметит, она снимает каждое новое Никитино достижение. Улыбнулся, засмеялся, сел, пополз на пузе по-пластунски. Вот сделает первые шаги, она сразу кинется искать камеру... Кстати, интересно, когда они начинают ходить?»

* * *

В машине Уралец наорал на шофера, выпустил пар, успокоился, закурил.

В надежности Влада он не сомневался с тех пор, как тот помог ему, молодому-неопытному, решить проблему с агентом Филимоновой. Выслушал, успокоил, с докладными здорово придумал, да еще сливки снял, закрутил операцию «Свидетель». Правда, Дядя Миша называл затею со «Свидетелем» глупой, рискованной авантюрой, но это потом, а тогда, в январе пятьдесят третьего, ему очень даже понравилась инициатива Влада, до того понравилась, что решился изложить Хозяину, и Хозяин одобрил.

Влад действовал разумно, грамотно, запретил применять меры к номеру пятьдесят три. Подстраховался, прямо как в воду глядел. Вот если бы она окочурилась, он бы сел, еще при жизни Хозяина, или позже, когда Берия устроил разборки внутри аппарата, но сел бы точно.

В отличие от своих бывших сослуживцев Влад умудрился не замарать рук, особыми мерами не баловался, работал корректно, а подписей под признаниями собрал больше, чем другие. В итоге отделался увольнением с формулировкой «за дискредитацию офицерского звания и грубое искажение норм социалистической законности». Далеко не всем следакам так повезло, многих посадили, а кое-кого и расстреляли. Не случайно Дядя Миша загодя отвел Федора подальше от следчасти.

Позорное увольнение Влад пережил достойно, не спился, не опустился, пару лет поработал в метрополитене, потом поступил в Институт стран Азии и Африки, стал учить арабский, английский, иврит. Федор не терял с ним связь, иногда гоняли мяч на стадионе «Динамо», зимой катались на лыжах в Серебряном Бору или в Измайлове. Влад рассказывал про древнюю историю, Федор узнавал от него много интересного, например, что христианство придумали евреи, с целью привить людям белой расы рабскую психологию. В определенном смысле это утверждение смыкалось с классической формулой: «религия — опиум для народа».

В один из своих приездов в Москву, в мае пятьдесят седьмого, как раз накануне Всемирного молодежного фестиваля, Дядя Миша вдруг, ни с того ни с сего, вспомнил Влада Любого, спросил, как он поживает. Федор удивился. Дядя Миша про уволенных «за дискредитацию» говорить не любил, недавнее прошлое обходил молчанием. И еще больше удивился Федор, услышав: «Заварил он кашу с этим "Свидетелем", а нам теперь расхлебывать».

Оказалось, пару дней назад Дядя встречался с Фанасичем, и тот высказал опасения, мол, понаедут в Москву иностранцы, и бывший номер пятьдесят три, обиженная жидовочка, будет гулять среди них безнадзорно, общаться с кем захочет. Возьмет да и выскажет свою обиду какому-нибудь шпиону-журналисту. Вражеская пропаганда вцепится, раздует, польется на нас грязь, это ладно, дело привычное. Но дойдет до руководства…

— Погоди, — перебил Федор, — мы тут при чем?

— При том! Серов старается Хрущу угодить, у обоих руки по локоть в крови, вот и отмываются за наш счет. Все мы, кто служил при Хозяине, сейчас в зоне риска. Если информация о «Свидетеле» просочится за кордон, Серов получит по шапке, начнет искать виноватых, и мы с тобой можем оказаться очень даже при чем!

— Профилактическую беседу с ней провести, — предложил Федор, — напомнить о подписке.

Дядя помотал головой:

— Не вздумай! Санкция нужна, однако за такой санкцией в нынешней обстановке к руководству соваться нельзя.

— А если просто поговорить с ней, по-хорошему, в неофициальном порядке?

— Охренел? — Дядя Миша сурово нахмурился. — Ты, Федька, давай, соображай, времена изменились! Поговоришь, а она возьмет и накатает заявление в Прокуратуру, будто ее запугивали. Кстати, предупреди приятеля своего, если это дерьмо всплывет, его тоже коснется.

Федору тогда показалось, что Дядя преувеличивает. Накрутил его Фанасич, на самом деле ничего страшного. Жидовочка наверняка будет молчать. Обиженные вообще пока молчат, а вот главные обидчики выступают, глотки дерут, из кожи вон лезут.

Он встретился с Владом, выложил ему Дядины опасения.

— Я решу эту проблему, — пообещал Влад.

— Как?

— Прослежу за ней.

— И что? Рот ей заткнешь?

— Просто напомню о себе, этого вполне достаточно. И никаких санкций мне не нужно.

Дядя Миша предложение Влада воспринял скептически. Федор заверил его, что Влад к жидовочке близко не подойдет, в прямой контакт не вступит. С Органами он теперь никак не связан, если вдруг напортачит, отвечать будет только он, частное лицо. Можно для подстраховки отправить кого-нибудь из наших, понаблюдать. Да и не напортачит он. Умный, в людях разбирается, есть у него особая психологическая методика, которая работала вполне успешно.

— Только не с номером пятьдесят три, — мрачно напомнил Дядя, — она ж так и не подписала ни хера, кроме подписки о неразглашении, но это я ее уговорил.

Фестиваль закончился, утечки не случилось. Фанасич успокоился и Дядю Мишу успокоил. Видимо, добыл старый кадровик точную информацию, что бывший номер пятьдесят три помалкивает.

— Молодец твой Влад, не подкачал, — сказал Дядя, — и правда умный. Ты, Федя, его из виду не теряй, глядишь, для чего еще пригодится.

Федор и не собирался терять Влада, тем более в очередной раз убедился в его надежности. Потом, на протяжении многих лет, убеждался снова и снова. Влад никогда его не подводил.

Конечно, чувствовалась в нем некоторая странность, чудаковатость, но это от большого ума. Столько всего знал, прямо ходячая энциклопедия. Рассказывал про Атлантиду, храм Царя Соломона, про тайную сионистскую секту «Бафомет», которая существует две тысячи лет и поклоняется дьяволу в виде козлиной головы, про «Велесову книгу», про козни масонов, энергетические потоки, космическую энергию и чтение мыслей на расстоянии. Федор иногда слушал с интересом, как сказки в детстве, иногда пропускал мимо ушей. Вообще, он привык судить о людях не по трепу, а по реальным делам.

В начале шестидесятых Уралец возглавил отдел, который занимался проверкой советских граждан, отправлявшихся на работу в Египет. Ехали рабочие, инженеры, врачи, ученые-профессора, артисты. Желающих оказалось много. Командировки в Египет давали возможность неплохо заработать, к тому же какая-никакая, а заграница. Побегов из советских колоний не случалось, домой возвращались все, однако возникли другие проблемы, неожиданные и весьма деликатные.

После Второй мировой несколько тысяч беглых нацистских преступников осели на Ближнем Востоке. Насер набрал в свою армию и в службу безопасности бывших офицеров СС и гестапо. Нацисты жили в Египте открыто, не всегда даже имена меняли, занимались бизнесом, преподавали в вузах, обучали солдат и партизан в центрах подготовки «истинных защитников ислама», работали в прессе и на радио. Пропагандой руководил бывший сотрудник аппарата Геббельса Иоганн фон Леерс. У самого Насера в кабинете висел портретище фюрера в полный рост. Скрывать факт своего сотрудничества с нацистами в годы войны он даже не пытался.

Хрущ присвоил Насеру звание Героя Советского Союза, смотрел сквозь пальцы, как этот «герой» бросает в тюрьмы египетских коммунистов. Ладно, на то он и Хрущ.

Позже, после смерти Насера, президентом стал бывший платный агент абвера Садат. В семьдесят втором он переметнулся к американцам, совершенно по-хамски вышвырнул нас из Египта, отказался возвращать нам многомиллионные долги, а потом еще и с Израилем стал договоры подписывать. Но в начале шестидесятых, в разгар дружбы и сотрудничества, о таком варианте развития событий никто из высшего руководства не задумывался.

Отдел Федора Ивановича следил, чтобы лица еврейской национальности в Египет не выезжали, ясное дело, неприятно им будет в Каире на улицах, в лавках и в официальных кабинетах любоваться портретами Гитлера. Количество специалистов-евреев свелось к нулю. Если просачивались неучтенные, русские по паспорту, или полукровки, то молчали. Но проблемы все равно лезли. То какой-нибудь советский рабочий или инженер ввяжется в драку с хозяином лавки, в которой висит на стене фюрер, то профессор возмутится нацистскими выступлениями арабских студентов.

Самой уязвимой категорией оказались переводчики-арабисты. Им иногда по работе приходилось вступать в прямые контакты с бывшими СС. Они слушали египетское радио, читали газеты, а там двадцать четыре часа в сутки, открытым текстом, шла жесткая пропаганда, не антисионистская, а настоящая, расовая, с призывами к физическому уничтожению всех абсолютно евреев и прославлением Гитлера.

Конечно, большинство военных и комитетчиков относилось к таким вещам спокойно, с пониманием. Но если уж попадались особо чувствительные, из бывших фронтовиков, то шум поднимали изрядный. За военных отдел Федора Ивановича не отвечал, а вот за своих, комитетских, отвечал в полной мере.

Начались утечки. В западной прессе с подачи ЦРУ и Моссад поднялся вой о нашем открытом сотрудничестве с нацистскими преступниками. Информация просачивалась в бюллетени Международного отдела ЦК. Леонид Ильич нервничал.

В шестьдесят пятом в Египет отправилась группа телевизионщиков, снимать сюжет про строительство Асуанской плотины, и оператором там оказался еврей, да не просто еврей, а фронтовой товарищ Леонида Ильича. Такого попробуй не пусти!

Пока группа находилась в Египте, Федор Иванович буквально с ума сходил, едва до инфаркта не довел себя. Он лично ни в чем не виноват, но если вдруг брежневский жидок поднимет волну, ответственность скинут на полковника Уральца. А на кого ж еще? На Насера, что ли?

Сюжет сняли, группа вернулась, пролетала неделя, другая, месяц, и ничего не произошло. Еврей попался сознательный, Леониду Ильичу жаловаться не стал. Вроде бы можно вздохнуть с облегчением, но Федор Иванович все никак не мог успокоиться, словно что-то в нем надломилось. Начались бессонницы, сердчишко пошаливало. Изучая анкеты очередного специалиста, он каждый раз думал: «Ну, чего от тебя ждать? Вроде все с тобой нормально, да только в душу разве заглянешь?» Вот тогда и пришло ему в голову, что, пожалуй, единственный человек, которого можно отправить туда без всяких волнений и сомнений, — Влад Любый.

Однажды Дядя Миша свел Федора с сотрудником Международного отдела ЦК. Подбирали кандидатуры для налаживания особых, сугубо конспиративных контактов с лидерами Народного фронта освобождения Палестины. Требовались люди, свободно владеющие арабским и английским, не связанные ни с КГБ, ни с Министерством обороны, при этом абсолютно свои, надежные, с хорошим образованием, знанием исламских традиций и особенностей национального характера.

— Смотри, — предупредил Дядя Миша, — сумеешь найти такого человечка — будет тебе большой плюс, но и ответственность немалая. Если кого предложишь, должен лично поручиться.

— Палестинцы — ребята горячие, — доверительно объяснил сотрудник Международного отдела ЦК, — тут важна искренняя солидарность по их главному вопросу. Ну, ты понимаешь. Нормальную сдержанность и осторожность они воспринимают как предательство. Конечно, умный человек, если надо, подыграет, изобразит что угодно, однако с палестинцами это не канает. По главному вопросу чутье у них звериное.

Влад в то время как раз закончил аспирантуру Института стран Азии и Африки, защитил кандидатскую. Федор посоветовался с Дядей и свел Влада с сотрудником Международного отдела ЦК. В итоге кандидатуру Любого рассмотрели и одобрили все положенные инстанции. Он стал летать в Египет, Сирию, Ливан.

Когда и где произошло его первое знакомство с палестинскими лидерами, о чем велись переговоры, Уралец не знал, но то, что Влад нашел с горячими ребятами общий язык, было очевидно. Через несколько лет его назначили на должность преподавателя в ИОН.

Для Федора Ивановича это стало еще одной удачей. Он обзавелся своим человеком внутри ИОН, получил прямой, постоянный и надежный источник информации о настроениях студентов-палестинцев. Формальных кураторов, штатных сотрудников КГБ, в ИОН хватало, но они работали с арабами через переводчиков, студенты им не доверяли. Зато Любому доверяли полностью. По главному для них вопросу он точно был с ними заодно всей душой, тут ему притворяться не приходилось. Они чувствовали его искренность, потому и получался у него с ними такой хороший контакт.

Да, но одно дело — палестинцы и совсем другое — наши. Солдатикам-срочникам твой пламенный треп по фигу, сидят и дрыхнут с открытыми глазами. Политруки слушают внимательно, искренность твоя их пугает до смерти. Чего ты на рожон-то лезешь? Пригласили выступить в воинских частях с лекциями о сионизме — ну так и болтай о сионизме как положено.

«Представляю, что ты там нес, если даже тупые политруки уловили в твоих лекциях антисемитскую пропаганду, — с раздражением думал Федор Иванович. — Прав Дядя Миша, как всегда прав. Нельзя расслабляться. Ни с кем никогда расслабляться нельзя. Людишки меняются, это надо учитывать».

Глава двадцать седьмая

Ласкину продержали в больничке неделю, подкормили, подлечили и поставили на конвейер. Другого выхода не было, она продолжала все отрицать, упорно не желала сотрудничать. С ней работали, сменяя друг друга, трое забойщиков. Для них это стало серьезным испытанием. Орать, угрожать, запугивать можно, а бить нельзя. Влад иногда стоял за дверью, слушал знакомые матерные трели коллег:

— Признавайся, тварь! Про подлую шпионскую деятельность твоего отца нам все известно! Давай, рассказывай, блядь, как твой ебаный папаша Ласкин Семен Ефимович поручил тебе создать в институте террористическую организацию из русских, блядь, студентов, как приказал травить русских новорожденных в роддоме!

Спать ей давали по тридцать минут каждые двенадцать часов. Когда отключалась, поливали ледяной водой. На все вопросы она отвечала одно и то же:

— Нет, это неправда.

— Хочешь сказать, мы тут все врем, на хуй? Клевещешь на советскую власть? Обвиняешь во лжи наши родные советские органы, блядь? Ведьма, сука жидовская! Надоело с тобой цацкаться, ща рожу расквашу, на хуй, по стенке размажу, нос поломаю, зубы вышибу, и все дела! — сипло рычал Гаркуша.

Влад понял: пора вмешаться. Распахнул дверь, твердо негромко произнес:

— Что вы себе позволяете, товарищ майор? Прекратите орать!

Гаркуша в ответ пробурчал что-то невнятное, зевнул, залпом допил остатки водки из стакана, занюхал рукавом и выкатился.

Ласкина сидела на табуретке, а держать ее следовало на ногах, в «стойке». Волосы сухие, значит, водных процедур Гаркуша не устраивал. Просто орал, и все. Расслабился, разленился, скотина, халтурщик.

Влад озабоченно зашуршал бумагами на столе, откашлялся, вздохнул:

— *Надежда Семеновна, я вынужден извиниться за своего коллегу. Он сорвался. Но знаете, его можно понять. Его жена недавно рожала в том самом роддоме, где вы проходили практику.*

Ласкина подняла голову, взглянула куда-то мимо Влада красными воспаленными глазами, произнесла ровным глухим голосом:

— *Я не проходила практику в роддоме.*

— *Конечно, проходили! У нас есть свидетели, улики, вещественные доказательства.*

— *Доказательства чего? — спросила она чуть слышно.*

Он вытащил из кармана маленькую склянку коричневого стекла. Склянка была из-под валериановых капель. Он заранее купил ее в аптеке, вылил содержимое, содрал наклейку, прилепил бумажку с нарисованным черепом, налил немного воды, плотно завинтил крышку.

— *В ваших вещах обнаружили вот это, — он держал склянку осторожно, двумя пальцами, — химики провели анализ. Тут смертельный яд скрытого действия. Вы подтверждаете, что получили его от вашего отца Ласкина Семена Ефимовича с целью отравления младенцев?*

— *Каких младенцев?*

— *Во время вашей практики в роддоме умерло несколько новорожденных.*

— *Я не была роддоме. Акушерская практика на третьем курсе, а я на первом.*

— *Вы хорошо учились, вот вас и направили на практику раньше остальных, — объяснил Влад, — и вообще, это детали, мелочи. Не будем отвлекаться. Ваш отец приказал вам незаметно дать яд младенцам, обязательно с русскими фамилиями,* но у вас не поднялась рука совершить гнусное убийство. Суд учтет ваше чистосердечное признание и сотрудничество со следствием, все тяжкие обвинения будут сняты.

— Какие обвинения? В чем?

Владу срочно требовалась передышка. Он вызвал дежурного, распорядился, чтобы принесли чай, бутерброды и шоколадные конфеты. Не глядя на Ласкину, принялся перечитывать вслух текст ее признательных показаний и вдруг спохватился: склянка до сих зажата в кулаке. Как же он мог забыть, не заметить? Одно неверное движение, и стекло треснет, осколки поранят ладонь, яд попадет в рану.

Он достал из кармана чистый носовой платок, осторожно завернул склянку, убрал в ящик стола, поднял глаза на Ласкину и увидел Шуру. На этот раз наваждение оказалось особенно долгим и мощным, к ярости добавилось лютое мужское желание. Он зажмурился, досчитал до ста. Немного полегчало. Шура исчезла, вместо нее на табуретке сидела, низко опустив голову и занавесив лицо волосами, все та же тварь, жидовская ведьма. Он подумал: «Как ей это удается? Гипноз? Древняя магия? Неуловимые вибрации? Сверхмощные космические лучи?» — и спокойно произнес:

— Надежда Семеновна, давайте будем реалистами. Вы сами пришли к нам, попросили защитить вас, чистосердечно признались во всем, поступили как настоящая комсомолка, как честная советская девушка, выразили полную готовность помочь нам разоблачить и обезвредить опаснейших заговорщиков-убийц.

— Если я пришла к вам сама, зачем вы держите меня в наручниках?

— Для вашей же безопасности. Из-за тяжелых переживаний вы пытались покончить с собой.

— Неправда!

— Вы продолжаете все отрицать, — Влад печально вздохнул, — отказываетесь сотрудничать со следствием. Значит, придется считать вас соучастницей.

— Я не понимаю...

— Что же тут непонятного? Убийство, тем более такое гнусное, омерзительное, карается расстрелом.

— Я никого не убивала.

— Тогда почему вы покрываете убийц?

— Каких убийц?

Дежурный принес чай. Влад закурил, откинулся на спинку стула, устало, с легкой хрипотцой, предложил:

— Выпейте чайку, поешьте. Ну, возьмите конфету. Вы как будущий врач должны знать, что мозгу необходима глюкоза.

Ласкина тихо застонала и свалилась на пол. На табуретке Влад заметил свежее кровавое пятно. Кровь была на полу и на руках конвоира, когда он перевернул номер пятьдесят три на спину. Следом за конвоиром явился врач, присел на корточки, принялся считать ей пульс, прослушивать сердце.

— Откуда столько крови? — изумился Влад.

Врач ничего не ответил, кинулся к столу, схватил трубку внутреннего аппарата, гаркнул:

— Санитаров с носилками, срочно!

— Ее никто пальцем не трогал... симуляция, мистика, колдовство... — бормотал Влад.

— Ну твою же мать! — орал Гоглидзе на оперативке. — Ты же сам настаивал, чтобы к ней мер не применялось, а смотри, до чего довел!

Влад пытался объяснить:

— Во-первых, она проходит конвейер, я не один с ней работаю, во-вторых, она симулирует, врачи ее покрывают, необходимо провести...

— Хочешь, чтобы она тут у нас окочурилась, на хуй, как Этингер, блядь? — перебил Гоглидзе.

Влад открыл рот, чтобы закончить фразу: «Необходимо провести независимую медицинскую экспертизу», — но благоразумно промолчал.

Замминистра закурил, прищурился:

— Учти, майор, на тебе один жмур уже висит.

В кабинете стало тихо, все уставились на Влада. Он вопросительно покосился на Гаркушу. Тот едва заметно пожал плечами.

Гоглидзе выпустил дым, хмуро помолчал и процедил сквозь зубы:

— Из больнички звонили. Подследственная Филимонова скончалась в результате преждевременных родов.

«Кто такая Филимонова?» — отрешенно подумал Влад.

Вечером, по дороге к Шуре он вспомнил, что это медсестра, бывший Федькин агент, и успокоился. Жмур висит не на нем, а на Федьке. Конечно, сам по себе Федька пока никому не интересен, но если кто-то вдруг захочет свалить Дядю, легко раскопает историю про похождения племянника и смерть бывшего агента, важного свидетеля. А майор Любый вообще ни при чем, он Филимонову в последний раз допрашивал месяц назад.

Влад выскочил из трамвая в метель, зашагал по безлюдной заснеженной улице поселка, заранее предвкушая свое законное мужское удовольствие.

Шура сидела на кровати, поджав ноги, и читала. Филя растапливал печку. Влад, не раздеваясь, подошел к Шуре, взял у нее книгу, захлопнул, взглянул на обложку. Гончаров, «Обрыв».

Она протянула руку:

— Отдай! И снег стряхни хотя бы.

Он швырнул книгу на комод. Шура молча соскользнула с кровати, взяла книгу, открыла, нашла нужную страницу, раздраженно повторила:

— Снег! — и опять уселась читать.

Он вышел на веранду, снял калоши, отряхнул заснеженное пальто платяной щеткой, аккуратно повесил на плечики, сунул в рукав шарф. Когда он вернулся в комнату, Шура даже головы не подняла. Влад развалился в кресле, закурил. В ярком свете торшера он видел каждую черточку ее лица, склоненного над книгой. Несколько часов назад арестованная Ласкина напомнила ему Шуру. Теперь Шура напоминала Ласкину. Он вглядывался, пытался найти различия. Они, безусловно, были, но в глаза лезло именно сходство.

Когда он занимался проверкой, добыл подробную информацию о родственниках Шуры по отцовской линии, а вот о мате-

ри практически ничего не известно. *Голубева Анастасия Борисовна родилась в девятьсот десятом, в Липецке, умерла в девятьсот тридцать третьем, в Москве. Голубева она по мужу, девичью фамилию выяснить не удалось, отчество «Борисовна» наводит на размышления. Отправить запрос в Липецк? Нет, это привлечет излишнее внимание, к тому же, если его догадки верны, там окажется все чисто.*

Шура перевернула страницу. Филя, сидя на корточках, орудовал кочергой в печке.

— *Выгони его,* — тихо приказал Влад.

Но Филя уже сам поднялся, положил кочергу, взял свой топорик и ощерил беззубую слюнявую пасть в идиотской улыбке. Шура оторвалась, наконец, от книги:

— *Филя, ты молодец, иди домой.*

Урод, тяжело топая, подошел к ней, наклонился, потерся лбом об ее плечо и замычал что-то. Она потрепала его по жидким слипшимся патлам:

— *Да, я тоже тебя люблю, ну, все, все, иди.*

Филя, пятясь задом, прижимая к животу свой топорик, выкатился. Влад молча встал, отшвырнул книгу и завалил Шуру на кровать.

* * *

В лаборатории все были заняты заказами, только Гнус взглянул с любопытством, спросил:

— Ну, и кто же тебе так упорно дозванивался?

— Понятия не имею. Разъединилось.

Шок был сильный, но недолгий. Даже немного полегчало. Больше не надо врать себе. Никакая это не паранойя, никакие не галлюцинации. Чудовище заговорило.

— Погоди! Куда ты? Сейчас перезвонят! — крикнул Гнус.

— Да черт с ними!

Надя быстро, бестолково набила продуктами две капроновые авоськи. Они оказались неподъемными, тонкие ручки впились в ладони, и опять возникло ощущение наручников. Она вышла в коридор, поплелась к лифту.

— Стой! Не двигайся! — кто-то сзади выхватил у нее авоськи. — Спокойно, это ограбление!

Она увидела улыбающуюся физиономию Павлика Романова и машинально выругалась:

— Тьфу, дурак, напугал!

— Ну, правильно. — Павлик противно хихикнул, — так и было задумано! Обожаю пугать нервных барышень!

Он держал ее авоськи вместе со своими, но, казалось, тяжести вообще не чувствовал. Губы по-прежнему улыбались, а глаза внимательно, серьезно вглядывались в Надино лицо.

— Мы же договорились, что я подвезу тебя сегодня. Почему не дождалась?

— Договорились? Когда?

— В профкоме, когда получали заказы. Забыла?

Нет, она не забыла. Просто после звонка ей хотелось побыть одной.

Павлик сложил авоськи на заднее сиденье своего новенького синего «жигуленка», открыл переднюю дверцу.

— Залезай!

Выехали за ворота. Он молча проехал пару кварталов, притормозил у перекрестка.

— Давай, Надежда, колись, все равно не отстану. Ты вообще на себя не похожа! Что с тобой происходит? Только не ври, будто не знаешь, кто достает тебя звонками!

— С чего ты взял, что я знаю?

— Видел твое лицо, когда ты держала трубку. Ну, кто он?

— Следователь.

Павлик раздраженно махнул рукой:

— Ой, ладно, хватит валять дурака!

— Я серьезно.

— Серьезно? Ха-ха! И по какому же делу ты проходишь? В каком качестве? Свидетель? Подозреваемая?

Надя молча смотрела в окно, будто не услышала вопроса. Павлик свернул в проходной двор, припарковался, достал из бардачка сигареты.

— Долго собираешься стоять? — спросила она, прикуривая. — Весь бензин уйдет на обогрев.

— Не волнуйся, у меня полный бак, и еще запасной, в багажнике. — Он приспустил стекло, резко повернулся к Наде: — Что же это за следователь такой интересный? Звонит и молчит! Он из прокуратуры или из КГБ?

— Из МГБ.

— Прости, откуда?

— Из Министерства госбезопасности. Так раньше назывался КГБ, когда я там сидела, с января по март пятьдесят третьего, во внутренней тюрьме Лубянки.

— Ты?! — Павлик поперхнулся дымом, закашлялся. — Погоди, тебе в пятьдесят третьем сколько было? Пятнадцать? Шестнадцать?

— Семнадцать. «Дело врачей», помнишь?

— Помню, — он растерянно кивнул, — митинги, собрания, вопли про врачей-отравителей. Потом усатый сдох, и все быстро закончилось. Не понимаю, при чем здесь ты?

— Я тоже до сих пор не понимаю. Я училась на первом курсе, сдавала зимнюю сессию. Схватили утром по дороге в институт, затолкали в машину. Камера, наручники, конвейерные допросы... Ладно, все, не хочу об этом, двадцать четыре года молчала.

— Ни фига же себе! — Павлик присвистнул. — Так, может, пора, наконец, выговориться?

— Я, вообще-то, подписку дала, — Надя усмехнулась, — когда выпускали, со мной задушевно побеседовал один важный генерал с добрым лицом, принес официальные извинения, попросил не распространяться, для моей же пользы. Мол, все плохое надо забыть, жизнь только начинается. Потом взяли подписку о неразглашении.

— Думаешь, эта подписка до сих пор в силе?

— Ее никто не отменял, да и не только в ней дело. Если начну рассказывать, руки заболят.

— Руки?!

— Фантомные боли, от наручников. Шрамы на всю жизнь остались.

— Ты говорила, шрамы от ожогов химикатами, я, грешным делом, думал, врёшь, подозревал, что ты в юности вены резала из-за несчастной любви.

— Мг-м, конечно, — она издала странный звук, то ли смешок, то ли всхлип, — наручники не снимали круглые сутки, даже в больничке. У меня в тюрьме месячные начались, кровотечение долго не останавливалось. Они испугались, что окочурюсь, допросы прекратили, положили в больничку. Собственно, это меня и спасло. Я им нужна была живая и здоровая.

— Зачем?

— Готовили большой процесс, мне отводилась важная роль: рассказать широкой публике, что мой папа, американский шпион, заставлял меня убивать младенцев в роддоме, вербовать сокурсников и создать тайную террористическую организацию студентов-медиков. Они рассчитывали, что меня будет легко сломать, я маленькая, слабая. И родители сломаются из-за моего ареста. Но я оказалась слишком слабой. Я вообще не понимала, что происходит, чего от меня хотят. Просто отключалась, улетала домой, мысленно забивалась в угол между буфетом и диваном, вспоминала рисунок обоев, строила из этих жёлтых ромбов и синих васильков волшебный замок и пряталась там. В результате вместо напуганной девочки они получили бесполезную тряпичную куклу.

Павлик глухо откашлялся и спросил:

— Разве их потом не расстреляли?

— Кого?

— Ну, тех следователей, которые сочиняли «дело врачей»? Рюмина точно расстреляли, он, кажется, был главный.

— В январе уже никакого Рюмина не было, Сталин его снял, вместо него назначил Гоглидзе. Да, Рюмина и Гоглидзе расстреляли. Но других даже не посадили.

— Ты серьёзно думаешь, что один из них тебе звонит и молчит, через двадцать четыре года?

Надя кивнула.

— Как его зовут?

— Любый Владилен Захарович. Он вёл моё дело. Вначале показался нормальней других. Другие меня тоже допрашивали, но совсем иначе. Орали, угрожали. Любый говорил спокойно, вежливо. Потом до меня дошло, что текст про папу-шпиона и отравленных младенцев сочинил именно он. Другие путались, сбивались, а он повторял каждый раз одинаково четко, слово в слово, с чувством, как верующий молитву. Другие понимали, что все это спектакль, играли надоевшие роли халтурно, неправдоподобно. Наверное, чуяли, что Сталину скоро конец. Боялись, что придется отвечать за свои художества. А для него все было всерьез. Он не играл, он верил.

— Во что? — Павлик нервно усмехнулся. — В текст, который сам сочинил?

— В еврейский заговор. В то, что евреи — инопланетные паразиты и оборотни, все американцы — евреи, англичане тоже. Сталин — освободитель человечества от еврейского ига. Мой отец — американский шпион, а я ведьма. Во-первых, потому, что еврейка, во-вторых, потому, что женщина. Женщины низшие существа, животные. Но среди них встречаются ведьмы, которые опасней евреев. Этот свой катехизис он излагал мне во время допросов, хотел показать, что ему все известно, молчать и выкручиваться бесполезно. — Надя принялась разминать запястья и медленно, хрипло произнесла: — У него миссия: продолжить великое дело Сталина. Он не остановится.

Павлик нахмурился, пробормотал что-то себе под нос, Надя расслышала слово: «маньяк».

— Да, он маньяк. — Она затушила сигарету, поежилась, подняла стекло. — В первый раз он появился через четыре года после освобождения, в июле пятьдесят седьмого, в день открытия Всемирного молодежного фестиваля. Я гуляла по Москве с друзьями-сокурсниками, потерялась в толпе, отбилась от своих, и черт меня дернул подняться на крышу одного из домов, посмотреть шествие по Садовому кольцу. На крыше давка, все вопят, хлопают, свистят. Меня притиснули к самому краю. Ограждение хлипкое, шатается, и туфли новые скользят. Кто-то сзади стал напирать, подталкивать, будто нарочно. Я обернулась и увидела его рожу, совсем близко. Заорала, конечно, только в таком гаме бесполезно. Он бы запросто меня столкнул, и никто бы ничего не заметил. Несчастный случай. Но в последнюю секунду какой-то парень схватил меня, оттащил от края. Мы потом познакомились, он оказался студентом из Лондона. В общем, повезло.

— А студент из Лондона не заметил, что тебя хотели столкнуть нарочно? — осторожно спросил Павлик.

— В том-то и дело, что нет! Просто случайный пьяный кретин рвался поглазеть на шествие и едва не спихнул девушку. Вот так он все это увидел. Очень ругался на кретина, на городские власти, которые позволяют людям влезать на крыши и не заботятся о надежных ограждениях. У меня был шок, я не стала ему ничего говорить, испугалась: вдруг примет за сумасшедшую, и решила: ничего не было. Померещилось.

— Может, правда померещилось?

— Мг-м, а потом, в августе пятьдесят восьмого, померещился пожар на даче в Михееве.

— Пожары сами по себе случаются, особенно в дачных домах. Короткое замыкание…

— Все так и подумали.

— Давай по порядку, что произошло?

— Лене исполнилось четыре месяца, мы переехали на дачу. Мама и папа жили с нами по очереди. Август был жаркий, мы ходили на пруд, купаться. Однажды я увидела его на пляже. Он просто стоял и смотрел. Дождался, когда я его замечу, развернулся и ушел. Через пару дней иду с коляской по поселку, к магазину, слышу позади шаги, чувствую взгляд. Оборачиваюсь — он. Припустила бегом. Коляска прыгает, Лена плачет. Еще раз обернулась — никого. Той ночью мы с Леной остались одни. Папа уехал в Москву, мама собиралась приехать утром. Лена долго не могла уснуть, я устала таскать ее на руках, уложила в коляску и отправилась гулять. Я иногда так делала ночами, она в коляске быстро засыпала. Пожар начался примерно в половине третьего. Дверь оказалась заперта, ключ пропал.

— Так, наверное, ты заперла, а ключ потеряла?

— Я оставила дверь открытой. Ключ торчал изнутри. Там замок заедал, я боялась, вдруг не сумею отпереть, когда вернусь. Нет, Павлик, — она помотала головой, — я ничего не забывала и не теряла, он запер дверь снаружи и забрал ключ.

— Ну, а пожарные, милиция?

— Тушили соседи, общими усилиями. Пожарные явились утром, милиция вообще не приезжала. Никто не сомневался, что это короткое замыкание, и все радовались, что мы с Леной уцелели. Повезло. Ему в голову не пришло, что я могла пойти гулять с ребенком в два часа ночи.

Надя вытянула еще одну сигарету, Павлик щелкнул зажигалкой.

— Если бы я не знал тебя так хорошо, если бы мы с тобой не прошли вместе чуму, холеру, сибирскую язву и прочие прелести, я бы решил, что ты свихнулась.

— Я тоже так думала. То есть мне очень хотелось так думать. Помнишь, в шестьдесят шестом, в Казахстане, на чумном очаге, был старик-знахарь?

Павлик кивнул:

— Да, забавный такой, тощий, лысый, целебные корешки варил, бормотал заклинания и уверял, будто ему двести пятьдесят лет.

— Забавный, — эхом отозвалась Надя, — однажды он сказал интересную вещь: «Чтобы одолеть реальных демонов, надо обходиться с ними как с миражами, никогда им не верить, никогда не слушать». Все эти годы я старалась обходиться со следователем Любым как с миражом, с галлюцинацией. Ну, по-твоему, что страшней — считать себя сумасшедшей или осознать реальную опасность и свою беспомощность перед маньяком?

— Могла обратиться за помощью...

— Куда? В милицию? Бывший следователь МГБ Любый Владилен Захарович пытался столкнуть меня с крыши. Единственный свидетель ничего такого не заметил и вообще живет в Лондоне. С поджогом тоже полная хрень. Если еще добавить, что он появлялся, стоял, смотрел, шел за мной, исчезал, меня просто отправили бы в психушку. Не исключено, что именно этого он и добивался.

— Родителям могла бы рассказать.

— А толку? Чтобы у них тоже началась мания преследования? Они такой ужас пережили из-за моего ареста, мучились виной, что взяли меня вместо них, очень боялись за мою психику. У мамы сердце было слабое, умерла в шестьдесят четвертом. Да и папа не железный.

Павлик помолчал минуту и спросил:

— После пожара еще что-то такое было?

— Он пропал на несколько лет, потом появился. Мелькал в толпе, шел следом, как бы напоминал о себе, но не приближался. Опять пропал, надолго. Я почти успокоилась, решила: все, его больше нет, остались только мои страхи. И вот недавно, в ноябре, он явился к папе клинику, записался на прием. Папа его никогда не видел. Фамилию, имя, отчество, конечно, знал. Принять отказался и очень переживал из-за этого, думал: вдруг случайное совпадение, полный тезка?

— Минуточку! — Павлик поднял палец. — В клинику к Семену Ефимовичу он пришел по направлению, по чьей-то рекомендации?

— Папа терапевт, никаких направлений и рекомендаций не нужно, достаточно предварительной записи, так что тут зацепок не найдешь. Через несколько дней он возник в метро поздним вечером, на пустой платформе. Шел прямо на меня. И поезд как раз выезжал из туннеля. Я со страху уронила на рельсы книгу, твоего любимого Форсайта «День шакала», шарахнулась от края, налетела на дежурную. Когда поезд отъехал, дежурная достала книгу специальной штукой.

— А он куда делся?

— Исчез. Наверное, в вагон запрыгнул или убежал к другой платформе. Не знаю.

— Дежурная ничего не заметила?

— Разумеется, нет. Никто не замечает. Маньяк — не значит идиот. Когда хотел убить, все тщательно продумывал, выжидал, выбирал нужное время и место, чтобы ни малейших подозрений. А может, и не очень хотел. Он тогда лишился бы своего главного кайфа: пугать, сводить с ума. Мой страх для него наркотик. Но сейчас его планы явно изменились.

— Что ты имеешь в виду?

— Звонки. Они начались после случая в метро. Сначала только домой, потом на работу. Разные голоса, мужские, женские,

ПОЛИНА ДАШКОВА

просят к телефону то Надю, то Надежду Семеновну. Сегодня Гнус несколько раз брал трубку, голос был мужской. Домой иногда звонит женщина.

— Разные голоса, — повторил Павлик, — и ты абсолютно уверена, что это он?

— Сегодня он заговорил. — Надя откашлялась и медленно произнесла: «Ты, ведьма, жидовская сука, думаешь, выкрутилась, ускользнула? Не надейся! Все еще впереди!» Он повторил слово в слово то, что сказал мне на прощание. Мы тогда остались вдвоем в кабинете, никто, кроме меня, не слышал.

— А голос в трубке был его?

— Слова точно его. Голос мужской. Мог сам позвонить, мог поручить кому-то из сообщников.

— Ну, да, если разные голоса, значит сообщники у него есть, — пробормотал Павлик. — Ладно, дай подумать… Допустим, его не посадили, но из органов наверняка турнули.

— Откуда ты знаешь?

— Время фанатиков идеи давно закончилось, остались фанатики карьеры.

— Молодец, красиво сказал, — Надя усмехнулась, — но, боюсь, ты ошибаешься. Если его турнули, как он нашел дачу в Михееве, домашний адрес, телефонные номера? Такую информацию может получить только человек, связанный с Органами.

— Не обязательно. При желании добыть адреса и телефоны не сложно. Вот если бы ты перешла в «Биопрепарат», тогда да, проблема. А в нашем «Болоте» никакой секретности.

Надя взглянула на часы:

— Все, поехали, папа уже волнуется, да и твоя товаровед будет недовольна.

* * *

Кто-то пихнул Юру в бок, он открыл глаза. Толстуха в телогрейке и лохматой мохеровой шапке уселась рядом, пропыхтела сквозь одышку:

— Двигайся, мужчина!

Народу в вагоне прибавилось, свободных мест не осталось. Толстуха тяжело ерзала, бормотала:

— Ой, умудохалась, покушать, что ли?

Зашуршала газета, запахло хлебом и вареной курицей. Юра отвернулся, с тоской взглянул в глаза своему смутному отражению в двойном стекле, опять принялся размышлять, могли на него наехать подпятники накануне переаттестации или нет, при чем здесь Типуны, старший и младший, и вдруг, неожиданно для себя, беззвучно пробормотал: «Надя, Наденька, Найденыш...»

Ее имя стало чем-то вроде магического заклинания. Юра, как персонаж древних мифов племени Чва, мальчик Уно, которому все надоело, стрелял из лука и, вцепившись зубами в стрелу, улетал прочь. Мальчик Уно улетал в небо, а Юра возвращался в безумное сказочное лето пятьдесят седьмого.

Он тогда мечтал о работе нелегала. К фестивальной практике готовился со всей серьезностью. Старательно осваивал английский акцент, походку и мимику британского офицера Роя Кронина из «Моста Ватерлоо» в исполнении Роберта Тейлора. Надраивал зубы порошком «Особый», отрабатывал перед зеркалом ослепительную улыбку Кларка Гейбла. Попробовал отрастить усики, но сбрил. Не шли они ему.

Наконец он создал нужный образ, превратился в загадочного гостя из Туманного Альбиона, студента-слависта, который неплохо говорит по-русски, даже знает наизусть стихотворение Пушкина: «Йа поминью чудинумновену, пьередумноювилас ти». Такой обаяшка легко покорит сердце любой, самой сногсшибательной красотки, с лицом Вивьен Ли, фигурой Одри Хепберн и голосом Джуди Гарланд.

— Дурак, тебе же потом придется отписываться, стучать на эту Вивьен-Одри-Джуди, — сказал Вася, — лучше уж фарцовщиков соблазняй.

Стучать на девушек и соблазнять фарцовщиков не требовалось. Цель Юриной практики была совсем иная: правдоподобно играть британца, знакомиться с делегатами африканских стран, бывших британских колоний, с американцами и англичанами, осваивать их манеру поведения, современный молодежный сленг и навыки свободного общения. Главное, чтобы принимали за своего.

Единственное, что его пугало — толпа. Девятого марта пятьдесят третьего они с Васей сдуру поперлись на похороны Сталина и чудом уцелели. С тех пор остался страх толпы, тесноты, давки. Настоящая фобия, в которой он самому себе не желал признаться.

Ранним утром, в день открытия фестиваля, он нырнул в толпу, как в ледяную воду, все внутри сжалось, сердце замерло. Но вода оказалась теплой. Толпа была совсем другая — праздничная, веселая, улыбчивая. Он резво поплыл по течению и вдруг подумал: на самом деле это и есть настоящие похороны Сталина. Девятого марта пятьдесят третьего покойник хоть и лежал в гробу, но продолжал убивать, а вот теперь точно сдох, окончательно и бесповоротно.

Солнце слепило даже сквозь темные очки, в ушах звенело от множества голосов, смеха, музыки. Юра уловил обрывок разговора — трое подростков обсуждали, как пробраться на крышу. С тротуара фиг что увидишь!

Вместе с подростками он свернул во двор, нырнул в подъезд и поднялся на крышу одного из монументальных сталинских домов.

Шествие двигалось от площади трех вокзалов к Ленинским горам, через Садовое кольцо. Следом за милицейскими машинами ехали мотоциклисты с развевающимися флагами, за ними в открытых грузовиках, разукрашенных в яркие цвета, — делегации разных стран. Делегаты стояли в открытых кузовах, улыбались и махали флажками. Толпы внизу, вдоль Кольца, и наверху, на крышах, вопили, хлопали, смеялись и плакали. Юра стал пробираться ближе к краю, чтобы видеть еще лучше, наконец уперся коленями в ограждение и почувствовал, как оно скрипит и шатается. Ржавое железо крошилось, болты держались на соплях. Толпа приветствовала ревом очередной грузовик, а у Юры похолодело в животе. Он огляделся, намечая путь к отступлению, и совсем рядом заметил широко открытые глаза на белом искаженном лице. В этих глазах был страх, а вовсе не восторг и любопытство. Настоящий смертельный ужас.

Девочку притиснули к стыку между секциями ограждения, болты слетели, секции разошлись, ее ноги скользили по краю, она теряла равновесие и пыталась ухватиться за трясущиеся перекладины. Толпа вокруг вопила, ничего не замечала, кроме разноцветных грузовиков, плывущих внизу. Какой-то козел, увлеченный зрелищем, напирал, лез вперед, будто нарочно выталкивал девочку в образовавшуюся прореху. Похоже, набрался с утра и ни хрена не соображал.

Юра мгновенным движением поймал ее запястье, локтем свободной руки врезал козлу под дых.

Опомнившись, он удивился, как здорово сработал инстинкт, как быстро и ловко все получилось. Не рассчитал бы направление и силу удара — мог нечаянно скинуть пьяного с крыши. Замешкался бы на секунду — и сорвалась бы девочка.

Она дрожала, у нее подкашивались колени, он подхватил ее на руки. Толпа расступилась перед ними, спрашивали: что случилось, нужна ли помощь? Он отвечал: «It's Ok, let me pass, please!»

Он пронес ее через чердак, дальше — вниз по лестнице, и, наконец услышал ее тихий сиплый голос возле уха:

— Спасибо, я могу идти сама.

На площадке между этажами он осторожно спустил ее с рук и спросил:

— How do you feel?

Она взглянула на него и, старательно выговаривая каждое слово, ответила:

— You saved my life. Thank you!

— No problem! — Он улыбнулся отрепетированной улыбкой и добавил по-русски, с отрепетированным акцентом: — На здоровье!

У нее была талия Одри Хепберн, а все остальное — свое, ни на кого не похожее. Очень красивая, немного странная, печальная, даже когда улыбалась. Он решил, что это из-за пережитого шока. Его поразил контраст между темными глазами, бровями, ресницами и пегими, почти белыми волосами.

Она перешла на пятый курс мединститута. Английский учила со второго курса, понимала речь, могла читать, но говорила с трудом. Он на смеси английского и русского, не забывая об акценте, выложил ей свою легенду, но вместо Джорджа назвался Безилом. «Джордж» звучало как-то пафосно, слегка фальшиво, и он одолжил имя у друга Васи. Она стала звать его Васей, это было забавно.

Они целомудренно гуляли под руку, застревали на Манежной, на Пушкинской, в саду «Эрмитаж», слушали джаз, смотрели национальные танцы, но ничего не видели, не слышали, начинали целоваться и не могли остановиться, пока рядом не возникал какой-нибудь поддатый латинос или африканец, который бурно подбадривал их смехом и улюлюканьем. Юра вспоминал о наружке и вытаскивал Надю из толпы.

Наружка фиксировала контакты советских девушек с иностранцами. Юра легко вычислял коллег и ускользал вполне профессионально, во всяком случае, так ему казалось. Ни разу никто не подошел, не потребовал документы. И под ночные облавы они не попадали. Юра знал, что специальные бригады с фонарями отлавливают парочки во дворах и парках, Надя тоже знала. Ходили слухи, будто пойманным девушкам парикмахерской машинкой сбривают половину волос на голове.

Однажды ночью они целовались на скамейке в маленьком темном дворе на Сретенке, сильно распалились и опомнились, когда рядом зазвучали громкие голоса и вспыхнули лучи фонарей. Пришлось бежать не оглядываясь. Они нырнули в толпу, отдышались, поплыли по течению, чинно, под ручку.

Юрин дом был в двух шагах, мама уехала в санаторий. Он едва сдерживался, чтобы не произнести по-русски, без акцента: «Все, хватит, надоело врать, я никакой не англичанин, пойдем!» Но тогда пришлось бы сказать правду, то есть совершить должностное преступление. Или придумать еще какое-нибудь вранье.

Он крепче сжал ее локоть и вдруг услышал:

— Все, надоело бегать и прятаться! Пойдем!

Она повела его к себе. Дома никого не было, родители отправились строить дачный домик. Они бесшумно прокрались по спящему коммунальному коридору, но все-таки наткнулись на какую-то бабку. Надя улыбнулась:

— Привет, тетя Клава, это мой сокурсник Вася, у него горло болит, говорить не может.

— Мг-м, мг-м. — Бабка ощупала Юру внимательными подслеповатыми глазками.

«Стукнет!», — подумал Юра.

Надя достала ключ из маленькой сумочки, открыла дверь и прошептала:

— Родителям доложит.

— Они у тебя строгих правил?

— Пока не знаю, ночью никого еще домой не приводила, — Надя хихикнула, — надеюсь, половину головы не обреют.

Комната оказалась удивительно похожей на ту, в которой жил Юра с мамой. Угловая, с двумя окнами. Такой же старый дубовый буфет, круглый стол. За одной ширмой родительская кровать, за другой, у окошка, Надина.

— Раньше мы тут впятером жили, с маминой сестрой тетей Соней и ее сыном, моим двоюродным братом, его зовут Побиск… — успела сказать Надя и пояснила после долгого поцелуя: — Поколение Отважных Бойцов и Строителей Коммунизма.

Утром Юра проснулся первым, смотрел на нее, спящую, осторожно, едва прикасаясь, гладил кончиками пальцев ее скулы, губы, подбородок, изгибы темных бровей, высокий ровный лоб. Она, не открывая глаз, улыбнулась, поймала его руку, поцеловала ладонь.

Завтракали яичницей с хлебом и черным кофе. Он наконец решился спросить, почему у нее такой странный цвет волос. Она объяснила, что это седина. Он не поверил:

— Шутишь? В твоем возрасте? Невозможно!

Она подмигнула:

— Конечно, шучу! Просто хотела стать блондинкой, но передержала краску.

— А шрамы на запястьях откуда?

— Обожглась кислотой, на практических занятиях по химии.

Ее родители вернулись девятого, до закрытия фестиваля осталось три дня. Поздним вечером он проводил ее до подъезда. Она вздохнула:

— Хорошо, что ты живешь в гостинице и к тебе точно нельзя, а то было бы обидно. Мне сегодня в любом случае надо домой, мама с папой привыкли, что я всегда ночую дома.

— Надя, подожди, я хотел тебе сказать, это важно... — выпалил он, забыв об акценте.

— Если важно, то лучше завтра скажешь, мне правда пора, третий час ночи, мама жутко волнуется, а у нее сердце больное.

На следующий день они встретились на Чистых прудах, там играл мексиканский оркестр, отплясывал сиртаки ансамбль из Греции, гудели шотландские волынки и грохотали африканские барабаны. Юра обнял ее, прижался губами к уху, зашептал:

— Надя, я тебя люблю, я... понимаешь, на самом деле...

На них налетела компания с гитарой, кто-то нахлобучил Наде на голову сомбреро, их схватили за руки, закружили, потянули играть в «ручеек».

Наконец с Чистых прудов они выбрались в Кривоколенный переулок, пустой и тихий.

— Надя, я должен тебе сказать... — опять начал Юра.

— Извъяныте, ета кака ульыца? — Их догнали три маленьких шоколадных индуса в чалмах и сверкающих шароварах.

Индусы потерялись. Надя объяснила им дорогу по-английски. Часть пути прошли вместе. Когда индусы наконец свернули на Мясницкую и Надя с Юрой остались вдвоем, она засмеялась.

— Ты чего? — спросил Юра.

— Пытаюсь перевести на английский название «Кривоколенный». Ну же, помоги!

Они принялись жонглировать английскими и русскими словами, хохотали до слез, не заметили, как вышли к Лубянке. Она вдруг резко остановилась, развернулась:

— Пойдем отсюда! Не могу видеть это здание!

Он почувствовал, что она дрожит, и спросил с дурацкой улыбкой Кларка Гейбла:

— А что там внутри?

— Не важно, — она потянула его за руку, — пойдем быстрей, а то меня стошнит.

Они зашагали прочь. Притормозили на Кузнецком, возле автомата с газировкой. Она залпом выпила стакан воды и сказала:

— Извини.

— За что?

— Ну, напугала тебя, наверное.

— Нет, просто озадачила, — он пожал плечами, — я не понял, что не так с тем зданием? Тебе не нравится архитектура? Или там живут призраки?

— Вот именно, призраки. — Она нервно усмехнулась и добавила по-английски: — Never mind, just forget it!

Ночью, вернувшись домой, он рассказал об этом эпизоде Васе. Они ничего не скрывали друг от друга. Должен быть хоть один человек, которому полностью доверяешь и можешь поделиться, посоветоваться, иначе просто свихнешься на секретности.

Вася готовился стать следователем, сидел в архивах. Юра не понимал, зачем тратить драгоценное время на такую тягомотину? Вася не понимал, что за радость — с утра до ночи шляться по Москве в толпе, в безумном гаме. Лица мелькают, в глазах рябит, в ушах звенит.

— Ты просто отупел от толпы, — сказал Вася, — иначе сразу догадался бы, в чем дело. Ее отец врач, верно?

— Ну, да, и что?

— Январь–март пятьдесят третьего, «дело врачей»!

У Юры пересохло во рту. Он вспомнил: «Пойдем быстрей, а то меня сейчас стошнит» и сам почувствовал тошноту. Сглотнул и спросил:

— Думаешь, ее отец мог пострадать?

— Даже если не посадили, наверняка страху натерпелся. Вся семья натерпелась, и она, конечно, тоже. Поэтому такая реакция. Прошло-то всего четыре года. У тебя с ней как? Серьезно?

— Меня еще ни к кому так сильно не тянуло.

— Ясно. Попробую разузнать, что случилось с ее отцом в пятьдесят третьем, я сейчас как раз копаюсь в этом дерьме.

— То есть? — не понял Юра.

— Архивы чистим. Начали осенью пятьдесят четвертого, до сих пор конца-краю не видно. Назначили очередную секретную спецкомиссию, из аппаратных шишек. Работа нудная, кропотливая, пыльная, в комиссии десять человек, а нужно сто десять, вот и запрягли молодняк. Читаем, сортируем, актируем. Там такое в этих протоколах и приказах — волосы дыбом встают. — Вася сморщился. — Ладно, потом как-нибудь расскажу. Стало быть, Надежда Ласкина. Год рождения?

— Тридцать шестой. Отец — Ласкин Семен Ефимович, терапевт, прошел войну, полковник медицинской службы в отставке.

— Ясно. — Вася загасил очередную папиросу. — Все, Юрка, давай спать, мне вставать в семь.

В то лето Юра засыпал удивительно легко, сидя, стоя, с открытыми глазами. А Вася уже тогда мучился бессонницей.

— Следующая остановка платформа Куприяновка!

Юра опомнился, огляделся. Толстуха рядом похрапывала, открыв рот и вытянув вдоль прохода ножищи в войлочных ботах. Перешагнуть невозможно, пришлось будить:

— Разрешите пройти!

Она долго бестолково возилась, кряхтела, ворчала, убирала с прохода ноги, авоськи. Юра выскочил на заснеженную пустую платформу в последнюю минуту, когда двери уже закрывались, и вспомнил: коротенькое стихотворение из двух строк: «Вокзал, пропахший блудом и тюрьмой, как холодно и хочется домой». Надя прочитала ему в первое их утро, за завтраком. Автор — ее двоюродный брат по имени Побиск (Поколение Отважных Борцов и Строителей Коммунизма).

Глава двадцать восьмая

Влад ждал, когда выпишут Ласкину. Вначале врачи говорили, мол, ничего страшного, обычное женское кровотечение, полежит недельку, оклемается. Пролетела неделя, другая. Состояние номера пятьдесят три ухудшилось, о выписке не могло быть речи.

В Управлении наступило странное затишье. Игнатьев вышел из больницы, на оперативках выступал вяло, ни о чем. Судя по его спокойствию, Сам больше не устраивал ему разносов.

Специалисты по особым мерам резались в домино или дрыхли в комнате отдыха. Гоглидзе отошел в тень, в Управлении появлялся редко. Влад иногда ездил с Лубянки в Лефортово, присутствовал на очных ставках, во время конвейерных допросов подменял сослуживцев из следчасти, но эта работа не давала ни результатов, ни удовлетворения. Все впустую, никаких новых признаний, имен, вообще ни малейшего движения.

Вынужденное бездействие раздражало Влада. Он думал: не пора ли все-таки взять родителей Ласкиной? По плану спецоперации брать их полагалось лишь после того, как она сломается, все подпишет и выучит наизусть. До этого трогать их не следовало. Пусть мучаются, ждут ареста и обыска как избавления от пытки неопределенностью.

Никакой информации о дочери они не имели. Она просто исчезла и формально числилась в милицейском розыске как без вести пропавшая. Ее ведь никто не арестовывал, явилась сама, добровольно, попросила спрятать, защитить. Ее появление в суде должно стать сюрпризом для заговорщиков. Если взять родителей раньше времени, даже просто обыск у них провести — сюрприза не получится.

Но ведьма наколдовала себе кровотечение и отлеживалась в больничке. Такой поворот событий требовал корректировки изначального плана. Особые меры в ее случае исключались, оставалось усилить психологическое давление, то есть взять ее родителей и применить особые меры к ним, у нее на глазах.

На арест Ласкиных нужна санкция Игнатьева, тут без Дяди не обойтись. Но Дядина поддержка — дело сомнительное, он ведь марионетка Берии, а Берия — английский шпион.

Влад взвешивал плюсы и минусы, однако верного решения найти не мог. В любом случае, сначала следовало встретиться с Федькой, поговорить в спокойной обстановке, попросить о свидании с Дядей.

По воскресеньям ранним утром у ведомственного дома на Покровском бульваре останавливался спецавтобус и отвозил желающих в Серебряный Бор, на одну из спортивных баз МГБ, кататься на лыжах. В феврале морозы смягчились, стояли ясные безветренные дни. Влад позвонил в дверь Федькиной квартиры в половине седьмого утра:

— Собирайся, поехали!

Балбес зевал, хлопал сонными глазами, но собрался быстро. Он давно предлагал Владу покататься вместе. В автобусе всю дорогу дрых, уронив голову другу на плечо. Когда встали на лыжи и отъехали подальше от остальных, Влад осторожно, небрежным тоном, попросил о свидании с Дядей.

Федька отреагировал странно, надулся:

— По какому вопросу?

— Да так, есть одно дельце.

— Важное?

— По пустякам я бы товарища генерала беспокоить не стал, — Влад улыбнулся, — у него каждая минутка на счету.

Балбес вдруг остановился, воткнул палки в сугроб:

— Слушай, вот у меня от тебя секретов нет, все тебе выкладываю, доверяю, а ты мне голову морочишь, за дурачка держишь, используешь как курьера-порученца!

— Федь, ты чего? — Влад изобразил благодушное удивление. — Я не понял, ты обиделся, что ли?

Федор выдернул из сугроба палки и припустил вперед по лыжне на приличной скорости. Влад догнал его. Несколько минут ехали молча. Влад нарочно молчал, ждал, что Балбес заговорит первым, и дождался:

— Ты на Ближней был?

— Ну, да, Гоглидзе нас возил. А что?

— Почему мне ничего не рассказал?

— Так мы ж с тобой после этого не виделись.

— Врешь! Во вторник я к тебе за куревом заходил, в четверг в столовой за одним столом обедали.

— Как ты себе это представляешь? — Влад нахмурился. — В столовой, при всех, я стану про Ближнюю трепаться?

— Могли бы отойти куда-нибудь, потом, после обеда.

— Федь, там у нас некуда отойти для такого разговора, да и некогда. Кстати, ты мне тоже не все рассказываешь.

— Например?

— Например, что твой бывший агент копыта отбросила.

Влад, конечно, блефовал. Федька наверняка не знал еще о смерти медсестры, новость совсем свежая, но захотелось поддеть его, припугнуть. Федька вытаращил глаза:

— Какой агент?

— Филимонова, медсестра из Боткинской.

— Ты серьезно?

— Серьезней некуда, начались преждевременные роды, воспаление, тромб, что ли, оторвался, я в подробности не вникал, меня и так от этого их медицинского птичьего языка тошнит.

— Пум-бум-бум, — задумчиво пробубнил Федька, помолчал, покачал головой, вздохнул: — А знаешь, мне ее даже, пожалуй, жалко, красивая была, но дура. Сама виновата.

Нет, он не испугался, только удивился и слегка взгрустнул. Значит, уверен, что смерть Филимоновой ничем ему лично не угрожает. Откуда такая уверенность?

Выехали к высокому берегу. У обрыва стояла деревянная беседка.

— Давай пожрем, что ли? — предложил балбес.

Влад не возражал. Они отстегнули лыжи, палками скинули снежные шапки со скамеек и круглого столика посреди беседки.

Федька достал из рюкзачка термос, кулек с бутербродами, пару крупных красных яблок, взглянул на Влада:

— *Ну, так про Ближнюю-то?*

Влад глотнул горячего сладкого чая из латунного стаканчика:

— *Честно говоря, я переволновался сильно, все будто в тумане. Вызов неожиданный, поздно вечером, как гром среди ясного неба. Гоглидзе взял меня, Гаркушу и Смирнова. Я даже побриться не успел. Загрузились в машину, едем. Гоглидзе по дороге целую лекцию прочитал, как там себя вести. Приехали. Обыск, само собой, в пристройке для охраны. Потом коридоры, коридоры. Большой кабинет. Сам нас встретил так, знаешь, спокойно, сдержанно, но приветливо. Посидели, послушали. Он похвалил меня, что я добился подписи Вовси, потом...*

— *Как он выглядит?* — *перебил Федька.*

— *Кто?*

— *Ну, не Вовси же!*

— *Ты про Самого спрашиваешь?* — *Влад перешел на шепот.* — *А товарищ генерал что говорит? Он же там часто бывает.*

— *Сейчас уже реже.* — *Федор откусил бутерброд, прожевал.* — *Молчит, мрачный стал, нервный, не подступишься. Я вот думаю, не случилось ли чего? Не захворал ли Сам-то?*

Влад напрягся. Неужели Дядя посвятил Балбеса в заговор и велел при случае прощупать Влада? Тут возможны разные крутые повороты и коварные ловушки, следует соблюдать крайнюю осторожность.

— *Вроде, нет,* — *Влад неуверенно пожал плечами,* — *выглядит нормально. Одет был просто, по-домашнему. Глаза усталые, видно, что работает много, недосыпает.*

— *Это плохо, вредно в его возрасте,* — *пробормотал Федька, помолчал минуту и спросил:* — *Ладно, к Дяде какое у тебя дело?*

— *Надо посоветоваться и докладную передать Игнатьеву, срочно, лично в руки, без волокиты.*

— *Опять темнишь!* — *Федька сморщился.* — *Объясни по-человечески, что за докладная? О чем посоветоваться?*

— Да не темню я, Федь, просто объяснять придется долго, вряд ли ты в курсе. — Покосившись на Балбеса, Влад понял, что зря это сказал, только разжег его любопытство. — Информация сверхсекретная, — добавил он шепотом.

— У нас другой не бывает. — Балбес подкинул яблоко на ладони. — Давай, выкладывай!

— Ну-у, насчет гнезда в Боткинской, — Влад налил себе еще чаю, — надо получить санкцию на обыск и арест...

— Операция «Свидетель»? — резко перебил Федька.

«Знает? — изумился Влад. — Дядя проболтался? Зачем?»

— Мой агент ведет терапевта Ласкина, — объяснил Федька, — так что не волнуйся, я в курсе. Сразу скажу: Дядя с этим к Игнатьеву сейчас соваться не станет и тебе не посоветует.

Влад вспотел под легкой лыжной курткой. Балбес никогда прежде не позволял себе говорить с ним таким хамским высокомерным тоном. Он осторожно поставил стакан на перила, полез в карман за папиросами, закурил и, стараясь сохранять внешнее спокойствие, спросил:

— Почему?

— Есть официальное постановление, главные враги известны, разоблачены, вот с ними и надо работать, готовить к процессу.

— Операция «Свидетель» в подготовке процесса играет важнейшую роль, — мрачно возразил Влад, — для успеха операции арест терапевта Ласкина и его жены необходим! Ласкин может оказаться ключевой фигурой, к тому же...

— Есть постановление правительства, — медленно, почти по слогам, будто тупому или глухому, повторил Федька, — все ключевые фигуры названы поименно. Не нужно новых, понимаешь? Не нужно! Начнешь возникать на эту тему — может сложиться впечатление, будто ты нарочно тормозишь и путаешь следствие, или того хуже: пытаешься показать, что руководство ошибается.

Влад стиснул зубы. Захотелось врезать кулаком по наглой румяной роже. «Мразь, ничтожество, пустое место! Что ты о себе возомнил?! Кто Я и кто ты?!»

Он выбросил недокуренную папиросу, сунул руки в карманы, сжал кулаки, мысленно досчитал до двадцати, спокойно кивнул:

— Да, Федь, я тебя понял.

— Конечно, Влад, — Балбес улыбнулся и потрепал его по плечу, — я и не сомневался, что поймешь, ты же умный!

* * *

В свете мелькающих фонарей Надя видела лицо Павлика. Маска институтского шута исчезла, за рулем сидел не московский Павлик, а тот, которого она знала по экспедициям. Сосредоточенный, разумный, сильный. Он покусывал губы, хмурился.

Выехали на проспект. После очередной долгой паузы Павлик спросил:

— Ты как себя чувствуешь?

— Вроде ничего, нормально. Вообще, мне сегодня полегчало. Столько лет врала себе, что все это глюки, считала себя сумасшедшей. Наконец какая-то ясность.

Когда остановились во дворе, она открыла сумку, достала пакет.

— Слушай, твой сокурсник, ну, который был на дне рождения в прошлом году, Гриша, кажется, он ведь работает в Институте судебной медицины?

— Да, а что?

— Если ты действительно хочешь помочь, возьми вот это, попроси Гришу снять отпечатки. Но только не рассказывай про пятьдесят третий, про Любого, хорошо?

— Надь, ну я же не идиот. — Павлик обиженно фыркнул.

— Извини, — Надя улыбнулась, — образец моих пальчиков там в отдельном конверте. Прокатала через копирку. Если понадобится, твой Гриша потом снимет как положено. Главное — зафиксировать другие, чужие, понимаешь?

— Не совсем.

— На всех предметах в этой папке ничьих отпечатков, кроме моих, в принципе быть не должно, — объяснила Надя. — Если они там есть, значит, Любый, или кто-то по его поручению, побывал у меня дома, печатал на моей машинке и забрал черновики диссертации.

— Зачем?

— Собирает улики. Что, если под прикрытием бактериофагов я изобрела новый вид биологического оружия? Я заговорщица, ведьма, ни в чем не призналась, ничего не подписала, нарочно устроила себе кровотечение, тянула время, тормозила подготовку открытого процесса.

— Сталина тоже ты убила?

— Я наверняка причастна к этому, и пора, наконец, меня разоблачить.

Вылезли из машины. Павлик донес ее авоськи до лифта.

— Как ты вообще с этим жила столько лет?

— Молча! — Надя усмехнулась. — Подписку дала, вот и не нарушала ее. Поднимешься чаю выпить?

— Я бы с удовольствием, но пора к товароведу. Надеюсь, ты замок поменяла?

— Пыталась, пока не получается. Слесарь до сих пор Новый год встречает.

— Ладно, понял. Завтра вечером проблему решим.

— У тебя есть знакомый слесарь?

— У меня есть запасной замок с комплектом ключей, набор инструментов и мои золотые руки.

Надя чмокнула его в щеку:

— Спасибо! А, да, забыла сказать, там в папке еще бумажка, нашла вчера в нашем почтовом ящике. Листовка или подметное письмо, в общем, бред какой-то с угрозами.

Павлик нахмурился:

— Угрозы в твой адрес?

— Нет. В адрес всего мира, от лица сионистов. Сочинил явный псих и напечатал это на моей машинке.

— На твоей? Ты уверена?

— Мг-м, на девяносто процентов. Знаю наизусть все ее особенности. «М» и «С» подскакивают выше уровня строки. «К» и «О» разболтались, получаются бледней остальных знаков. Точка и цифра «7» вообще не пропечатываются, клавиша провалилась. Я там вложила образец моего текста. Сам посмотри, сравни, заодно подумай, что это значит и что с этим делать, а то у меня, если честно, уже голова идет кругом.

Павлик вышел из подъезда, сел в машину, включил свет в салоне, заглянул в пакет, который оставила Надя на переднем сиденье, нашел сложенный вчетверо листок, вытянул осторожно, кончиками пальцев, развернул, стал читать.

Никакого заголовка или обращения. Просто текст:

«Богоизбранный народ больше не намерен безропотно терпеть издевательства гоев Мы ждали сорок веков, нас никто не признавал нацией, но час решающей битвы пробил! Теперь мы будем открыто и беспощадно мстить нашим врагам за все унижения, за ложь и мерзость вашу! Будущим провинциям государства Израиль на пространстве от Карпат до Тихого океана инородный людской элемент не нужен Так учил Моисей Око за око, зуб за зуб! Так жили наши предки Для наших священных ритуалов нам требуется кровь ваших детей США и СССР — два наших великих данника Первый — у наших ног Второй — практически тоже США и Западная Европа уже принадлежат нам Демократия, либерализм и права человека — наше тайное оружие Нож, пистолет, бомба и смертоносные микробы — наше оружие явное».

Внизу, крупными буквами: *«ОРДЕН ПРЕМУДРЫХ».*

Свет был тусклый, Павлик вытащил из бардачка фонарик, отыскал листок с печатным текстом, помеченный простым карандашом, рукой Нади: «образец», пробежал глазами по строчкам листовки и «образца». Шрифт один и тот же. «М» и «С» выше уровня строки. «К» и «О» бледней остальных знаков. Точек нет.

Он аккуратно все сложил, убрал в свою объемную спортивную сумку, погасил фонарик, закурил, пару минут посидел, подумал. Достал из кармана записную книжку, пролистал. Затем вылез из машины, кинул недокуренную сигарету в сугроб, огляделся и решительно направился к телефонной будке на углу.

* * *

На даче в столовой Оксана Васильевна, Зоя и Федя Уральцы играли в карты.

— О! В нашем полку прибыло! — Федя радостно хлопнул в ладоши.

— Заглянули на огонек, «пулю» пишем, — сообщила Зоя, — я вот пирожков с курагой принесла, попробуй, пока тепленькие.

Оксана Васильевна чмокнула мужа в щеку, спросила:

— Ну, что? Как там дела?

— Нормально.

— У тебя всегда все нормально! Она к экзаменам готовится?

— Репетирует сценку из «Ярмарки тщеславия», у них капустник Восьмого марта.

— Какой капустник? Какая «Ярмарка»?! — всполошилась Оксана Васильевна. — У нее сессия!

Зоя вздохнула:

— Маленькие детки — маленькие бедки, большие детки — большие бедки.

— А мы пойдем поку-урим, — пропел Федор басом.

Они надели тулупы, вышли на веранду. Федор извлек из-за пазухи бутылку виски, подмигнул:

— Когда я ем, я глух и нем, когда я пью, я гораздо общительней.

— Что правда, то правда! — Галанов достал из буфета два стакана.

Чокнулись, выпили. Федор поднял палец, изрек:

— «Алкоголь убивает нервные клетки, остаются только здоровые». Смешно?

— Не очень.

— «Скажи алкоголю "нет"»! Я что, псих, с алкоголем разговаривать? Смешно?

— Это, пожалуй, получше. — Галанов хмыкнул. — Слушай, Федь, ты их откуда берешь?

— Кого?

— Анекдоты. Каждый день что-нибудь свеженькое.

— Коллектив у нас веселый, любим пошутить, посмеяться. — Уралец взял бутылку, хотел плеснуть еще.

— Я пас, — Галанов прикрыл свой стакан ладонью.

— Зря, вискарь неплохой. Ну и ладно, мне больше достанется.

Себе он тоже наливать не стал, распечатал пачку «Честерфильда». Закурили.

— Звонил? — Федор выпустил колечко дыма и поймал на палец. — Случилось что? Или просто соскучился?

— Соскучился. Давно не виделись.

— Зоя сказала, голос у тебя был нервный.

— Да нет, Федь, ей показалось. Все в порядке. Просто я Вику потерял, но потом быстро нашел.

— Это как это?

— Приехал в Горлов, а Вики там нет. Ну, психанул, сгоряча кинулся тебе звонить. Оказалось, она сидит в комнате у соседки.

— А чего психанул-то? Ее кто домой отвез?

— Этот, твой, профессор.

— Влад? Ну, тогда тем более психовать не стоило. Он же трезвенник, водит отлично.

— Мг-м, и глотки поросятам режет лихо.

— Вика разве поросенок? — Уралец заржал, но, заметив выражение его лица, сразу посерьезнел, заглянул в глаза: — Ладно, Славка, извини, шутка неудачная. Давай еще по маленькой?

— Наливай! — Вячеслав Олегович махнул рукой. — Авось, полегчает.

Чокнулись, выпили.

— Алкоголь не помогает найти ответ, он помогает забыть вопрос, — Уралец вздохнул, — правда, вопрос все равно остается, а с похмелья ответ найти еще трудней, поэтому я тебя сейчас спрошу, пока мы трезвые. Чего случилось-то?

— Ничего особенного, просто устал. Вика не радует. И вообще, обстановка... Раньше я был спокоен за нее, за мать, а вот сегодня нагрянул без предупреждения, и не понравилось мне, как они там живут. Какие-то амбалы шляются по коридору, висят на телефоне. Рожи, мягко говоря, бандитские.

— Ох, ну ты сноб! — Федор покачал головой. — Может, амбалы эти нормальные ребята, допустим, спортсмены. У спортсменов лица бывают специфические.

— Марина, соседка, племянница профессора твоего, — раздраженно продолжал Галанов, — вульгарная хамка, похожа на шлюху. А Вика с ней дружит. Кстати, откуда взялась племянница? У него ни братьев, ни сестер не было.

— На самом деле она двоюродная сестра, — объяснил Уралец, — у матери был младший брат, Валентин, Марина его дочка, просто из-за разницы в возрасте она Влада зовет дядей, а он ее — племянницей. А за Вику не переживай. Умная, со временем сама разберется, с кем дружить, с кем нет.

— Мг-м, не переживай! — Галанов передернул плечами и неожиданно для себя выпалил: — У нее роман с женатым мужиком!

Уралец присвистнул, покачал головой:

— Да, дела... Ты их там застукал, что ли?

— Ну, почти. Она сидела у него на коленях, в комнате этой самой Марины.

— Кто такой? Как зовут?

— Антон. Она называет его «Тосик». Смазливый такой блондинчик. Вроде актер.

— Работает в театре? Снимается в кино?

— Понятия не имею. Видел его ровно две минуты. Вика сказала: актер, женат, ребенок у него маленький. Все. — Вячеслав Олегович покосился на дверь, понизил голос до шепота: — Федь, только смотри, никому ни слова!

— Слав, ты за кого меня держишь? Само собой, могила! — Федор шутовски перекрестился. — Думаешь, у нее с этим Тосиком серьезно?

— Федь, если честно, я в полной растерянности. — Галанов опять покосился на дверь. — Я ведь не ханжа, в жизни всякое бывает, но когда это коснулось Вики...

Из-за двери доносились приглушенные звуки музыкальной заставки передачи «Международная панорама». Оксана и Зоя смотрели телевизор в столовой.

Федор помолчал минуту, надул губы, сдвинул белесые брови и, склонившись к уху Галанова, прошептал:

— Слав, а хочешь, мои ребята пощупают этого Тосика? Осторожненько, тихонечко, профилактику проведем, Вика ничего не узнает.

Вячеслав Олегович испуганно отпрянул:

— Нет-нет, ни в коем случае!

— Ладно, как скажешь, мое дело предложить. Если вдруг надумаешь — кивни.

Дверь открылась. Голос международного обозревателя из телевизора забубнил громче:

— Нефть, словно магнит, притягивает своекорыстных хищников, в том числе и в американских мундирах. Американская военщина, как у себя дома, расположилась на цепи военных баз в Африке...

Выглянула Оксана Васильевна:

— Эй, вы тут не замерзли?

— Ксанчик, все нормалек, греемся, — Федор показал ей бутылку и подмигнул.

Он говорил заплетающимся языком. Паясничал. По-настоящему он никогда не пьянел, но часто изображал пьяного в дым. Получалось вполне правдоподобно.

— Вы хотя бы закусываете? — Она посмотрела на пустой стол. — Ладно, сейчас что-нибудь принесу.

Когда дверь за ней закрылась, Уралец прищурился:

— Стало быть, племянница Марина тебе не нравится? Ну, а как насчет дяди-профессора? Вы вроде нашли общий язык?

Небрежность интонации в сочетании с многозначительным прищуром означали, что Федор настроен на серьезный разговор.

— А, вот зачем ты его притащил! — Галанов хмыкнул. — Тебя интересует мое мнение?

— Так точно! — Уралец заулыбался. — Вы же росли вместе, ты его знаешь.

— Росли мы не вместе, просто в одной коммуналке. Не виделись сто лет, я его даже не узнал, пока он не представился. Помнишь, расспрашивал тебя, кто такой, где работает, а ты только туману напускал?

— Помню, помню, извини, это профессиональное, я ж генерал невидимого фронта, без тумана никак.

— Ну, понятно, стаж, — кивнул Галанов и добавил с простодушной улыбкой: — Федь, наверное, ты знаешь его получше, чем я.

Уралец заметно помрачнел, сжал губы. Своим солидным чекистским стажем он, в общем, гордился, но только в общем. О частностях — ни звука. Государственная тайна.

Галанов догадался, что невольно нарушил табу, коснулся темы первых лет Фединой службы. Судя по тому, с каким треском турнули Любого из органов после смерти Сталина, можно представить, чем он там занимался. Если Федор в те годы служил вместе с Любым, значит, занимался тем же, ну, или почти тем же. Вот уж тайна тайн, не только государственная, но и его, Федора, личная.

Дверь опять открылась. Клавдия вкатила сервировочный столик. На нем тарелки с нарезанной сырокопченой колбасой, сыром, фарфоровая корзиночка с тонкими финскими галетами.

— На крови и страданиях африканцев веками паразитировал капитализм, — пробубнил голос из телевизора.

— Может, чайку-кофейку? — предложила Клавдия.

— А давай, пожалуй, кофейку. — Галанов потер озябшие руки.

— Изменились лишь методы. Вместо кандалов и плеток кабальных времен в ход идут кабальные кредиты и хитроумные ножницы цен, — успел сообщить голос, прежде чем дверь закрылась.

Уралец положил ломтик колбасы на галету, спросил:

— Кстати, он сказал тебе, где работает на самом деле?

Галанов кивнул.

Федор похрустел своим бутербродом, прожевал, заговорил, вроде бы спокойно, но голос слегка подрагивал:

— Образование, языки, история, философия… Он всегда остро чувствовал Линию. Да, романтик, фантазер, слегка не от мира сего, зато свой в доску, надежный, умный. Я простой служака, даром предвидения не обладаю, в речи его мудреные не вникал.

Но в последнее время он совсем уж пургу понес. Слушаю — и ни хера не понимаю. Ты, инженер человеческих душ, людей насквозь видишь, вот и помоги разобраться, с ним правда не то что-то, или мне только кажется?

— Ну, как тебе сказать? — Галанов пожал плечами. — Он действительно умен, неплохо образован. Да, со странностями. А у кого их нет?

— Со странностями, — раздраженно передразнил Федор. — Кончай темнить! Для меня это важно. Он мой протеже, я за него отвечаю перед руководством. Учитывая, где он работает... В общем, давай, Славка, не выбирай выражения, выкладывай начистоту, что о нем думаешь?

— Ладно, — Галанов тяжело вздохнул, — если хочешь начистоту... Ну, во-первых, он без разрешения влез в мой кабинет. Я его случайно там застукал. Он говорил по телефону, по-арабски.

— Откуда знаешь, что по-арабски?

— В соседней комнате сидел Глеб Уфимцев, у него бабка арабист и отец...

— Погоди, — перебил Федор, — а Глеб как там оказался?

— Соседняя комната Викина, она дала Глебу какую-то модную группу послушать. Он сидел на полу, в наушниках. Я сначала туда заглянул, Глеб наушники снял, мы с ним вместе услышали голос за стенкой, то есть из моего кабинета. Дверь оказалась заперта изнутри. Конечно, он сразу открыл, принялся извиняться, сказал, срочно нужно было позвонить, а внизу шумно, и будто бы Оксана Васильевна разрешила.

— Она разрешила?

— Оксана ко мне в кабинет никого бы не пустила, тем более чужого человека. Ну, я же не побегу у нее выяснять, — Галанов усмехнулся, — он сразу заболтал меня, заморочил, книги мои нахваливал, автограф попросил. Даже неловко стало: вот какой прекрасный человек, а я о нем черт-те что подумал.

— Это когда было? В котором часу? — хмуро спросил Уралец.

— Ну, точно не помню, — Галанов пожал плечами, — между девятью и десятью примерно. А что?

— Да так, ничего. — Федор махнул рукой.

Клавдия принесла кофе, шоколадные конфеты и Зоины пирожки с курагой. Из столовой донеслось бархатное сопрано известной певицы, романс «Утро туманное». «Панорама» закончилась, или Зоя с Оксаной переключили на другую программу.

Дверь закрылась, повисла тишина. Вячеслав Олегович развернул конфету, сунул в рот, скатал шарик из фольги, продолжил:

— Он меня буквально утопил в лести, а потом принялся агитировать, обращать в свою веру.

Уралец отхлебнул кофе, прищурился, спросил с иронической ухмылкой:

— В чем же его вера? Нечто романтическое? Всякие там руны, древние боги, атланты-гипербореи?

— Нет, — Галанов помотал головой, — никакой романтики. Он нацист, самый настоящий, зоологический. Призывает уничтожать евреев, всех без разбора, как крыс и тараканов. Озабочен процентами еврейской крови у жен и детей членов Политбюро. Я евреев не очень люблю, ты знаешь, но нацизм ненавижу, считаю общественно опасным психическим заболеванием. Для многонационального государства нацизм — прямой путь к развалу. Надеюсь, ты со мной согласен?

— На все сто! — Уралец энергично закивал.

— Наверное, когда-то он чувствовал Линию, — продолжал Галанов, — но сейчас чутье свое явно утратил. Такой Линии у нас нет и не будет.

Уралец поставил кофейную чашку, налил себе виски, выпил залпом, зашагал по веранде, из угла в угол, глухо топая валенками и чуть слышно матерясь. Наконец остановился прямо перед Галановым:

— Слав, ну скажи, на фига ему это надо, а? У него же все есть! Квартира, машина, должность престижная, получает хорошо. Живи и радуйся! Чего ему, блядь, не хватает?

Вячеслав Олегович вздохнул и тихо произнес:

— Федь, я думаю, он сумасшедший. Параноик с кругом бредовых идей. Родился таким или постепенно свихнулся — не знаю, не мне судить. Параноики бывают очень хитрые, энергичные и убедительные. Например, Гитлер. Я-то человек тертый, с Гитлером воевал, на меня агитация не действует, а вот молодежь заразиться может. Для тебя это важно, для меня тоже. Я не хочу, чтобы моя дочь с ним общалась.

— Ну, слушай, преувеличивать-то не надо, вряд ли он на семинаре в Инязе прям в открытую агитирует, — забормотал Уралец, — да, псих, тут я с тобой согласен, пожалуй, отчасти, но не до такой же степени псих, иначе давно бы... — Он запнулся на полуслове, насупился, долго молчал, наконец вскинул глаза: — Слав, а ты в каком году из Горлова переехал?

— В сорок восьмом, а что?

— Ты же потом там бывал, видел его, так сказать, в домашней обстановке. Я просто подумал, вдруг знаешь о нем что-то еще, чего я не знаю? Ну, из прошлого.

Вячеслав Олегович молча помотал головой. Он и так сказал слишком много.

Дверь опять открылась, выглянула Зоя:

— Феденька, тебя к телефону, срочно!

Глава двадцать девятая

После лыжной прогулки мышцы ныли, мозги кипели. Разговор с Федькой окончательно убедил Влада в существовании заговора на самом верху, да, собственно, он в этом и не сомневался. Враги, поименно перечисленные в утвержденном списке, — пешки. Профессора-академики, а все равно пешки, которыми прикрыли ферзей. Если есть среди арестованных ферзь, то это номер пятьдесят три. Как же они допустили ее арест? Очень просто! Дядя выложил Самому идею спецоперации «Свидетель», когда конкретное имя еще не определилось. Сам идею одобрил. Разве они могли предвидеть, что майор Любый безошибочно вычислит реального ферзя? Потом уж было поздно, Гоглидзе пришлось подписать ордер на секретное снятие Ласкиной Надежды Семеновны. Но Ласкина-старшего они взять ни за что не позволят, это ясно.

«Может, стоило подыграл Балбесу? — размышлял Влад, стоя под душем. — Посетовать, мол, Сам выглядит плохо, постарел, на себя не похож? Пусть они верят, будто все идет по их плану, пусть расслабятся... Нет, я ответил правильно. Одно дело — выразить озабоченность, как Федька, и совсем другое — брякнуть что-то негативное о здоровье Самого. Нормальный бюрократ ни за что не брякнет. Пусть Федька думает, будто я свой, надежный, предсказуемый. А расслабятся они и без моей помощи, Сам об этом уже позаботился, умело притворился старым-больным. Берия наверняка бывает на Ближней, и лысая хрюшка Хрущев... Вот уж кто совсем не похож на жида, но точно жид. Ловко, незаметно втерся в доверие к Самому, то есть думает, что втерся. Сам знает цену каждому из них, развязка близка...»

Он выключил воду и услышал телефонный звонок. Сердце подпрыгнуло: неужели вызов на Ближнюю? Наконец-то! Он знал, чувствовал, Сам обязательно найдет время побеседовать наедине с майором Любым, обсудить все детали операции «Свидетель».

— Ты куда ж это пропал, так твою перетак? — прозвучал из трубки высокий хрипловатый тенорок дяди Валентина.

Влад выдохнул, тяжело опустился в кресло у телефонного столика: «Ладно, не сейчас — позже обязательно вызовет», — и ответил усталым сонным голосом:

— Никуда я не пропал, дядь Валь, работаю много, дома бываю редко.

— Вторую неделю твой номер набираю! Мать с ума сходит, февраль уж на дворе, ты про день рождения-то свой забыл, что ли?

Влад спохватился: да, правда! Двадцать первого января ему стукнуло двадцать восемь. Сидел на торжественном заседании в честь годовщины смерти Ленина, слушал речи, и совершенно вылетело из головы, что это его собственный день рождения.

На следующий вечер он приехал в Горлов, привез продукты. Мать встретила его с поджатыми губами, стала пенять:

— Сынок, че ж ты бросил меня совсем? Даже в день рождения не зашел, не поздравил! Праздничек-то и мой тоже, рожала тебя, мучилась, растила, ночей не спала.

Посидели втроем, вместе с дядей Валентином, поели, выпили, потом мать отвела его в сторонку, спросила:

— Сынок, ты че, правда, че ли, сожительствуешь с этой, с Голубевой Шуркой?

Влад напрягся. Он велел Шуре молчать, да и не могла она проболтаться. Во-первых, некому, во-вторых вообще не болтлива. И старуха Голубева наверняка молчала, с соседями не делилась.

— Валерка, Никитича внук, видел вас вместе в кино. — Мать обиженно шмыгнула носом и вытерла уголком платка сухой любопытный глаз.

Влад выругался и процедил сквозь зубы:

— Обознался твой Валерка. Мне по киношкам шляться некогда и сожительствовать некогда, на работе запарка, поспать-поесть не успеваю.

— Че, нету бабы у тебя, че ли? — мать прищурилась. — Ты молодой, здоровый, как же без бабы-то?

— Постоянной нет, так, от случая к случаю, разные.

— Точно не Шурка?

— Точно, мам, точно, не волнуйся, тебе врать не стану.

— Уф-ф, прям от сердца отлегло, слаф-те-хос-спади! — Она размашисто перекрестилась. — Валерке-то я сразу сказала, мол, быть не может, обознался ты. А сама переживаю, прям не могу: вдруг правда? Ну, думаю, тогда беда, и до моего сыночка добрались эти изверги рода человеческого.

— Что ты имеешь в виду?

— Да то самое! — Мать понизила голос: — Старуха-то Голубева из них, из жидов, а Шурка ведьма! Вот третьего дня...

— Погоди, — перебил Влад, — давай-ка по порядку. Откуда информация про национальность Голубевой?

— От верблюда! Если говорю, стал-быть, знаю!

— Мам, я серьезно спрашиваю — откуда?

— Сердцем чую! Ты на рожу ее посмотри внимательней, типичная жидовка! А Шурка точно ведьма! На вид прям куколка, конфетка, такие вот они и есть самые опасные! Приворожит, заморочит, и сам не заметишь, как всю силу твою мужскую из тебя вытянет.

— Ну, мне это точно не грозит. — Влад жестко усмехнулся.

— Да хос-спади-помилуй, тьфу-тьфу-тьфу, — мать постучала по комоду, — я ж не про тебя, сынок, я так, для примеру, на всякий случай.

Дядя Валентин тем временем сидел в одиночестве за столом, потихоньку наливал себе водочку, закусывал пайковой копченой колбасой, к разговору не прислушивался и вдруг встрепенулся, поднял вверх палец, изрек:

— Ты матери верь, материнское сердце вещее! Это на службе ты майор и начальник, а для матери как был дитем, так и остался. — Он рыгнул. — Тонь, ты ему про бок-то расскажи!

— Расскажу, если перебивать не будешь, — добродушно огрызнулась на него мать.

— Про какой бок? — спросил Влад.

— Да про мой, правый. — Она вздохнула, жалобно покряхтела. — Значит, иду по колидору, третьего дня, навстречу Шурка, прям барыня-королевна, платье шелковое, сережки драгоценные сверкают, глядит на меня, лыбится: «Здрас-сти, Антонина Ефремовна, как ваши дела? Как здоровье?». Ну, я ей культурно отвечаю: «Спасибочки, не жалуюсь». Только до комнаты дошла, чувствую — в боку закололо, аж скрючило, дыхнуть не могу. Ну, думаю, беда, наколдовала ведьма, сглазила! И, главное дело, в полуклинику-то теперь не сунешься, там жиды только и ждут, чтоб русского человека до смерти залечить!

Дядя опять встрял:

— На прошлой неделе в полуклинике взяли младенца, под видом лечения кровь из него выпустили и в мацу свою намешали. В аптеке все отравленное продают, даже вату ядом прыскают!

Влад вдруг вспомнил, как в целях обработки Вовси жаловался на вымышленную болезнь матери, и мрачно спросил:

— Мам, бок прошел?

— Слаф-те-хос-спади, рассолу капустного попила, полежала, и отпустило. Да ты не тревожься, сынок, наша порода крепкая. Ты вот скажи, скоро их, наконец, выселять из Москвы начнут?

— Скоро, мам, теперь уж скоро. — Влад приобнял ее и тихо добавил: — Гляди, не болтай.

— Сынок, я ж только с тобой, по секрету. Чай, не дура, понимаю, — она прижалась щекой к его плечу, — ты уж там похлопочи, чтоб комнату нам не прозевать, когда этих двух жидовок выселят, а то желающих-то много.

* * *

Юре нравилась дорога, соединявшая платформу Куприяновка с поселком Раздольное, особенно та ее часть, где бетонка пересекала березовую рощу. Даже в лучшие их с Верой времена визиты к родственникам на дачу почему-то оставляли неприятное чувство, но стоило войти в рощу, сразу отпускало. Просто шагай себе, дыши, любуйся пейзажем, весной и летом слушай птичий щебет, осенью — сухой шелест огненных и золотых листьев, зимой — тишину и сонный скрип березовых стволов.

Этот путь он проходил в одиночестве, иногда с Глебом. Вера, как большинство обитателей элитных поселков, на дачу и с дачи ездила только на машине. Передвигаться общественным транспортом, электричкой, пешком в их тесном мирке было не принято.

Сейчас, поздним январским вечером казалось, безлюдная дорога и березовая роща живут сами по себе, вне времени и пространства. Снег кончился, небо расчистилось. Юра иногда останавливался, задирал голову, придерживая шапку, смотрел на звезды и опять возвращался в лето пятьдесят седьмого.

Накануне закрытия фестиваля его неожиданно вызвали на Кузнецкий. Там обитал в аскетически-строгом кабинете кадровик Типун Карп Афанасьевич, мягонький, кругленький, бело-розовый, как зефир. Густые седые волосы всегда идеально подстрижены и уложены. Курсанты шепотом злословили: наверняка на ночь натягивает на свою шевелюру специальную сеточку и пользуется синькой для поддержания сверкающей белизны.

Юра увидел его впервые на похоронах отца. Позже узнал, что кадровик большой любитель посещать похороны, независимо от того, какие отношения были у него с покойным. Каждому курсанту, у которого погиб отец, он рассказывал одинаковые сказки про крепкую многолетнюю дружбу с отцом, иногда даже слезу пускал.

На собеседованиях Типун обращался к Юре «сынок» и повторял, что в память о «дорогом друге Глебушке» намерен пристально, по-отцовски, следить за его учебой и службой.

«Глебушкой» отца никто никогда не называл, он терпеть не мог уменьшительно-ласкательные суффиксы.

Одиннадцатого августа пятьдесят седьмого Типун встретил Юру чуть не с распростертыми объятиями, долго тряс руку, усадил, предложил чайку. Дальше — несколько минут задушевного трепа ни о чем, шутки-прибаутки, дежурный анекдот про воробья в навозе, и вдруг будто удар под дых:

— Ну че, сынок, как успехи с жидовочкой-то?

В первое мгновение Юре показалось, что он ослышался, и лишь когда Типун выложил перед ним дюжину фотографий, ощутил силу удара. На фотографиях он и Надя шли под руку, стояли в толпе, разговаривали, смеялись, целовались.

— Охмурил ты ее грамотно, молодец. — Кадровик быстрым движением сгреб снимки, оскалил стальные зубы. — Интересненькое че нарыл?

— Виноват, товарищ полковник, не понял…

— Да ты не тушуйся, от отдела кадров секретов нету, давай выкладывай, что она тебе-англичанину напела? Потом отчитываться легче будет, меньше писанины. Мы с тобой все заранее аккуратно по пунктикам разложим, отфильтруем, отсечем зерна от плевры.

Юра машинально перевел с типунского на русский: «Отделим зерна от плевел», едва не выпалил это вслух, но вовремя прикусил язык и произнес ровным механическим голосом:

— Товарищ полковник, мы с ней о политике не говорили.

— Да какая, на хер, политика? Она жаловалась?

— На что?

— Ты давай-ка не юли, сынок, отвечай прямо: жаловалась она тебе-англичанину или нет?

— Нет!

— Что — нет?

— Мне-англичанину она абсолютно ни на что не жаловалась.

— Та-ак, ладненько. — Типун постучал короткими толстыми пальцами по столешнице, помолчал и вдруг вскинул глаза, уставился в упор: — А не врешь?

— Я говорю правду, товарищ полковник, — медленно отчеканил Юра. — Политических разговоров мы не вели. И вообще, я агентурной работой не занимаюсь, цель моей практики — осваивать поведенческие особенности молодежной среды капстран, совершенствовать языковые навыки…

— А на хера тогда ты на нее столько времени потратил?

Юра сжал кулаки и процедил сквозь зубы:

— Это мое личное дело!

Кадровик перегнулся через стол, голубые глазки забегали, розовые щечки налились алым огнем, указательный палец с обгрызенным до мяса ногтем закачался у Юры перед носом:

— Да! Да, младший лейтенант! В твоем личном деле это будет отражено непременно, черным по белому записано, и в ее тоже! Вылетит из комсомола, из института, с позором, за блядство с иностранцем!

— Я не иностранец!

— Так ты че, открылся ей?

— Никак нет!

— А тогда, конечно же, иностранец!

Они оба орали тишайшим шепотом. Кадровик брызгал слюной. Юра пытался отодвинуться подальше, вжался в спинку стула, уставился кадровику в глаза и прошипел:

— Не троньте ее!

Минуту они молча смотрели друг на друга. Типун первым отвел взгляд, расслабился, обмяк, сыто усмехнулся:

— Ну на хрена она тебе, сынок? Мало, что ли, девушек хороших?

Из кабинета Юра вышел на ватных ногах, остаток дня прожил в тумане, и лишь вечером, когда Вася вернулся из архива, кое-что прояснилось.

— Я нашел ее дело, — сказал Вася, — постановление об аресте подписал Гоглидзе.

— Аресте? — ошалело переспросил Юра.

— Ну, да, в январе пятьдесят третьего ее взяли, родителей не тронули, видимо, просто не успели. Арест обозначен как «секретное снятие». Есть копия служебной записки на имя Игнатьева, где говорится о явке с повинной в рамках операции «Свидетель». Что за операция, понять сложно, следов почти не осталось. Судя по протоколам допросов, ее готовили к выступлению на открытом процессе в качестве свидетеля обвинения…

Вася говорил долго, прикуривал очередную папиросу от окурка. Юра слушал и повторял про себя: «Надя-Наденька-Найденыш».

Перед глазами мелькали развевающиеся на теплом ветру пегие пряди, тонкие запястья, обезображенные рубцами.

— Следы от наручников... — пробормотал он чуть слышно.

Вася кивнул:

— Да, наручники на них надевали особой конструкции, вроде собачьих строгих ошейников, с шипами. Ты что, заметил у нее шрамы?

— Трудно не заметить. Она сказала: ожоги от химических реактивов. И еще, знаешь, она седая. Соврала, будто пыталась стать блондинкой и передержала краску.

— Она подписку дала о неразглашении, вот и приходится врать. — Вася вздохнул, покачал головой. — Вообще, повезло им, гадам. Если бы на твоем месте оказался реальный иностранец, ох, они бы обосрались со страху.

— Типун к ее аресту причастен? — спросил Юра.

— Черт его знает, — Вася пожал плечами, — по мне, так все они причастны, волки последнего сталинского призыва, остатки прежней роскоши. Всех бы их, как Рюмина, Гоглидзе, Берию, судить и к стенке, но только по закону, без вранья и уничтожения улик.

— Теперь ясно, почему они так быстро установили ее личность, — Юра криво усмехнулся, — держали под наблюдением.

— Да, но наверняка без всяких санкций, по собственной инициативе. К руководству они с этим точно не сунулись бы. Сейчас каждое напоминание об их недавних подвигах — нож острый.

— Сломали ее? — спросил Юра и задержал дыхание.

Вася помотал головой:

— Ни одной ее подписи под протоколами нет. Ни одной! Мужики, профессора, Герои Советского Союза, войну прошли и ломались, подписывали, сообщников называли. А она выдержала.

Юра выдохнул, одним глотком допил остывший чай, сипло спросил:

— Документы по ее реабилитации есть?

— Какая реабилитация, Юр? Она ж свидетель, по их версии явилась добровольно. Профессора-академики — это другое. О «деле врачей» весь мир гудел. Там все в открытую: принесли официальные извинения, в газете «Правда» объявили невиновными.

А ее выпустили по-тихому, на две недели раньше остальных. Единственный след спецоперации «Свидетель» — ее подписка о неразглашении гостайны, без уточнений, под грифом «хранить вечно». Остальное — в огонь. Я чудом успел прочитать.

— Вась, как думаешь, они ее тронут? Проблемы, которыми Типун грозил, возможны?

— А черт их знает, они, сволочи, злопамятные, мстительные, учитывая, что она ничего не подписала, просто из принципа могут нагадить. — Вася насупился, помолчал. — Но с другой стороны, им сейчас нет резона хлопотать и светиться. Типун выяснил главное: она молчит, тебе-англичанину ничего не рассказала. Ты, младший лейтенант Уфимцев, не в курсе.

— Так он ради этого меня вызвал?

— А то! И боялся он не столько ее откровений, сколько твоего отчета по практике. Вдруг она тебе что-то рассказала, ты в отчете отразишь, человек десять точно прочитает, получится утечка. Руководство при каждом упоминании о недавнем прошлом сильно нервничает, а тут совсем уж дерьмовое позорище: схватили девчонку, заковали в наручники, сунули в одиночку, заставляли клеветать на родителей, насочиняли запредельную хрень про отравленных младенцев.

Они сидели на подоконнике, в полутемной кухне, дымили в открытое окно, грели чайник. Никто их не трогал, только заглянула тетя Наташа в халате, потерла сонные глаза:

— Эй, у вас что, совет в Филях? Четвертый час утра, вы ложиться собираетесь?

— Да, мам, скоро ляжем, ты спи, — ответил Вася.

Она зевнула, ушла. Вася закурил очередную папиросу, прищурился сквозь дым, спросил:

— Что думаешь делать?

Юра слез с подоконника, выключил огонь под чайником, налил чаю в два стакана, ответил, не оборачиваясь:

— Вась, я ее люблю.

Вася взял стакан из его рук, вздохнул:

— Тогда врать больше не сможешь, придется сказать ей правду, кто ты такой на самом деле.

ПОЛИНА ДАШКОВА

— Вась, ну, я же — не они, все изменилось, она поймет, она меня тоже, кажется, любит...

— Любит она Безила Полита. Младший лейтенант Уфимцев Юрий Глебович для нее чужой человек. К тому же если у вас все всерьез завертится, вот тогда Типун точно свои угрозы выполнит.

— Плевать!

— Ну-ну, не горячись! Это ты здесь, на кухне, такой храбрый! Ладно, допустим, тебе плевать, хотя я не верю. А ей? А ее родителям?

...Юра помнил тот ночной разговор почти дословно. Сейчас они с Васей вряд смогли бы так поговорить. Доверяли друг другу по-прежнему, просто постарели, обросли грубой сухой корой жизненного опыта. А тогда им было по двадцать пять. Они переступили порог Лубянки, искренне веруя, что там больше нет палачей-кровопийц. После двадцатого съезда казалось, справедливость восстановлена, позорное прошлое не вернется, и так далее, обычный набор иллюзий конца пятидесятых. Впрочем, у Васи уже тогда иллюзий оставалось значительно меньше, чем у Юры.

Двенадцатого августа, в день закрытия фестиваля, в семь вечера Юра и Надя должны были встретиться в маленьком сквере неподалеку от ее дома. Юра пришел пораньше, сел на лавочку под старыми тополями и стал ждать. Он не знал, что ей скажет, просто хотел увидеть.

Она никогда не опаздывала. Он ждал до половины восьмого. Встал, отправился проходными дворами к ее дому. Навстречу, гудя сиреной, проехала «Скорая». Он зашел во двор. У крыльца сидели бабки. Он прислушался к разговору:

— Все под Богом ходим... Вот так живешь, живешь...

— Ой, да че ты ее хоронишь раньше времени? Небось оклемается, не старая еще женщина, вылечат, тем более муж доктор...

— Дочку жалко, Надю, прям окаменела, бледнее смерти, и ни слезинки...

Тишину рощи прорезал звук мотора. Юра вздрогнул и вернулся в январь семьдесят седьмого. Свет фар ударил по глазам. Он отступил на обочину. Черная «Волга» притормозила, стекло опустилось.

— Юр, ты, что ли? — спросил знакомый начальственный басок.

Юра узнал генерала Уральца, соседа по даче и приятеля родителей Веры.

— Добрый вечер, Федор Иванович.

— Давно прилетел? Надолго?

— Прилетел вчера, во вторник назад.

— Чего пехом-то пилишь? Замерз небось после своей Черножопии? Давай-ка развернемся, подбросим тебя скоренько, нам это пять минут, туда-обратно!

— Спасибо, Федор Иванович, я лучше пешком, соскучился по морозцу, охота пройтись, подышать.

— Понимаю. Ну, бывай! Завтра, может, посидим, пивка выпьем, поболтаем. — Он протянул руку из окна, они обменялись рукопожатиями.

Стекло поднялось, «Волга» отчалила.

«В "Пятке" служит, — подумал Юра, — ветеран, так же как и шеф его, Бибиков. Волки последнего Сталинского призыва, остатки прежней роскоши».

* * *

Звонок на дачу к соседу застал Уральца врасплох. Не ожидал, что дернут сегодня вечером, виски выпил многовато. Завтра предстоял тяжелый, ответственный день. Хотел попариться в баньке, лечь пораньше и хорошенько выспаться.

Домработница передала, что полковник Радченко просит связаться с товарищем генералом. Федор Иванович перезвонил в Управление.

Коля Радченко, замначальника Первого отдела, доложил, что поступила срочная информация. Первый отдел курировал культурный обмен (линия «А»), творческие союзы («Б»), медицинские учреждения и НИИ («В»). Именно за эту линию и отвечал полковник Радченко.

Коля входил в узкий круг доверенных лиц генерала Уральца. Федор Иванович поддерживал ровные доброжелательные отношения со всеми сотрудниками Управления, но с несколькими замами начальников отделов сложился особенно теплый контакт. Эти замы могли в любое время обратиться к нему лично, через головы своих непосредственных начальников. Таким образом генерал успевал первым ловить свежайшую, важнейшую оперативную информацию. Ребята были отборные, по пустякам не дергали.

Долгий разговор с соседом здорово взвинтил Федора Ивановича, заснуть он уже не надеялся и решил ехать прямо сейчас. Все равно ночь предстоит бессонная, лучше уж потратить ее на служебные дела, чем таращиться в потолок или травиться снотворным.

Славка Галанов, сам того не ведая, полностью подтвердил правоту Дяди Миши: свихнулся Влад, помешался на еврейском вопросе, перестал чувствовать Линию. Несет свою бредятину, невзирая на лица, уже не только в воинских частях, но и в частных разговорах с приличными людьми.

«Мы все для тебя теперь палестинцы, что ли? — с раздражением думал Федор Иванович. — Чего ты добиваешься? На фига к Славке в кабинет влез, да еще заперся? Агитировал его на фига? Вербовал, что ли? Недержание у тебя? Мудозвон!»

Пару дней назад телефонный разговор Влада из чужого кабинета не произвел бы на генерала никакого впечатления. Он и сам мог так поступить, при острой служебной надобности. Однако теперь все поступки Влада стали казаться ненормальными, подозрительными. Почему не попросил разрешения, соврал, что Оксана разрешила? С кем конкретно и о чем говорил? Зачем заперся? Что за срочность?

Забежав к себе на дачу переодеться, Уралец еще раз позвонил в Управление, приказал найти и расшифровать запись разговора.

Телефоны обитателей поселка «Буревестник», не только дачные, но и городские, стояли на прослушке. Денис Бибиков к литературе и журналистике относился с особым, трепетным вниманием. Дачи в «Буревестнике» принадлежали бойцам передового рубежа идеологического фронта. Народ надежный, проверенный, но всякое бывает. Неправильные настроения членов Правления Союза писателей, главных редакторов военно-патриотических изданий, авторитетных критиков и публицистов могли иметь куда более серьезные последствия, чем двусмысленный треп мелкой литературной плотвы.

Впрочем, прослушка работала формально, слушали девушки-операторы на одной из московских АТС, разговоры фиксировались выборочно, в особых ситуациях, до и после поездок за границу, или в связи с какими-нибудь значимыми событиями, вроде высылки Солженицына.

Шансов, что разговор сохранился, было бы мало или не было бы вовсе, если бы Федор Иванович пару месяцев назад не приказал переключить дачный и городской номера Галанова с обычной АТС на «спецточку», где слушали постоянно и записывали все. Дело не в том, что он перестал Славке доверять, как раз наоборот, он вдруг обнаружил, что слишком ему доверяет, слишком с ним сблизился, а в таких случаях страховаться и быть начеку просто необходимо. Людишки меняются, это надо учитывать.

«Чего же я с Владом-то не учел? — размышлял генерал. — Где конкретно ошибся?»

За двадцать шесть лет близкого знакомства у Федора Ивановича сложился вполне определенный образ Любого. Именно этот образ он нарисовал Галанову: образованный, умный, да, романтик, фантазер, слегка не от мира сего, но свой в доску, надежный.

Влад был его человек, многим ему обязан. Федор Иванович содействовал восстановлению бывшего майора Любого в партии, рекомендовал его кандидатуру Международному отделу ЦК и в бытовых вопросах помогал, с квартирой, с машиной. Благодаря его поддержке добился Любый своего нынешнего высокого статуса и никогда об этом не забывал, ценил.

Влад все понимал с полуслова, умел молчать и слушать, причем не равнодушно, а с искренним участием. Федор Иванович без опасений и дополнительной страховки использовал его на важнейших участках работы еще и потому, что Влад с Органами давно не был связан, чекистских карьерных амбиций не имел. В отличие от коллег-сослуживцев профессиональным успехам генерала Уральца не завидовал, не мог нагадить, подсидеть. А по образованию, по остроте ума превосходил их всех, вместе взятых.

Давал толковые советы, дарил интересные оригинальные идеи, линию чувствовал не хуже Дяди Миши.

В апреле пятьдесят третьего, когда Берия был на взлете, все думали, это всерьез и надолго, а Влад предсказал: «Не удержит он власть, кишка тонка, месяц-полтора — и все». Даже Дядя Миша не надеялся, что Берия слетит так скоро. И про Хруща сразу после Карибского кризиса Влад точно предсказал: «Максимум пару лет ему осталось править. Скинут». Да, Линию чувствовал, в прогнозах не ошибался, хотя в отличие от Дяди Миши полным объемом информации никогда не владел. Интуиция работала. Куда ж она теперь подевалась, эта его гениальная интуиция?

Когда генерал садился в машину, жена сунула ему в руку алюминиевый цилиндрик с валидолом, не для сердца, а чтобы освежить дыхание, все-таки выпил изрядно. Он положил под язык таблетку и подумал, что на самом деле, если уж смотреть правде в глаза, никому он не доверял так, как Владу, ни с кем не чувствовал себя так спокойно и уверенно. Даже Дядя Миша иногда раздражал своими наставлениями и грубыми замечаниями.

«Дядины политруки — тупые солдафоны, трусы, карьеристы, для них рапорт накатать на лектора из Москвы, придраться к любому пустяку — святое дело, — размышлял Федор Иванович, посасывая сладковатую мятную таблетку. — Славка чересчур впечатлительный, творческая натура, сгустил краски, вон, даже с Гитлером сравнил, мол, параноики бывают очень энергичными, хитрыми и убедительными, например Гитлер».

Следом за этой мыслью, правильной и утешительной, прибежала другая, совершенно неожиданная, дикая: «Сталин никому не доверял, а Гитлеру поверил...»

Федор Иванович тряхнул головой, выплюнул валидол, сунул в рот сигарету, пробормотал:

— Все, хорош психовать! Я не Сталин, он не Гитлер, нападать на меня точно не собирается... На меня — нет, но отчебучить какой-нибудь неожиданный фортель может...

Формально как преподаватель ИОН Влад подчинялся Международному отделу ЦК. Но если что случится, ответственность скинут на генерала Уральца. Он рекомендовал, он поручился.

«Поговорю с ним по душам, верну с небес на грешную землю. Может, чертов псих одумается, станет прежним Владом? Слишком многое нас связывает, тут ведь если придется рвать, то с мясом».

Кроме палестинцев, был еще один участок работы, к которому Федор Иванович недавно подключил Влада.

При Пятом Управлении имелись специальные отряды под кодовым названием «ГНОМ» (группы национально-ориентированной молодежи). Они формировались из членов молодежных военно-патриотических клубов. Между собой, в узком кругу, сотрудники Управления называли этих здоровенных накачанных ребят «гномики». Они были нужны для особых «спецмероприятий», настолько «особых» и настолько «спец», что официально не оформишь, за санкцией к руководству не сунешься. «Гномики» брали на себя самую грязную работу, впрочем, почему «грязную»? Просто реальную! Одними профилактическими беседами с диссидентами-сионистами разве справишься?

Формально «гномики» с Органами никак не были связаны. Командовали ими доверенные лица: тренеры, педагоги. Через них в устной форме передавались задания.

Работали «гномики» в темноте, в подъездах, подворотнях, тамбурах вечерних электричек, без свидетелей. Результаты списывались на бандитские нападения, грабежи и несчастные случаи. Бибиков использовал эту тяжелую артиллерию крайне редко и осторожно. Проблем с «гномиками» было больше, чем пользы от них. Группы собирались и распадались, выходили из-под контроля, вместо указанного объекта могли напасть на случайного человека, скатывались к обычной уголовщине. Впрочем, и штатные оперативники тоже иногда слетали с катушек, как, например, в случае с писателем Зыбиным.

Федор Иванович задумал создать отряд элитных «гномиков», способных выполнять задания посерьезней банального мордобоя. Хотелось иметь свой личный боевой резерв. Он обсудил это с Владом и услышал: «Давно пора, но если хочешь получить настоящих дисциплинированных бойцов, а не тупую шпану, их воспитывать надо, просвещать, кроме физической подготовки нужны знания, осознанность, сплоченность, идейная убежденность. Тут главное не мышцы, а голова, не количество, а качество».

В том, что из Влада получится отличный наставник, организатор и воспитатель молодежи, Федор Иванович не сомневался. Он наблюдал, как Влад общается с палестинскими студентами во время лекций и на практических занятиях, на полигоне в Тушине, в спецлагерях в Крыму, где они проходили диверсионную подготовку. По-арабски он не понимал ни слова, однако видел, как внимательно они слушают Влада, как сверкают у них глаза. Так почему бы не подключить его к работе с нашими, русскими ребятами?

Влад взялся за дело со свойственным ему энтузиазмом, привез из Подмосковья двух прекрасных парней, Вована и Толяна, членов военно-патриотического клуба «Ратник». Предложил поселить их в своей родной коммуналке в Горловом тупике, там как раз освободились две комнаты. Потом появился Руслан. Постепенно сколотилась небольшая надежная команда. И то, что главным горловские считали Влада, вполне устраивало Федора Ивановича. Он предпочитал держаться в тени, сохранял оптимальное соотношение власти и ответственности, в Горлове не светился. Влад представил его как своего старого товарища, бывшего сослуживца, Ивана Олеговича.

Присмотревшись к ребятам, генерал выбрал и аккуратно завербанул Руслана. Постарше, поумней остальных. Было что пообещать, чем припугнуть. Один разговор по душам — и Руслан понял, кто тут на самом деле главный. Опыт вербовочной работы Федор Иванович имел богатый, точно и безошибочно находил подход к любому человеку.

Генеральская «Волга» выехала на бетонку. Генерал заметил одинокого пешехода, в ярком свете фар узнал полковника Уфимцева, усмехнулся про себя: «А вот и ты, сынок». Велел шоферу остановиться.

Выглядел полковник хреново. Отощал, почернел. Остались только глаза голубые и зубы белые. Небось расстроился, что так и не удалось доложиться на Политбюро. Сидел, ждал, и в последний момент вопрос о людоедской Черножопии по каким-то неизвестным причинам сняли с повестки. Ладно, это не беда. Бывает. Зато с семьей повидается.

Федор Иванович предложил подбросить его до Ванькиной дачи. Отказался, почапал пешком. Генерал проводил его задумчивым взглядом, вздохнул: «Эх, сынок, ты и не знаешь, какие вокруг тебя сегодня страсти кипели, Фанасич разошелся не на шутку, уже и Виталика своего подключил. Повезло тебе, я вовремя вмешался, разогнал тучи над твоей головой, уберег, защитил».

Федор Иванович улыбнулся своей фирменной хитроватой улыбкой, жаль, в темном салоне никто ее не видел. Нравилось генералу делать добрые дела. На душе светлело. Он чувствовал прилив энергии, симпатию к тому, кому помог, и любовь к самому себе, хорошему благородному человеку.

Ответ со «спецточки» поступил, когда генеральская «Волга» пересекла площадь Белорусского вокзала и выехала на улицу Горького. Позвонили в машину, доложили: разговор записался полностью, качество записи среднее. Время звонка — 21:20, продолжительность разговора — восемь минут. Говорили по-таджикски или по-арабски, без специалиста трудно определить язык. Мелькнуло русское слово, похоже, «Измайлово». Звонок исходящий, на абонентский номер по такому-то адресу.

Оператор назвала адрес горловской коммуналки. Федор Иванович приказал передать ему пленку с записью и облегченно вздохнул.

По выходным Влад вывозил своих студентов погулять то в Сокольники, то в Измайлово. Видимо, срочно понадобилось что-то уточнить насчет очередной прогулки. Не застал в общежитии, позвонил в Горлов. Теперь ясно, с кем конкретно он говорил. Его студент, сын одного из лидеров Народного фронта освобождения Палестины, Амиль аль-Хусейни, часто приходил в Горлов к Марине.

Студенты ИОН учились три-четыре года, жили в общежитии, куда посторонним вход воспрещен. Молодые здоровые мужики так долго обходиться без женщин не могут. Арабы отличались особенным темпераментом, и чтобы не пускать это дело на самотек, кураторы ИОН создали систему «временных жен». Девушки из числа завербованных агентов селились по двое-трое на конспиративных квартирах, каждая в отдельной комнате, и принимали у себя «мужей», когда тем приспичит.

Двадцатидвухлетний Амиль аль-Хусейни приехал учиться в сентябре прошлого года. Пока подбирали «жену», парню стало невтерпеж, он удрал, едва не потерялся в Москве, крепко потрепал нервы своим кураторам, даже возникла мысль отправить его назад. Но Хусейни-старший считался очень влиятельной фигурой в НФОП, ссориться с ним не хотелось.

Влад решил проблему. С отцом Амиля он познакомился еще во время своих командировок в Ливан, как «друг отца» был для парня реальным авторитетом. Он успокоил Амиля и быстренько подсунул ему Марину.

Федор Иванович удивился. Собственной семьей Влад так и не обзавелся, никаких родственников, кроме Марины, у него не осталось. Неужели не жаль подкладывать девку под палестинца? Впрочем, удивился молча. В конце концов, это личное дело Влада и самой Марины. Главное, проблема решена.

Первые свидания проходили в квартире Влада на Шаболовке. Потом там начался ремонт. Уралец предложил временно переселить Марину на конспиративную квартиру, специально для этого предназначенную. Марина переехала, но никак не могла ужиться с соседкой, то и дело вспыхивали скандалы, соседка жаловались кураторам, Марина отбрехивалась, разбираться, кто прав, кто виноват, было трудно, да и неохота. Однажды Марина обварила соседке ноги кипятком, уверяла, что нечаянно. Надо было что-то решать.

Амиль к Марине привязался, никого, кроме нее, не хотел. Селить ее в отдельной, да еще в центре, получалось накладно. Влад опять нашел выход: Амиль и Марина могут встречаться Горловом. Там теперь все свои, скандалов с соседями точно не будет.

Коммуналка к тому времени пережила несколько ремонтов и выглядела вполне прилично. Население поменялось, старые жильцы умерли, молодые переехали в отдельные квартиры. Дом числился в списке предназначенных к сносу, но был вполне пригоден для жилья, мог спокойно простоять еще года три-четыре.

Комнаты занимали Вован, Толян, Руслан, чуть позже подселилось пополнение, Стас и Генка. Из посторонних в квартире осталась только мать Славки Галанова.

Горловские глухую старуху не обижали, опекали: то сумку с продуктами помогут дотащить, то перегоревшую лампочку поменяют. Так что зря Славка назвал их амбалами с бандитскими рожами. На самом деле ребята правильные, спокойные, не пьют, не шумят, в Горлове прописаны законно, работают. Вован водопроводчик, Толян истопник в котельной, Руслан электрик, Стас и Генка — дворники.

Что касается Вики, она сразу стала для горловских своей. С Мариной подружилась еще в семьдесят втором, когда переехала к бабке. Влада очень уважала, училась у него на семинаре в Инязе. Влад гарантировал, что никаких утечек о внутренней жизни Горлова через Вику не будет. Девка надежная, умная. Предлагал подключить ее к работе бригады, но Федор Иванович не позволил, все-таки Славкина дочь. Мало ли что? Лучше не рисковать.

Он вдруг вспомнил драматический шепот Галанова о Викином романе с женатиком и спохватился: «Вика приводит в Горлов постороннего? Как я мог забыть такую важную новость? Да, голова в тот момент была другим занята. Почему же ребята ей позволяют? Почему Руслан меня не информировал? Влад в курсе? Славка застукал их в комнате Марины… Странно… Надо срочно прояснить этого женатика, кто такой, откуда взялся?»

Глава тридцатая

Номер пятьдесят три вернули в камеру второго марта. В ночь на третье доставили на допрос. Настроение у Влада было приподнятое. Он чувствовал: период мучительной неопределенности закончился, начинается настоящая работа, пошел решающий этап.

Он разглядывал ее внимательно, придирчиво, как режиссер ведущую актрису накануне премьеры. Она выглядела вполне прилично, глаза уже не такие красные, отоспалась, отдохнула в больничке.

— Ну, здравствуйте, Надежда Семеновна, рад вас видеть. Как самочувствие?

— Спасибо, нормально.

— Вот и отлично, тогда давайте сразу займемся делом. Прежде всего вы должны заверить своей подписью, что ознакомились с официальным заявлением следствия. Мы на этом остановились во время последней встречи, когда вам стало дурно, помните?

Она кивнула. Он положил перед ней страницу, макнул перо в чернильницу, протянул ей ручку.

— Текст вы уже читали, просто подтвердите это письменно и распишитесь.

Она не шелохнулась, уставилась на него исподлобья не моргая. Руки за спиной. Он спохватился: забыл приказать, чтобы сняли наручники.

— Ох, извините!

Когда наручники были сняты, она, разумеется, сразу занялась своими руками. Шевелила пальцами, разминала кисти, морщилась, при этом то и дело косилась на документ.

Неделю назад Владу удалось под видом «официального заявления следствия» подсунуть одному из клиентов готовый текст чистосердечных признаний с перечнем сообщников. Клиент плохо видел, а очки у него отобрали. Влад решил повторить этот трюк с номером пятьдесят три. Он не слишком надеялся на успех, проблем со зрением у нее не было, однако попробовать стоило.

— Надежда Семеновна, возьмите, пожалуйста, ручку.

Она помотала головой.

Влад налил себе воды из графина, выпил залпом полный стакан, повторил:

— Возьмите ручку.

— Нет.

— Почему? Это же простая формальность, в прошлый раз вы не сумели подписать, у вас болели руки, но теперь они в порядке, ваша подпись необходима для заверения факта прочтения вами официального заявления следствия, в котором гарантируется вам, в случае чистосердечного признания, жизнь и возможность продолжить учебу, лично товарищем Сталиным, вождем нашим, тебе, ведьма, жидовская сука, твоя поганая жизнь гарантируется... — В горле запершило, голос пропал, хвостик монолога получился почти беззвучным.

Он так и не понял, услышала ли она, услышал ли молодой стажер, который примостился в углу за маленьким столом.

Влад не ожидал, что сорвется так скоро. Возможно, сказался слишком долгий перерыв, он успел отвыкнуть от фокусов ведьмы. Он досчитал до двадцати, откинулся на спинку стула, заговорил нарочито спокойно, тихо, медленно:

— Надежда Семеновна, поймите, это в ваших же интересах, гарантии вступают в силу лишь после того, как документ будет вами подписан. Скажу больше: гарантии автоматически распространяются на ваших ближайших родственников, то есть на отца и мать. Они ведь уже здесь. В отличие от вас они во всем сознались, все подписали и готовы встретиться с вами на очной ставке.

Она вздрогнула, ожила, заерзала, замотала головой:

— Нет! Им не в чем сознаваться!

— Вот это вы с ними и обсудите в ближайшее время.

Ведьма закрыла лицо руками, забормотала:

— *Нет, нет, нет!*

«Кажется, поплыла, — поздравил себя Влад, — еще немного поднажать... Жаль, я раньше не догадался, и не обязательно брать родителей, достаточно поставить за стенкой запись с криками и подробно объяснить, что именно там делают с папой и мамой...»

Дверь приоткрылась, в проеме возникла фигура Гаркуши.

— *Товарищ майор, на минуту!*

— *Я занят!* — *рявкнул Влад.*

Но вместо того, чтобы исчезнуть, Гаркуша сказал:

— *Это срочно.*

Владу стало жарко. Жар был сухой, огненный. В мозгу вспыхнули искры, запрыгали язычки пламени: «Срочно? Вызов на Ближнюю? Почему прислали болвана-забойщика? Игнатьев обалдел, когда оттуда позвонили, отправил за мной первого, кто под руку попался...»

Он приказал стажеру:

— *Наручники!* — *и вышел.*

В коридоре Гаркуша приблизился вплотную, дохнул в лицо чесноком, перегаром, блеснул вытаращенными глазами и прошептал:

— *Знаешь?*

— *О чем?*

— *Про Ближнюю знаешь?*

Жар сладко разлился по телу. Влад смотрел на Гаркушу, но вместо тупой бессмысленной рожи видел родное лицо Великого Человека, чувствовал твердое рукопожатие, слышал негромкий ласковый баритон: «Здравствуйте, товарищ Любый...»

— *Так, эт-самое, знаешь или нет?* — *Забойщик шмыгнул носом.*

Влад дернул головой, сглотнул и сипло выдавил:

— *Что именно?*

— *У товарища Сталина удар случился.*

Язычки пламени задрожали и погасли. Родное лицо растаяло, растворилось в зловонном дыхании Гаркуши.

— *В Кремле утром Бюро Президиума заседало, в его кабинете, но без него, представляешь?* — *возбужденно продолжал
забойщик.* — *Молотов с Микояном приперлись, а ведь товарищ
Сталин их отстранил! О какие дела! Я, эт-самое, как услышал,
прям затрясся весь, чуть не разревелся, будто баба, ва-ще,
кранты, на хуй! Он ж не просто человек, эт-самое, он нам
отец родной, бог, мы все у него за пазухой живем!*

*Жар сменился ознобом: «Началось! Сам инсценировал удар,
значит, борьба принимает новый оборот, пошел решающий
этап. Вот всех бы их, кто там собрался без него, и шлепнуть...
Нет, спешить нельзя, нужен суд, открытый процесс, со свиде-
телями, неопровержимыми доказательствами, четкими обви-
нительными формулировками... Конечно, не мог он вызвать
меня именно сейчас, они бы сразу догадались, что майор Любый
пользуется особым доверием...»*

— *Так ты точно не в курсе?* — *Гаркуша прищурился.* —
А то, гляжу, бледный, как мертвец.

— *Точно не в курсе. Новость страшная, потому и бледный.*

— *Слышь, Влад,* — *Гаркуша подмигнул и кивнул в сторону
комнаты отдыха,* — *давай, эт-самое, от нервов примем по
сто грамм, скоренько, за здоровье товарища Сталина, а?*

— *Нет, Паш, мне работать надо.* — *Он потрепал забой-
щика по плечу:* — *Вот с номером пятьдесят три разберусь,
тогда выпьем, а товарищ Сталин к тому времени, может, уже
и поправится.*

*Он вернулся в кабинет. Ведьма сидела, низко опустив
голову, похоже, опять подзаряжалась. Руки свободно лежали на
коленях. Стажер развалился на стуле, читал газету. Увидел
Влада, вскочил, вытянулся по стойке смирно.*

— *Почему без наручников?* — *спросил Влад.*

— *Виноват, товарищ майор, не успел, вас минуту всего
не было!*

— *Приказ надо выполнять незамедлительно!*

— *Есть!* — *Стажер взял стальные браслеты, громко
звякнул ими.* — *Разрешите спросить?*

Влад кивнул и уселся на свое место.

— *Товарищ майор, застегивать за спиной или спереди?*

— *Спереди только ночью, после отбоя, в дневное время за спиной,* — *терпеливо объяснил Влад и достал папиросы.*

— *Так сейчас ведь ночь, третий час,* — *возразил стажер, шагнул к столу, позванивая браслетами, наклонился и прошептал:* — *Товарищ майор, разрешите доложить, у нее там раны глубокие, если опять надеть, она подписать не сумеет.*

«Еще один, — *спокойно отметил про себя Влад,* — *конечно, они везде, чем ближе развязка, тем их больше, тем активней и наглей действуют».*

Он закурил и скомандовал:

— *Можете идти!*

— *Виноват, не понял...*

— *Идите, младший лейтенант, свободны.*

— *Товарищ майор, я обязан присутствовать, практика у меня!*

Влад затянулся, стряхнул пепел и, не глядя в наглые серые глаза, прошипел:

— *Пошел вон!*

Стажер покраснел, бросил на стол браслеты, развернулся и молча вышел. Номер пятьдесят три едва заметно шевельнулась, проводила его взглядом.

— *Ну, что, Надежда Семеновна, соскучились по родителям?* — *спросил Влад сладчайшим голосом.*

В ответ ни звука. Она застыла с опущенной головой.

— *Опять в молчанку будем играть? Ну, ничего, сейчас сюда приведут папу с мамой, и ты заговоришь, соловьем запоешь! Думаешь, если вас так много, значит, вы* — *сила? Крыс и тараканов тоже много! Кто ты вообще такая? Что о себе возомнила? Ты жидовка, паразит, ошибка природы, к тому же баба, самка. Даже самки высших рас на ступень ниже самцов, а самка недочеловека вообще тьфу, слизь, грязь...*

Он говорил негромко, ровным спокойным голосом, будто лекцию читал, но с каждым словом становилось все трудней сдерживать ярость. Ведьма опять превратилась в Шуру.

Он выпил очередной стакан воды, сунул в рот очередную папиросу. Руки тряслись, спички крошились. Он выплюнул

папиросу, отшвырнул коробок. Пальцы правой руки тронули
кобуру, нащупали кнопку-застежку. Он продолжал говорить,
продираясь сквозь нарастающий звон в ушах.

Ведьма подняла голову, губы ее шевельнулись.

— Ну? — спросил Влад. — Теперь вы готовы сотрудничать
со следствием?

— У вас телефон звонит. — Она кивнула на аппарат
внутренней связи.

Он опомнился, схватил трубку и услышал, что его срочно
вызывает и. о. начальника следчасти полковник Соколов.

* * *

В лифте у Нади хлынули слезы. Она изумленно смотрела на свое
зыбкое отражение в мутном лифтовом зеркале. За двадцать четыре года она не плакала ни разу. Когда нормальные люди плачут, она
деревенела. Панические атаки всегда переживались всухую. После
очередного приступа хотелось разрядки, слез, но не получалось.

Лифт остановился, она опомнилась, вынесла авоськи, поставила на пол, вытерла лицо носовым платком. Папа открыл дверь
прежде, чем она повернула ключ, и сразу набросился на нее:

— Что ты творишь? Почему не позвонила? Я бы встретил!
Нельзя таскать такие тяжести!

В прихожей был полумрак, очки папа поднял на лоб, Надиных
слез не заметил. Она села на скамеечку, нарочно низко опустила
голову, расстегнула сапоги, огрызнулась:

— Вместо того, чтобы орать, отнес бы все на кухню, разобрал.
Ничего я не таскала, меня Павлик довез.

— Так бы сразу и сказала. — Он обиженно фыркнул, подхватил авоськи и удалился.

Она разделась, прошмыгнула в ванную, щелкнула задвижкой,
опустилась на коврик и продолжила рыдать, очень мокро, почти
беззвучно и с огромным удовольствием. По ощущениям это напоминало внезапное выздоровление после долгой безнадежной
болезни или даже воскресение из мертвых.

Старые доктора, отсидевшие по «делу врачей», между собой называли свое освобождение «эксгумацией». Неужели, чтобы вернуться с того света, надо просто рассказать кому-то, озвучить свой внутренний ад, выговориться? Да, конечно. Но главное — звонок. Теперь ясно: нет никаких глюков. Оказывается, считать себя сумасшедшей все-таки значительно тяжелей, чем осознать реальную внешнюю опасность.

Минут через пять послышалось шарканье папиных тапок, стук, сердитый голос:

— Эй, ты там уснула?

— Все, выхожу!

На кухне свистел чайник.

— «Завтрак туриста» могла бы отдать кому-нибудь, — проворчал папа.

— Желающих не нашлось, — откликнулась Надя.

— Ну, так и выкинула бы сразу! Маргарин воняет, у батончиков срок годности истек полгода назад.

— Да ладно тебе, — Надя сняла чайник с плиты, — нет чтобы спасибо сказать. Помадка твоя любимая.

— За помадку спасибо, вроде свежая. Ужинать будешь?

— Чайку выпью с бутербродом и сразу спать.

Семен Ефимович налил чаю, сел напротив:

— Что-то случилось?

— Нет, пап, все в порядке.

— Не ври! Я же вижу! Бледная, аж синяя, глаза красные.

— Во-первых, не выспалась, — она отрезала кусок сыра, прожевала, — во-вторых, обозвали жидовской сукой.

Отец вздрогнул, расплескал чай, испуганно прошептал:

— Кто?

«Зачем ляпнула? Теперь он нервничает». — Надя салфеткой промокнула чайную лужицу и небрежно бросила:

— А-а, ерунда, какой-то придурок в трамвае.

— Ты совершенно не похожа, и времена уже давно не те!

— Времена всегда те, придурки вечны. Он мне сначала череп измерил, потом обозвал.

— Погоди, — папа нахмурился, — какой трамвай? Тебя же Павлик подвез на машине!

— Домой. А на работу я ехала в трамвае.

— Значит, это случилось утром? И ты весь день с этим жила?

— Нет, конечно! Сначала я жила со своими фагами, дорвалась, наконец, до «Электроши», потом заказы привезли, я стала жить с лососем в собственном соку, сливочной помадкой и сырыми кофейными зернами. Кстати, надо обжарить. — Надя вылезла из-за стола, открыла духовку, вытащила противни и сковородки, в самую большую высыпала кофейные зерна.

Семен Ефимович погрузился в какие-то свои мысли, сгорбился, насупился, теребил в руках очки. Надя зажгла огонь, закрыла духовку и услышала:

— Господи, как же нам сейчас не хватает маминой интуиции! Помнишь ледяную глыбу, которая убила бы меня, если бы мама не высунулась из окна?

Когда он говорил о маме, лицо его становилось растерянным, детским, он будто звал ее на помощь.

Надя улыбнулась:

— Еще бы не помнить! Я сидела у нее в животе и очень удивлялась: чего она так орет?

— Да, это случилось за два месяца до твоего рождения. А как мама отключила будильник, когда мы собирались в Каунас в июне сорок первого, помнишь? Тебе было пять, ты очень ждала той поездки и потом ужасно расстроилась.

— Все затмил ваш отъезд на фронт. Сначала ты уехал, потом мама. Я осталась с рыдающей тетей Соней и вечно больным Побиском, чувствовала себя жутко взрослой, одинокой и несчастной. Эвакуацию помню, фельдшера дядю Мотю. Подкармливал меня, грамоте учил, внушал, что мои мама и папа живы-здоровы.

— Фельдшер дядя Мотя — твой ангел-хранитель, жаль, не довелось познакомиться. — Семен Ефимович задумчиво помолчал, улыбнулся. — И еще твоим ангелом-хранителем была соседка Клава. Уверяла, будто это она тебя отмолила. В январе пятьдесят третьего пошла в церковь, спросила у батюшки, можно ли молиться за еврейскую девочку. Батюшка благословил.

— Ай да поп! — Надя восхищенно присвистнула. — Благословил за жидовку молиться, в январе пятьдесят третьего! Не испугался, не стукнул.

— Мг-м, герой, — Семен Ефимович хмыкнул, — но до простой прихожанки Клавы ему далеко. Отмолила тебя, потом научила вязать, спасла твои руки. У тебя развивалась мышечная миопатия. Ты не могла застегнуть пуговицу, удержать ложку, зубную щетку, боялась выйти из дома, забивалась в угол между диваном и буфетом, сидела там часами. Во сне металась, кричала: «Нет! Это неправда!» Истощение физическое, нервное, от каждого кусочка еды рвота. Я колол тебе глюкозу, витамины. Ничего, потихоньку... Киселек, жидкая кашка, какао с молоком, ну и, конечно, ангел Клава с ее клубочками. — Он шмыгнул носом, достал платок, шумно высморкался. — День, другой, и ты уже держишь спицы, двигаешь пальчиками, бормочешь: «Лицевая, изнаночная». Руки ожили, ты сразу пошла на поправку.

Надя вдруг подумала, что впервые за двадцать четыре года они с папой говорят обо всем этом так откровенно, подробно и почти спокойно. Открыла форточку, закурила.

— Угол между диваном и буфетом был моим убежищем. Я убедила себя, что тюрьма мне просто снится, мерещится, на самом деле я сижу в этом углу и строю замок из рисунка на обоях. А дома первое время казалось, я все еще в тюрьме и вы с мамой мне снитесь. Открою глаза — вы исчезнете, меня опять поведут на допрос к Любому... Знаешь, на одном из последних допросов я чуть не подписала. Он сказал, что вас взяли, вы во всем признались. Тут его позвал другой следователь, он вышел, я осталась в кабинете с молодым стажером. Любый ему приказал надеть на меня наручники. Стажер как увидел мои руки, охнул и шепчет: «Очень больно?» Я в ответ: «Родители здесь?» Он молча помотал головой. Когда Любый вернулся...

Надя запнулась, одернула себя: «Остановись!» — и увидела, как папа берет сигарету из ее пачки.

— С ума сошел? Ты же бросил пять лет назад!

— От одной не помру. — Он чиркнул спичкой, закурил, задумчиво произнес: — Знаешь, чего не могу понять? Зачем они так надрывались ради подписей под протоколами допросов? Сами все сочиняли, ну, и подписывали бы сами. Трудно, что ли, подписи подделать?

Надя помотала головой:

— Нельзя отступать от ритуала! Добыть подлинную подпись — это как съесть сердце врага.

* * *

Полковник Радченко ждал генеральскую машину на улице, у второго подъезда. В зубах сигарета, под мышкой — портфель. Когда поднимались по лестнице, сказал:

— Федор Иванович, я докладную в письменной форме к завтрашнему дню подготовлю, понимаете, ситуация экстраординарная, и какая-то запутанная...

— Ладно, — Уралец махнул рукой, — не оправдывайся, выкладывай спокойно, по порядку, что стряслось.

— Сегодня, в девятнадцать сорок пять, мне домой позвонил мой знакомый, старший научный сотрудник МИЭМЗ, Романов Павел Игоревич.

— Коля, погоди, я же просил спокойно и по порядку. Что значит «знакомый» и что такое МИ...?

— Виноват, товарищ генерал. МИЭМЗ — Московский институт эпидемиологии и микробиологии им. Д. К. Заболотного. С Романовым мы познакомились в семидесятом, помните, была эпидемия холеры?

Генерал надул щеки и громко выдохнул:

— Пу-уфф, только холеры мне сегодня не хватает!

В приемной он попросил дежурного сварить кофе. Вошли в генеральский кабинет, сели. Радченко положил на стол свой портфель, виновато объяснил:

— Федор Иванович, про холеру всего два слова, холера тут совершенно ни при чем, просто чтобы внести ясность, кто такой Романов.

Генерал кивнул:

— Слушаю тебя внимательно.

— Один из очагов был Батуми, туда вылетели московские эпидемиологи во главе с Бургасовым. В группу вошли сотрудники МИЭМЗ, в том числе Романов. Местное руководство паниковало, искали признаки умышленной диверсии, пытались необоснованно обвинить врача местной санэпидемстанции. Романов вмешался, теребил Бургасова, отправлял жалобы во все инстанции, нам в том числе. Я тогда выезжал в Батуми в командировку, разбираться в этом деле. Там мы с Романовым и познакомились. Благодаря его активности удалось предотвратить грубое нарушение социалистической законности. Врача освободили, необоснованные обвинения сняли.

Дежурный принес кофе. Радченко отхлебнул, откусил печенье и продолжил:

— С тех пор у нас с Романовым сложились приятельские отношения. Он мне тогда сразу заявил: попытаешься вербануть — пошлю на три буквы. Дружить — пожалуйста.

— Да, забавный мужик. — Генерал усмехнулся. — Ну, дальше!

— Мы с ним очень давно не виделись, а сегодня он вдруг позвонил, сказал, надо срочно встретиться. Звонил из автомата в районе Пресни, неподалеку от моего дома. Встретились на конспиративной квартире на Малой Грузинской. Разговор я записал. — Коля щелкнул застежкой портфеля, вытащил миниатюрный диктофон и лиловую канцелярскую папку. — Кстати, он знал, что я записываю, и не возражал. И еще передал вот это.

Федор Иванович раскрыл папку, увидел какие-то листочки, конверты, смятую картонку, катушки с лентой от пишущей машинки.

— Товарищ генерал, вы осторожней, — предупредил Радченко, — тут потребуется дактилоскопическая экспертиза. Я хотел сразу отправить, но решил сначала вам показать.

Генерал надел очки, вытащил из ящика стола упаковку медицинских перчаток, натянул на руки, развернул лежавший сверху сложенный вчетверо листок и стал читать:

«Богоизбранный народ больше не намерен безропотно терпеть издевательства гоев! Мы ждали сорок веков, нас никто не признавал нацией, но час решающей битвы пробил!»

Во рту пересохло. Руки под перчатками стали мокрыми. Он стянул перчатки, нащупал в кармане цилиндрик с валидолом.

— Сослуживица Романова, старший научный сотрудник Ласкина Надежда Семеновна, нашла это вчера в своем почтовом ящике, — донесся сквозь гул сердечных ударов голос Радченко. В голове неслось: «Откуда утечка? Я никому, кроме Лисса, не показывал, сказал ему, что их кладут в почтовые ящики в жилых домах центральных районов. Но их никуда не кладут, они нужны только для отчета руководству и для Лисса. Черновик у Влада, он уверял, что текст подлинный, откопал в закрытых сионистских источниках, перевел с иврита… Ласкина… Кто такая Ласкина?» Генерал выронил листовку, замер, сжал ослабевшими потными руками подлокотники кресла. Как же он мог забыть? Операция «Свидетель», Ласкина Надежда Семеновна, бывший номер пятьдесят три, обиженная жидовочка.

— Федор Иванович, вам нехорошо?

— Коля, открой форточку и налей мне воды.

Он откинулся на спинку кресла, прикрыл глаза, задышал глубоко, спокойно. Полегчало. Сердце забилось в нормальном ритме. Он включил диктофон и услышал незнакомый мужской голос:

«— *Несколько раз это было при мне. Звонили в лабораторию, просили Ласкину, она брала трубку, а там молчание. Я стал к ней приставать, в чем дело…*

— *Погоди, Павлик,* — *перебил голос Радченко,* — *у тебя с ней какие отношения?*

— *Дружеские… Нет, в этом смысле никогда ничего. Она мой друг, ну, как родная сестренка, понимаешь? Мы с ней десять лет по очагам мотаемся. Африка, Индия, Средняя Азия. Через такое вместе прошли, что тебе и твоим доблестным Органам в страшном сне не приснится.*

— *Ладно, Павлик, я понял. Значит, ты ее спрашивал, кто звонит и молчит?*

— *Мг-м. Она ответила: понятия не имею, но рассказала, что это продолжается с ноября. Сначала только домой, вечерами. Она живет с отцом. Если трубку брал отец, просили ее к телефону, причем разные голоса, то мужские, то женские. Когда она брала — молчание. Потом и на работе стали доставать.*

— *Не замужем?* — *опять перебил Радченко.* — *Семьи нет?*

— *Есть дочь Лена и внук Никита. Лене девятнадцать лет, Никите семь месяцев. Живут отдельно.*

— *Кто отец Лены?*

— *Коль, я не знаю, Надька об этом молчит, а выпытывать неловко. Наверное, студенческий роман.*

— *Лена тоже не замужем?*

— *Почему? Муж актер, Антон Качалов, не очень успешный, но красивый парень, я был на свадьбе».*

Генерал вздрогнул, в голове опять прошуршал драматический шепот Славки: «Зовут Антон. Смазливый такой блондинчик. Актер, женат, ребенок маленький…»

«— *Сегодня Надька ушла на полдня в другую лабораторию, — продолжал голос из диктофона, — там электронный микроскоп, единственный на весь институт. При мне ее звали к телефону раз пять. Когда позвонили в последний раз, она уже вернулась, сама взяла трубку. Вижу — трясется, губы синие, не сказала ни слова, трубку бросила. Ну, тут я решил: все, пора, наконец, выяснить, что происходит? Нам во вторник в Нуберро лететь, там вспышка дизентерии, а она в таком состоянии. Буквально силой затащил ее в машину, стал выпытывать. В общем, сегодня эти молчуны заговорили. Обозвали ее жидовской сукой, угрожали. Какой-то антисемитский бред, дословно не помню. Она рассказала, что кто-то побывал у нее дома. Рылись в ее бумагах, зачемто стащили несколько страниц из черновика докторской, но главное, печатали на ее машинке.*

— *Каким образом она это обнаружила?*

— *У нее совсем стерлась лента, осталась последняя, паршивая, все пачкает и расползается на нитки. Не хотела ее вставлять, ждала, когда я принесу хорошую чешскую. Не прикасалась к машинке с двадцать седьмого декабря и вдруг обнаружила, что ленту поменяли, поставили ту, паршивую, заляпали чистую страницу, которая торчала в каретке.*

— *Так, может, отец?*

— *Он печатать не умеет, все пишет от руки. Кроме Нади, машинкой никто не пользуется. И самое главное: на ее машинке*

напечатали вот эту галиматью, а потом кинули ей же в по-
чтовый ящик».

Диктофон тихо щелкнул.

— Я выключил, пока читал, — объяснил Коля и кивнул на листок, лежащий на столе перед генералом.

Опять щелчок. Шорох, потрескивание, голос Романова:

«— Видно невооруженным глазом, характерные особенности
шрифта, вот, сам посмотри, сравни.

Опять щелчок. Голос Радченко:

— Я не эксперт, ну, в принципе, да, похоже... Скажи, а почему
бы ей в милицию не обратиться? Если кто-то в ее отсутствие
проник в квартиру...

— Очевидных признаков преступления нет, ничего, кроме
черновиков, ее диссертации, не пропало... Слушай, Коль, мы же
с тобой взрослые люди, менты просто не примут у нее заявление,
пошлют подальше».

— Федор Иванович, остановите на минуту, пожалуйста, — сказал Радченко, — надо кое-что пояснить, это важно.

— Да, слушаю тебя.

— Я еще почему так переполошился, дело в том, что Надеждой Ласкиной интересуется «Биопрепарат». Там один из филиалов возглавляет ее бывший научный руководитель, профессор Троян Лев Аркадьевич, наше доверенное лицо. Троян считает, что ее нынешние исследования очень перспективны и в будущем могут иметь стратегическое значение. В МИЭМЗ нет подходящего оборудования, единственный электронный микроскоп на весь институт, бардак, нищета, никакой секретности. Троян твердит, что необходимо забрать Ласкину в БФМ, обеспечить ей нормальные условия, дать собственную, полноценную лабораторию и засекретить ее тему.

— Погоди, куда забрать?

— В НИИ биохимии и физиологии микроорганизмов, сейчас это филиал «Биопрепарата».

— Почему до сих пор не забрали?

— Не хочет. Отказывается.

— Чем объясняет свой отказ?

— Для исследований ей надо выезжать на очаги, а в БФМ все сотрудники невыездные. Публиковаться хочет в открытых научных изданиях, и вообще, как говорит Троян, «фифа своенравная».

— Ясно, — кивнул генерал, — и чем же таким важным занимается эта фифа?

— Бактериофагами, вирусами, которые убивают болезнетворных бактерий, их еще в начале века обнаружили, у нас с ними работали Гамалеи, Ермольева...

«Ну, понеслось», — вздохнул про себя Федор Иванович.

Радченко окончил биофак. Хлебом не корми, дай потрепаться на научные темы.

Коля принялся увлеченно рассказывать про вирусы и бактерии, Федор Иванович не перебивал, все равно требовалась небольшая передышка. Он слушал Радченко вполуха и думал: «Неужели Влад до сих пор не может забыть номер пятьдесят три? Пытается притянуть ее к операции "Салют"? На фига? Отлично знает, "Салют" рассчитан только на экспорт, для западной прессы. Никакого серьезного резонанса внутри страны не планируется. Хлопнут две хлопушки, одна в чугунной урне, другая в гастрономе, под толстым мраморным прилавком. Ни единой жертвы. В Москве вообще мало кто заметит, в случае чего, можно списать на бытовое хулиганство...»

— ...Лет через десять бактерии разовьют резистентность, — продолжал вещать Коля, — тогда понадобится адекватная альтернатива антибиотикам...

Генерал все-таки перебил:

— Ты откуда так подробно все это знаешь?

— Ну, я же читаю научную периодику, попадались ее статьи, и Троян рассказывал.

Генерал махнул рукой:

— Ладно, с вирусами-бактериями ясно, давай дослушаем. — Он включил диктофон.

Голос Радченко:

«Она сама что обо всем этом думает?

— Коль, она понятия не имеет, кому и зачем это понадобилось. Ей страшно. Старается оградить отца, он старый, войну прошел. Завтра подъеду, поменяю им замок.

— У нее есть враги, завистники?

— К Надьке все относятся хорошо, ну, или нормально. Дорогу она никому не перебегала, гадостей не делала. Я не знаю никого, кто способен на такое.

— А если кто-то из членов семьи? Постороннему непросто добыть ключи от квартиры, узнать рабочий телефон и время, когда никого нет дома. Ты сказал, у дочки муж артист-красавец, допустим, погуливает, нарвался на стерву, которая пытается разбить семью...

— Я тоже об этом подумал. Но при чем тут Надька и зачем стерве черновики диссертации? Нет, Коль, это не семейные дела. Мне кажется, это похоже на банду нацистов. Надька попала в поле их зрения не по каким-то особым, личным причинам, а скорее всего случайно, методом тыка, просто потому, что еврейка. Она единственная их жертва или есть другие — не знаю. Готовят они какую-то провокацию или просто развлекаются — не знаю. Я счел нужным поставить тебя в известность, на тот случай, если это все-таки подготовка провокации, чтоб в твоей Конторе четко понимали: Надька тут абсолютно ни при чем. Ее пытаются подставить. Разбираться, кто, зачем, и ловить нацистов — прямая обязанность твоей Конторы».

Запись кончилась. Генерал заметил, что Радченко разминает в пальцах сигарету, кивнул:

— Ладно уж, вон там пепельница.

Ему самому тоже хотелось перекурить, но после сердцебиения опасался. Налил себе еще воды из графина, попил, внимательно взглянул на Радченко:

— Ты, Коль, большой молодец, что сразу мне позвонил. Я только не понял: у тебя к этой Ласкиной вопросы есть или нет?

— Нет, Федор Иванович. — Коля помотал головой, — проверенная-перепроверенная, уже семь лет выездная, анкеты чистые, характеристики самые положительные.

«Подписку о неразглашении блюдет железно», — добавил про себя генерал.

Он приказал Радченко пока никого в эту историю не посвящать. Диктофон и лиловую папку оставил у себя.

На пороге Коля остановился, развернулся:

— Виноват, товарищ генерал, разрешите спросить?

— Ну, что еще?

— Ласкину можно выпускать за границу? Они во вторник в Нуберро летят, на дизентерию.

— А чего ж не выпустить? Или опасаешься, сбежит, попросит политического убежища в Нуберро? — Федор Иванович подмигнул и улыбнулся своей фирменной улыбкой.

Радченко улыбнулся в ответ.

— Ясненько, товарищ генерал. Значит, выпускаем. Разрешите идти?

— Иди, Коля.

Глава тридцать первая

Влад успокоился, пока шагал по коридорам. Глупо срываться на финише, он же посвященный, умеет владеть собой. Немного смущала срочность вызова, обычно следаков с допросов не срывают, тем более полковнику Соколову известно, кого в данный конкретный момент допрашивает майор Любый. Ну, ладно, из-за мнимого удара Самого сейчас все пойдет кувырком.

— Ты чего это молодежь третируешь? — спросил Соколов, как только Влад переступил порог кабинета.

— Нажаловался стажер? — Он уселся напротив и. о., не дожидаясь приглашения. — Когда ж успел?

— Нет, он не жаловался, просто доложил, — полковник хмыкнул и взглянул на Влада своими ярко-голубыми глазами, — я с ним в коридоре столкнулся, смотрю, на парнишке лица нет. Ну, поинтересовался, в чем дело, почему не на допросе. Он сказал, ты его выставил. Чем же он тебе не угодил?

«А парнишка не простой, сынок или племянник чей-то», — догадался Влад и сказал:

— Стажер должен учиться, вот я его и учу уму-разуму, а то много себе позволяет, молодой, да ранний.

И. о. кивнул и принялся щелкать крышкой зажигалки «Зиппо».

Глядя на американскую стальную игрушку, Влад вспомнил, что и. о. служил в СМЕРШ. Креатура Абакумова. В принципе, Соколов ему нравился. Чистокровный славянин, красавец, настоящий мужик, благородная чекистская порода. В органах с тридцать седьмого, прошел огни и воды, участвовал в сверхсекретных спецоперациях в Прибалтике и в Польше. В отличие от аппаратных чинуш не трусил, кровищей не брезговал, смело и честно выполнял свою работу, потому и уцелел во всех чистках, не слетел вместе с Абакумовым. Сам таких ценит. Возможно, Соколов тоже посвященный.

— Ну, чего молчишь? — и. о. подкинул зажигалку на ладони. — Случай исключительный, на моей памяти стажеров еще никто во время допроса из кабинета не вышвыривал. Давай выкладывай, в чем конкретно он провинился?

— Отказался надеть наручники на номер пятьдесят три, препираться со мной начал, при ней.

— А чего ты ее в наручниках-то держишь? — Густые черные брови взлетели до середины лба, полковник изобразил наивное недоумение. — Она ж у нас вроде добровольно.

Влад впервые обратил внимание, какие у Соколова пухлые, ярко-розовые губы, «бантиком», будто у жеманной девки. На мужественном чеканном лице эти губы выглядели неуместно, карикатурно.

— Для ее же безопасности, — объяснил он спокойным, ровным голосом, — по мнению врачей, психическое состояние номера пятьдесят три неустойчиво, в первые недели голодала, до истощения себя довела. Мало ли что ей в голову взбредет? Я считаю, лучше не рисковать.

Соколов крякнул, протянул Владу открытую коробку папирос:

— Угощайся.

Влад взял папиросу, прикурил от американской стальной игрушки и услышал:

— Ты, это, с наручниками особо не усердствуй, и вообще, в данный конкретный момент аккуратней себя веди, понял?

— Да вроде приказа про наручники не было, — Влад растерянно заморгал, — ну, в смысле, их пока не отменяли.

— Устное распоряжение товарища Игнатьева, — тихо, сквозь зубы процедил Соколов.

— Спасибо, Константин Валерьевич, что предупредили.

— На здоровье. Кстати, насчет здоровья. У тебя на личном фронте как?

— Нормально, есть одна.

— Одна? Маловато! — Соколов засмеялся.

Смех был противный, визгливый, бабий. Влад с трудом выдавил ответную улыбку, а полковник уже отсмеялся, лицо мгновенно потяжелело, голубые глаза в упор уставились на Влада:

— Плохо выглядишь, майор.

— Переживаю, товарищ полковник, — он отвел взгляд и вздохнул, — за товарища Сталина очень переживаю.

— Ну, ясное дело, мы все переживаем. — И. о. плюнул в пепельницу, затушил окурок.

— Товарищ полковник, — Влад подался вперед, — как там дела, на Ближней? Новости есть? Врачи что говорят?

Соколов тоже подался вперед, вытаращил глаза, закричал шепотом:

— Какие, на хуй, врачи? Врачи все тут, у нас, блядь!

Влад заметил капли пота у него на лбу, лопнувший сосуд в углу глаза, похожий на алого паучка. Соколов опять откинулся на спинку стула, достал платок, промокнул мокрое лицо, высморкался, произнес ровным механическим голосом:

— Лечение товарища Сталина проводится под неусыпным контролем ЦК партии.

Влад не удержался, выругался сквозь зубы и тихо рявкнул:

— Он их всех переживет!

— Мг-м, — кивнул полковник, — и нас с тобой тоже. В общем, так, майор, отправляйся-ка спать. Завтра утром ты мне нужен бодрый, свежий, и чтоб котелок хорошо варил. Ясно?

— Так точно, товарищ полковник!

— Все, майор, свободен! — Соколов поднялся, протянул руку.

Его рукопожатие оказалось неожиданно слабым, вялым. Рука холодная и влажная, будто лягушка. У двери он окликнул Любого:

— Слышь, Влад! Ты стажеров больше не обижай. Они тут по приказу товарища Сталина, так сказать, свежая струя комсомола.

* * *

Фонари вдоль бетонки не горели, но было светло от снега и яркой полной луны. У забора генеральского поселка, неподалеку от ворот, мигнули сигаретные огоньки. Юра услышал девичий смех, знакомый ломающийся мальчишеский голос громко произнес:

— А вот еще: Штирлиц шел на связь. В радиограмме сообщалось, что связных он узнает в лицо. Действительно, из-за угла вышли Петька и Василий Иванович.

Опять смех. Юра ускорил шаг, окликнул:

— Глеб?

— Папа!

Огоньки погасли, через минуту сын повис у него на шее. Шапка слетала, Юра провел рукой по колючей бритой голове. Рядом топтались две девочки лет четырнадцати, совершенно одинаковые.

— Зрас-сти, дядь Юр, наконец-то, а то Глеб тут уже с ума сходит, десятый анекдот про Штирлица травит.

Юра узнал близнецов Сошниковых, Катю и Машу.

— Привет. Вы что, курили?

— Немножко, по одной затяжке, только родителям не говорите!

— Пап, у тебя случайно жвачки нет? — спросил Глеб.

— Есть, в чемодане.

— Давай!

— Где ты видишь чемодан?

Глеб отступил на шаг, посмотрел по сторонам, пожал плечами:

— Правда нет. Пап, а где твой чемодан?

— У бабушки.

— Черт! Жвачку в карман положить слабо было?

— А не курить слабо? — Юра нахлобучил шапку ему на голову. — Ладно, пойдем! Стучать на вас, так и быть, не стану, но чтоб это в последний раз!

У ворот вспыхнул прожектор, из будки вылез сонный часовой, сердито оглядел Юру:

— Вы к кому?

— Это папа мой! — Глеб надменно фыркнул.

— Виноват, не признал!

Калитка открылась. Глеб и девочки обернулись и показали часовому язык.

Первой на пути была дача Сошниковых. Близнецы остановились, сняли варежки и принялись запихивать в рот горсти снега.

— Эй, вы что делаете? — возмутился Юра. — Давно ангиной не болели?

— Давно, дядь Юр, очень давно, — хихикнула одна.

— А клево было бы заболеть, — мечтательно промурлыкала другая, — завтрашнюю тренировку сачкануть!

— Пап, это они чтоб запах отбить, — объяснил Глеб, — вот была бы у тебя жвачка в кармане... Кать-Маш, пока!

— Пока-пока! — Близнецы скрылись за калиткой.

Трехэтажная дерябинская дача стояла на отшибе, у самого берега Сони. За рекой в лунном свете тускло блеснули монастырские купола.

— Пап, бабушка сказала, ты во вторник улетаешь. У тебя какие планы? — спросил Глеб.

— Завтра юбилей тети Наташи и маленькой Наты, надо съездить.

— Я с тобой!

— Конечно. Как мама?

— Нормально. Сегодня утром на работу умчалась, вызвали срочно, там выпускающий редактор заболела.

Вера работала в ИТАР ТАСС, ее действительно могли выдернуть в любой момент, но Юре стало обидно: «Почему именно сейчас? Интересно, уехала до маминого звонка или после? Вообще, знает, что я прилетел?»

— Обещала вернуться в воскресенье, просила тебя поцеловать. — Глеб вытянул губы трубочкой, издал громкий чмокающий звук.

В гостиной работал телевизор. Юра и Глеб вошли под вопль «Гол!!!».

Генерал, Иван Поликарпович, орал дуэтом со спортивным комментатором, подскакивал на диване и шлепал себя по коленкам. Генеральша, Евгения Романовна, сидела в углу, в кресле под торшером, с книгой в руках.

— Ваня, угомонись и сделай тише! — Она подняла глаза, увидела зятя и внука. — О, Юрочка, наконец-то!

Отложила книгу, встала навстречу, символически поцеловала, аккуратно прикасаясь щекой к щеке.

— Видишь, как неудачно, Верочке утром позвонили, срочно вызвали.

— Да, Евгения Романовна, знаю, но ничего, я только во вторник утром назад, так что увидимся.

— Расстроилась, конечно, — генеральша вздохнула, — просила тебя поцеловать. — Она опять прикоснулась щекой к щеке, потом повернулась к мужу: — Вань, ты совсем сдурел со своим хоккеем?

Генерал вскочил с дивана. Уж он-то целовался по-настоящему, по-брежневски, мокро, в губы.

— Привет, разведка, здравия желаю! Жень, глянь, как отощал Юрка наш в своей Черножопии, сообрази-ка что-нибудь пожрать! Ну, разведка, докладывай, как там обстановка на Африканском континенте?

Докладывать не пришлось. Голос спортивного комментатора зазвучал громче, Иван Поликарпович мгновенно переключился с зятя на телевизор, скорчился, словно у него прихватило живот, тонко жалобно простонал: «Блядь!» — и прилип к экрану, бормоча:

— Давай-давай-давай!

— Супу куриного согреть? — спросила генеральша.

— Спасибо, Евгения Романовна, так устал, что есть не хочется, с шести утра на ногах.

— Ба, папа будет чай с Нюсиным пирогом, — подсказал Глеб.

Кроме прапорщика Валеры на даче служили домработница Люся и повариха Нюся, обе пожилые, солидные. Нюся славилась своими яблочными пирогами.

На втором этаже, в их с Верой комнате, как везде в доме, царил идеальный порядок, стерильная чистота. В шкафу на положенном месте висели Юрины старые джинсы и фланелевые ковбойки. Пока он переодевался и умывался, Глеб рассказал об идиотке-завуче, из-за которой постригся наголо, и выдал очередной анекдот:

— Вопрос армянскому радио: «При капитализме человек эксплуатирует человека. А при социализме?» Отвечаем: «При социализме — наоборот».

Внизу кипел большой электрический самовар. Хоккей кончился. Люся и Нюся тихо сновали из кухни в столовую и обратно. Кроме Нюсиного пирога они принесли много всего: вазочки с вареньями, печеньями, конфетами, подогретые калачи, тонко нарезанные сыр и салями. Глеб схватил со стола конфету, с этажерки в углу книжку, английское издание Сэлинджера «Над пропастью во ржи», плюхнулся на диван, открыл на заложенной странице.

Генерал сидел за столом и колол здоровенными плоскогубцами грецкие орехи. Генеральша рядом, все еще с книгой в руках. Юра взглянул на бумажную обложку: А. Авторханов «Загадка смерти Сталина».

Евгения Романовна перехватила его взгляд:

— Да вот, приходится читать всякую дрянь, — она кивнула на мужа, усмехнулась, — за себя и за того парня.

Когда на Западе выходил очередной труд кого-то из видных антисоветчиков, издательство «Мысль» выпускало его закрытым тиражом, от пятидесяти до ста экземпляров, «для служебного пользования». Тираж бесплатно распространялся среди партийной элиты. Генералу по должности полагалось быть в курсе новинок вражеской пропаганды, но читать он не любил. Кроме хоккея и подкидного дурака больше пяти минут ни на чем не мог сосредоточиться. За него читала Евгения Романовна и пересказывала ему своими словами.

— Ну, что, разведка, коньячку? — Генерал с треском расколол орех, подмигнул.

— Спасибо, Иван Поликарпович, не откажусь.

Чокнулись маленькими хрустальными рюмками. Юра только пригубил, генерал выпил залпом и заорал:

— Отставить избу-читальню! Глеб, марш за стол! Женя! — Он выхватил у нее книгу. — Ну-ка, что там этот фашистский прихвостень наклеветал на товарища Сталина?

— Пишет, что он умер не своей смертью, — объяснила Евгения Романовна и стала разливать чай.

— Америку открыл! — Иван Поликарпович хлопнул книгой по столу и рявкнул: — Конечно, не своей! Они его убили!

— Ну чего ты опять разорался? — Генеральша поморщилась. — Кто — они?

— Ясно, кто! Троцкисты-сионисты! Жиды! Докторишки жидовские! Если бы не они, был бы жив товарищ Сталин!

— До сих пор? — спросил Юра.

— Да! Товарищ Сталин отличался крепким здоровьем! — Иван Поликарпович опять шарахнул книгой по столу. — И с немцами нас троцкисты-сионисты нарочно стравили! Товарищ Сталин уже обо всем договорился, а жиды, суки, наклеветали, рассорили, вот немцы и напали на нас вероломно. С немцами, единым фронтом, мы бы ихнюю сраную Америку, гнездо сионизма, давно бы в порошок стерли!

Глеб присвистнул, покачал головой:

— Дед, слушай, как ты вообще живешь с такой кондовой психикой, не врубаюсь?

— Молчать!

Глеб хохотнул, подвинулся ближе к Юре, шепнул на ухо:

— Это от одной рюмки.

— Ваня, угомонись, чаю выпей. — Евгения Романовна взяла у него книгу, взглянула на Юру. — Не обращай внимания, он только дома такой дурак.

— Мг-м, а на службе Сократ, — проворчал Глеб.

Юра улыбнулся и не сдержал зевок. Глаза закрывались.

— Иди уж, ложись, на тебя смотреть больно, — сказала генеральша.

Глеб прихватил Сэлинджера и кусок пирога, поднялся на второй этаж вместе с Юрой.

— Пап, завтра до тети-Наташиного юбилея на лыжах успеем покататься?

— Мг-м, — Юра погладил его по бритой голове, — разбудишь меня пораньше — успеем. Спокойной ночи.

* * *

Федор Иванович извлек из диктофона кассету, опять натянул перчатки и занялся содержимым лиловой папки. Нашел страницу, на которой в углу, простым карандашом, было написано «Образец», взял лупу. Да, похоже, листовка и кусок текста про вирусы и бактерии напечатаны на одной и той же машинке. Он аккуратно сложил все назад, туда же сунул кассету и завязал шнурки папки.

За неприметной дверью в глубине кабинета была комната отдыха. Там имелся дополнительный маленький сейф. Толстая стальная дверца беззвучно распахнулась. Уралец положил папку на свободную верхнюю полку, постоял, подумал. На нижней белели банковские упаковки рублей, долларов и фунтов стерлингов. Деньги казенные, подотчетные, выданы под расписку, на оперативные расходы. Рядом, в резной деревянной шкатулке — именной пистолет и коробка с патронами. За сундучком пряталась продолговатая облупленная жестянка из-под импортных конфет. В ней хранилось спецсредство — одноразовый шприц, замаскированный под авторучку и содержащий смертельную дозу отравляющего вещества скрытого действия. Такие спецсредства подлежали строжайшему учету. Федор Иванович обязан был сдать ручку-шприц в спецлабораторию еще три года назад.

В семьдесят четвертом случилась история. Молодой журналист-международник крутил роман с внучкой члена Политбюро, дело шло к свадьбе, и тут выяснилось, что жених под псевдонимом сочиняет издевательские фельетоны, высмеивает высшее руководство партии и правительства, в том числе деда своей невесты, поливает грязью семью, в которую его готовы принять, партию, в которой он состоит, страну, в которой живет. Фельетоны живо расходились в самиздате, попадали в западную прессу. Разрулить это аккуратно, без скандала, без информационных утечек, не получалось. Писанина подонка стремительно набирала популярность, внучка члена Политбюро слышать ни о чем не желала, истерила, грозила покончить с собой, если их разлучат.

Бибиков устал получать клизмы от Ю. В. за безобразные выходки подонка, но даже заикнуться не смел о том, что тут возможно единственное решение. А подонок продолжал издеваться, накатал фельетон про Пятое управление, под названием «Пяткой по лбу». Вот тогда Уралец и Бибиков, по-тихому, на свой страх и риск, принялись разрабатывать спецмероприятие. Продумали все до мелочей, наметили кандидатуры исполнителей из числа агентов, внедренных в близкое окружение подонка.

У него был врожденный порок сердца. Это существенно облегчало задачу. Самая дотошная экспертиза не сумела бы обнаружить признаков насильственной смерти. И никаких клизм от Ю. В. Ну, врожденный порок у человека, что тут скажешь?

Когда все было готово и осталось только дать отмашку исполнителю, поступила информация об очередной выходке подонка, на этот раз последней. Он скоропостижно скончался от внезапной остановки сердца, сам, без посторонней помощи. Ю. В. потом намекнул Бибикову, мол, дедушка, член Политбюро, на заседании как-то особенно тепло посмотрел ему в глаза и долго, с чувством жал руку. А неиспользованное спецсредство осталось лежать в потаенном сейфе Федора Ивановича. Начальник спецлаборатории выдал им его тогда без расписки, только чиркнул что-то в журнале регистрации.

Начальник ушел на пенсию, журнал лег в архив. Возвращать спецсредство сейчас, через три года, было сложней и хлопотней, чем просто забыть о нем. Ну, лежит себе и лежит, кушать не просит.

Федор Иванович тряхнул головой, обнаружил, что уже минуты две неподвижно стоит перед распахнутым сейфом, уставившись на облезлую сине-красную жестянку. Сотни раз открывал и закрывал сейф, а жестянку в упор не видел. Почему вдруг заметил, вспомнил?

Ох, не хотелось отвечать самому себе на этот вопрос. Он закрыл сейф, зашел в маленький санузел. В ярком свете люминесцентной лампы увидел в зеркале усталое, постаревшее лицо, мешки под глазами. На щеках поблескивала неприятная седая щетина. Он снял рубашку, побрился, умылся прохладной водой. Потом переоделся. Вместо брюк — джинсы, вместо рубашки — шерстяная клетчатая ковбойка, вместо пиджака — мягкий свободный джемпер на пуговицах, с большими карманами. Позвонил по внутреннему телефону, приказал подать машину.

Глава тридцать вторая

Влад сидел в своем кабинете, просматривал газеты. Допросы отменили. Соколов предупредил утром, что будет оперативка, но в котором часу, не сказал. Внутренний телефон молчал. В коридорах тишина.

Глаза медленно ползли по газетным строчкам: «Кровоизлияние в мозг случилось в московской квартире...»

Влад кивал, шептал:

— Так-так-так... В квартире двойник, Сам на Ближней, никуда не выезжал, удалил всю сволочь. С ним только посвященные. Почему я не там? Потому, что обязан быть здесь.

Третий день по радио звучала печальная классическая музыка, в новостях передавали прогноз погоды. Вместо утренней и производственной гимнастики — все та же музыка.

Сводки о тяжелой болезни товарища Сталина по радио не зачитывали, только в газетах публиковали, и это правильно. Ширнармассы почти не читают газет, в основном радио слушают. Тактика и стратегия такие: ширнармассы надо держать в неведении, в напряжении, пусть трепещут, молятся, за него и на него. А вот заговорщики, наоборот, должны расслабиться, поверить в свою победу, потерять бдительность.

В кабинет без стука ввалился Гаркуша. Завоняло перегаром. Забойщик едва держался на ногах. Рожа красная, глаза мутные.

— Влад, у тебя там в шкафчике не осталось?

— Паш, ты же знаешь, я в шкафчике спиртное не держу.

— Знаю, — Гаркуша шмыгнул носом, — я так, на всякий случай. Слышь, оперативка-то сегодня будет или нет?

Влад молча пожал плечами.

— В буфет, что ли, слетать? — задумчиво пробормотал забойщик.

— Слетай.

— На тебя брать?

— Возьми.

Гаркуша исчез, а вонь перегара осталась. Влад открыл форточку, вышел из кабинета, прошагал по пустому коридору туда-обратно. Встретил полковника Соколова, спросил про оперативку.

— Да никто ни хера не знает! — Соколов махнул рукой и, пошатываясь, двинулся дальше. От него тоже разило перегаром.

Влад вернулся в кабинет, подождал еще немного, но ничего не менялось, по-прежнему тишина, пустота. Гаркуша прилетел из буфета с бутылкой «Столичной», налил в оба стакана, стоявшие возле графина с водой. Один протянул Владу прямо под нос:

— Давай-давай-давай, за здоровье товарища Сталина, чтоб скорей поправился!

Влад брезгливо отстранил его руку:

— Товарищ Сталин и без твоей водки поправится.

Гаркуша выпил из одного стакана, потом из другого, занюхал рукавом, сказал:

— Ну, и хуй с тобой! — и ушел, обиженный.

Влад остался один, продолжил думать о тактике и стратегии, выстраивать версии, но успокоиться не мог. Трясло все сильней. Досчитал до двадцати, до ста, до тысячи. Не помогло. Мелькнула мысль: зайти в камеру к номеру пятьдесят три, провести очередной допрос? Но это была плохая идея. Он чувствовал: если увидит ее сейчас, на пике напряжения, сдержаться точно не сумеет. Прикончит, задушит, размозжит ей голову об стену и таким образом собственными руками сорвет операцию «Свидетель» в самый решающий момент.

Прошло еще полчаса. Он сидел неподвижно, газет не читал, ни о чем не мог думать. Нижнее белье под кителем и сам китель пропитались потом, едким, как кислота. Кожа горела, зудела. Вдруг знакомый родной баритон отчетливо произнес:

«Товарищ Любый, вам надо беречь силы. Отдохните. Время еще есть».

— Так точно, товарищ Сталин! — *прошептал Влад.*

Прежде чем отправиться в Тушино, отдыхать и получать свое законное мужское удовольствие, он заехал домой, принял душ, переоделся в чистое, штатское. Вышел из квартиры, спустился по лестнице. В вестибюле работало радио. Дежурный в стеклянной будке его не заметил. Внимательно читал «Правду» и слушал классическую музыку. Влад выскользнул из подъезда, зашагал к метро.

В поселке мигали фонари. Дверь на веранду была приоткрыта. Горела верхняя лампа. С крыльца, из темноты, он увидел Шуру в шубке, в ботах. Она стояла перед буфетом, где в холодное время хранились скоропортящиеся продукты, и складывала в сумку масло, сыр, ветчину.

— А, привет! Не ждала тебя сегодня. Бабушке нездоровится...

Он молча отнял у нее сумку, ногой захлопнул дверь веранды.

— Влад, мне правда срочно надо к бабушке. — *Она попыталась вывернуться:* — Перестань, сейчас не время... бабушка... вот, и товарищ Сталин тоже заболел, ну, нельзя сегодня, нехорошо...

Он втащил ее в комнату. Из динамика лилась все та же музыка. Шура сказала:

— Ладно, если так прям невмоготу, давай, но только быстро, и я к бабушке поеду.

Влад молча повалил на ковер, задрал юбку. Но свои брюки никак не мог расстегнуть, настолько сильно его трясло.

Шура больше не сопротивлялась, даже наоборот, принялась помогать ему, поторапливать. От ее прикосновений желание стало таким мощным, что, казалось, он сейчас лопнет, взорвется изнутри. Но почему-то не получалось. Он пробовал снова и снова. Не получалось. Сквозь гул в ушах и музыку из динамика доносилось ее бормотание:

— Ну, я же говорила, нельзя, нехорошо... бабушка... товарищ Сталин... перестань, Влад, хватит...

Он не разбирал слов, она бормотала на каком-то чужом древнем языке, накладывала на него свое страшное заклятие, лишала мужской силы. Он слышал, читал о таких вещах, еще подростком. Боялся этого больше всего на свете. Желание остается, причем бешеное, нестерпимое, а силы мужской нет. Конечно, она ведьма, мать права. Не случайно, пока был с ней, на других даже не смотрел, только о ней и думал, к ней одной тянуло. Ясно, приворожила его при помощи гипноза и древней магии, ведьма.

— Все, Влад, пусти, ну, ты же сам видишь, ничего не получается...

Печальная музыка внезапно смолкла. Голос Левитана громко, медленно произнес:

— Внимание! Работают все радиостанции Советского Союза. Центральный Комитет Коммунистической партии Советского Союза, Совет Министров СССР и Президиум Верховного Совета СССР с чувством великой скорби...

Влад на мгновение ослабил хватку, и Шура выскользнула из-под него, как ящерица.

— ...Пятого марта в девять часов пятьдесят минут вечера после тяжелой болезни скончался Председатель Совета Министров Союза ССР и Секретарь Центрального Комитета Коммунистической партии Советского Союза Иосиф Виссарионович Сталин...

— Ой! — Шура прижала к лицу ладони. — Ой, какой ужас! Влад! Сталин умер! Ты слышишь? Встань и надень штаны!

Дрожь прошла, словно ток выключили. Он натянул и застегнул брюки. Шура стояла к нему спиной, поправляла волосы, бормотала:

— Умер, надо же... Что теперь будет? А вдруг улицы перекроют? Как я до бабушки доберусь?

Из динамика продолжал звучать голос Левитана:

— Бессмертное имя Сталина всегда будет жить в сердцах советского народа...

В голове неслось: «Нет, невозможно, официального сообщения быть не должно... Надо что-то делать, срочно, сию мину-

ту... Ведьма, оборотень, одна из них... Здесь и сейчас, надо что-то делать».

У печи на табуретке лежал Филин топорик. Слабоумный иногда забывал его, потом возвращался. Значит, скоро явится.

Влад взял топорик, перехватил топорище поудобней, прицелился и тюкнул ведьму, так ловко, так удачно, что хватило одного удара. В висок попал. Она даже не успела крикнуть. Кровь замарала только лезвие.

Быстро, но спокойно, стараясь не бежать, он шел по улице, в сторону трамвайной остановки. Притормозил под мигающим фонарем, еще раз внимательно осмотрел свою одежду. Если и попала кровь, то на черном пятна незаметны. Зачерпнул горсть снега, обтер лицо, руки. Когда сел в трамвай, поймал свое отражение в темном стекле. Лицо серьезное, скорбное, как положено в такой день.

Конечно, Шура, была ведьмой. Сходство с Ласкиной не случайно. Одна порода. Только про Ласкину все было ясно с самого начала, да и функции у нее совсем другие, а про Шуру он понял слишком поздно, подпустил к себе слишком близко.

Очень долго он не мог привыкнуть к ее ночным визитам. Когда переехал, наконец, из коммуналки в отдельную квартиру, осторожно, по-тихому, позвал попа, освятить. Поп сделал все, что положено, взял червонец.

Следующей ночью Влад увидел Шурин силуэт, отраженный в стеклах новенького полированного серванта. И даже обрадовался. Да, ведьма, но как ни крути, она много значила в его жизни. Только с ней он узнал, что такое настоящее мужское удовольствие, от одних лишь воспоминаний бросало в жар. Больше ни с кем ничего подобного не испытывал. Все прочие связи казались пресными, диетическими, часто вообще не получалось, и с годами становилось все хуже. Ведьма успела наложить на него заклятие.

Впрочем, эта проблема давно отошла на задний план. На фоне его миссии — мелочи, пустяки.

* * *

Федор Иванович открыл своим ключом дверь на третьем этаже
старого дома в Горловом тупике, бесшумно прошел по коммунальному коридору, проскользнул в одну из комнат, включил
карманный фонарик, разглядел окно, холодильник, стопку книг
на табуретке, торшер, единственный стул, заваленный чем-то,
узкую тахтенку у стены, силуэт спящего человека.

Спящий завертелся.

— Тихо, Руслан, это я, — прошептал Федор Иванович.

Руслан резко сел, спросил шепотом:

— Иван Олегыч, вы? Че случилось? Который час?

— Половина второго. — Федор Иванович включил торшер,
погасил фонарик. — Извини, что разбудил. Поговорить надо.

— Ага, ага! Да вы раздевайтесь, располагайтесь.

Руслан, высокий, худой, кривоногий, слегка сутулый, в тельняшке и черных сатиновых трусах, прошлепал босиком к стулу,
сгреб с него наваленную грудой одежду. Маленькие, припухшие
со сна глазки щурились, тревожно косились на генерала.

— Вот уж не ждал такого гостя, да вы присаживайтесь. — Он
кашлянул, пригладил короткие жидкие волосы цвета мешкови-
ны. — И угостить-то нечем.

— Спасибо, Руслан, я сыт. Кто там у тебя за стенкой?

— Толян. Спит как убитый.

— Хорошо. — Генерал снял дубленку, повесил на крюк у двери, подвинул стул, сел.

Руслан включил электрический чайник, достал пачку печенья.

— Сахар кончился, а заварка свежая, сегодняшняя.

— Сядь, не суетесь! Вика сюда кого таскает?

— Кто?

— Тошка, — уточнил Федор Иванович. — Кого она сюда таскает и зачем? — Он сунул руку в карман джемпера, включил
диктофон.

— Так Захарыч сказал, вы курсе, с вами все согласовано.

— Мг-м. — Генерал скривился, помолчал, процедил сквозь
зубы: — Я-то в курсе, хочу тебя послушать.

— Звать Антон, фамилия Качалов, артист.

— Зачем он здесь бывает?

— Так он зять ее, ну, номера пятьдесят три. — Руслан принялся разворачивать печенье, громко зашуршал оберткой.

— Сядь! — повторил Федор Иванович и кивнул на тахту. — Ты вообще, понимаешь, кто такая номер пятьдесят три?

— Понимаю. — Руслан оставил в покое печенье, сел, зашептал: — Она микробов изобрела, которые только русских заражают, а для евреев безвредны. Расовое оружие. Русские заразятся и умрут, кто выживет, попадет в жидовское рабство. Заражение русских микробами — часть глобального заговора сионистов. Они планируют к двухтысячному году захватить мир. На самом верху все жиды. Андропов чистокровный, у Брежнева жена. Кроме нас, никто их не остановит. Высший уровень конспирации. Знаем только мы, посвященные, Белая Сила.

Уралец в очередной раз мысленно обматерил Любого: «Вот такая, значит, у тебя тут осознанность и идейная сплоченность. Мудозвон! Сам ты и есть микроб, расовое оружие!»

Вслух он спросил:

— Зять тоже посвященный?

— Не-е, Тосик не при делах. — Руслан шмыгнул носом. — Тошка его охмурила, крутит им как хочет.

— Как на него вышли?

— Так Тошка и вышла. Захарыч координаты дал, у Тошки знакомых куча, выяснила, с кем он тусуется, и вперед. Через него ключи от квартиры и телефон домашний-рабочий…

— Звонили зачем?

— В целях психологической обработки, ну, вы же в курсе…

— Да-да, Руслан, я в курсе. Дальше.

— Звонили по очереди, молчали. Потом Захарыч велел текст озвучить. Толян на работу ей дозвонился, озвучил.

— Что за текст?

Руслан надул щеки и важно, будто отвечал у доски, продекламировал:

— «Ты, ведьма, жидовская сука, думаешь, выкрутилась, ускользнула? Не надейся, все еще впереди!»

Закипел чайник. Руслан выключил, убрал книги с табуретки. Мелькнули знакомые обложки: В. Бегун «Сионизм — орудие реакции», Ю. Иванов «Осторожно, сионизм!», Т. Кичко «Иудаизм без прикрас». Из запрещенных Федор Иванович заметил Ю. Емельянова «Десионизация» и «Протоколы сионских мудрецов». Вспомнил, что «Протоколы» Влад недавно перевел на арабский, сделал новую адаптированную версию специально для палестинцев.

Руслан сложил книги в стопку на полу, подвинул табуретку, поставил чашки, фаянсовый чайник.

— Так все-таки, зачем зять-артист тут ошивается? — Генерал усмехнулся. — Хороша конспирация!

Руслан налил заварку в чашки, пожал плечами:

— Оперативная необходимость.

— В чем конкретно необходимость?

— Ну, Тошке надо где-то с ним трахаться, — он оскалил серые зубы в кривой похабной улыбке. — Тошка ваще неуемная, присказка у нее: мужиков и шмоток много не бывает. Когда в квартиру проникла, кофту там какую-то сперла, хвасталась: боевой трофей!

«Ох, Славка, Славка!» — вздохнул про себя Федор Иванович, а вслух спросил:

— Не боялась микробами заразиться?

— А, — Руслан махнул рукой, — ей все по приколу.

— Бумаги тоже Тошка взяла?

— Не-е, она в этом ни хера не понимает. Рекогностировку провела, ключи добыла. Бумаги сам Захарыч взял, недавно, перед Новым годом. Потом ночью сюда пришел, с Амилем. Собрал нас, показал сионистскую листовку, зачитал нам по-русски, Амилю — на арабский перевел. Листовка напечатана на машинке номера пятьдесят три. Захарыч сказал, наступает решающий этап борьбы. Час Икс. Мы должны быть готовы.

У Федора Ивановича пересохло во рту, он сглотнул и сипло спросил:

— Готовы к чему?

— К Часу Икс.

— Что значит — Час Икс?

— Решающий этап борьбы.

— А конкретней?

— Конспирация высшего уровня. Вслух об этом вообще нельзя, у стен есть уши, и на улице нельзя, у домов, у деревьев тоже уши. Сказал, в Час Икс мы сами поймем. Все поймут.

Генерал отхлебнул чаю и чуть не поперхнулся. Отвратительное безвкусное пойло. Подумал: «Что же ты затеял, сволочь? Палестинцев привлек. К чему именно? Разговор по душам... Ха-ха! С кем говорить? Нет больше Влада, есть псих, абсолютно неуправляемый и крайне опасный».

— Я вот еще слышал, — продолжал Руслан. — Тошка спросила Захарыча: теперь можно Тосика на хуй послать? Мол, надоел. А Захарыч ей: погоди, успеешь, и про какую-то кинокамеру...

— Кинокамеру? — Уралец сунул в рот сигарету, протянул пачку Руслану: — Угощайся.

— Спасибо, а то мои закончились. — Он прикурил, поставил на табуретку грязную вонючую пепельницу.

Федор Иванович поморщился.

— Да... Ну, так что про кинокамеру?

— Тошка говорит: а нельзя какую-нибудь другую? Он: нет, именно эта нужна. Она: а если не принесет? Он: смотря как попросишь. Ну, вчера днем Тосик пришел, принес. А тут вдруг Тошкин отец заявился, без предупреждения. Застукал их у Маринки. Ладно, Тошка вроде разрулила, отца выпроводила, носилась туда-сюда, камеру Вовану отдала. Вован Захарычу передал. Я так прикинул, она, наверное, к Часу Икс нужна, камера эта. Потом Вована спрашиваю: он че, кино снимать собирается? Вован говорит: без понятия, он нам не отчитывается.

«А кому? Кому он отчитывается? — Федор Иванович брезгливо ткнул недокуренную сигарету в пепельницу. — Может, потрясти Вику? Нет, слишком рискованно, да и без толку. Ей он тоже не отчитывается. Конспирация высшего уровня, мать твою! Что ж я за идиот? Сел на пороховую бочку и расслабился. Одно неверное движение...»

Федор Иванович заметил, как тревожно бегают у Руслана глаза, поймал его взгляд:

— Ты какой-то нервный сегодня. Неприятности? Помощь нужна?

Руслан поерзал, пробормотал:

— Да неудобно вроде, ерунда, как говорится, проза жизни, но раз уж вы спросили… Мне, понимаете, кроме вас, посоветоваться не с кем, перед пацанами придурком обиженным выглядеть неохота, оборжут, скажут, жалуюсь, да еще ему же и стукнут…

— Давай не тяни, выкладывай!

— Ну, у него там, на Шаболовке, ремонт закончился, он и говорит: проводку посмотри, рабочие чего-то напортачили. Я приехал, посмотрел — да, напортачили крепко. Пришлось исправлять. Он даже спасибо не сказал, трешку мятую из кармана достал и мелочь, копеек пятьдесят, на тумбу бросил.

— Мг-м… — Федор Иванович прищурился. — Так ты с проводкой полностью разобрался?

— Еще в ванной осталось кой-че поменять, заземлить, нормальное УЗО поставить. Я вот как раз хотел посоветоваться…

— Погоди-погоди, — перебил Уралец, — я, конечно, не великий специалист, но без заземления, без УЗО, с ненадежной проводкой, ванной пользоваться нельзя, опасно.

— Он и не пользуется, я предупредил.

— Где же он моется?

Руслан пожал плечами:

— Без понятия. Когда я к нему ходил, он уже на Шаболовке ночевал, злился, что помыться нельзя. Пока ремонт шел, он кантовался где-то, может, там пока и моется.

Генерал вспомнил, что сам же и выхлопотал для Влада на время ремонта казенную квартиру, из тех, куда селили иногородних преподавателей и аспирантов ИОН. Москвичам со своей жилплощадью такие квартиры не полагались. Владу дали в виде исключения, только до Нового года.

— Руслан, скажи, а вы с ним как договаривались? — спросил он после долгой паузы.

— О деньгах? Да неудобно к нему с такими вопросами, он же, это самое, гуру, все о высоком, о новом мировом порядке.

— Ладно, с деньгами и мировым порядком ясно. О времени договаривались заранее? Он тебя ждал? Дома был?

— Ага, как же, будет он ждать меня, дома сидеть! Кто я и кто он? В первый раз на своей машине привез, потом просто ключ дал. Теперь вот не знаю, либо сразу ключ ему вернуть, либо все же заехать, доделать, ванной-то пользоваться нельзя. Но че-то мне влом к нему переться. Я электрик первого разряда, старался, провод медный, двужильный, розетки югославские, на свои кровные, с переплатой, а он мне трешку с мелочью. Это ж, если по чеснóку, беспредел, он хоть и гуру, и с пропиской помог…

— Руслан, с пропиской помог я, — тихо отчеканил Федор Иванович, — а знаешь, почему он так с тобой поступил? Потому что ты и все вы для него расходный материал. Он вас использует, чтоб вы на него бесплатно пахали…

— Ага, ага, трешка с мелочью это ваще, хуже чем бесплатно…

— Не перебивай, слушай внимательно! Он использует вас втемную в своей грязной игре. Очень грязной и очень хитрой. Есть подозрения, что Захарыч не тот, за кого себя выдает.

— Так он чего, жид, что ли? — Руслан вытаращил глаза.

Генерал нахмурился, долго молчал, наконец произнес ровным спокойным голосом:

— Есть серьезные подозрения, что Захарыч глубоко законспирированный агент сионистской разведки.

— Сионистской? — ошеломленно прошептал Руслан.

— Мг-м.

— А как же палестинцы? У них особое чутье, нюх звериный. Почему не почуяли?

— Не почуяли. Ну и мы, конечно, облажались.

— Нет, погодите! — Руслан помотал головой. — Я че-то не врубаюсь. А микробы? А номер пятьдесят три?

— Номер пятьдесят три — пешка. Отвлекающий маневр. Он таким образом прикрывает реальных разработчиков расового оружия, переключает внимание с них на нее, а она никто.

Руслан сморщился, постучал кулаком по своему тощему колену:

— Блядь! Я так и думал! Если она там у них важная фигура, почему они ее ваще не охраняют? Похитить, мочкануть — как делать не фиг!

«И правда, — усмехнулся про себя Федор Иванович, — как делать не фиг! Ты, Влад, за эти годы сто раз мог аккуратно ликвидировать ее и успокоиться, если уж невмоготу, если до сих пор переживаешь, что ни хера она тебе не подписала. Ан нет, тихоскромно — не твой масштаб. Ты все о высоком, о вечном, о новом мировом порядке... Час Икс... Что ж ты задумал, микроб?»

— Ну, а его-то самого почему не винтят? — спросил Руслан. — Если все с ним ясно, че ж не винтят?

— Не все, далеко не все. Мы давно за ним следим, но полной ясности пока нет, не хватает доказательств. — Федор Иванович помолчал и добавил: — Вот только когда их наберется достаточно, когда он устроит тут свой Час Икс и его возьмут — будет поздно.

Руслан судорожно сглотнул, просипел:

— В каком смысле — поздно?

— Отмазать тебя я уже не сумею. Следствие, суд. Для меня это отставка, увольнение, а для тебя, для всех вас, — срок. Не исключено, даже и «вышак», при худшем раскладе, потому что судить вас будут как его сообщников, агентов сионистской разведки.

Руслан выдал матерную тираду, потом тихо, жалобно спросил:

— Иван Олегыч, че ж делать?

— Что делать? — Генерал прищурился, задумчиво произнес: — Ему бы сейчас исчезнуть...

— Сбежать, что ли?

Федор Иванович молча помотал головой. Руслан нахмурился, подумал минуту, потом кивнул:

— Ага, ага!

— Ну, во-от, — протянул генерал, — тогда я, пожалуй, сумел бы аккуратненько спустить это дело на тормозах, тебя отмазал бы без проблем.

Руслан замер. Генерал поймал его взгляд и уже не отпускал, смотрел пристально, в упор, говорил медленно, мягко:

— Ты съезди-ка Шаболовку, как же он без ванной? Рабочие напортачили, а ты исправь. Нельзя так оставлять. Ну, не мне тебя учить, электрик первого разряда. — Федор Иванович улыбнулся своей фирменной улыбкой. — Утречком сегодня, пораньше, съезди, сделай, чтоб он там нормально помылся. Заодно ключ вернешь.

* * *

Галанов лежал на диване в своем кабинете, машинально листал свежий литературный альманах и думал: «Неужели предстоит еще одна бессонная ночь?»

Заглянула Оксана Васильевна в халате поверх ночной рубашки, широко, сладко зевнула, спросила:

— Слав, ты спать собираешься?

— Да, Ксанчик, иди ложись, я скоро.

Она взяла со стола кружку с недопитым чаем:

— Конечно, если пить на ночь такой крепкий, глаз не сомкнешь. — Она чмокнула его в лоб и вышла.

Вячеслав Олегович встал, прошелся по кабинету, остановился у полки, где стояли рядком вишневые корешки с золотым теснением: «Вячеслав Галанов. Заветные тропы исканий». Сморщился:

«Боже, какая пафосная слащавая глупость! Зачем я это написал? Для кого? Как мог скатиться до такой дешевки и не заметить? Врал себе, что получилось хорошо, гладко, профессионально, вон, и Любому понравилось».

Галанов крепко выругался, открыл нижний ящик стола, вытащил из глубины толстую папку, развязал тесемки. Он давно хотел перечитать свою военную повесть «Вещмешок». В папке хранились все три экземпляра.

Он помнил, как писал каждый абзац. Вот здесь неслось, летело, будто диктовал кто-то, только записывать успевай, а здесь застрял, мучился, вычеркивал, правил до бесконечности.

Парадокс: три толстые книги, журнальных публикаций сотни. Все, что написал, опубликовано. Все, кроме «Вещмешка», а ведь это лучшая его вещь. В сорок седьмом послушал маститого критика, спрятал и никому не показывал. Боялся.

Два экземпляра хранились в сундучке Елены Петровны, рядом с томиками Бунина. Один остался у него.

В сорок девятом, на четвертом курсе, он выступал на собраниях, строчил статьи, разоблачал космополитизм, преклонение перед Западом и подлые попытки под видом так называемых литературоведческих исследований принизить величие русской культуры. Утешался тем, что, в отличие от прочих разоблачителей, имен никогда не называл, никому конкретно своей писаниной не навредил. Статьи сначала выходили в институтской многотиражке, потом — в «Литературной газете». Поступил в аспирантуру, защитил кандидатскую на тему «Коллективизация и воспитательная роль партии в советской прозе 1930-х годов».

Почему выбрал такую пустую, мертвенно скучную тему? Потому, что из всех возможных она показалась ему самой безопасной в смысле космополитизма и преклонения перед Западом. Зачем вообще все это делал? Тогда иначе нельзя было, хотел в Союз писателей вступить, печататься, квартиру хотел хорошую. О даче мечтал. На природе легче пишется.

Диссертация вышла отдельной книгой, Галанова приняли в Союз писателей, и почти сразу он пробился в члены Правления Московской писательской организации.

Шестого марта пятьдесят третьего он приехал в Горлов. Официального сообщения о смерти еще не прозвучало, но все уже было ясно. Ждали команды по радио, чтобы начать рыдать. Галанову рыдать было неохота, противно. Он давно уж отдал себе отчет, что ненавидит товарища Сталина, как может ненавидеть фронтовик тыловую крысу, которая командует фронтами и жрет собственных солдат. Если бы официальное сообщение застигло его в редакции, в институте, дома, с женой, тещей и тестем, пришлось бы изображать скорбь. А в Горлове, с мамой, с Еленой Петровной, ничего изображать не нужно.

Елена Петровна лежала на кровати, в домашнем байковом платье, поверх покрывала. Глаза закрыты. В комнате пахло лекарствами. Она тяжело, хрипло дышала. Он склонился над ней:

— Может, «Скорую»?

Она открыла глаза, слабо улыбнулась:

— Славочка, хорошо, что ты пришел. Шуру... Привези Шуру...

Говорила с трудом, но продиктовала адрес в Тушино, объяснила, как ехать, как идти от трамвайной остановки.

— Все, беги. Нет, стой! Потом возьмешь из сундучка твои два экземпляра. Бунин тоже твой, тебе он нужней, чем Шуре. Славочка, ты, главное, пиши, пусть в стол, но пиши!

Прежде чем убежать, он попросил свою маму вызвать «Скорую» и зайти к Елене Петровне.

Когда вышел из трамвая, уже стемнело. Фонари мигали, то ярко вспыхивали, обливали желтым огнем серый снег, то гасли, и повисала темнота. Точно так же мигали окна ветхих деревенских домишек по обеим сторонам улицы. На каждом углу торчали столбы с динамиками. Звучала музыка Грига.

Он заблудился, проскочил нужный поворот. Остановился, пытаясь разглядеть название улицы, и вдруг музыка смолкла. Заговорил Левитан.

«Ну, вот и все», — подумал Галанов.

Почему-то вспомнилась строчка из «Гамлета»: «Ступай, отравленная сталь, по назначенью!» Масштаб и смысл события не сразу до него дошел. Не до того было, искал нужный дом, самый добротный в поселке, с верандой и садиком. Огляделся, чтобы спросить дорогу, но как назло ни души. Повернул за угол и заметил на другой стороне улицы одинокий мужской силуэт.

Мужчина в длинном пальто с меховым воротником, в меховой шапке «пирожок» стоял, согнувшись, под фонарем, сгребал снег, растирал в руках, умывался. Фонарь мигал. Галанов не видел лица. Шапка упала с головы, мужчина ее поднял, надел. Мелькнул кончик носа и светлый ус. Вячеслав Олегович хотел окликнуть, спросить дорогу, но решил: не стоит, наверное, выпил, вырвало, вот и умывается снегом.

Нужный дом он нашел минут через десять. На веранде горел свет. Он поднялся на крыльцо, постучал. Никто не ответил. Обе двери, наружная и внутренняя, оказались не заперты. Он увидел стол, печку, комод. Крупный мужчина в телогрейке стоял на коленях у кровати, спиной к двери. Галанов догадался, что это Филя, хозяйский сын, слабоумный. Шура о нем рассказывала: добрый, мухи не обидит, ласковый, как ребенок.

Филя покачивался из стороны в сторону, тихо монотонно скулил.

— Филя, где Шура? — громко спросил Галанов.

Слабоумный обернулся, не поднимаясь с колен, указал на кровать. Кровать была большая, пышная, вся в подушках и рюшах, а Шура маленькая, тоненькая, поэтому Галанов не заметил ее сразу, когда вошел. Она лежала на спине, накрытая до подбородка пуховой шалью. Он увидел кровь в волосах, у виска, и понял: нет больше Шуры. На войне он научился отличать мертвых от живых. Никаких иллюзий, будто она спит или потеряла сознание.

На полу валялся небольшой топорик. Галанов с отвращением покосился на Филю: «Значит, убил, потом уложил на кровать, накрыл шалью, теперь сидит, рыдает. Слабоумный…»

Спрашивать о чем-то не имело смысла, но все-таки спросил:
— Зачем?

Филя, не вставая с колен, громко возбужденно замычал, замотал головой, ткнул себя пальцем в грудь, потом покачал кистью руки из стороны в сторону. Галанов догадался, что он хочет сказать: «Это не я!», и задал второй вопрос:
— Тогда кто?

Филя приложил указательный палец к верхней губе, горизонтально.
— Усы? Сталин, что ли?

Слабоумный замотал головой так энергично, что толкнул кровать, из-под шали выскользнула рука. Филя поймал ее и принялся гладить себя по щеке Шуриной мертвой ладонью.

Галанов оцепенел, минуту стоял неподвижно. Наконец вспомнил, что по дороге видел телефонную будку, совсем недалеко.

Вышел, нашел будку, сначала позвонил 03, потом 02. Вернулся к дому, внутрь не зашел, стряхнул снег со скамейки у забора, сел, закурил, стал ждать.

Музыка по-прежнему играла. Левитан в очередной раз повторил тот же текст. Официальное сообщение крутили каждые полчаса. Галанову было все равно. Думал о Елене Петровне. Что он ей скажет? Как такое можно сказать?

На другой половине дома открылась дверь, выглянула женщина:

— Филя, сынок, ты где?

Она вышла, прошла вдоль забора, поднялась на крыльцо, опять позвала Филю. Зашла на веранду. Через минуту послышался крик. Галанов бросил папиросу, зажал уши ладонями, стал молиться. Научился на войне. Иногда помогало.

Наряд прибыл первым, потом «Скорая».

Хозяева, родители Фили, не знали имени и фамилии мужчины, который к ней приезжал. Платил аккуратно. Деньги передавал через Шуру. Они видели его два-три раза, мельком. Молодой, среднего роста. Усы. Светлые, густые. При слове «усы» Филя замычал, закивал и опять прижал указательный палец к губе. Милиционеры переглянулись, зашептались:

— Вот ведь, совсем придурок, а понимает, что товарищ Сталин умер.

— Может, он с горя-то ее и порешил?

Паспорта у Галанова с собой не было. Предъявил удостоверение члена Союза писателей. Милиционеров красная корочка впечатлила. Допрашивали очень вежливо, уважительно. Он рассказал о Шуре все, что их интересовало, объяснил, почему здесь оказался, описал, что увидел, когда зашел в дом. На вопросы отвечал подробно, точно, честно. Когда спросили, известно ли ему, с кем сожительствовала убитая, выпалил, не задумываясь: «Нет!» И про себя добавил, трижды, как заклинание: «Нет, нет, нет!» Потом подписал полагающиеся бумаги.

Музыка играла, голос Левитана повторял официальное сообщение. Наконец Галанова отпустили, он поплелся к трамваю, очень медленно, едва волоча ноги. Тянул время, подбирал слова для Елены Петровны.

В Горлов вернулся к полуночи. В комнате Елены Петровны соседки завесили зеркало черным платком, сказали, что «Скорая» опоздала. Когда врач наконец явился, она уже не дышала.

«Славочка, не сдавайся, пиши, у тебя есть талант».

Всю жизнь он только и делал, что писал: статьи, литературоведческие эссе, исторические очерки. Писал гладко, профессионально и всегда в строгом соответствии с Генеральной Линией. Три толстые книги, сотни журнальных публикаций. Это давало деньги и статус. Он уважал свои творения, чем-то даже гордился. Однако в глубине души понимал, что на самом деле написал лишь одну повесть, «Вещмешок».

В короткий период оттепели повесть могла бы выйти, но было поздно. К тому времени он превратился в маститого критика, влиятельного партийно-литературного чиновника. «Вещмешок» противоречил Генеральной Линии настолько, что мог подорвать репутацию, понизить статус, оттолкнуть влиятельных друзей и вызвать недовольство высокого руководства.

Как бы кардинально ни менялась Линия, «Вещмешок» всегда ей противоречил. На войне и сразу после Галанов ничего не знал о Линии. Написал правду. Линия этого не прощает.

Сейчас, в семьдесят седьмом, он по-прежнему не мог опубликовать «Вещмешок», зато мог позволить себе писать в стол. Линия уже давно жрала собственный хвост, когда-нибудь она исчезнет, и рукопись увидит свет. Но одна повесть, даже такая сильная, честная, это слишком мало.

Хотелось начать большой роман, многослойный, сложный, глубокий. Он думал: «Вот в Париж слетаю, летнюю веранду на даче дострою, эссе для журнала «Коммунист» закончу, куплю бюро, которое приглядел в антикварном на Арбате. Карельская береза, русский модерн, конец девятнадцатого века. Поставлю у балконной двери. Текучка, литературная рутина пусть останется на письменном столе. Для романа необходимо отдельное пространство. Старинное бюро».

В Париж слетал, веранду достроил, бюро купил, а начать роман все не получалось. Не было ни сюжета, ни героев. Пустота. Ничего не мог придумать, кроме посвящения: «Елене Петровне и Шуре Голубевым».

* * *

Из-под двери пробивалась полоска света. Надя заглянула на кухню. Папа все еще сидел за столом, перед ним лежал раскрытый номер «Нового мира», обложкой вверх. Он сосредоточенно крутил свои очки.

— Пап, иди спать, полвторого ночи!

Он кивнул, нечаянно отломал заушник, охнул.

— Жаль, хорошие были, красивые. — Она взяла у него из рук сломанные очки. — Может, удастся починить? У тебя есть запасные?

— А? Да, конечно.

Духовку он так и не выключил. Надя открыла, поворошила деревянной лопаткой кофейные зерна и вдруг услышала:

— Хватило же наглости явиться ко мне в клинику! Мерзавец! Я потом спросил ординатора, которому его скинул, в чем там дело. Ничего особенного. Хроническое воспаление простаты, камни в желчном пузыре, повышенный холестерин. Анализы, снимки, кардиограммы, все при нем. Аккуратный. К здоровью своему относится трепетно. Желал проконсультироваться с грамотным терапевтом, вырезать ли ему камни. Почему именно я понадобился? Неужели всерьез считал, что стану его консультировать? Я голову ломал, а потом понял: он все забыл! Ну, правильно, с таким грузом на совести жить невозможно. Фамилия «Ласкин» для него давно ничего не значит. Сказали, что в нашей клинике хорошие терапевты, — записался.

— Забыл? — тихо переспросила Надя и подумала: «Совесть… Ох, папа, наивная душа!»

— Помнил бы, ни за что бы не пришел, — продолжал Семен Ефимович. — Да вообще, дело не в нем, а во мне. Вот, честно, был бы у меня в ту минуту пистолет, пристрелил бы его, рука не дрогнула. Знаешь, очень страшно и противно отдавать себе отчет в том, что ты можешь застрелить безоружного человека, пациента. Ну, конечно, на войне приходилось иногда отстреливаться, однажды даже из пулемета строчил, только война это совсем другое.

— Ты про пулемет не рассказывал.

— Не хотел вспоминать. Мерзкое чувство осталось. Октябрь сорок первого, отступление, бегство, хаос и безнадега. Они прорвали фронт, а мы застряли, взрывом рельсы разворотило, у нас полные вагоны раненых. Бой прямо тут, на товарной станции, надо новых подбирать. Сестрички не справляются, мы вместе с ними ползаем под огнем. Вижу, пулеметчика задело. Стал оказывать первую помощь, а немец прет и прет. Пришлось взяться за пулемет. Сколько их уложил, не знаю, не считал. Потом, как бой закончился, меня вывернуло наизнанку, хорошо, успел в лесок отбежать, а то перед сестричками стыдно.

Надя захлопнула духовку.

— После этого мы с тобой будем реагировать на трамвайных придурков, на урода Любого?

Он долго хмуро молчал, наконец произнес:

— До сих пор простить себе не могу, вот если бы в августе пятьдесят седьмого мы с мамой отпустили бы тебя на свидание к твоему англичанину…

— Ой, ладно! — Надя махнула рукой. — Ты-то в чем виноват? Вы дико перепугались, у мамы случился сердечный приступ. Какое свидание? Ну, встретились бы еще два-три раза, он бы все равно улетел.

— Хотя бы попрощалась с ним по-человечески, он бы потом прилетел. Может, жили бы сейчас с Леночкой в Англии.

— Пап, он замуж меня не звал.

— Просто не успел!

— Что теперь гадать — успел, не успел? Ну, допустим, позвал бы. Фиг бы меня отсюда выпустили. Ладно, даже и выпустили бы. Как ты это себе представляешь? Мы там, а вы с мамой здесь?

— Да, пустой разговор, глупые стариковские мечты. — Семен Ефимович кашлянул и добавил чуть слышно: — В Англии тебя бы уж точно никто никогда «жидовской сукой» не обозвал.

— Ну, обозвали бы «русской сукой», придурков везде хватает, принципиальной разницы не вижу, — Надя усмехнулась, — и вообще, все эти «если бы» не имеют никакого значения. Важно то, что произошло в реальности. Две летние недели с Безилом были мне тогда необходимы как воздух. Влюбилась по уши, почувствовала себя по-настоящему живой. Забеременела, хотя после тюремного кровотечения твои коллеги, медицинские светила, мне на такое счастье шансов не давали.

— Да пошли они, коллеги-светила с их прогнозами! Вот у мамы была интуиция! Помнишь, как она тебя разбудила и выгнала гулять рано утром, в день открытия фестиваля? Я тогда ушам своим не поверил. Она боялась толпы, тряслась за тебя и вдруг буквально взашей из дома вытолкнула. А накануне всю ночь не спала, новое платье тебе дошивала.

— Мг-м, крепдешиновое, с юбкой «полусолнце». И еще новые белые туфли-лодочки заставила надеть. Они терли нестерпимо.

— Да, а потом в Михеево стройматериалы завезли, я хотел один поехать, но она отправилась со мной, оставила тебя одну.

— Между прочим, именно ангел Клава стукнула вам, что я ночами приводила Безила, — ехидно заметила Надя, — интересно, как распознала в нем иностранца? Он вообще рта не раскрывал.

— Клава не говорила, что иностранец, сказала: на артиста похож, из кино «Мост Ватерлоо», только без усиков.

— Ох, вы тогда ко мне пристали со своими расспросами! Ну что мне стоило соврать, будто это был Роберт Тейлор собственной персоной?

Зазвонил телефон. Семен Ефимович дернулся, Надя его опередила, выскочила из кухни, закрыла дверь, схватила трубку, хотела сразу бросить и вдруг услышала:

— Мам?

— Леночка, маленькая моя, что случилось?

— Ничего, все в порядке, просто соскучилась. Улетишь в свою Африку, долго тебя не увижу.

— Никита спит?

— Перепутал день с ночью, вот, сидит тут рядышком, в санках, улыбается. Верхние зубы вылезли, сразу два, представляешь?

— Ну, слава богу, наконец-то! Давно гуляете? Не замерзли?

— Только что вышли, сейчас не холодно. А дедовский комбез вообще мечта! Легкий, теплющий. Я просто дико устала, вспомнила, ты рассказывала, как гуляла со мной ночами по роще в Михееве, решала: вдруг на свежем воздухе уснет? Все равно терять нечего.

— Что, совсем не спит?

— Днем вырубается иногда, ночью ползает по всей квартире…

— Ползает?!

— Ну, да, пополз, уже не на пузе, не задом наперед, а понастоящему, на четвереньках, ловко, быстро, как торпеда. Наверное, поэтому такой возбужденный. Мам, ты не знаешь, где кинокамера? Хотела поснимать и не нашла.

— В шкафу, на верхней полке.

— Смотрела. Нет.

— Может, Антон взял?

— Он бы предупредил. Мам, как думаешь, если я санки внизу, под лестницей, оставлю, их не сопрут? А то лифт выключили, вниз ничего, а наверх с Никитой и санками тяжеловато.

— Пешком? На двенадцатый этаж? — Надя помотала головой. — Погуляйте минут сорок, замерзнете — ждите в подъезде. Я быстро, сейчас дороги пустые.

Семен Ефимович вышел из кухни, надел ботинки, куртку, вытащил из-под скамеечки аккумулятор. Когда Надя повесила трубку, сказал:

— Пошел греться-заводиться, ты еды какой-нибудь собери и не забудь выключить духовку.

Старый «Москвич» опять не подвел. Надя села за руль. Несколько минут ехали молча. На светофоре она притормозила и спросила:

— Пап, а в том бою на станции кто победил?

— Нам удалось отбиться, отогнать их, но победой это не назовешь, просто выиграли время, рассортировали раненых и по запасному пути двинулись дальше.

Глава тридцать третья

Девятого марта пятьдесят третьего майор Любый, майор Гаркуша и полковник Соколов возложили в Колонном зале траурный венок. На ленте надпись: «Товарищу Сталину от сотрудников Следственной части по особо важным делам МГБ СССР».

В гробу, в груде цветов, лежал напудренный, аккуратно причесанный старикашка, тот самый, которого майор Любый видел на Ближней и в первую минуту принял за двойника.

Оказывается, не так уж и велик Великий Человек. Взялся очистить мир и позволил этим ничтожествам прикончить себя. Проморгал, проворонил. Нет, он не притворялся больным и старым, он был таким на самом деле. Ни хера уже не соображал. Походя одобрил идею операции «Свидетель», но всей мощи и глубины замысла так и не оценил. Жалкий старикашка в тапках.

«Я верил, что у него есть план, что он заманивает их в ловушку, готовит решающий удар. А на самом деле это был мой план. Он ничего не готовил. Я за него все придумал, продумал, разработал тактику и стратегию. А он так и не удосужился вызвать майора Любого для разговора наедине. Я верил в него, а надо верить только в себя».

В одной арабской брошюре Владу попалось разумное предостережение: тот, кто решил бороться с ними, должен соблюдать крайнюю осторожность. Если при них произнести вслух общепринятое название их племени, случайно, в самом невинном контексте, они воспримут это как вызов, как удар хлыста. Виду не подадут, но поставят на заметку, занесут в специальную книгу. Лучше использовать тайное иносказание «хада».

Хада стремятся отравить своей кровью как можно больше людей, ради этого их самцы и самки спариваются с женщинами и мужчинами. Самцы привлекают девушек богатством и властью, самки способны сводить с ума мужчин с помощью магических чар и приворотных зелий. В результате рождаются метисы, самая зловредная и опасная разновидность. Внешне они неотличимы от людей, но кровь хада значительно сильней человеческой, если примесь составляет хотя бы одну сотую, это уже не человек.

В принципе, ничего нового, про кровь он и так знал, об осторожности не забывал, а вот слово «хада» очень пригодилось, стало паролем для палестинцев. Знали это слово только посвященные, элита. Стоило сказать «хада» — сразу понимали: свой, можно доверять.

На решающем этапе операции «Свидетель» палестинцы были необходимы. Точнее, один палестинец, но лучший. Чтобы его найти, понадобилось несколько лет. А сама операция продолжалась уже двадцать четыре года. Конечно, это очень долго. Ну, что делать? Если взялся очистить мир, надо запастись терпением.

Двадцатого марта пятьдесят третьего Ласкину выпустили. Провал «Свидетеля» стал началом и символом всего самого плохого, что произошло с Владом. В коммуналке, после бессонных ночей, он убирал постель, складывал раскладушку и на клочке освободившегося пространства разминался, отжимался сорок раз, шептал: «Нет! Не сдамся! Не дождетесь!»

Его вышибли из органов, из партии, из квартиры. Бывшие сослуживцы шарахались от него, как от прокаженного. Только Федька не отвернулся, поддерживал связь. Балбес отличался сентиментальностью, любил поболтать, душу излить, а Влад умел слушать.

В декабре пятьдесят второго благодаря Федькиной глупости у Влада зародилась идея операции «Свидетель». В июне пятьдесят седьмого благодаря Федькиной трусости Влад понял, как должен действовать дальше. Федька, сам того не ведая, подсказал ему выход из тупика.

Влад ни на минуту не забывал о Ласкиной. Она ничего не подписала, ускользнула. Значит, он проиграл? Кому? Бабе, жидовке? Да, не успел, помешали, не позволили продолжать допросы в больничке. Но никакие оправдания не избавляли от чувства незавершенности. Конечно, он мог прикончить и эту ведьму. Но история с ликвидацией Шуры кое-чему научила. Тогда ему здорово повезло. Слабоумный с топориком, особенный день. Где гарантия, что с Ласкиной тоже повезет? Всего не предусмотришь. Остаются следы, неожиданно возникают случайные свидетели.

Когда он шел за номером пятьдесят три в день открытия Всемирного фестиваля, продирался сквозь толпу, едва сдерживал ярость. Хотелось прикончить не только ее, но их всех, орущих, смеющихся, радостных разноцветных уродов. Это был их триумф. Они праздновали свою победу.

На крыше он подобрался к ней совсем близко, уловил ее запах, мягкий, дурманящий, обволакивающий. Запах ведьмы. Запах Шуры. И волосы у нее почему-то посветлели. Надо было срочно что-то делать. Толпа, гам, сломанное ограждение, край крыши. Ситуация идеальная. Но помешали.

Когда он успокоился, собрался с мыслями, сразу вспомнил лицо ведьмы. Такого страха в ее глазах он не видел ни на одном допросе. На допросах она впадала в спячку. На краю крыши проснулась, поняла, кто тут главный. Вот что должно зафиксироваться в ее сознании: страх. Нельзя дать ей забыть, надо продолжать психологическую обработку. Вне стен тюрьмы, без наручников, без протоколов, санкций и прочей ненужной мишуры. Обработка круглые сутки, всегда и везде. Он рядом. Она в его власти. В любую минуту он может ее убить.

Влад был даже благодарен случайному хлыщу, который в последнее мгновение схватил за руку номер пятьдесят три и таким образом, сам того не ведая, спас операцию «Свидетель» от неминуемого окончательного краха. А что касается удара под дых, Влад его даже не заметил, слишком был возбужден.

Он нашел постоянный источник информации о номере пятьдесят три. «Обиженных» курировал кадровик Типун Карп Афанасьевич. Делал он это по приказу или по собственной инициативе, Влад не знал. С Типуном был знаком. В сентябре пятьдесят седьмого они встретились у Федьки дома. Типун жал руку, подмигивал, называл «сынок». Влад получил почетное право обращаться к нему «Фанасич». Фанасичу понравилась идея, что Влад возьмет на себя наблюдение за бывшим номером пятьдесят три.

В первые годы он старался к ней не приближаться, соблюдал дистанцию. Главное, чтобы видела его, не забывала. Эмоции кипели. Однажды ночью подпалил дачный домишко, где она спала со своим приплодом. Домишко оказался пуст. Когда эмоции стихли, Влад осознал, как ему повезло. Адрес дачи в Михееве дал Фанасич. Если бы Ласкина сгорела, да еще вместе с приплодом, началось бы расследование. Фанасич мигом бы смекнул, что пожар не случайность. Влад мог вляпаться очень серьезно. Нельзя срываться, поддаваться эмоциям. Примитивная ликвидация Ласкиной все равно не избавит от чувства незавершенности, а последствия могут оказаться роковыми.

Следующий серьезный срыв случился через много лет, совсем недавно, в ноябре семьдесят шестого. Он думал над новым вариантом операции «Свидетель». Постоянно был на взводе. В таком взвинченном состоянии следовало держаться от номера пятьдесят три подальше. Но психологическая обработка не должна прерываться. Он записался на прием к ее отцу. Знал, что Ласкин его не примет, но дочери обязательно расскажет. Это главное.

И вдруг через неделю он случайно встретил ее в метро.

Его машина проходила техосмотр. Поздно вечером пришлось заехать в Горлов. Такси ловить не стал, спешил. На «Новослободской» выскочил из поезда и увидел ее. Она стояла на пустой платформе с книжкой в руках. От неожиданности эмоции вскипели так мощно, что он едва не прикончил ее. Спасибо, рядом появилась дежурная в синей форме.

Влад не хотел убивать номер пятьдесят три. Он хотел чувствовать ее страх. Это давало ему энергию. Получить свое законное мужское удовольствие иным способом он уже давно не мог.

Он приказал горловским звонить номеру пятьдесят три на домашний и рабочей номера и полностью переключился на разработку нового варианта операции «Свидетель».

Каждую субботу он гулял с палестинцем в Измайловском парке. Палестинец был правильный. Они много разговаривали.

— Вы предатели, — говорил палестинец, — выпускаете хада в Израиль, а они нас убивают. Надо, чтобы хада тут, у вас, начали убивать, ваших детей, тогда вы, может, и проснетесь.

«Конечно, он прав, — думал Влад, — но сказать легко. Сделать трудно, если вообще возможно».

Федька ныл, жаловался на диссидентов:

— Надоели, ну вот здесь уже сидят! — Он касался ребром ладони свой пухлой шеи. — Нужен какой-то рывок, прорыв, что-то конкретное, весомое.

Тут они с палестинцем почти совпадали.

Влад предложил Федьке:

— Пусть листовки разбросают по почтовым ящикам.

Балбес оживился. Влад написал для него текст листовки и сказал:

— Но ты же понимаешь, для рывка и прорыва этого мало. Теперь вот есть у тебя горловские, что прикажешь, то и сделают.

— Что? Что я прикажу? На серьезное мероприятие санкцию хрен получишь, а если без санкции, мне вместе с погонами голову оторвут.

Влад не стал ему ничего советовать. Пусть думает. Через пару дней Федька рассказал, что придумал. Влад слушал, усмехался про себя: «Это ты называешь рывком и прорывом?»

Да, Балбес остался балбесом, только постарел, полысел и щеки стал надувать еще больше от сознания собственной значимости.

Во время одной из прогулок по Измайловскому парку они с палестинцем поднялись на холм. Внизу ехал поезд. Открытый участок Арбатско-Покровской линии, перегон от «Измайловской» до «Первомайской».

— Хада сами никогда не сделают, хада хитрые, — возбужденно тараторил палестинец. — Надо сделать за них и подбросить улики, будто это они.

Влад слушал палестинца и размышлял о том убожестве, которое сочинил Федька. Объяснять что-либо балбесу бессмысленно. Надо просто поставить перед фактом, загнать в тупик.

Стала складываться интересная комбинация: а если объединить одно с другим? Одновременно с жалким Федькиным «Салютом» рванет по-настоящему. Вот это действительно будет рывок и прорыв. Федька обалдеет, голову потеряет от страха, побежит к Владу жаловаться, советоваться. Влад успокоит, поможет, как всегда помогал в трудных ситуациях, за руку выведет из тупика, подарит готовую версию, с уликами, доказательствами.

— Сумку оставить, быстро уйти, — продолжал возбужденно тараторить палестинец, — не найдут потом ни за что. Главное, улики правильно подготовить, чтоб все на хада сомкнулось.

— Хорошо, — задумчиво произнес Влад, когда шум поезда стих, — а где взять взрывное устройство?

— Я соберу, я умею, ты только достань, что нужно.

Палестинец перечислил, что нужно. Оказалось, ничего особенного. Зайти в хозяйственный, в аптеку и в магазин часов, за будильником.

Они стояли, курили. Из туннеля выехал еще один поезд. С холма отлично просматривался каждый вагон, головы людей в окнах. Панорама открывалась интересная. И вдруг Влад вспомнил разговор, который неделю назад случайно поймал в Горловом. Тогда он не придал этому разговору значения. Бабий треп. А теперь, глядя на проплывающие вагоны, вспомнил.

Тошка, агент, внедренный в семью номера пятьдесят три, сказала Марине: «Знаешь, а мне жалко эту курицу. Ну что за жизнь? Пеленки, какашки, даже телика у них нет. Одно развлечение — снимать своего младенчика на любительскую кинокамеру!»

Утром восьмого января Влад проснулся оттого, что хлопнула входная дверь. Спросонья не сразу сообразил, что находится у себя дома. Пока шел ремонт, привык к чужим стенам. Наконец этот чертов ремонт закончился. Добрый знак накануне Дня Икс.

Из прихожей послышался знакомый голос:

— Захарыч, вы спите?

«Ну вот, — Влад сладко потянулся, спустил ноги с кровати, — еще один добрый знак».

Раздражало, что у себя дома он до сих пор не может нормально помыться. Привык принимать душ дважды в день, любил поваляться в ванне, в своей, домашней.

Он накинул халат, вышел, увидел Руслана:

— Привет. Ну что, сегодня наконец сделаешь?

— Ага-ага…

— Скоро?

— Часик потерпите и можете нормально мыться.

Влад вернулся в спальню и потратил этот часик на свою обычную утреннюю гимнастику.

Глава тридцать четвертая

В одиннадцать ноль-пять генералу Уральцу передали теле-фонограмму, поступившую на один из его личных секрет-ных номеров, всего четыре буквы: «Д А Д А». Федор Ива-нович ухмыльнулся.

Он велел Руслану в квартире не задерживаться, уходить через чердак, из другого подъезда, на метро отъехать подальше, в дру-гой район. Позвонить из автомата, передать по условленному номеру только «Да» или «Нет».

Второе «Да» было импровизацией, приятным сюрпризом. Ско-рее всего, оно означало, что Руслану удалось прихватить кинока-меру. Он видел сумку, в которой Вика передала ее Вовану. Федор Иванович велел взять, если попадется на глаза, специально не искать. Отлично, нашел, взял. Теперь остается аккуратно вернуть хозяйке, но это потом. Не горит.

Генерал закурил, пробормотал:

— Молодец, глазастый парнишка, толковый… Да, Влад, от-меняется твой Час Икс, извини.

В четырнадцать двадцать он вызвал секретаря:

— Слушай, Игорек, я документики кой-какие жду, от дове-ренного лица из ИОН. Созванивался с ним вчера вечером, он сказал, все готово. Отправь кого-нибудь из ребят к нему домой, папочку забрать. Адрес сам уточни. Любый Владилен Захарович.

— Понял, Федор Иванович, — кивнул секретарь, — позвонить товарищу Любому, предупредить?

— Не надо. Он когда дома работает, телефон обычно выклю-чает, чтоб не дергали.

В шестнадцать ноль-пять Федор Иванович обедал с Денисом в отдельном кабинете генеральской столовой.

— Ты Валентину отмашку дал? — спросил Бибиков.

— Рано еще.

— Два часа осталось. Ему ж написать надо.

— Он быстро пишет, — Уралец сунул в рот кусок отбивной, прожевал, — зачем горячку пороть?

В дверь постучали. На пороге стоял секретарь Игорек:

— Виноват! Разрешите доложить!

— Докладывай, раз пришел, — вздохнул Федор Иванович и отложил вилку.

— Че-то, Федь, невоспитанные они у тебя, пожрать спокойно не дают, — добродушно проворчал Денис.

— Товарищ генерал, по вашему приказанию лейтенант Агафонов выехал к товарищу Любому домой за документами. К дому подъехал в пятнадцать десять. Поднялся на шестой этаж. Товарищ генерал, там ЧП. Соседи на пятом тревогу подняли, потекло на них, из квартиры товарища Любого. Звонили, стучали, пришлось дверь ломать, милицию вызвали...

— Погоди, не тараторь, — перебил Федор Иванович, — что с Любым?

— В ванной его нашли. Похоже, электротравма.

— Что за бред? — Уралец нахмурился, помотал головой. — Мы с ним вчера вечером по телефону говорили.

— Судмедэксперт сказал, он сегодня, часов в десять утра скончался.

Уралец нервно захрустел сплетенными пальцами:

— Нет, ну ерунда полная! Влад очень осторожный человек, какая электротравма?

— Соседи сказали, у него ремонт недавно закончился, может, там рабочие с электричеством напортачили? Бывает...

— Чушь, херня! — прорычал Уралец, добавил порцию яростных матерных ругательств и вдруг замолчал, застыл.

Бибиков махнул рукой секретарю:

— Уйди!

Когда дверь закрылась, он придвинулся ближе, внимательно, тревожно заглянул Уральцу в глаза:

— Федь, я знаю, вы с ним много лет дружили...

Уралец болезненно сморщился, прикусил губу. Он не ожидал, что потекут слезы, настоящие, без притворства. Достал из кармана платок, высморкался:

— Слушай, Денис, ты извини, я к себе поднимусь, мне одному побыть надо.

Бибиков проводил Уральца до кабинета, спросил:

— Федь, ну, ты как?

— Ничего, Денис, оклемаюсь. Ты вот только Валентину сам отмашку дай.

— Об этом не беспокойся.

Федор Иванович закрылся в комнате отдыха, снял пиджак, лег на диван. Слезы высохли. Лежал, смотрел в потолок, мысленно обращался к Любому, уже без брани, спокойно, печально: «Эх, Влад, Влад, я думал, ты умный, а ты... Ну, ладно, допустим, настал бы твой Час Икс. И что дальше? Линия-то уж десять раз поменялась. Или ты с Хозяином все расстаться не мог, угодить хотел покойнику? Прям так сладко тебе при Хозяине жилось? Нравилось висеть над пропастью? Нет! Ты вообразил, будто висят другие, а ты держишь, дергаешь за ниточки, всех, и меня в том числе... Я думал, ты умный...»

* * *

В гостях у тети Наташи на Первомайской каждый раз возникало ощущение, будто с помощью машины времени ты вернулся на тридцать лет назад. Мама перевезла из коммуналки в новую квартиру только часть старого барахла. Тетя Наташа перевезла все — мебель, коврики, занавески, книги, посуду, причем умудрилась все сохранить в первозданном, в каком-то прямо девственном состоянии. Мама домашним хозяйством заниматься не любила, для себя почти не готовила. Чай, бутерброды. Только если приходили Глеб и Юра, варила суп, жарила котлеты.

Тетя Наташа стряпала много, красиво, вдохновенно, без видимых усилий и усталости, как говорил Вася, «на высоком художественном уровне». После войны, когда вообще ничего не было, она из картофельных очисток и гороховой муки умудрялась сотворить такие драники, что Юра до сих пор забыть их не мог. Ее маленькие руки месили тесто, шинковали капусту, терли морковку, перебирали ягоды для начинок и варений легко, грациозно, словно исполняли какой-то древний танец.

Едва Юра и Глеб успели надеть тапочки, пятилетняя Ната поманила Юру пальчиком:

— Дядь Юр, хочешь, одну вещь скажу?

Он присел на корточки, Ната прошептала ему на ухо:

— А у Кирки девушка завелась! — захихикала и убежала.

Кирилл, старший сын Васи, сразу увел Глеба в маленькую комнату. Они были ровесники, знали друг друга с младенчества и если начинали болтать, то зависали часа на два-три, тащить к столу приходилось насильно, за шиворот.

Тетя Наташа выглядела не хуже мамы, такая же прямая, стройная, ухоженная, только в отличие от мамы седину закрашивала, в свой родной золотисто-рыжий цвет, и волосы не состригла, стягивала в пучок на затылке, как тридцать лет назад. Ее облик тоже создавал иллюзию «машины времени».

У Оли заметно округлился живот.

— В марте рожаем, — гордо сообщил Вася.

Они ушли курить на лестницу. Выглянула тетя Наташа, спросила:

— Юр, мама тебя не предупреждала, что задержится?

— Нет, обещала к шести быть. — Юра взглянул на часы: — Ничего себе, половина восьмого! Надо позвонить!

Тетя Наташа помотала головой:

— Дома точно нет, уже три раза набирала.

Юра нахмурился:

— Странно. — Потом вдруг вспомнил: — А, так она собиралась в «Детский мир» заехать, куклу для Наты купить. Могла в очереди застрять.

— Куклу? — удивилась тетя Наташа. — Не может быть! Неужели нашла блат? Ладно, ждем, за стол не садимся.

— Ната какую-то особенную хотела, немецкую, — объяснил Вася, — просто так, без блата не достанешь.

— Тогда в очереди точно застрять не могла. — Юра опять взглянул на часы.

— Юр, ты что думаешь, по блату это быстро? Допустим, договорилась там с какой-нибудь завсекцией игрушек, и пришлось ждать. Работники торговли народ важный, занятой. Не дергайся, сейчас придет.

Они докурили, еще минут десять стояли, болтали на лестничной площадке. Вернулись в квартиру. Из маленькой комнаты высунулась голова Глеба:

— Пап, а бабушка куда делась?

— Сейчас придет, — машинально ответил Юра и позвал: — Оля! Не знаешь, «Детский мир» до которого часа работает?

В прихожей стоял телефон. Он взял трубку, набрал мамин номер, послушал длинные гудки.

Оля вышла из кухни:

— «Детский мир» работает до девяти, но в восемь кассы уже закрывают.

— Ладно, ждем еще полчаса, потом просто сядем в машину и поедем к тете Маше. — Вася взглянул на Юру, нервно щелкнул пальцами: — Хотя зачем ждать? Едем прямо сейчас!

— И что дальше? — растерянно пробормотал Юра. — Трубку она не берет, ключей у меня нет. Дверь ломать?

Тетя Наташа сняла одну из связок с крючка в прихожей:

— Вот ключи.

— Юр, только ты поведешь, он выпил, — шепнула Оля.

Они стали одеваться. Глеб протиснулся между ними, сунул ноги в ботики, надел куртку.

— Эй, а ты куда? — окликнула его Оля.

— С ними, к бабе!

Васин «жигуль» не завелся. Помчались к метро. Еще издали заметили голубые мигалки. Вход на «Первомайскую» был закрыт. Милицейское оцепление, несколько «Скорых».

— Стойте здесь! — Вася пошел к ментам.

В свете мигалок Юра увидел, как он достает удостоверение, о чем-то с ними говорит. Подошли двое в штатском, явно свои, комитетские. Еще поговорили. Вася вернулся бегом.

— Там авария, то ли на перегоне, то ли на станции, я не понял, все бешеные какие-то. Арбатско-Покровская линия перекрыта.

Чтобы поймать машину, пришлось отойти подальше. Частники, видя голубые мигалки, мчались мимо, а такси не было. Наконец остановилась ведомственная черная «Волга», шофер-бомбила затребовал трешку до «Сокольников».

— Совсем охренел, мужик? Тут пешком два шага! — возмутился Вася.

— Вот и шагай пешком!

Бомбила хотел уехать, но Юра придержал дверцу. Через двадцать минут они вошли в подъезд маминого дома. Вася достал ключи, открыл. В квартире было темно и тихо.

— Вась, они не сказали, в котором часу авария случилась? — спросил Юра и присел на корточки перед своим раскрытым чемоданом.

— В семнадцать тридцать, — откликнулся Вася из кухни, и добавил тише: — Да, слушаю.

Юра понял, что он звонит в Управление.

Пушистого серого жакета в чемодане не оказалось. Значит, мама взяла подарок для тети Наташи и уехала.

— Пап, — донесся голос Глеба, — а баба к тете Наташе всегда пешком или на трамвае. В аварию в метро точно попасть не могла.

«Могла, — подумал Юра, — ехала из "Детского мира", через "Площадь Революции" по Арбатско-Покровской, как раз между пятью и шестью».

Он ничего не сказал, сел на диван, обнял Глеба.

Из кухни долетал приглушенный Васин голос:

— …Уфимцева Мария Дмитриевна… Девятьсот восьмой, пятнадцатое апреля… Спасибо, жду…

Юра и Глеб молчали. И Вася в кухне молчал, ждал. Тишина казалось такой плотной, что было трудно дышать. Наконец Васин голос глухо произнес:

— Ясно, спасибо…

Юра и Глеб вскочили и столкнулись с Васей в дверном проеме.

— Жива! В Боткинской, в реанимации, — выпалил Вася, ринулся назад, схватил трубку, лежавшую рядом с аппаратом.

— Сердце? — беззвучно спросил Юра.

Вася помотал головой, сказал в трубку:

— Да, Сергей Николаич, это Перемышлев… Так точно… Понял… Сергей Николаич, тут вот какая ситуация, мать нашего сотрудника… Нет, ПГУ, полковник Уфимцев… Мг-м… пока неизвестно, видимо, в том самом поезде… В Боткинской… Да, спасибо. — Он помолчал, потом продиктовал мамин адрес, номер телефона и наконец положил трубку.

— Баба в аварию попала? — прошептал Глеб.

— Главное, жива, — сказал Вася, — то, что она в Боткинской, хорошо. Самых тяжелых повезли в Склиф. Через двадцать минут будет машина.

В отделении реанимации дальше вестибюля не пускали, даже по комитетским удостоверениям. Вася усадил их на банкету и помчался за кем-то с криком:

— Минуточку, кто тут у вас главный?

Глеб хорошо держался в квартире, в машине, а тут вдруг уткнулся Юре в плечо, затрясся:

— Баба, баба!

Юра молча обнял его, погладил по колючей голове.

Вася вернулся с толстой пожилой женщиной в халате и марлевой маске. Она сурово произнесла:

— Юрий Глебович, пойдемте со мной.

Глеб вскочил:

— А я?

Врачиха помотала головой:

— Мальчик останется здесь.

Вася схватил Глеба в охапку, прижал к себе:

— Глебка, ну, все, все, кончай трястись, давай-ка, успокойся, послушай меня! Бабушка в реанимации, жива, вылечат! — Он покосился на Юру, показал глазами: «Иди!»

Долго плутали по коридорам, поднимались на лифте. Юра ни о чем не спрашивал, говорить не мог, ком стоял в горле. Послушно, как робот, выполнял команды:

— Разувайтесь, свитер, штаны снимайте. Руки мойте. Как следует, щеткой! Надевайте костюм!

Кто-то сзади завязал ему тесемки маски, натянул на голову шапочку. Наконец его привели в маленькую палату. Всего две койки. Одна пустая, на второй Юра увидел маму. Она лежала неподвижно, с закрытыми глазами, вся в резиновых трубках, в ру-

ПОЛИНА ДАШКОВА

бахе с узором из одинаковых лиловых надписей: «Минздрав
СССР». Рядом попискивал аппарат с экраном, по которому медленно двигались светящиеся зигзаги.

— Ничего не трогать! — приказала врачиха.

Юра сразу ослеп от слез, медленно опустился на колени у койки. Как сквозь вату донесся мужской голос:

— В чем дело? Почему посторонние?

— Это сын, — прошептал в ответ женский голос. — Клара
Петровна велела пустить, он из КГБ.

— Да хоть из Политбюро! У нас тут реанимация! Молодой
человек, поднимайтесь, быстренько!

Юра, опираясь на ледяную перекладину койки, встал с колен,
повернулся, увидел высокого худого старика в таком же зеленом
костюме, как у него самого, разглядел в прорезе между шапочкой
и маской стариковские глаза, увеличенные стеклами очков, и услышал:

— Множественные осколочные ранения мягких тканей левого бедра и голени. Кровопотеря средней тяжести. Контузия, шок.
Жизненно важные органы не задеты. Осколки удалены. Она пока
под наркозом. Марина, уведи его!

— Доктор, пожалуйста, еще раз, я ничего не понял!

— О господи, — старик вздохнул, — успокойтесь, все с вашей
мамой будет хорошо, скоро переведем в палату, сможете пообщаться, а сейчас уходите!

— Осколочные ранения, контузия... Почему?

— А вот это я вас должен спросить, почему в московском
метро бомбы взрываются?!

* * *

Федор Иванович не заметил, как задремал. Устал. Две подряд
бессонные ночи. В восемнадцать десять звякнул внутренний телефон. Он открыл глаза, взглянул на часы. Да, кажется, проспал
«Салют». Взял трубку, услышал:

— Товарищ генерал, Денис Филиппович просит срочно зайти!

504

Уралец встал, надел пиджак. Их с Бибиковым кабинеты были напротив, через приемную. Денис сидел за столом, орал в трубку:

— Чего мямлишь? Жертв сколько? Ну так узнай! — Он бросил трубку, взглянул на Уральца и бесстрастным механическим голосом произнес: — В метро, в семнадцать тридцать три, сработало взрывное устройство. Арбатско-Покровская линия, открытый перегон между Измайловской и Первомайской, третий вагон. Жертв много, в том числе дети.

Федор Иванович медленно опустился на стул. Долго не мог вытянуть сигарету из пачки. Руки тряслись. В голове неслось: «Открытый перегон. Измайловский парк. Безлюдно. Подходящее место, чтобы заснять взрыв. Вот зачем понадобилась камера Ласкиной. Да, улика была бы весомая». Наконец закурил, глухо спросил:

— Точно не авария?

— Нет, Федь, взрыв. Теракт.

— А «Салют»?

— «Салют» сработал нормально. Никто не пострадал.

— Бытовое хулиганство, — тихо, деловито отчеканил Федор Иванович, — к теракту никакого отношения не имеет. Надо связаться с Валентином, дать отбой.

Он удивился, как быстро удалось опомниться. Голова заработала спокойно, четко: «Палестинец… Доступ к взрывчатым веществам, навыки, темперамент… Сами их тут у себя держим, дрессируем. Допрыгались. Ладно… Мертвый палестинец — один расклад. Случайная утечка о «Салюте» — через горловских. Палестинец вдохновился. Молодой, горячий, глупый. Нормально. Если жив — тогда хреново. Влад должен был это предусмотреть. Рисковать собственной головой точно не собирался, наверняка рассчитал все по минутам».

Федор Иванович протянул руку к одному из трех аппаратов, хотел сразу, не дожидаясь согласия Бибикова, дать отбой Лиссу, но аппарат взорвался звоном, и два других тоже.

Заглянул секретарь:

— Товарищи генералы, Юрий Владимирович уже здесь, вас ждут.

— Надо дать отбой Валентину, — шепотом повторил Уралец, пока шли по коридорам.

— Нет!

По выражению его лица Федор Иванович понял: спорить бесполезно.

«Ну что ж ты такой тупой, "Пятка", мать твою! — простонал он про себя и забормотал на ухо шефу:

— Только на экспорт, только об одном взрыве. Листовки убрать, текст смягчить, туман, намеки...

— Листовки эти твои гребаные мне с самого начала не понравились, — прошипел Бибиков.

«Врешь! Ты был в полном восторге!» — огрызнулся в ответ Уралец, но про себя, молча.

В приемной Андропова уже собрались начальники Управлений со своими замами. Секретарь пригласил всех в кабинет.

* * *

Юре разрешили задержаться в Москве на неделю. По звонку из Комитета Марию Дмитриевну перевели в спецотделение Боткинской, где были отдельные палаты с санузлом, холодильником и телевизором. На пороге палаты Юра столкнулся с высоким худым стариком, который выгнал его из реанимации. Поздоровались. Врач явно спешил, сказал:

— Ну, все неплохо, Мария Дмитриевна молодец. Через пару дней надо потихоньку вставать, двигаться.

Она была еще совсем слабая, о взрыве не говорила, словно забыла, и Юра не напоминал.

Вася вошел в объединенную следственную группу: КГБ, МВД, Прокуратура. Было три взрыва. В метро, на открытом участке между Измайловской и Первомайской, в третьем вагоне, в 17:33. Десять погибших, около сорока раненых. И еще два, в 18:05 и в 18:10, в самом центре, между Кремлем и Лубянкой. Одно устройство сработало в гастрономе под толстым мраморным прилавком, другое — в чугунной урне. Прилавок погасил взрывную волну.

Из урны, как из пушки, пальнуло вверх, в небо. Никто не пострадал.

Через день после взрывов «Радио Свобода» зачитало статью Валентина Лисса, опубликованную в «Лондон ивнинг ньюс», в которой утверждалось, что компетентные источники заявили о причастности к взрывам диссидентов, «Хельсинской группы» и евреев-отказников.

Ночью, сидя с Васей на кухне, Юра прошептал:

— Ничего поумней не могли сочинить?

— Работают, как умеют, — Вася пожал плечами, — «Пятка»!

— Даже для Бибикова перебор, и слишком уж оперативно. Этот Лисс идиот?

— Лисс не идиот. Что «Пятка» велела, то и написал. А поспешили потому, что, скорее всего, сами причастны. — Вася хмуро помолчал и добавил: — То есть, по сути, статья Лисса — чистосердечное признание «Пятки» в собственной причастности.

— Вась, ты обалдел? Это у тебя от недосыпа? Ты представляешь себе Ю. В., который подписывает такой приказ?

— Разумеется, Ю. В. никогда такой приказ не подпишет. А вот Бибиков…

— Отправит своих бойцов взрывать вагон с детьми?

— Бибиков? Легко! Но только с санкции высшего руководства.

— А санкции быть не могло!

— Не могло… Нет, Юр, метро — полная неожиданность, шок. А вот урна и прилавок… Бутафорские хлопушки…

— Да, масштаб несопоставимый. Разный почерк, разные цели, разные исполнители. Но почему в один день, в один час? Ладно, хлопушки, скорее всего, «Пятка» хлопнула. Для такого цирка санкция не требуется. А вагон кто взорвал? Зачем? И почему выбрали именно открытый перегон? В туннеле рвануло бы сильней, жертв оказалось бы куда больше.

— Юр, ты меня спрашиваешь?

— Вась, ну, объединенная следственная группа что-то делает?

— Мг-м. Вот весь снег на крыше растопили, на той, куда содержимое урны приземлилось. Обнаружили обрывок газеты «Советский спорт». Зарядили кучу народу, подписчиков проверять.

— У «Советского спорта» тираж несколько миллионов, в каждом ларьке «Союзпечати» продается!

— Я ж говорю, работаем. Лоскутки кожзаменителя собрали, выясняем, какая фабрика производит, где и какие сумки из него шьют, потом распечатаем фотографии сумок, разошлем по стране, будем задерживать и проверять владельцев сумок.

— Всех?

— Юр, отстань, и так тошно.

Утром в среду Юра осторожно поднял маму и попытался поставить на костыли. Правая нога была забинтована от стопы до бедра. Костыли оказались настолько неудобной и непривычной штукой, что мама в первую минуту не сдержалась, застонала, но скоро они с Юрой приспособились. Одной рукой она опиралась на него, другой — на костыль.

— Все пропало, — вздохнула она, когда потихоньку выползли из палаты в коридор, — твой шикарный пушистый жакет, кукла. Особенно куклу жалко. Мы с Наташей давно за такой охотились. Ната ни о чем другом слышать не хотела. Человеку пять лет исполняется, имеет человек право на красивую куклу, чтобы глаза закрывались и волосы мылись? Тут вдруг оказывается, что жена моего аспиранта, ну, помнишь, рыжий такой, Толик Севастьянов?

— С бородкой? По Хайяму диссертацию писал?

— Он, — мама кивнула, — бородку сбрил, диссертация так себе, арабист из Толика никакой, зато его жена Люда — товаровед в «Центральном Детском мире». Обещала позвонить, если кукол завезут. В пятницу вечером, за полчаса до нашего с тобой разговора, вдруг звонит, я, честно говоря, не надеялась, думала, забудет. Не забыла. Ну, вот, в субботу, из «Детского мира», с куклой, еду в метро... — Мама остановилась. — Все, давай передохнем.

Они сели на диван в глубине коридора, между двумя кадками. Пальмы в кадках были такими большими и раскидистыми, что листья смыкались над головой, образуя беседку.

— В газетах, по радио сообщили? — спросила мама.

— В понедельник прошло сообщение ТАСС: взрыв небольшой силы, пострадавшим оказана медицинская помощь, ведется расследование.

— А почему меня не допрашивают? Я ж свидетель.

— Рано, ты слабая еще. — Юра погладил ее руку. — Что-нибудь помнишь?

— Конечно. Просто в первые дни говорить было трудно. Наркоз, обезболивающие. Язык заплетался, все время плакать хотелось. Теперь вот очухалась, видишь, полкоридора протопала. — Она помолчала и вдруг притянула к себе Юрину голову, зашептала на ухо:

— Я видела его. Вошел, кажется, на «Курской». Народу прилично, места все заняты, я сидела, держала на коленях пакеты с подарками. Он протиснулся в вагон, встал прямо надо мной, поставил свою здоровенную сумку на пол, возле моих ног. Совсем молодой, лет двадцать. Глаза застывшие, ярко блестят. Губы шевелятся. Одет хорошо, дубленка дорогая, лисья шапка, джинсы. Красивый. Знаешь, бывают такие точеные арабские лица…

— Арабские? — шепотом переспросил Юра.

Она кивнула.

— Когда поезд остановился на «Семеновской», я расслышала, он бормотал: «АШХАДУ АННА ЛИ ИЛАХА ИЛЛА ЛЛАХУ УА МУХАММАДУН РАСУЛУ ЛЛАХИ…»

— «Верю, что нет бога, кроме Аллаха, а Магомет пророк его», — машинально перевел Юра, — он молился?

— Да, как раз было начало шестого, послеобеденная молитва. К «Измайловской» народу поубавилось, он начал пробираться к выходу, а сумку оставил на полу. Я окликнула его, по-арабски: вы сумку забыли. Обернулся, скользнул по мне взглядом, будто ледяным лезвием полоснул. Тут какая-то женщина громко крикнула: «Молодой человек! Сумка!» Он не отреагировал. Застыл у дверей. Поезд выехал из туннеля на улицу. Я встала, подхватила свои пакеты, перешагнула через его сумку и к выходу, в другой конец вагона. Взрыв не помню. Очнулась в «Скорой». Знаешь, я думаю, он хотел оставить сумку и выскочить на «Первомайской», но не успел. — Она поежилась. — Вася, конечно, занят сейчас по горло, ко мне сюда мотаться некогда. Ты сам ему расскажи.

Ночью, на кухне, Вася выслушал Юру, долго мрачно молчал, курил, наконец выругался и тихо отчеканил:

— Сегодня в утренней сводке мелькнула информация, что среди погибших опознан студент ИОН, Амиль аль-Хусейни, двадцать два года. Сводку распечатали, перед совещанием раздали, а там уже никакого Амиля аль-Хусейни нет.

На следующее утро Юра застал у мамы в палате следователя. Пришлось выйти. В коридоре встретил высокого худого доктора.

— Выгнали вас? — Доктор взглянул на часы. — Ладно, идемте, минут десять у меня есть.

Юра давно хотел с ним поговорить, но поймать все не удавалось. Доктор привел его в свой маленький уютный кабинет с цветочными горшками на подоконнике и семейными фотографиями на столе.

— Присаживайтесь. Ну, вот, теперь все действительно хорошо, поводы для беспокойства, конечно, остались, все-таки возраст, но самое страшное уже позади.

— Самое страшное? — переспросил Юра.

Доктор кивнул.

— Осколки повредили бедренную артерию, кровопотеря была серьезная, в «Скорой» остановить не сумели, и у нас не сразу справились.

— Вы сказали, кровопотеря средней тяжести, — напомнил Юра.

— Пожалел вас, вы ж там рыдали, в реанимации, — доктор скупо улыбнулся, — на самом деле Мария Дмитриевна в рубашке родилась. В момент взрыва находилась достаточно далеко от эпицентра. Голова, грудная клетка, брюшная полость не пострадали. Повезло, что к нам привезли, а не в Склиф. Наши сосудистые хирурги лучше. Ну, и кровь ее группы вовремя подоспела...

Юра слушал, механически улыбался, благодарил.

Все эти дни он почти не спал, а если отключался, то снились кошмары про то, что могло случиться с мамой. Кофе пил литрами, очень много курил. В голове постоянно крутились подробности теракта, ни о чем другом думать и говорить не мог, в основном молчал, говорил только с Васей и только о взрывах. В душе образовалась ледяная черная дыра. Она не давала дышать, в ней умирали все внешние впечатления, запахи, звуки, воспоминания. Он физически ощущал эту черноту. В груди было пусто и холодно. Лишь сейчас, в кабинете доктора, чернота начала потихоньку рассеиваться, дышать стало полегче.

— Почему вы так внимательно смотрите на фотографии? — спросил доктор.

— Очень уж серьезный и важный малыш, к такому только на «вы» и по имени-отчеству, — медленно произнес Юра.

Доктор улыбнулся:

— Никита Антонович. Правнук, семь месяцев. А это внучка, Лена, мама Никиты Антоновича.

— Мама? Я думал, сестра. Сколько же ей?

— В апреле будет двадцать. Ушла в декрет со второго курса мединститута.

— Двадцать — возраст солидный. У Лены какое отчество?

— Васильевна. А это ее мама, моя дочка.

— Надежда Семеновна.

Доктор удивленно шевельнул бровями:

— Откуда знаете? Ах, да, я вашей маме рассказывал.

— Муж Надежды Семеновны, наверное, тоже врач? Василий…

Юра ожидал, что доктор опять улыбнется и назовет отчество Василия, но повисла пауза.

— Простите, я, кажется, задал бестактный вопрос.

— Все нормально, не извиняйтесь. — Доктор кашлянул и сухо отчеканил: — Надя не замужем, отчество Лениного отца я не знаю.

Дверь открылась, заглянула сестра:

— Семен Ефимович, там острую коронарную привезли, Алла Михайловна просила вас подойти.

— Да, сейчас, иду.

Юра вместе с ним вышел из кабинета, в коридоре сел на диван между пальмами. Закрыл глаза, прошептал: «Надя, Наденька, Найденыш» — и глубоко вздохнул. Чернота окончательно рассеялась, дыра исчезла. Мысленно он продолжал смотреть на фотографии. Елена Васильевна и Никита Антонович. Дочь и внук Безила Политта, несостоявшегося нелегала, несуществующего англичанина, нереально счастливого человека. Он прожил на свете меньше двух недель. Его нет, а они есть.

Литературно-художественное издание
әдеби-көркем басылым

Полина Дашкова

ГОРЛОВ ТУПИК

Роман

Издан в авторской редакции

Редакционно-издательская группа «Жанровая литература»
Зав. группой *М. Сергеева*
Руководитель направления *Л. Захарова*
Ответственный редактор *Ю. Надточей*
Корректоры *М. Игнатова, Н. Хромова*
Компьютерная верстка *С. Клещёв*

Подписано в печать 30.07.2019 г. Формат 60×90 $^1/_{16}$.
Печать офсетная. Бумага офсетная. Гарнитура Миньон.
Усл. печ. л. 32. Тираж 35 000 экз. Заказ № 5743/19.

ООО «Издательство АСТ»
129085 г. Москва, Звездный бульвар, д. 21, строение 1, комн. 705, пом. 1, 7 этаж
Наш электронный адрес: www.ast.ru
E-mail: zhanry @ast.ru

Произведено в Российской Федерации. Изготовлено в 2019 г.

Общероссийский классификатор продукции
ОК-034-2014 (КПЕС 2008): — 58.11.1 — книги, брошюры печатные

Баспа Аста» деген ООО
129085, г. Мәскеу, Жулдызды гулзар, д. 21, 1 курылым, 705 бөлме, пом. 1, 7-қабат
Біздін электрондык мекенжаймыз : www.ast.ru
E-mail: zhanry @ast.ru
Интернет-магазин: www.book24.kz
Интернет-дүкен: www.book24.kz
Импортер в Республику Казахстан и Представитель по приему претензий в
Республике Казахстан — ТОО РДЦ Алматы, г. Алматы.
Қазақстан Республикасына импорттаушы және
Қазақстан Республикасында наразылықтарды қабылдау
бойынша өкіл -«РДЦ-Алматы» ЖШС, Алматы
к.,Домбровский көш., 3«а», Б литері офис 1. Тел.: 8(727) 2 51 59 90,91 ,
факс: 8 (727) 251 59 92 ішкі 107;
E-mail: RDC-Almaty@eksmo.kz , www.book24.kz Тауар белгісі: «АСТ»
Өндірілген жылы: 2019
Өнімнін жарамдылық; мерзімі шектелмеген.

Отпечатано в соответствии с предоставленными материалами
в ООО "ИПК Парето-Принт", 170546, Тверская область,
Промышленная зона Боровлево-1, комплекс №3А, www.pareto-print.ru

3 1125 01125 0246